LES ALIMENTS
DE L'INTELLIGENCE

JEAN-MARIE BOURRE

LES ALIMENTS
DE L'INTELLIGENCE

ET DU PLAISIR

ÉDITIONS
ODILE JACOB

© Éditions Odile Jacob, mars 2001
15, rue Soufflot, 75005 Paris

www.odilejacob.fr

ISBN : 2-7381-0970-5

Sommaire

Introduction. LE NEURONE GASTRONOME : CUISINE ET SANTÉ 13

Chapitre premier. OBLIGATION BIOLOGIQUE : ÊTRE OMNIVORE 21

L'évolution de la vie : une sélection de carnivores ? 21
Australopithèques, *habilis* puis *sapiens*, 22. – *Sapiens sapiens* ?, 25. – Les
bons crocs de Cro-Magnon, 27. – Du paléo au néo, 30.

Les aliments héréditaires 31
Le cerveau chasseur et cueilleur, 33. – Sélection naturelle puis
culturelle : tout est dans la tête, 35. – Comment le savoir-faire culinaire
était-il transmis ?, 36.

Cuire pour utiliser les nutriments 37
Digeste, car cuisiné. L'œuf gobé : une ineptie nutritionnelle !, 38. –
Cuire : augmenter l'eau et diminuer les nutriments, 40.

Le rythme de la nature : chronobiologie millénaire de l'alimentation .. 41
Le chaos par le grignotage. La forme sans les formes !, 41. – Manger
sans précipitation, 44. – Jeux de mains, jeux de malins. Les jeux vidéo
font moins grossir que la télé !, 45.

Trouver les vitamines : l'omnivorisme obligatoire 46
Synergie, collaboration, efficacité !, 47. – Fragiles, « polluables », donc
indispensables !, 49. – Les produits tripiers, 52. – Les huîtres, 55.

Maître cerveau sur son corps perché : grâce au lait et au fromage ! 58
Le fromage : la monnaie et la santé, le beurre et l'argent du beurre, 58. –
Le lait n'est pas une vacherie ! Les laits « bidons », 59. – L'allaitement, le
cerveau et la taille, 61.

Le besoin : le prix de la nécessité 62
Conseils pratiques : de l'administration à la physiologie, 64. – Classer les
nutriments, densité nutritionnelle et calorique, 66.

Enrichir, supplémenter, complémenter ? 73
Le Gaulois et nous : même biologie, mais activités différentes, 73. – Vous
avez entendu nutraceutique ? Alicament ?, 75.

L'allergie alimentaire : quelle tête sur la peau ? 78

Chapitre II. PAS DE PROBLÈMES DANS LA TÊTE : LES PROTÉINES ANIMALES
ET LES AUTRES 81

Manger des protéines pour faire des protéines............................... 81
    Le bilan de l'azote : pas de protéines en stock, 83. – Omnivore, végéta-
rien, végétalien ?, 85.
Valeur biologique des animaux « d'homestiques »............................ 87
    Assemblage d'acides aminés, 87. – Un acide aminé vous manque, et tout
est désolation alimentaire, 88. – De sages traditions, 89.
Leur digestibilité : combien en manger ?....................................... 90
    Bienfait des grillades, 92.
Prix de la complexité biologique : tuer l'animal pour que l'homme vive   95
    La viande : aliment et tabou, déesse, demi-dieux et Satan !, 97. – Sacri-
fier pour vivre. Quand le bœuf n'est pas mode !, 99.
Protéines végétales : alimentation zoo-illogique............................ 101
Le cerveau commande : combien pour l'exercice musculaire ?.......... 102
    Acides aminés romains et vietnamiens, 104.
Vous en mangez moins que l'administration n'en a décidé 105
Guide pratique : les protéines 106

Chapitre III. CHOISIR LE BON GRAS 109

Chronologie des découvertes : vitamine F, après E......................... 112
Recommandations, conclusions hâtives et statistiques erronées 114
    Quelles prescriptions pour les acides gras, 115. – Quelles huiles choisir ?
Une seule ? Un mélange ?, 117. – Il n'y a pas d'huile plus légère qu'une
autre !, 120. – Et le régime méditerranéen ? Pas seulement l'huile d'olive,
123.
Sans graisses, la vie serait insipide et impossible ! 124
La membrane biologique du neurone : une construction autour des
lipides.. 126
    Les membranes cellulaires : l'identité et la communication, 127. – Une
architecture de lipides et de protéines, 129.
Les grandes familles : le bon gras indispensable............................. 130
    Acide alpha-linolénique : la qualité de la vie, 131. – Les phospholipides
cérébraux d'origine animale : les meilleurs, 133. – Construire le cerveau
des nourrissons, 134. – Du singe à l'homme, grâce aux produits de la
mer, 137.
Coup de cœur pour le poisson 139
    Le poisson le plus gras n'est pas plus maigre que la viande la plus
maigre !, 141. – Les mers : outrageusement polluées ?, 144.
Les maladies cardio-vasculaires ne sont pas toutes dues aux graisses ! 146
    « Cardio-vasculaire » ne signifie pas uniquement athérosclérose !, 148. –
L'infaillibilité n'existe pas : la preuve par la charcuterie !, 150.
Le fameux cholestérol à contrecœur ? 152
    Un partenaire indispensable pour la vie, 152. – S'il bouche, ne pas lui
faire emboucher les trompettes de l'exclusion !, 153. – « Bon » et
« mauvais » cholestérol : séparer le bon grain de l'ivraie, 154. – Mauvaise
plaque : l'athérome, 156.

Chapitre IV. PENSER RAPIDEMENT AVEC LES SUCRES LENTS 159

Quelle « sucritude » ? Les « sucres » sucrés ne sont pas les meilleurs.   160
    D'Alexandre à l'apothicaire, puis à la sweet-nutrition, 160.

Le bon choix : de l'énergie à deux vitesses 162
  Les étapes de la vie. La tête et les pâtes : avec les sucres lents, 163. – Les
  céréales c'est réel : votre corps le sait à chaque repas, 165.
Hypoglycémie, mythe et réalité 166
Guide pratique des sucres (les glucides) 168
La vidange de l'estomac conditionne celle du cerveau. Le TVG 168
  Le bon index, petit mais efficace, 171.
Les graisses font-elles plus grossir que les sucres ? 175
  Un plaisir divin : le chocolat, 175.
Les fibres : « toucher du bois » pour bien digérer ! 177
  Des aliments bien fibrés ?, 178. – Scatologie fonctionnelle et constipa-
  tion, 179. – Prévention de maladies : quelles réalités ?, 181.

Chapitre V. LES VITAMINES : ÉPANOUIR LES NEURONES 185

Vitamine A : voir, entendre et comprendre 189
  Rusé pour bien voir la nuit. Du foie ou des carottes ?, 190.
Ni déprime ni excitation grâce aux vitamines B1, B2 et B3 193
  La vitamine B1 (thiamine) : l'énergie utilisable, 193. – Le cerveau équi-
  libré avec la vitamine B2 (la riboflavine), 197. – Le psychisme serein
  grâce à la niacine (vitamine PP ou B3), 199.
Tout pour les nerfs : l'acide pantothénique (vitamine B5) 202
Bon sang pour le cerveau 203
  Des neurones qui communiquent grâce à la vitamine B6, 203. – Un cer-
  veau bien fait : avec la cobalamine (la vitamine B12), 205.
La force biologique avec la biotine (vitamine H ou B8) 208
Acide folique (vitamine B9) : garder le cerveau dans le crâne ! 209
La vitamine C : flamboyant dans le corps et les neurones 212
  Marins, croisés, chercheurs d'or et défavorisés du troisième millénaire,
  213. – Le tonus à tous les étages : les scores du scorbut, 215. – Les pri-
  mates mieux traités que les humains ?, 217.
Vitamine D : assurer le squelette des neurones ? 219
  Compère du calcium, 220. – Système D : satisfaire les besoins, 221. –
  L'excès qui rend cassant, 223.
Vitamine E : pour que les neurones ne rancissent pas 224
  Perdre ses nerfs ou préserver les bons gras, 226.
Bonifier avec les tanins. Les micronutriments non indispensables 227
  Vin et santé : le cœur net et les artères claires, 227. – Les caroténoïdes,
  230.
Récapitulatif des apports nutritionnels conseillés en vitamines 231

Chapitre VI. LES MINÉRAUX : BÂTIR ET MAINTENIR L'ORGANISME 233

Grâce au fer : un cerveau d'acier bien oxygéné 234
  Pertes et besoins, du fer au salaire, 236. – Performances intellectuelles et
  comportement, 238. – Ferrer les aliments : boudin et steak-option, 241.
Histoire d'iode et de crétins 247
  Besoins en iode et glande thyroïde : hypo et hyper, 249.
Magnésium : lutter contre la crispation des nerfs 253
  Le magnésium dans les aliments, 255.
Le calcium : échafauder le cerveau et le corps 257
  Les besoins réels, 259. – Réalités quotidiennes et bienheureux fromages,
  260. – L'excès qui empierre et casse, 261.

Le phosphore pour phosphorer ? 262
    L'euro du corps : la monnaie énergétique, 262.
Le cuivre : éviter de rétamer l'intelligence 266
    Métabolisme, physiologie, variations non énigmatiques, 267. – Nutri-
    tion, malnutrition et intoxication, 268.
Ne pas travailler du chapeau : le manganèse 269
    Faire court-circuiter le cerveau, 271.
Le zinc : le goût du bon goût, donc une santé d'airain 273
    Galvaniser le corps et l'esprit, 275. – Zinc et grandes fonctions biolo-
    giques, 275.
Des neurones résistants, une intelligence inoxydable grâce au sélénium. 278
    Histoires cavalières : ce n'était pas des sélénites !, 279. – Dans le corps et
    les aliments, 281. – Sans radicaux libres : une vie plus longue et plus
    agréable, 282.
Récapitulatif des apports nutritionnels conseillés pour les minéraux
et les oligo-éléments 286

Chapitre VII. ORGANISER LE CERVEAU POUR QUE LA GASTRONOMIE SOIT
LE HUITIÈME ART 287

Le bon sens : sensibiliser les sens 288
Socialiser les clans de neurones 290
    Organiser pour agir, 290. – Voir et comprendre, 291. – Archaïque mais
    précurseur : le précâblage, 293. – Chaînes de solidarité des neurones,
    295. – La santé au-delà des gènes, 298. – Structurer les plaisirs : l'obliga-
    toire chronobiologie, 299.
La vision 300
    Clinquant mais bon, avant-garde hiérarchique, 301. – Le goût des
    couleurs : l'arc-en-ciel sensuel, 302. – Cordon coloré, rouge ou bleu ?,
    305. – Prendre langue avec les couleurs, 306. – Le savoir faire voir, 308.
La gustation 309
    Les corps sapides, 309. – Triangulation... à 4, 310. – Percuter tous ses
    points exquis, 311.
Le nez pour se sentir au mieux 312
    Les femmes et les hommes : l'agréable discrétion, 315. – Flairer pour
    mieux sentir, 316. – Aromates : l'homme épice la nature, 317. – Mener
    par le bout du nez : l'eau à la bouche !, 318.
Le tact et le contact 319
    Toucher c'est joué, 320. – Allergique. Par fainéantise des mâchoires ?,
    322.
Entendre : craquer en croquant 323

Chapitre VIII. LA NOUVELLE « BIO-DIÉTÉT(H)IQUE » ? 327

Un défi : l'intelligence. Donner du nerf aux neurones 327
Élaborer le cerveau avec les molécules alimentaires : une lignée de
langage 329
    Des atomes au cerveau, 330.
L'un des risques les plus faibles : manger. La preuve par les chiffres ... 332
    Quelles sécurités ? Nutritionnelle, toxicologique ou économique ?, 334.
    – La santé : le coût des aliments, 335. – Échec des mesures autoritaires,
    place à l'information, 337. – Quelles qualités-prix ?, 338.
Dévoyer le principe de précaution : la politique de l'autruche ? 340

Responsable et coupable, à condition de savoir, 342. – Corrélation ou causalité ?, 343.

De l'auroch au bœuf, des millénaires de préjugés et de rumeurs 344
La vache affolante ?, 345. – Résistez à la résistance aux antibiotiques et aux hormones !, 348. – Dioxine : serions-nous roulés dans la farine ?, 350.

OGM : Le danger n'est pas là où on l'attend ! 352

La traçabilité et la valse chaotique des étiquettes 357

Illettrisme alimentaire 358
Obésité galopante, 359. – Le bon vieux tour de taille reste un index de la mauvaise forme !, 361. – Mincir n'est pas maigrir !, 362.

Parler du manger 363
Quand le bagout occulte le goût, 366. – La taille, l'aliment et le cerveau : grandir sans s'abrutir ?, 369.

Le comportement alimentaire 370
La nature humaine, 372. – Le symbolisme personnel et social, 373. – Mal manger rend-il agressif ?, 375.

CONCLUSIONS 377
L'aliment : le centre de gravité, 380. – Nourrir et prévenir, plutôt que guérir, 381. – Chrononutrition : choisir les bons moments pour réussir, 382. – Que faire en pratique ?, 383.

RÉFÉRENCES BIBLIOGRAPHIQUES : LES PAPILLES ÉCLAIRÉES, LES LIVRES QUI FONT RECETTE ! 387

Le neurone gastronome : cuisine et santé

« Dépêchons-nous de succomber à la tentation
avant qu'elle ne s'éloigne. »

ÉPICURE.

Oui, pour votre santé, y compris mentale, vous pouvez, et même devez manger des œufs, des produits tripiers (gloire au foie et aux rognons), des charcuteries (honneur au jambon et au boudin), des fruits de mer (vive les huîtres et les moules), de la viande rouge, du pain, des fromages, des pâtes, des poissons aussi gras – de manière naturelle – que possible (non ! le poisson le plus gras n'est pas plus maigre que la viande la plus maigre). Tous ces trésors doivent être accompagnés de fruits et de légumes variés, assaisonnés obligatoirement avec certaines huiles végétales absolument indispensables ; et agrémentés régulièrement d'un peu – mais pas trop – de bière ou de vin. Oui, vous devez avoir du plaisir en dégustant tous ces aliments ; après qu'ils ont été cuisinés pour enrichir leurs goûts et les rendre plus digestes et plus efficaces. Non, vous ne devez pas vous transformer en herbivore, sauf à compromettre le fonctionnement harmonieux de votre cerveau !

Quel est l'acte le plus sûr, donc le moins dangereux dans votre vie quotidienne ? Manger ! Oui, vous devez exiger que vos élus garantissent la qualité de vos aliments, surtout quand ils sont législateurs. Refusez qu'ils se protègent frileusement sous un principe de précaution dévoyé et vous interdisent la consommation d'aliments pourtant utiles, voire indispensables, sous le seul prétexte qu'ils pourraient être pollués ou fragiles. À coups de mises en garde terrorisées ou d'interdictions fracassantes, il est surprenant que, dans une démocratie, il soit plus facile de frapper l'opinion plutôt que de l'informer. Oui, le bio est formidable... mais à peu près inutile sauf pour le goût ; car le déséquilibre alimentaire causé notamment par le manque de diversité fait courir à votre santé dix mille fois plus de risques bien réels que les toxiques ! Pourquoi vous cache-t-on que l'obésité est en relation avec le niveau socioculturel et scolaire ?

La sécurité alimentaire ne doit pas se cantonner au refus des toxiques et contaminants. La *vraie* sécurité alimentaire consiste à trouver dans les aliments ce qu'ils doivent contenir en éléments nutritifs (dénommés les nutriments) tout en faisant plaisir. Ce principe est vrai pour toutes les populations, qu'elles appartiennent aux mondes pléthoriques ou défavorisés, car toutes sont menacées. La *vraie* sécurité alimentaire consiste à pouvoir accéder à tous les nutriments, dans leur diversité. Alors, quelle stratégie pour le cerveau et son intelligence ? Une bonne alimentation. Quelle tactique pour y parvenir ? Combiner les aliments.

Il y a dix ans, *La Diététique du cerveau* démontrait que les composants des aliments exercent une influence sur la structure et le fonctionnement de cet organe précieux. Depuis, les connaissances scientifiques se sont développées, mais l'information des consommateurs a, quant à elle, quelque peu régressé. Tragique évolution ! Pendant les cinquante dernières années, les consommateurs se sont préoccupés successivement de se nourrir copieusement, puis ils ont été obsédés par la qualité, puis leur tonus les a tourmentés, puis la performance, puis l'équilibre, puis le naturel, et bien d'autres sujets d'intérêt encore. Depuis quelques mois, on choisit les aliments non seulement pour ne pas grossir, mais aussi pour ne pas s'intoxiquer, formidable régression et danger majeur pour la santé ! Restriction calamiteuse, ignorante des besoins du corps et de ses plaisirs !

En matière d'alimentation, la qualité nutritionnelle sera toujours plus payante que le bon prix, et plus efficace que la quantité ; en sachant ce qu'il faut manger et en connaissant ce que l'on absorbe, en dépassant le prêt-à-penser ! Il faut exiger pour soi-même les bons aliments qui valent beaucoup plus qu'ils ne coûtent. Si la santé n'a pas de prix, elle a un coût : celui des aliments. Le prix au plus juste n'est pas le juste prix. Car on ne peut pas se nourrir à moindre coût, ni à moindre goût ! Dans un hamburger à 5 francs, dans du saumon ou du poulet à vingt-cinq francs le kilo, vous n'en avez que pour votre argent, c'est-à-dire pour pas grand-chose ! Je mange donc je vis, je mange bien donc je vis mieux ; je déguste donc je vis encore mieux ; et finalement, je pense mes aliments, car je suis, ou je me donne les moyens d'être.

La révolution du nouveau millénaire est... l'absence de révolution alimentaire. L'avenir vient de loin. Nous devons impérativement

adapter notre vie citadine à la génétique immuable de nos chromosomes de chasseurs-cueilleurs ; l'inverse est impossible, sans risquer
l'obésité, les maladies cardio-vasculaires, quelques cancers, du diabète
et bien d'autres maladies encore ! En effet, notre biologie reste encore
celle de Cro-Magnon : nous sommes adaptés aux aliments que les générations précédentes ont sélectionnés et préparés pour nous. Sachons
les préserver. Tel est le défi des années à venir ! En nutrition, les traditions sont les réformes qui ont réussi ; cette vérité s'apparente au soleil :
vu de face, en plein midi, sa lumière n'éclaire pas, elle aveugle. Selon le
choix des aliments sélectionnés, la médiocrité ou la réussite, le bonheur, l'harmonie et l'intelligence sont dans le verre et l'assiette. De toute
évidence, le résultat optimal de la machine humaine ne peut être atteint
sans les aliments appropriés, absorbés aux bons moments. Savoir
manger, c'est mettre le cerveau le pied à l'étrier. Biologie oblige :
l'homme omnivore doit consommer des produits animaux. C'est le prix
à payer, la seule voie pour maintenir sa complexité biologique. Il doit
absorber et intégrer le savoir-faire d'autres formes de vie, pour assurer
et préserver la sienne. Situé au sommet de la chaîne alimentaire, il doit
assumer cette responsabilité naturelle. S'il a des doutes, c'est dans sa
tête, et non dans sa physiologie !

Vivre, ce n'est plus simplement survivre, c'est profiter, trouver
l'équilibre, réussir et jouir. L'homme, depuis qu'il existe, a mangé pour
ne pas mourir, pour survivre ; comme il en est de tous les êtres vivants.
Depuis une date plus récente, grâce au fruit du travail de son cerveau,
il a entrevu la possibilité d'éviter la maladie en choisissant certains aliments, en affinant leur préparation ou en extrayant leurs succédanés.
Encore plus récemment, l'humanité a découvert que la qualité de ses
aliments faisait celle de sa vie ! Le cerveau est donc la clef de voûte du
système : il perçoit et crée ; mais il doit se nourrir pour bien fonctionner et pour bien commander l'ensemble du corps. Il est le théâtre
de l'intelligence et du plaisir.

Ce cerveau, la construction la plus complexe et la plus mystérieuse
de l'univers, n'en reste pas moins une machine, un organe comme les
autres. Il a donc besoin des aliments pour se construire et se
maintenir ; ils lui sont indispensables pour éviter la déficience. Et, bien
sûr, pour fonctionner harmonieusement. La physiologie de base et les
mécanismes biochimiques fondamentaux sont globalement identiques
dans toutes les cellules de notre corps : les substances nutritives qui
leur sont nécessaires, les nutriments, se trouvent dans les aliments ;
obligatoirement pour nombre d'entre eux, tels les vitamines, les minéraux, les acides aminés et les acides gras indispensables. Mais les spécialisations fonctionnelles des différentes cellules leur font exprimer
des potentialités particulières, ce qui implique des besoins spécifiques
en certains nutriments ; les neurones et les autres cellules du cerveau

n'échappent pas à la règle. Par conséquent, certaines carences alimentaires peuvent altérer le fonctionnement cérébral.

Le cerveau exige de l'énergie, en permanence et sans à coups, jour et nuit. C'est-à-dire du carburant (cent milligrammes par minute de glucose, qui est un sucre particulier) et du comburant (l'oxygène). Au repos, il utilise à lui seul 20 % de l'énergie alimentaire consommée et 20 % de l'oxygène respiré. Chez les enfants, ce chiffre est encore plus élevé, il atteint même 60 % chez les nourrissons ! Or, chez un adulte, ce cerveau ne représente que 2 % du poids du corps. Il consomme donc proportionnellement dix fois plus d'énergie que les autres organes ! Il est donc logique que l'équilibre et l'efficacité de l'intelligence dépendent de la qualité (et de la quantité) de l'énergie alimentaire absorbée ! Trois minutes sans oxygène ou glucose tuent irrémédiablement les neurones ; une réduction de ces substances les empêche de fonctionner au mieux. Le glucose produit dix-huit fois plus d'énergie en présence d'oxygène, qu'en son absence. On n'évite la redoutable hypoglycémie qu'avec des « sucres lents », c'est-à-dire ceux dont la distribution dans l'organisme est lente, mais régulière et efficace, pour la plus grande allégresse du cerveau. La tête fonctionne donc au mieux avec les pâtes. Du pain bénit !

Le cerveau est le fruit d'une extraordinaire construction de cellules. Pour travailler, cette énigmatique machinerie cellulaire exige le concours d'enzymes et de protéines qui remplissent des missions particulières. Elles sont constituées d'acides aminés, dérivés des protéines alimentaires. À leur tour, pour agir, enzymes et protéines ont absolument besoin de vitamines et de minéraux. Les agents de transmission entre nos neurones sont des substances formées, entre autres pour certaines, d'acides aminés indispensables puisés dans les protéines alimentaires. Preuve a contrario de l'effet des aliments sur le cerveau : certaines déficiences génétiques causent des altérations de cet organe, simplement parce que quelques nutriments ne sont pas métabolisés normalement. Tel est le cas d'une maladie systématiquement recherchée à la naissance : la phénylcétonurie. Elle est causée par le métabolisme anormal d'un acide aminé essentiel, le tryptophane.

Non seulement il existe de bonnes graisses, mais certaines sont indispensables ; sans elles, la vie est impossible ! On les a longtemps appelées vitamine F ; on sait aujourd'hui qu'il s'agit d'acides gras polyinsaturés. Car les membranes cellulaires, y compris celles des neurones, sont structurées autour des graisses. Ces édifices formidablement complexes constituent les centres vitaux des communications biologiques, déterminent leur identité et assurent la transmission de l'information électrique et chimique entre cellules. Il est donc logique que le cerveau, phénoménal assemblage de membranes, soit l'organe le plus riche en graisses, juste après... le tissu adipeux. Pourtant, dans le cerveau, elles n'ont aucune destinée énergétique, ni aucun rôle de réserve : elles participent au contraire directement à la complexe architecture des structures, notamment à celle des membranes biologiques des cellules. C'est ainsi que nous pensons avec des corps gras ! Toute forme de vie est constituée de cellules, elles-mêmes définies et compartimentalisées par des membranes biologiques, qui sont des films d'huile dans un milieu liquide, sous forme de bicouche lipidique. De ce fait, la vie est irréalisable en l'absence de graisses ; par impossibilité d'élaboration de membranes biologiques, donc de cellules, donc d'organes, donc d'êtres vivants. Soit dit en passant, un aliment brut à 0 % de matières grasses ne peut pas exister, car il contient obligatoirement des membranes biologiques.

Plus finement, la carence en l'un des acides gras indispensables, l'acide alpha-linolénique, altère la structure et la fonction des membranes, et entraîne de légers dysfonctionnements cérébraux, comme cela a été montré sur les modèles animaux puis chez les nourrissons humains ! Cette carence diminue subtilement la perception du plaisir, en altérant légèrement l'efficacité des organes sensoriels et en affectant certaines structures cérébrales ! Au cours du vieillissement, la baisse de l'audition et de la vue est due tout autant à la diminution de l'efficacité des parties du cerveau concernées, qu'aux perturbations de l'oreille interne ou de la rétine ! Un niveau de perception donné du goût du sucré exige, par exemple, une quantité de sucre plus grande chez ceux qui sont déficients en ce précieux acide gras !

De plus, sans lipides, c'est-à-dire sans graisses (puisque les deux dénominations sont strictement synonymes), notre alimentation serait bien triste, car le goût des aliments riches en protéines est dû en grande partie à celui du gras qui les accompagne.

Certaines vitamines participent très étroitement au fonctionnement des neurones, et des autres cellules cérébrales. Ainsi, la vitamine B1 est formidablement importante pour le cerveau, car elle lui permet l'utilisation du glucose, assurant donc la production d'énergie. Sa carence se traduit par une maladie très grave, dénommée « béribéri », mot qui signifie la double impuissance, cérébrale et nerveuse. Quant à la maladie provoquée par la carence en vitamine B3, elle fut dénommée « mal de la teste », témoignant de son effet psychiatrique ; et, accessoirement, du nom du village où vivaient les malades qui ont suscité la première description de la maladie. Mais, entre la déprime conséquence du défaut de vitamine B1, et l'excitation provoquée par le déficit en B3, le juste équilibre ne peut être trouvé qu'avec la vitamine B2, qui assure l'utilisation harmonieuse des deux autres. Les plus grandes catastrophes alimentaires de l'histoire de l'humanité ont touché deux continents, par carence en deux vitamines : le béribéri en

Asie avec la consommation de riz poli et la pellagre en Amérique du Nord à cause du maïs mal préparé.

Pour ce qui est de la restriction en vitamine B12, elle provoque des symptômes nerveux et psychiatriques. Pendant la grossesse, le déficit en vitamine B9 (l'acide folique) provoque de redoutables anomalies lors de l'élaboration du système nerveux de l'enfant ; chez les personnes âgées, sa carence diminue l'activité intellectuelle. La vitamine E, aidée par le sélénium, protège contre le vieillissement, notamment cérébral. Il serait ainsi possible d'égrener les qualités de toutes les vitamines.

Pour que l'oxygène parvienne au cerveau, il faut qu'il soit transporté par les globules rouges ; afin d'assurer cette fonction, ces petites cellules rondes doivent impérativement contenir suffisamment de fer, puisé obligatoirement dans les aliments. Or, seul le fer des viandes (et des charcuteries, géniales inventions de l'esprit humain) est bien absorbé lors de la digestion, tandis que celui des végétaux, c'est-à-dire celui des épinards de Popeye, s'avère presque inefficace. Nombre de fatigues nerveuses et de maladies qui traînent ne sont que l'expression de la carence en fer ; en France, cela concerne directement une femme sur quatre.

Le zinc participe aux mécanismes de la perception du goût et à l'olfaction : privé de cet oligo-élément, on perd le goût des aliments, et celui de la vie. Un véritable cercle vicieux peut se déclencher, il est hélas fréquent chez les personnes mal nourries ou âgées : la carence en zinc (due, notamment, à la diminution de la part des aliments carnés) entraîne une réduction de l'appréciation du goût. Les aliments, paraissant alors insipides, ne sont donc plus consommés, faute de procurer du plaisir ; ce qui induit une aggravation de la carence ; ainsi s'instaure un véritable cercle vicieux. La restriction en iode rend crétin, terme médical ; le rationnement en magnésium porte sur les nerfs ; trop de manganèse fait délirer, trop peu abrutit ; le déficit en cuivre « rétame » le cerveau. Baudelaire le disait déjà en termes poétique, il l'avait rêvé : « Les révolutions et les événements les plus curieux se passent sous le ciel du crâne, dans le laboratoire étroit et mystérieux du cerveau. »

Le vrai péché est de n'être pas gourmand : la preuve en est apportée par la neurobiologie ! Apprêter les aliments permet leur utilisation plus efficace. La cuisine, simple ou raffinée, n'est donc jamais un luxe, mais une nécessité ; elle constitue le plus beau de nos beaux-arts. « Le goût est le bon sens du génie », affirmait François-René de Chateaubriand. Sur les plans de la culture, de l'esthétique et de l'esprit, ne faut-il pas de l'intelligence pour apprécier justement un petit salé aux lentilles ou encore une omelette aux cèpes de Corrèze ? Surtout, pour savoir manger, il faut l'avoir appris. Le plaisir s'apprend, et donc s'enseigne.

Pour l'intelligence du cerveau, l'agilité du corps et la plénitude de la vie, il n'existe pas de remède miraculeux, mais des principes simples et des méthodes agréables qu'il faut connaître et appliquer régulièrement. Comme on ne peut stocker ni la faim ni la soif, alors le plaisir (plutôt que la corvée alimentaire) se doit d'être quotidien.

CHAPITRE PREMIER

Obligation biologique : être omnivore

L'évolution de la vie : une sélection de carnivores ?

L'origine de la vie remonte à 3,5 milliards d'années, les premiers vertébrés terrestres à quatre cents millions d'années, la lignée humaine (le genre *Homo*) à trois millions d'années. Si l'on en croit les spécialistes, à quelques dizaines de milliers d'années près, cela fait donc tout de même trois mille millénaires que l'homme vit son époustouflante aventure ! Et peut-être même deux fois plus encore, si l'on en croit les découvertes très récentes. Mais, étape fantastique entre Lucy et Cro-Magnon, un subtil échange s'instaura entre les aliments et le cerveau en évolution, c'est-à-dire en croissance. La poussée de cet organe complexe demanda une diversification alimentaire. L'aliment lui permit de se construire ; en retour, étant plus performant, il fut capable de multiplier efficacement les aliments et leurs préparations. Comment se fit donc l'évolution du cerveau humain et son dialogue avec la nourriture ? Comment cet échange réussit-il à épanouir l'intelligence ?

Avant Lucy, les meilleurs étaient omnivores ! Au cours de la majestueuse évolution de la vie, la multiplication et la progression des herbivores ont été contrôlées et dictées par la disponibilité des végétaux qu'ils avaient à la disposition de leurs mandibules. Ils risquaient de se trouver privés de leurs aliments obligatoires à la moindre saute de climat, lors d'une sécheresse inopinée, à l'occasion de pluies diluviennes. Les herbivores ont donc toujours été plus fragilisés par les aléas de l'environnement que les omnivores ; qui, eux, pouvaient s'adapter et se repaître de ce qui tombait sous leurs dents, redoutables outils capables d'arracher, de broyer, d'écraser ! Même avant d'arriver aux grands singes, l'évolution favorisa toujours l'animal omnivore – ou carnivore – quand il y avait le choix entre lui et un congénère végétarien.

Chronologiquement, notre branche s'est séparée de celle des Pongidés (famille des orangs-outangs, dont l'étymologie est « homme sauvage » en langue malaise) il y a 20 à 25 millions d'années ; puis de celle des Panidés (famille des gorilles et chimpanzés), nos plus proches « cousins », voilà 4 à 7 millions d'années. Par l'étude des chromosomes, les généticiens ont révélé notre proche parenté avec le chimpanzé, le dernier ancêtre commun est même daté de 7 millions d'années environ. Notre corps actuel fonctionne globalement avec leur physiologie et leur biochimie, mais leurs aliments nous sont devenus beaucoup trop rudimentaires ; bien que le chimpanzé se nourrisse d'aliments variés, fruits, jeunes feuilles, insectes et mammifères.

AUSTRALOPITHÈQUES, *HABILIS* PUIS *SAPIENS*

S'étendant d'est en ouest, de l'Atlantique à l'océan Indien, une grande faille tectonique se forma, parallèlement à l'océan Indien ; elle fut récemment dénommée la Rift Valley. Le relèvement de ses bords, avec la création d'une barrière montagneuse, aurait profondément perturbé le régime des pluies sur la bande de terre longeant l'océan Indien ; c'est-à-dire l'est du continent. À l'ouest de la faille, les conditions climatiques seraient restées inchangées, et les animaux n'auraient pas été obligés de modifier leurs conditions de vie. Les primates, vivant dans un environnement maintenu humide et boisé, auraient donc continué à mener une vie mi-terrestre mi-arboricole ; ils seraient les ancêtres des gorilles et des chimpanzés.

À l'opposé, à l'est de la faille, la forêt diminua et l'environnement se dégagea. Les primates de ces lieux auraient été condamnés à s'adapter, en stimulant leur cerveau pour pouvoir survivre dans un environnement hostile, de plus en plus sec et déboisé ; ils seraient ainsi devenus des Australopithèques. Telle est du moins la fort séduisante hypothèse d'Yves Coppens, la seule actuellement capable d'expliquer l'absence de découverte de fragments osseux attribuables à un ancêtre de chimpanzé ou de gorille parmi les centaines de milliers d'ossements de vertébrés découverts à l'est de la Rift Valley ; cependant un chercheur a découvert un fragment de mandibule d'enfant préhumain à l'ouest, la théorie ne fait donc plus totalement l'unanimité !

Plus tard, beaucoup plus tard, l'une des extrémités de la faille de la Rift Valley, allant du cours inférieur du Zambèze à la vallée du Jourdain, allait devenir le berceau spirituel de l'humanité moderne, le lieu de naissance des trois principales religions monothéistes.

Le Paléolithique, de par sa définition chronologique, débute au moment même où un homme, guidé par son cerveau, tailla intentionnellement une pierre pour la première fois. La puissance de l'outil lui donna des perspectives nouvelles : l'instrument lui permit de chasser plus efficacement et de mieux se nourrir, de se protéger. Par conséquent, la vie sociale de cette époque trouve son socle sur la chasse et la pêche, la cueillette ; mais il s'agit toujours de l'exploitation des ressources spontanées de la nature.

Les Australopithèques graciles (ou *Australopithecus africanus*) ont vécu entre 3 et 1,2 millions d'années avant nous. La fourchette est large, car d'importants décalages chronologiques sont probables selon les continents. Ainsi, en Afrique, le Paléolithique inférieur commence 1 million d'années plus tôt qu'en Europe. Ces Autralopithèques avaient une forme de vie communautaire proche de celle des grands singes. Ils mesuraient environ 1,25 m. Sur le plan de l'anatomie générale, l'organisation globale de leur cerveau s'apparentait à celle de l'homme actuel, mais son volume était très réduit (environ 400 cm^3, au lieu de 1 400 actuellement). Ils possédaient une mâchoire forte, agrémentée non seulement d'une puissante musculature mais aussi d'une infrastructure osseuse résistante, ce qui révèle une bonne adaptation à la raréfaction de la végétation. Ils savaient faire quelques outils de pierre très rudimentaires, simples galets qu'ils taillaient sur un ou deux côtés pour en dégager un tranchant. Ce sont eux les véritables concepteurs des premiers outils de pierre taillée, ils ont transmis leur savoir-faire de génération en génération, en l'améliorant petit à petit. Ils pouvaient ainsi manger du petit gibier, mais n'étaient pas encore suffisamment équipés pour la chasse aux gros animaux. Ils devaient concurrencer les hyènes, et se nourrir régulièrement des restes de gros prédateurs, c'est-à-dire de charognes ; car ils ne connaissaient pas encore le feu et ne mangeaient que de la viande crue. Ils utilisaient une alimentation variée, végétale et carnée.

À côté des Australopithèques se sont individualisés les *Australopithecus boisei* présents en Afrique de l'Est entre 2,2 millions et 1 million d'années avant nous et l'*Australopithecus robustus*, qui apparaît en Afrique du Sud, il y a 2 millions d'années pour disparaître entre 0,5 et 1 million d'années plus tard. Ils atteignaient parfois 1,50 m, les caractéristiques de leur denture indiquent qu'ils s'étaient spécialisés dans la consommation de racines, bulbes et tubercules. Cette hyperspécialisation n'est sans doute pas étrangère à la cause de leur extinction ; mais, heureusement pour nous, leurs cousins ont survécu et progressé, graciles mais omnivores, plus intelligents.

Enfant des Australopithèques graciles, *Homo habilis*, le plus ancien représentant du genre *Homo*, apparaît il y a environ deux millions d'années en Afrique orientale ; « *Homo* » ne prend qu'une seule lettre « m », car il fut découvert en Éthiopie, dans la vallée de l'Homo, ce qui peut faire croire à un curieux jeu de mots, un double sens, selon que le mot s'écrive avec un seul ou bien deux « m »... Sa capacité crânienne était d'environ 800 cm³, sa taille demeurait restreinte (de 1,30 à 1,40 m) ; mais le développement spectaculaire de son crâne – et de son cerveau – conduit à le classer dans le genre *Homo*. Comment cohabita-t-il avec les Australopithèques ? Mystère ! Car, pendant plus d'un million d'années, deux types d'Hominidés Australopithèques et *Homo habilis* ont coexisté, l'un plutôt végétarien et l'autre omnivore ; pacifiquement semble-t-il, mais seul l'omnivorisme a sans doute permis au deuxième de continuer son aventure. Bipède, sa marche était grossièrement semblable à la nôtre ; en tout état de cause il n'utilisait pas ses membres antérieurs dans la locomotion. Il était omnivore : ses habitats recèlent des traces de fruits, comme le raisin sauvage ou le fruit du micocoulier, mais aussi des ossements variés d'espèces animales différentes.

Inventeurs d'un outillage plus perfectionné, ils chassent le petit gibier et se contentent, eux aussi, de ramasser les restes de gros animaux abandonnés par d'autres prédateurs. L'examen de leur production d'outils montre qu'ils étaient à la recherche d'un perfectionnement technique, auquel s'ajoutait une recherche esthétique, comme l'illustre la symétrie parfaite ou la couleur particulière de certains outils. Ils avaient peut-être aussi un langage rudimentaire.

De *habilis*, l'homme devint *erectus*. La stature d'*Homo erectus* est comparable à celle de l'homme moderne tandis que sa capacité crânienne varie de 800 à plus de 1 200 cm³. La forme générale de sa face robuste sinon massive ne diffère pas énormément de la nôtre, bien que prognathe (ses maxillaires sont en avant). Il se distingue de ses prédécesseurs et de ses successeurs, les *Homo sapiens*, par l'extraordinaire épaisseur de ses os. Ses innovations techniques démontrent une organisation intelligente du travail, ainsi que l'utilisation probable d'un langage articulé très rudimentaire. *Homo erectus* façonne des outils de plus en plus élaborés, dont le biface. De cinq cent mille à cent quatre-vingt mille ans, il met progressivement au point une technique de taille efficace, pour obtenir un ou plusieurs éclats, lames ou pointes de formes prédéterminées et destinées à une activité spécifique. L'homme invente ainsi la fabrication en série et l'élaboration sur mesure. Sa grande avancée est la maîtrise du feu, il y a environ quatre cent mille ans. Vers cette époque, il organise ses premiers campements (à Terra Amata et dans la grotte du Lazaret, par exemple).

Rapidement, il découvre des techniques de chasse de plus en plus complexes et diversifiées. Logiquement, il a d'abord chassé le petit gibier. Puis, avec le développement de son intelligence, ses inventions et sa témérité réfléchie lui permettent de débusquer des animaux de plus en plus grands, donc apportant beaucoup plus de nourriture d'un seul coup magistral de lance ou de jet de pierre sinon de flèche, mais aussi plus dangereux. Au début, il choisit peu et abat ce qui vient à sa portée ; mais il réalise rapidement que certains animaux, à certaines périodes, présentent l'avantage d'être plus gras.

La fin du Paléolithique inférieur coïncide, à peu près, avec la fin de l'*Homo erectus* ; elle est contemporaine de l'apparition de l'*Homo sapiens*, pour qui la chasse volontaire et sélective au gros gibier est devenue courante. Pour quelques spécialistes, l'évolution vers le *sapiens* se serait effectuée simultanément dans plusieurs régions du monde, en Chine, en Asie du Sud-Est, en Afrique orientale et en Afrique du Sud, mais à des rythmes différents. La première diversification humaine se serait produite, il y a un million d'années, peut-être avant, sans aboutir cependant à l'apparition d'espèces séparées, probablement parce que le flux génétique entre populations (appellation pudique, et politiquement correcte, du rapt des femmes des voisins !) n'a jamais été totalement interrompu et a permis de maintenir l'unité de l'espèce. Cette théorie, minoritaire chez les spécialistes, a retrouvé un regain d'intérêt avec la découverte récente, en Australie, de fragments de la mandibule d'un enfant.

Sur le devant de la scène, cette thèse de l'évolution multirégionale de l'homme est confrontée à celle de l'origine strictement africaine de l'homme moderne. Les *Homo erectus* se seraient éteints il y a cinq cent à deux cent mille ans, sauf dans deux régions : en Europe, où ils se seraient transformés en un *Homo sapiens* particulier, l'homme de Néandertal, et en Afrique de l'Est, où ils auraient donné naissance à l'homme tel que nous le connaissons aujourd'hui, l'*Homo sapiens sapiens*. En effet, selon les données génétiques, la différenciation entre les hommes actuels ne semble pas remonter à plus de cent à deux cent mille ans, ce qui rend improbable le surgissement très ancien d'hommes modernes en différents points de la planète, à partir de rameaux d'*Homo erectus* déjà différenciés.

SAPIENS SAPIENS ?

Les deux types humains – *Homo sapiens sapiens* et *sapiens neanderthalensis* – ont cohabité pacifiquement, en partageant les mêmes lieux et sans doute des cultures peu différentes ; mais sans se métisser, semble-t-il. Il est possible que ces hommes, vivant ensemble pendant plusieurs dizaines de millénaires, n'aient pas été interféconds. Si c'était le cas, il ne s'agirait pas de la même espèce !

Les différences entre l'homme actuel et celui qui commence à apparaître il y a cent mille ans, quelque part en Afrique de l'Est ou au Proche-Orient, ne seraient pas plus importantes que celles que l'on peut actuellement observer entre un Asiatique, un Africain et un Européen par exemple. On pourrait donc considérer ce premier homme moderne comme faisant partie de l'humanité actuelle. Il a conquis l'ensemble de la planète, pour peupler de nouveaux continents, tels que l'Australie il y a plus de quarante mille ans et le continent américain au moins vingt mille ans.

Le Paléolithique supérieur est le témoin des étapes les plus importantes. Il y a environ quarante mille ans, les changements sont suffisamment multiples et radicaux pour affirmer qu'un nouveau niveau de civilisation a été franchi. Habile de ses mains, doué d'un cerveau complexe et d'une intelligence inventive, assuré d'une mémoire efficace, l'homme devient un technicien unique dans le monde de la création planétaire terrestre. Ses innovations techniques sont nombreuses, telle la modification de la taille du silex, pour produire un grand nombre de lames régulières et standardisées à partir d'un même bloc. Alors que les Moustériens du Paléolithique moyen n'avaient, à leur disposition, qu'une soixantaine de types d'outils en pierre, les hommes du Paléolithique supérieur en ont plus de deux cents ; sans compter leur capacité à utiliser un même outil pour plusieurs usages, ce qui révèle une grande ingéniosité. Ils découvrent la manière de façonner l'os, l'ivoire et les bois de cervidés, inventent des outils inédits comme les aiguilles à chas. Ils créent de nouvelles armes comme les sagaies, les propulseurs et les harpons ; d'où un élargissement de la palette de leurs viandes, aériennes et terrestres, et l'augmentation des variétés ainsi que des quantités de poissons petits et gros.

Depuis lors, le paysage n'est plus le même : chasseur, pêcheur, collecteur comme ses prédécesseurs, cet homme formidablement créatif, au point de l'appeler déjà « moderne », va se révéler particulièrement ingénieux et novateur dans de multiples domaines, y compris celui de son alimentation. Les hommes de l'époque ramassaient certainement des pierres, des fossiles ou des coquillages dont la forme ou peut-être la couleur avaient retenu leur attention ; ils les ramenaient dans leurs habitations. Ce geste constitue au minimum le signe d'un intérêt pour les curiosités et les bizarreries de la nature. Ils gravaient aussi parfois des traits sur des os, avec de l'ocre rouge naturelle. Les premières manifestations artistiques indiscutables sont le fait de l'*Homo sapiens sapiens* et datent d'il y a environ 35 000 ans.

Toutes ces innovations, tout particulièrement culturelles, sont les signes d'une nouvelle conception des rapports que l'homme entretient avec la nature et son environnement. La vie nomade s'organise, elle devient même saisonnière au rythme de la disponibilité des aliments ; certaines activités dont le but pratique n'est pas simplement de survivre se font jour, de réelles manifestations artistiques apparaissent, s'amplifient, se complexifient. Point important : la vie communautaire s'organise, s'enrichit et invente les spécialisations dans les tâches quotidiennes selon l'âge et le sexe. L'aménagement social permet une division du travail, qui devient ainsi plus efficace et plus productif, il prend en compte les capacités physiques et les compétences intellectuelles de chacun. Ainsi, ont pu s'exprimer les artisans de la matière comme les peintres des grottes. Ils inventent l'éclairage portatif. Bien mieux, l'homme participe à une société aux règles codifiées, marquée déjà par une certaine forme d'exogamie et par l'appropriation de territoires aux frontières définies. Il invente très probablement des recettes culinaires. Beaucoup plus fréquemment qu'au Paléolithique moyen, les morts sont enterrés selon des rites élaborés, parfois complexes.

Point d'orgue, il y a trente mille ans (comme le montre le sanctuaire de la Combe d'Arc en Ardèche), un art réel, fascinant, chargé de symboles est né ; exprimant les conceptions religieuses des grands chasseurs. Le Paléolithique supérieur dure peu de temps, puisqu'il ne s'étend environ que de quarante mille jusqu'à onze mille ans, ce qui est peu à l'échelle de l'histoire globale de l'humanité. Cette période est relativement homogène, car, malgré quelques variations, le mode de vie des chasseurs-cueilleurs pratiquant un nomadisme saisonnier ne semble pas avoir radicalement changé.

Nos ancêtres ont quarante mille ans, ils pourraient figurer honorablement dans le métro, s'ils ressuscitaient ; ils pourraient sans doute s'y adapter. Provocation ? Non, car la preuve existe. En effet, il se trouve encore, sur certains coins obscurs de la terre, des hommes qui vivent à l'âge de pierre, en particulier en Nouvelle-Guinée. Un prix Nobel (qui découvrit d'ailleurs chez eux le fameux kuru, dont on parle beaucoup avec la dingue histoire de la vache folle), adopta et ramena chez lui aux États-Unis, des nourrissons et des enfants nés dans ces contrées reculées. Or, force est de constater que les nouveau-nés se sont parfaitement adaptés à la civilisation moderne, à l'ordinateur (quelle formidable interrogation : Cro-Magnon avait déjà un cerveau capable de faire fonctionner un microprocesseur !). En revanche, les enfants d'un an ont eu de grosses difficultés, ceux de deux ans ne se sont pas adaptés, les adolescents sont devenus fous.

LES BONS CROCS DE CRO-MAGNON

Le type classique de l'homme de Cro-Magnon a vécu il y a 50 000 à 35 000 ans, au début du Paléolithique supérieur, en Europe occidentale. Il doit son nom à l'abri de Cro-Magnon, en Dordogne, dans lequel a été découverte, en 1868, une sépulture collective contenant les restes de cinq individus ; elle témoigne de l'existence de rites funéraires et même de pensées religieuses. Il s'agissait de trois hommes, une femme et un enfant ; tous très grands (1,80 m pour les hommes, 1,66 m pour la femme), dotés d'un squelette robuste, d'une puissante musculature et de jambes plus développées que les nôtres. Leur morphologie était adaptée à un mode de vie de chasseurs de grand gibier, contraints à de longues marches en terrain accidenté. Leur volume cérébral était équivalent au nôtre, voire supérieur pour certains individus.

Les hommes s'acclimatèrent alors à leur environnement changeant. Au rythme des saisons, pour mieux se nourrir, ils adoptèrent des circuits nomadiques et réoccupèrent ainsi plusieurs fois les mêmes habitats, adaptés aux variations climatiques, et surtout à la présence de végétaux ou d'animaux. Par ailleurs, ils amélioraient leurs techniques de recherche des aliments, et ne chassaient plus simplement au hasard des rencontres ; leurs proies faisaient de plus en plus l'objet d'une sélection. Les chasseurs de bisons abattaient par exemple les mâles au printemps, beaucoup plus gras que les femelles, épuisées par la gestation ou l'allaitement. De nombreux témoignages ethnographiques montrent que, s'il avait le choix, le chasseur préférait la viande riche en graisse à la viande maigre.

Les derniers représentants du Paléolithique, les Magdaléniens, évoluèrent il y a dix mille ans, pour accompagner une transformation des conditions climatiques qui devinrent tempérées, modifiant la flore et la faune. Ils inaugurent une époque nouvelle qui engendrera l'agriculture et l'élevage. De nomade occasionnellement sédentarisé, l'homme devint paysan, maîtrisant la nature et la transformant à sa guise, avec plus ou moins de difficultés ; il entra de plain-pied dans le monde historique, même si l'écriture lui faisait encore un temps défaut, à ce stade de son évolution.

Toujours à la recherche d'aliments plus variés, mais aussi en quête d'un incontestable prestige auprès des femmes, acquis grâce à la difficile et glorieuse capture des gibiers, les hommes diversifièrent les techniques de chasse, au point de les adapter à chaque espèce animale avec des armes appropriées. Les vrais menus variés datent de cette époque. Les gibiers de prédilection étaient alors le renne et le cheval. Leur taille moyenne en faisait des proies relativement faciles, et leur vie en troupeau garantissait une prise certaine dès l'instant qu'un groupe d'animaux était repéré. De plus les rennes empruntant fréquemment les mêmes routes de migration, le choix des sites d'affût s'en trouvait facilité.

Dans les régions escarpées ou montagneuses, les chasseurs se tournaient vers les troupeaux de bouquetins ou de chamois. Les grands herbivores étaient moins souvent chassés, ou peut-être plus difficilement tués. L'auroch était sûrement un animal particulièrement redoutable par sa masse et son agressivité ; il bénéficiait d'un grand prestige, ce qu'attestent les grands mâles de cinq mètres de long peints sur les parois de la grotte de Lascaux. De telles peintures ont été imitées d'ailleurs plus tard par les civilisations de la Méditerranée antique qui ont connu cet animal. Les chasseurs s'attaquaient parfois aux troupeaux de bisons. Outre la viande, la moelle osseuse et d'autres parties comestibles comme la langue et la panse, ils utilisaient la presque totalité de l'animal pour de nombreuses productions artisanales, note Sophie de Beaune.

La ration carnée procurée par les grands mammifères était complétée par du menu gibier (les ancêtres des lièvres et des lapins), des oiseaux, éventuellement des produits de la mer. La vie s'organisait autour de l'approvisionnement : chaque campement se spécialisait plus ou moins dans la chasse d'un gibier bien déterminé. À la grotte des Églises, outre leurs copieux plats quotidiens de bouquetins, les Magdaléniens consommaient du lagopède (actuellement ce serait par exemple des gélinottes ou des grouses, alias coqs de bruyère) et des poissons ; il s'agissait de truites et surtout de saumons longs parfois d'un mètre, pêchés dans la rivière qui coulait en contrebas. À l'exception de quelques-uns, pêchés en pleine période estivale, la grande majorité de ces poissons était capturée au début du cycle hivernal.

L'alimentation carnée des hommes de l'époque se trouvait complétée avec des plantes sauvages, des graines et des fruits. Aucun végétal ne pouvait fournir les provisions suffisantes pour l'hiver, mais certains constituaient un appoint intéressant à la belle saison. Les hommes savaient sélectionner et cueillir plusieurs sortes de baies sauvages, telles que myrtilles et groseilles. Les groseilles étaient consommées à Lascaux, les Magdaléniens d'El Juyo cueillaient les mûres et les framboises.

Malgré les études les plus poussées, on ignore encore sous quelle forme et comment certains aliments étaient consommés. Ainsi, on a retrouvé des œufs écrasés sur le sol à Pincevent, ils avaient sans doute été cuits, comme à Hauterive-Champréveyres, ou été cassés aux abords d'un foyer contenant des galets chauffés ; à moins que, déjà, ils ne soient entrés dans la composition d'un plat élaboré. Nos ancêtres avaient-ils compris que la valeur alimentaire de l'œuf cuit est nettement supérieure à celle de l'œuf cru, gobé ? C'est probable.

Les végétaux étaient consommés crus et cuits, mais comment étaient-ils préparés ? Ces hommes étaient-ils amateurs de quelques boissons ancêtres de la bière, du vin et d'autres liquides fermentés, par exemple à base de maïs (au moins pour ceux qui vivaient en Amérique) ou de pomme de terre (pour les mêmes, car elle n'avait pas encore traversé l'Atlantique). Il n'est pas prouvé que les hommes des périodes paléolithiques aient su fermenter certains de leurs aliments ; mais la tâche pour démontrer cette preuve n'est pas insurmontable : des analyses de chercheurs pourront peut-être mettre un jour en évidence la présence de micro-organismes responsables de cette fermentation. Toutefois, la présence d'ustensiles domestiques (des mortiers, des broyeurs et des meules) atteste que des végétaux sauvages étaient moulus et broyés, il s'agissait alors de tubercules, glands, fruits à coquille dure ou graminées.

Les Magdaléniens, comme ceux de Pincevent, ne semblent guère avoir souffert de malnutrition. Groupés à raison d'une quinzaine dans chaque habitation, ils y consommaient quarante rennes en quatre ou cinq mois, ce qui représente une moyenne d'environ six cents grammes de viande par jour et par personne, sans compter les lièvres, les oiseaux et les poissons, les végétaux avec leurs feuilles, tiges, fruits et écorces. Quoique le régal de la viande ait pu être intermittent, il devait être tout à fait suffisant pour vivre. Cependant, on ignore où ces Magdaléniens passaient l'hiver et le printemps ; il est donc possible qu'ils aient été soumis à des périodes de déficience alimentaire.

Les chasseurs du Paléolithique devaient sans doute présenter des carences alimentaires à la fin de l'hiver. Pour y remédier, ils sélectionnaient le gibier le plus gras, les mâles de préférence aux femelles chez les ongulés au printemps, ou bien ils recherchaient d'autres animaux dont les réserves de graisse sont élevées au printemps, comme le castor ou le gibier d'eau. Ils pouvaient également choisir de n'utiliser que les morceaux de viande et les os à moelle contenant encore de la graisse. On a trouvé, par exemple, à l'abri du Flageolet, des os fracturés de membres inférieurs de divers animaux, ce qui confirme l'hypothèse de manière éclatante.

Une autre solution, invention de la silhouette accordéon avant l'heure, consistait à emmagasiner des réserves de graisse avant l'hiver et donc à s'engraisser en période d'abondance, mais aucune preuve de cette pratique n'existe pour le Paléolithique. Enfin, pendant l'été et l'automne, les groupes humains pouvaient mettre des provisions de côté pour l'hiver. Il était ainsi possible de stocker de la viande séchée, de la graisse, des graines et peut-être certaines plantes sauvages. Le choix des réserves devait alors se porter sur des denrées alimentaires riches en graisse ou en glucides. Mais il n'est pas certain que les réserves d'automne aient été suffisantes pour durer jusqu'à la fin du printemps.

DU PALÉO AU NÉO

Non pas conséquence de la croissance du cerveau, mais plutôt fruit du perfectionnement de son utilisation et d'une intelligence plus vive, environ dix mille ans avant notre ère, lors du Néolithique, se produit la transformation économique considérée comme la plus profonde depuis l'origine de l'être humain. En inventant l'agriculture et l'élevage, l'homme cesse d'être un prédateur soumis aux aléas. D'autres innovations techniques accompagnent cette mutation, telles que la céramique, le polissage de la pierre, le tissage et la vannerie. Il stocke de la viande d'autant plus facilement qu'elle reste fraîche, puisque élevée sur pied, c'est-à-dire vivante ; il conserve les aliments dans des récipients.

C'est ainsi que, de nomade, l'homme devient sédentaire. À superficie égale, une terre cultivée peut nourrir vingt fois plus d'hommes que la chasse. Cette observation explique l'explosion démographique du Néolithique, l'apparition des premières maisons, des premiers villages puis des premières cités. Cette mutation s'est produite en plusieurs endroits du monde en moins de deux millénaires. Le plus ancien foyer d'invention de l'agriculture et de l'élevage, daté d'environ dix mille ans, se trouve au Moyen-Orient, dans le croissant fertile. Puis le Néolithique a mis plusieurs millénaires à se diffuser en Europe, gagnant d'abord les régions côtières, enfin l'intérieur des terres.

Progrès technologique majeur, il y a environ quatre mille ans, l'homme invente la métallurgie. Débute alors la Protohistoire qui correspond aux trois âges des métaux : du cuivre (ou Chalcolithique), du bronze et du fer. Les immenses progrès techniques ont été alors accompagnés de bouleversements d'ordre social, qui ne sont pas encore achevés... L'aventure de l'« organe-cerveau » est peut-être terminée, mais nombre de ses géniales inventions restent encore à faire, elles seront l'œuvre des générations futures !

Finalement, existe-t-il encore un aliment ayant préservé la pureté originelle ? Non, car depuis 25 000 ans, l'homme n'a cessé de bricoler les plantes et les animaux pour évidemment satisfaire ses besoins, mais aussi pour assouvir ses envies et ses rêves !

Les aliments héréditaires

Il est relativement difficile de décrire avec précision ce que mangeaient nos ancêtres. Car, malheureusement, par définition, il n'existe pas de textes datant de la préhistoire ; les seules reconstitutions possibles reposent sur la documentation archéologique, qui n'est que très parcellaire. Mais, pour connaître le menu des festins de nos ancêtres, elle est précieuse et parfois prolixe : d'après les ossements restants, les résidus des foyers nous renseignent sur la nature des viandes consommées, leur origine et leur quantité ; le microscope identifie les graines et les plantes qui accompagnaient les repas. Mais pratiquement aucun matériel ne nous est parvenu, car toutes les matières organiques périssables – peaux, cuirs, bois, végétaux divers – ont disparu.

Il n'en reste pas moins hautement probable que l'*Homo sapiens* mangeait pour moitié des végétaux, et pour moitié des produits animaux. Ses successeurs, sédentaires et cultivateurs, ont négligé pendant un temps les viandes... ce qui leur a fait perdre plusieurs centimètres de taille, qu'ils ont recouvrés dès que les aliments carnés ont repris leur place légitime dans les repas. Actuellement, nous avons retrouvé la stature de Cro-Magnon ! Mais, par rapport à la nôtre, la viande de Cro-Magnon était de composition différente, surtout en ce qui concerne la nature et la quantité de graisses.

Estimation des apports d'une alimentation paléolithique tardive
pour 3 000 kcal quotidiennes, avec 35 % de viandes
et 65 % de végétaux :

	g
Protéines	251
animales	190
végétales	60
Graisses	71
animales	30
végétales	41
Glucides	334
Fibres	46
	mg
Cholestérol	590
Sodium	690
Calcium	1 600
Vitamine C	390

(D'après Eaton, 1985)

Dans ce tableau, le calcul approximatif de l'absorption de cholestérol ne repose que sur celui qui était trouvé dans les viandes, mais ignore la consommation d'œufs, qui devait certainement être appréciable. D'autre part, bien évidemment, une ration aussi importante de calcium explique pourquoi les os de nos « ancêtres » semblent particulièrement solides, d'autant que cette estimation ne retient que le calcium issu des viandes et des végétaux, sans prendre en compte la consommation de lait, qui n'était sûrement pas négligeable. L'apport en fer et en minéraux était assuré, en particulier, par les produits tripiers et les viandes. Même avec 35 % d'aliments sous forme de viande, les trois quarts des protéines absorbées étaient d'origine animale, c'est-à-dire d'excellente qualité.

Les hommes du Paléolithique supérieur ne semblent pas avoir souffert de carences majeures. Leurs aliments ne manquaient pas de vitamines, de sels minéraux, ni en particulier de fluor et de calcium, comme l'attestent l'absence de caries, le manque de traces d'ostéoporose et la robustesse de leurs squelettes. Ils ne souffraient pas, non plus, de rachitisme et n'avaient donc pas de déficit en vitamine D, qu'ils trouvaient notamment dans le poisson. Il se pourrait même, à en croire certains nutritionnistes, qu'ils aient eu une alimentation plus équilibrée que la nôtre. En tout état de cause, elle leur était adaptée.

La comparaison avec l'alimentation américaine actuelle conduit à de consternantes constatations :

	Paléolithique	Américain actuel
Énergie :		
protéines	34	12
glucides	45	46
graisses	21	42
Poly/satu	1,4	0,3
Fibres	46	19
Sodium	690	2300-6900
Calcium	1 600	740
Vitamine C	390	87

(D'après Eaton, 1985.) Poly : graisses poly-insaturées ; satu : graisses saturées.

Facteurs aggravant dans ce déséquilibre entre l'alimentation actuelle et celle du Paléolithique, les glucides sont actuellement majoritairement ceux ayant une distribution rapide, alors qu'il les faudrait à distribution lente ; les graisses sont majoritairement saturées, les protéines végétales prennent le pas sur celles d'origine animale !

LE CERVEAU CHASSEUR ET CUEILLEUR

Dès son apparition sur terre, l'homme a dû acquérir non pas une science mais au moins une prescience, c'est-à-dire une connaissance empirique des aliments. Son cerveau était constamment sollicité pour choisir des aliments les moins nuisibles sinon les meilleurs et les plus efficaces ! Leur sélection et leur préparation ont valu de multiples souffrances, d'innombrables morts. Discriminer l'utile et le nuisible fut un long calvaire. Aujourd'hui, nous nous devons d'être respectueux des fruits de cette recherche, dont nous sommes les héritiers. Car, dans la forêt, tropicale ou non, la quête de la nourriture n'est pas aussi facile qu'il y paraît au premier abord. Comme les plantes ne peuvent pas fuir, elles ont « inventé » des tactiques de défense. Ainsi, elles synthétisent un grand nombre de produits chimiques qui les protègent par leur toxicité redoutable ou par leur goût épouvantable (les tanins, les alcaloïdes, les terpénoïdes). De plus, les végétaux sont entourés et protégés par une paroi fibreuse qui leur confère leur forme, leur résistance et leur protection ; mais cette paroi n'est pas digérée par les « sucs » intestinaux. Avaler un grain de maïs entier n'apporte strictement rien : il est intégralement rejeté. Sélectionner et manger des végétaux n'a donc pas été plus simple – ni plus délicieux ou plus facile – que de se délecter de viande.

Le choix du gibier, terrestre, aérien ou aquatique, est donc judicieux pour de multiples raisons. D'abord, sur le plan de la sécurité, les toxiques y sont exceptionnels, du moins dans la viande fraîche ; alors qu'ils sont fréquents et redoutables dans une multitude de végétaux.

Ensuite, chasser des petits animaux, tout comme grappiller des graines, est une tâche longue et fastidieuse : pour un seul kilo de lentilles il faut... plus de cent mille lentilles, ce qui suppose un ramassage astreignant, bien répétitif ; quelques milliers de fourmis représentent le poids d'un mulot, plusieurs dizaines de mulots celui d'un renne. L'homme a fait rapidement le choix de l'efficacité : il a préféré le renne, tout au moins quand il se présentait à sa portée...

Les bénéfices liés à la mémorisation de la nature et de la diversité des aliments ont donc probablement sélectionné les individus munis d'un plus grand cerveau, capable d'emmagasiner plus d'informations, ne serait-ce que précisément sur ces aliments ; notamment pour ce qui concerne leurs variétés et leur emplacement, les techniques de chasse appropriées ; puis de leur élevage et de leur culture. L'utilisation d'aptitudes cognitives accrues pour résoudre des problèmes alimentaires nouveaux a certainement contribué à la pérennité et au progrès de l'humanité. La sélection d'un grand cerveau et d'une dentition réduite infère le choix minutieux d'aliments bénéficiant d'une haute valeur nutritive, et montre que la meilleure solution comportementale reste la sélection de denrées de qualité.

Les premiers humains travaillaient leur nourriture pour en éliminer les parties dures et indigestes... les premiers outils ont joué ce rôle ! Chacune des lignées a résulté d'un changement des ressources alimentaires, ou d'un nouveau savoir-faire. Les ancêtres humains ont subi des pressions qui ont conduit, pas à pas, à l'apparition de l'homme moderne ; nous sommes donc ce que nous avons su manger...

C'est pourquoi le végétalisme ne peut pas être une solution. Mais il convient de rester vigilant, car l'anesthésie végétalienne est organisée. Ainsi, Walt Disney lui-même ajoute sa pierre à l'édifice branlant en ne mettant que des sabots dans le plat. Par exemple, comment représente-t-il le lion, carnivore s'il en est, et le transforme-t-il en héros pacifique et sympathique, donc végétarien comme le voudraient quelques rares groupes agroalimentaires asservissants ? Dans les films il ne chasse pas, ne mange pas, se contente d'attraper une mangouste... qu'il relâche magnanimement. Quand le roi lion fait un discours sur la vie, expliquant à son fils qu'un jour il redeviendra poussière, qui deviendra engrais, qui fera pousser l'herbe, qui à son tour nourrira les gazelles, il se garde bien de préciser que ces gazelles seront mangées par les lions. Quant aux dessins animés japonais, ils présentent des diplodocus et autres monstres, presque tous végétariens !

Il faut être bien hypocrite pour cacher qu'il faut manger pour vivre, et tuer pour manger. Quel drame ! Quelle perspective de carence alimentaire, de déchéance... Sans évidemment tomber dans ur

« carnivorisme » effréné, puisque par exemple la vitamine C est pratiquement absente des viandes, il faut donc manger aussi des végétaux, notamment des fruits !

SÉLECTION NATURELLE PUIS CULTURELLE :
TOUT EST DANS LA TÊTE

Sur le plan de la nutrition, nous sommes tous des Cro-Magnon, sans exception ! Du point de vue génétique, compte tenu de la sélection naturelle millénaire, nous avons la biologie de grands chasseurs soumis à une alimentation de producteur sédentaire ; l'homme a passé 99,9 % de son histoire et de son évolution au régime alimentaire préhistorique. Le patrimoine génétique n'a pratiquement pas varié depuis 40 000 ans, faute de temps et de raisons. Nos gènes, et les mécanismes biologiques qu'ils gouvernent, sont donc toujours les mêmes ; les aliments que notre corps sait utiliser sont par conséquent identiques... Entre Cro-Magnon et nous, quelques dizaines de milliers d'années se sont écoulées, la nourriture a un peu évolué, mais le patrimoine génétique est resté le même ; il convient donc de veiller à ce que notre alimentation ne devienne pas trop différente de celle pour laquelle notre corps a été programmé. En réalité, nous ne sommes pas préparés à toutes les « modes » alimentaires, notre matériel génétique est adapté à une alimentation « traditionnelle ».

Les fameuses maladies dites de civilisation, pathologies cardiovasculaires, cancer, hypertension, diabète et obésité, sont apparues récemment chez nous. Elles explosent littéralement chez les populations actuelles de chasseurs-cueilleurs qui sont soumises depuis peu à notre « régime » (dans le sens politique carcéral) alimentaire : dans certaines îles du pacifique le diabète touche 40 % de la population, il était inexistant il y a quelques décennies !

Il est probable que l'*Homo sapiens sapiens*, dès qu'il est apparu, avait déjà la totalité des potentialités intellectuelles de l'homme moderne, ses aliments lui étaient adaptés, ils étaient déjà le fruit d'une sélection multimillénaire ; ces aliments, ce sont les nôtres. Comme l'évolution culturelle a maintenant remplacé l'évolution biologique, nous n'avons plus le loisir de transformer notre alimentation. En effet, hypothèse aberrante et inimaginable, si une énorme population, menée par un fanatique puissant et autoritaire, décidait de ne plus manger qu'exclusivement de l'eau et des œufs (l'un des meilleurs aliments), il ne serait pas totalement impossible qu'une ou deux personnes puissent normalement survivre (comme un animal australien qui ne se contente que de feuilles d'eucalyptus !). Ces personnes auraient donc la possibilité de transmettre cette caractéristique à leurs descendants, qui seraient ainsi sélectionnés par la nature, tous les autres ayant disparu. Cette éventualité est actuellement impossible, car la seule sélection actuelle est culturelle. En fait, depuis Cro-Magnon, les seules opportunités de sélection naturelle à grande échelle ont eu lieu lors des effroyables famines dans la période s'étendant du VIᵉ au XIᵉ siècle, puis de celle du XIVᵉ siècle, à l'occasion aussi des grandes épidémies de peste. Nous descendons des plus résistants, des plus forts, de ceux qui avaient le plus d'énergie en réserve, qui n'étaient certainement pas les plus minces.

Pour lui-même, l'homme a modifié les règles du jeu de la nature : il n'y a plus de sélection naturelle ; la sélection culturelle et sociale ne peut pas prendre en compte les modifications alimentaires, pour en faire profiter quelques-uns. Les favorisés sont ceux qui mangent comme nos ancêtres, c'est-à-dire de façon variée et sans ostracisme. Toute exclusion d'aliments est le fait de sectes, dont les dirigeants utilisent la carence alimentaire pour mieux asservir leurs sujets.

COMMENT LE SAVOIR-FAIRE CULINAIRE ÉTAIT-IL TRANSMIS ?

Combien étaient-ils donc à vivre en Europe à l'époque de Cro-Magnon ? Les estimations des experts sont extrêmement variables ; les chiffres vont de un à vingt ; par extrapolation du nombre de feux et de l'existence de plusieurs foyers voisins et de l'estimation de l'effectif vivant sous le même toit. En fait, le moyen le plus pratique et le plus fiable réside dans l'évaluation de la quantité d'aliments comestibles, dont les hommes de l'époque pouvaient disposer. Ainsi, en fonction du nombre de rennes qui peuplaient la France à cette époque, et de la quantité d'animaux consommés par les habitants (déterminée en examinant les reliefs de repas trouvés), les réserves devaient être suffisantes pour nourrir de deux cent cinquante à cinq cent mille personnes. Étant donné que les examens des squelettes de cette époque-là montrent que la sous-nutrition semblait inexistante, il est par conséquent logique d'en déduire qu'un pays correspondant à la surface de la France comptait sans doute un demi-million d'habitants.

Comment se faisaient les échanges entre les groupes ? Ils étaient obligatoires, car toute endogamie entraîne immanquablement une disparition de l'espèce qui la pratique. Comment les recettes culinaires étaient-elles transmises d'une tribu à une autre ? On imagine que les femmes étaient plus ou moins enlevées, forcées, dans tous les sens du terme, y compris celui que le vieux français lui attribue. Mais les choses ne sont pas aussi simples : étaient-ce les mâles, comme dans la plupart des espèces de singes, ou les femelles, comme chez les chimpanzés, qui étaient échangés entre les tribus !

À moins que Claude Michelet n'ait trouvé la solution, dans sa merveilleuse *Histoire des paysans français* : quelques brutes paléolithiques, au hasard de leurs pérégrinations, tombent sur un groupe plus évolué qu'eux, plus ou moins sédentarisé. Ils l'observent, l'assaillent, tuent les hommes, s'approprient les femmes et les biens... et celles-ci sauvegardent et pérennisent les acquis, c'est-à-dire les embryons d'agriculture, et bien évidemment, leurs coutumes culinaires.

Finalement, on ne peut qu'être d'accord avec É. Durkheim (dans *La Division du travail social*) : « Seulement, si les aliments sont présents, c'est que le cerveau l'a voulu... C'est en effet son véritable rôle de présider, non pas aux seules relations avec le dehors, mais à l'ensemble de la vie : cette fonction est d'autant plus complexe que la vie elle-même est plus riche et plus concentrée. Il en est de même des sociétés. »

Cuire pour utiliser les nutriments

Les plus anciennes traces de feu associées à une présence humaine remontent tout de même à un million et demi d'années. Toutefois, il n'est pas certain que ces feux découverts par les archéologues aient été d'origine naturelle, leur utilisation par l'homme d'alors n'est pas (encore ?) totalement démontrée. C'est seulement depuis quatre à cinq cent mille ans que des foyers structurés sont apparus dans les habitations d'*Homo erectus*. Dès ce moment, le feu est bien « domestiqué », mais en réalité on ignore si notre ancêtre était capable de le produire, ou s'il était seulement susceptible de le recueillir, puis de l'entretenir.

En vérité, après la fabrication de quelques outils par l'Australopithèque, la domestication du feu, par *Homo erectus*, constitue le premier acte qui distingue résolument l'homme des autres primates. Elle signe une intelligence particulière dans le monde vivant. Elle modifie ses conditions de vie matérielle et culturelle. Le feu a eu évidemment un impact social capital, puisqu'il permettait de se réunir autour du foyer : des millénaires après, ce mot désigne toujours la communauté de base, la famille. Il devenait possible de se réchauffer tout en éloignant les animaux dangereux ; mais aussi d'améliorer le régime alimentaire en rabattant le gibier avec des torches, de rôtir la viande et les végétaux ; puis de se délecter d'aliments qui ne sont digestes que cuits, telles les tubercules ; et, plus tard, d'élaborer des conserves en fumant les viandes terrestres, aériennes et aquatiques. Au Paléolithique supérieur, le feu facilita la fabrication et améliora la qualité des outils : fracturation de matériaux durs, durcissement d'armes de bois, chauffage et éclairage permettant de travailler dans des conditions difficiles, fonte de la résine pour préparer de la colle, chauffage des baguettes en os pour les redresser ou leur donner une forme particulière, utilisation de l'ocre pour en modifier la coloration, cuisson des statuettes en argile. La flamme maîtrisée permet de s'aventurer dans les grottes éclairées par un foyer portatif ; et donc d'élargir le domaine et la perception de l'espace, en ouvrant le monde souterrain, jusque-là inaccessible à l'imagination humaine.

Avec la maîtrise du feu, l'homme s'est affranchi de l'obscurité et a pu modifier le rythme de ses occupations journalières. La tombée de la nuit ne limite plus ses travaux, il organise son temps, double presque la durée de ses activités en hiver. Cette modification eut des répercussions sur le plan physiologique, car les cycles de sommeil sont en partie liés à la luminosité. Ne passant plus le plus clair de son temps à courir après ses aliments, il a le temps de les préparer, de les apprêter, de les cuisiner... et d'en parler autour du foyer. La domestication du feu coïncide sans doute avec une première spécialisation des tâches : il est possible que certains membres du groupe, notamment les enfants, aient été astreints à son entretien. D'autant plus qu'il permettait de rendre les aliments meilleurs et plus efficaces. Peut-être l'avaient-ils remarqué à propos des œufs ?

DIGESTE, CAR CUISINÉ.
L'ŒUF GOBÉ : UNE INEPTIE NUTRITIONNELLE !

Car il faut que l'œuf soit cuit pour que ses précieux nutriments deviennent biodisponibles, c'est-à-dire qu'ils soient captés par nos intestins lors de la digestion, transférés dans le sang, et utilisés par nos organes ! Concernant les protéines, il est facile de comprendre pourquoi. En effet, elles sont constituées d'enchaînements, parfois gigantesques, de maillons dénommés acides aminés. Ces structures sont repliées sur elles-mêmes, pour réduire l'encombrement ; elles prennent donc des formes globulaires, ressemblant à des pelotes de laine. Pendant le temps de transit intestinal « réglementaire » de la protéine crue, seule la partie externe de la pelote est attaquée par les sucs digestifs, dénomination ancienne des enzymes. Le reste est perdu dans les toilettes. En revanche, la cuisson « dénature » la protéine, lui fait perdre sa structure de pelote, en la déroulant en quelque sorte. Pendant la digestion, toutes les parties de la protéine sont attaquées et donc mises à profit. La qualité nutritionnelle de la protéine d'œuf cuit est donc nettement supérieure à celle qui est crue. La démonstration claire et définitive vient d'en être apportée par une équipe de chercheurs et de médecins belges de Louvain : les protéines d'œuf cru ne sont digérées qu'à 51 %, alors que celles des œufs cuits le sont à 91 %.

L'œuf contient d'importantes quantités d'une vitamine, la biotine, ou vitamine B8. Mais les carences en ce micronutriment sont observées chez les consommateurs d'œufs... crus. Il peut sembler paradoxal d'observer une carence en un nutriment chez les consommateurs d'un aliment précisément riche en ce nutriment ! Cela est dû au fait que la vitamine est protégée, donc neutralisée, par une substance dénommée avidine. Seul le chauffage permet de séparer le couple nutritionnellement inutile, de libérer la vitamine, qui devient alors biodisponible. Mollets, à la coque (mais avec le blanc bien blanc et solidifié), en omelette, comme vous voulez, mais ne faites pas l'œuf, ne les gobez pas !

Ainsi donc, d'une manière générale, le tartare n'est pas obligatoirement une bonne idée, car les protéines crues ne sont pas au mieux de leur possibilité de digestion par les intestins. En revanche le carpaccio est sympathique, car le citron ou le vinaigre, avec leur acidité, « cuisent » en quelque sorte ; c'est-à-dire qu'ils dénaturent les protéines, et les rendent digestes. De même la marinade ou le vinaigre dénaturent les protéines, stérilisent l'aliment, et le rendent plus digeste. Le faisandage des viandes équivaut, dans une certaine mesure, à cuire ; fermenter aboutit à un résultat similaire : la choucroute est une fermentation d'où le feu est exclu. La dénaturation est également une opération bénéfique pour les protéines du lait, plus particulièrement celles du lactosérum, dont elle accroît la digestibilité de façon spectaculaire. Le lait caillé est-il un lait qui aurait, d'une certaine manière « cuit » ?

Ainsi se délectait Victor Hugo (*Notre-Dame de Paris*) : « L'odeur de ces admirables broches qui tournaient incessamment vint chatouiller son appareil olfactif, et il donna un regard d'amour à la cyclopéenne rôtisserie qui arracha un jour au cordelier Calatagirone cette pathétique exclamation : *Veramente queste rotiserie sono cosa stupenda !* » Ce qui signifie : vraiment ces rôtisseries sont une chose merveilleuse.

Globalement, pour de multiples raisons, la grande majorité des protéines ne peuvent pas être consommées crues. Il faut donc les apprêter, les cuire ; éventuellement leur faire subir des traitements (qui sont devenus industriels), qui, il est vrai, risquent par ailleurs de provoquer la perte d'une partie de leur qualité nutritionnelle. De plus, le chauffage entraîne de profondes modifications des caractéristiques de texture du produit, ce qui est bien souvent très agréable.

C'est ainsi que la cuisson du pain améliore l'efficacité nutritionnelle de la mie d'un bon tiers, en dénaturant les protéines de la farine. Seules les protéines du sorgho et du riz font exception : après cuisson, elles sont moins digestibles en raison d'interactions développées entre les fractions de protéines particulières (dénommées glutélines) qui deviennent alors résistantes aux enzymes tronçonnant les protéines (elles sont dites protéolytiques).

Sur un plan alimentaire, la dénaturation par la cuisson engendre plusieurs conséquences extrêmement favorables. Tout d'abord, elle élimine les caractéristiques de nombreuses fractions protidiques et de sucres complexes, néfastes sur le plan digestif. Il s'agit des lectines (qui perturbent la fonction cellulaire en se fixant sur les membranes biologiques) et des facteurs antidigestifs présents dans de nombreux produits animaux et végétaux. Ces lectines se rencontrent notamment dans le soja, le haricot blanc, le haricot de lima, le pois, la fève, la pomme de terre et le germe de blé. Ces substances toxiques sont susceptibles de perturber les mécanismes de l'absorption, en se fixant par exemple sur les cellules qui tapissent l'intestin.

Ensuite la dénaturation entraîne l'inactivation de protéines particulières que sont les enzymes dangereuses pour l'homme, présentes dans de nombreux produits agricoles bruts. Sinon, certaines lipases (enzymes découpant les lipides et libérant les acides gras) et protéases (d'autres enzymes qui tronçonnent les protéines et génèrent des acides aminés) pourraient contribuer à la dégradation de ces ressources lors de leur stockage.

Par ailleurs, de nombreuses productions végétales contiennent des facteurs qui altèrent le découpage physiologique de protéines (ils sont qualifiés d'antiprotéolytiques) et perturbent donc gravement la digestion : la plupart des haricots en renferment, de même que le petit pois et la pomme de terre ; ils figurent à un taux élevé dans le soja. Dans bien des cas, malheureusement, le « crudivorisme » forcené s'avère une erreur, car il prive de quelques excellents aliments.

CUIRE : AUGMENTER L'EAU ET DIMINUER LES NUTRIMENTS

Certains aliments doivent obligatoirement être cuits, afin de devenir digestibles ou de détruire quelques substances indésirables ou même toxiques. En revanche, d'autres doivent être consommés crus, et si possible frais, afin de préserver leurs qualités nutritionnelles ; les fruits et les légumes en sont les exemples spectaculaires. Ils constituent d'ailleurs les trois quarts environ du poids des aliments que nous absorbons. Ils sont riches en vitamines naturelles (parfois détruites très rapidement par la température de la cuisson), en minéraux, dont les précieux oligo-éléments (qui ont tendance à fuir lors de la cuisson dans l'eau, ou à rester accrochés à l'ustensile de cuisine). Ils doivent être consommés variés, afin de mettre à profit la synergie d'utilisation de leurs constituants : par exemple, la vitamine C de nombreux fruits accroît l'efficacité d'utilisation du fer présent dans certains légumes.

Évidemment, il convient de retenir que cent grammes d'aliments crus ou cuits n'apportent pas la même quantité de nutriments. Par exemple, en cuisant dans l'eau, le riz se gorge d'eau ; de ce fait, cent grammes de riz cuit contiennent beaucoup d'eau, et moins de riz, que cent grammes de riz cru. Il en est de même des lentilles : cuites elles contiennent trois fois plus d'eau, et par conséquent trois fois moins de fer, de potassium, de magnésium, de protéines, de fibres et d'acide folique. Il faut donc lire attentivement les tables de composition des aliments, afin de bien discerner si les chiffres donnés se rapportent à l'aliment cru ou cuit (et dans quelles conditions). Finalement, les délicieuses lentilles ne sont pas si riches en minéraux !

Lentilles		
Teneur pour 100 grammes	Crues	Cuites
Énergie (kcal)	315	89
Eau (g)	10	70
Protéines (g)	24	8
Fibres (g)	11	8
Magnésium (mg)	100	32
Potassium (mg)	700	276
Fer (mg)	8	3
Acide folique (µg)	200	60

D'après INRA-CNEVA-CIQUAL (Institut national de la recherche agronomique ; Centre national d'études vétérinaires et alimentaires ; Centre informatique sur la qualité des aliments)

Le rythme de la nature : chronobiologie millénaire de l'alimentation

De l'atome à l'homme, du neurone au cerveau, toute la nature frémit d'un universel rythme ! Le rythme et la vie sont indissociables, de la naissance à la mort. Un cœur qui cesse de battre ne fait que signer la fin d'un rythme. Les Grecs connaissaient le dieu Chronos, avec lui la chronologie est devenue la science de la fixation des dates des événements historiques ; insérer, dans le mot, le radical « bio » identifie la chrono*bio*logie, qui constitue manifestement l'étude des rythmes biologiques des êtres vivants. Une chronique rapporte des faits historiques dans l'ordre de leur succession. L'adjectif chronique que l'on accole malheureusement à certaines maladies possède la même étymologie. Comme disait Jules Renard, la bonne santé est une maladie qui s'ignore ; c'est-à-dire que la maladie n'est là que pour permettre à la bonne santé de se reposer, alternance vitale. Platon le disait déjà : « Le rythme est l'ordonnance du mouvement. » C'est le mouvement ordonné, donc efficace et plaisant.

LE CHAOS PAR LE GRIGNOTAGE. LA FORME SANS LES FORMES !

L'organisme humain possède, en quelque sorte, de petits « compteurs » de calories et de nutriments qui lui permettent de répondre à ses dépenses de manière pratiquement mécanique ; il détient aussi un compteur de plaisir qui est, quant à lui, beaucoup plus laxiste.

Notre cerveau est fait pour recevoir deux messages, deux signaux. Le premier l'informe que, quelque part, notre organisme manque de nutriments. Un circuit de neurones crée alors la sensation de faim qui incite à manger. Dès les premiers aliments absorbés, l'émetteur du signal de manque envoie un autre signal, signifiant qu'il commence à être rassasié, ce que le cerveau traduit par la satiété. Ainsi, notre corps ne peut être nourri que par l'alternance rythmée des repas. Mais, en grignotant, la faim et la satiété ne se manifestent jamais. Il devient alors possible de manger beaucoup plus que le corps n'en a besoin, d'où l'obésité. D'autant que les « aliments apéritifs » et les « snacks », c'est-à-dire toutes sortes de choses que l'on avale entre les repas ou à côté du goûter, sont trop souvent de mauvaise (ce qualificatif est parfois un euphémisme) qualité nutritionnelle : ce sont des calories pratiquement vides de toutes vitamines, minéraux, graisses et acides aminés indispensables. L'image des veules héros (zéros ?) de feuilletons est redoutable. Ils boivent sans cesse et ouvrent le réfrigérateur avec une obstination qui s'apparente à un tic. Chacun mange quand il pense avoir faim, c'est-à-dire pratiquement en permanence. Or, dans une bonne poignée de cacahuètes, il y a autant de calories que dans tout un repas !

Aux États-Unis, les campagnes de publicité et l'information nutritionnelle ont fait baisser la consommation de graisses saturées, les édulcorants ont remplacé le sucre... tout devrait aller donc mieux en termes de santé. Mais il n'en est rien, bien au contraire, car l'obésité continue à progresser, allègrement pourrait-on dire avec ironie ! À cause de qui, de quoi ? Du grignotage. Il entraîne une augmentation de l'apport calorique total. Le grignotage constitue une véritable injure aux rythmes biologiques, à notre corps, à son efficacité, à son plaisir.

Le mot satiété vient du latin *satis est* qui peut se traduire par : c'est plein, c'est même trop plein. Il traduit une sensation qui est elle-même également innée. La satiété est en quelque sorte un état de non-faim. Avoir envie de s'arrêter de consommer signifie que l'on a mangé à satiété, incontestablement.

La faim est une sensation qui est innée. Le premier qui ait démontré l'innéité du comportement alimentaire, et la perfection de sa réalisation à la naissance, est Clarissimus Galénos, immortalisé sous le nom de Galien. Cinquante ans après Jésus-Christ, il prit une chèvre à terme pour en extraire un chevreau par césarienne, puis le plaça dans une cave dans laquelle il avait déposé au préalable du lait, de l'huile, des graines, des fruits... et du vin ! Il constata alors que le chevreau était capable de se diriger directement vers le lait, démontrant par expérience scientifique que, dès la naissance, tous les circuits du système nerveux (dont il ignorait évidemment l'existence) permettent la réalisation de ce comportement. Si la faim est innée, l'appétit est en revanche quelque chose de beaucoup plus élaboré, il est construit.

Globalement, les nouveau-nés nourris à la demande spontanée ont un rythme de prise des aliments de quatre-vingt-dix minutes, dans des conditions constantes d'environnement, de température et d'éclairement. Au terme du premier mois le rythme passe à trois heures, puis à six heures ; avec une préférence diurne qui s'établit peu à peu. À huit semaines, le nourrisson adopte spontanément et normalement un rythme de quatre repas diurnes, avec des quantités consommées qui peuvent varier beaucoup d'un repas à l'autre.

La modalité de prise d'aliments chez l'homme qui dispose de nourriture à volonté est sans conteste de trois ou quatre repas à heures relativement fixes. Il est faux d'assurer que ce rythme résulte de contraintes socioculturelles. En effet, les études réalisées chez les nouveau-nés montrent qu'il s'établit spontanément, et ce dans toutes les civilisations. D'autres travaux, réalisés chez l'homme adulte privé de tout repère horaire en vivant dans des grottes, montrent que cette alternance demeure. Soit qu'il se trouve en éclairement ou en obscurité continus, soit en éclairement à volonté. Curieusement, son horloge biologique se cale sur un rythme endogène de vingt-cinq heures quotidiennes, comme l'a montré récemment un spéléologue célèbre.

Observation fondamentale, chez l'homme comme chez l'animal, les sujets mis en alimentation programmée adaptent rapidement la taille du repas à l'intervalle qui le *suit* (et non pas au temps qui le précède) ! L'organisme anticipe ses besoins jusqu'au repas suivant : il prévoit l'exercice, les besoins de thermogenèse pour se réchauffer. Le rassasiement (la sensation qui met fin au repas) est donc largement conditionné par le vécu prévu, et non pas par ce qui s'est passé avant. Il est donc évident que cet apprentissage nécessite une motivation, celle du plaisir ou du moindre désagrément. Il demande un processus plus ou moins complexe, de mémorisation de l'aliment (par ses caractéristiques sensorielles) et des conséquences de son ingestion, telles qu'elles ont été ressenties à la suite des prises précédentes. Ainsi donc souligne Jeannine Louis-Sylvestre, même en alimentation programmée, le sujet a normalement faim à l'heure des repas. Apprendre à manger est une réalité.

Il est à noter qu'une prise alimentaire non motivée par la sensation de faim n'entraîne que peu la sensation de satiété (on dit qu'elle n'est pas satiétogène), voire pas du tout. Manger sans raison physiologique ne coupe donc pas la faim. Quatre heures après le déjeuner, la consommation de snack riche soit en protéines, soit en glucides, soit en graisses, retarde la prise habituelle du dîner de respectivement 60 ou 35 ou 25 minutes ; mais la quantité d'énergie ingérée reste la même, quel que soit le type de snack ! En bref, les protéines sont de meilleurs coupe-faim. En moyenne, la consommation d'un snack augmente la ration calorique journalière de 15 %. Les auteurs de cette très intéressante étude concluent pudiquement que la prise de snack pourrait avoir un effet défavorable chez les personnes sujettes à la surcharge pondérale.

Mais qu'en est-il actuellement du quatrième repas, c'est-à-dire du goûter ? Tout d'abord, il ne doit pas être assimilé à du grignotage. Pour les enfants, et les personnes âgées, il est pratiquement indispensable. Les premiers sont en pleine croissance et se dépensent en permanence, les deuxièmes ont besoin d'approvisionner régulièrement leur organisme. En moyenne, en France, le goûter représente respectivement 11 % et 8 % des apports énergétiques quotidiens chez les femmes et les hommes. Chez les goûteurs réguliers, la glycémie, la cholestérolémie et l'indice de corpulence sont plus faibles, mais leur activité physique est aussi plus importante...

D'aucuns pourraient croire que multiplier les repas est efficace, en partant du principe que le travail de digestion brûle pour lui-même beaucoup de calories, qui de ce fait ne sont donc pas stockées dans les contours adipeux. Et donc proportionnellement plus dans un petit repas que dans un gros. Malheureusement l'opération est inutile, car il a été montré que fractionner en six repas ne permet d'économiser que seize calories, soit l'équivalent de moins d'un morceau de sucre ! Le vrai respect de la chronobiologie naturelle, le rythme des saisons sont dans la bouche de Marguerite Yourcenar : « L'année liturgique, pieusement observée, se doublait d'une année culinaire, d'une saison des concombres ou des confitures, du fromage blanc ou du hareng frais. »

MANGER SANS PRÉCIPITATION

Quand on mange, évidemment, le cerveau en est informé... Sauf lors du grignotage, car grignoter n'est pas manger ! Cependant, toutes les parties du cerveau ne travaillent pas de concert, et cet organe a besoin de signaux objectifs concernant la prise alimentaire. Notre cerveau frontal qui perçoit un comportement organisé, celui de manger, n'informe pas directement la zone cérébrale responsable des sensations de faim et de satiété.

Physiologiquement donc, il faut au moins quinze minutes pour que votre cerveau sache que vous avez mangé quelque chose d'utile. Le temps que soient reçus et interprétés les multiples messages provenant de la bouche et du pharynx, de l'estomac, des intestins et du sang. Ces signaux sont électriques car nerveux, mais aussi chimiques, lorsque les nutriments arrivent dans le sang. Pendant le premier quart d'heure, gloutonnement, vous pouvez absorber beaucoup plus que ce dont vous avez besoin.

D'ailleurs il suffit d'observer un enfant. En cours de repas, bien qu'affamé il est attiré pendant quelques minutes par un jeu. Revenu à table, il ne veut plus manger, il n'a plus faim : son cerveau a eu le temps d'être informé. Quant à vous, adulte, au restaurant, quand le service est lent, vous mangez le pain de la corbeille en attendant les entrées. Puis arrive le plat dit de « résistance », qui vous résiste car vous n'avez plus faim : il s'est écoulé une bonne demi-heure depuis votre arrivée. Comme vous aviez un appétit de loup quand vous l'avez commandé, vous l'absorbez. Balzac l'a relevé : « La cuisinière apportait chaque plat l'un après l'autre, coutume qui a l'inconvénient d'obliger les gourmands à manger considérablement, et de faire délaisser les meilleures choses par les gens sobres dont la faim s'est apaisée sur les premiers mets. »

Dans fast-food, tout semble faux, sur le plan culturel, comme nutritionnel et physiologique ! Le « food » est malheureusement trop souvent médiocre, si on veut être optimiste, le « fast » est donc absolument détestable... Quand, dans les « cantines » qui devraient être des restaurants, on veut imposer des rotations rapides, cela est socialement ridicule et médicalement dangereux, bien qu'économiquement rentable.

JEUX DE MAINS, JEUX DE MALINS
LES JEUX VIDÉO FONT MOINS GROSSIR QUE LA TÉLÉ !

Comment grignoter : en regardant la télé ! Une catastrophe ! Une revue médicale et scientifique, internationale a publié il y a quelques semaines un résultat alarmant confirmant la bonne philosophie de monsieur de La Palice. Les médecins se sont amusés à corréler l'obésité avec l'activité physique, la pratique de jeux vidéo et la vision de programmes télé. Il est vrai que cela se passe au Mexique, mais les conclusions que l'on peut en tirer sont claires.

Trop de télé = mauvais élève. On savait déjà que les performances scolaires sont inversement proportionnelles aux heures passées devant la télévision. Non pas d'ailleurs parce que les programmes sont abrutissants ; mais tout simplement parce que le temps passé devant le petit écran est pris au détriment de celui du travail, de la distraction, et surtout du sommeil. Or, pendant que l'on dort, le cerveau enregistre, ordonne et classe ; en particulier ce qui a été appris pendant la journée. Double nocivité, l'excès de télé empêche l'enfant d'apprendre et d'enregistrer le peu qu'il a appris !

On savait aussi que le temps passé devant la télé est en relation avec le surpoids et l'obésité, car on prend vite l'habitude de s'empiffrer d'« aliments » en la regardant. La passivité devant la télé fait diminuer le métabolisme de base (d'où une moindre dépense énergétique) ; les mouvements étant réduits au strict minimum, peu d'énergie est brûlée. De plus, on envisage très sérieusement l'influence défavorable de la publicité sur les comportements alimentaires. Dans cette étude, 85 % des enfants (garçons et filles de 9 à 16 ans) déclaraient grignoter devant la télé. Or, 24 % d'entre eux étaient des obèses. Statistiquement, chaque heure supplémentaire quotidienne passée devant la télé augmente de 12 % le risque d'obésité. Or ces enfants passent en moyenne 4,1 heures devant l'écran. En France, on n'en est pas loin : les adultes sont devant l'écran pendant plus de trois heures chaque jour ! Inversement, le risque d'obésité est diminué de 10 % par heure supplémentaire journalière d'activité physique même faible, de 20 % quand elle est de bonne intensité. Curieusement, mais c'est intéressant, il n'y a pas de relation entre le temps passé devant la télé et celui consacré à l'activité physique. Comme si les deux activités étaient totalement séparées, ce qui laisse beaucoup d'espoir pour la promotion de l'activité physique, sinon du sport, puisqu'il n'est pas concurrent de la télé.

En revanche, il n'y a pas de cause à effet entre l'obésité et le temps passé devant les jeux vidéo. Car les mains sont occupées, tout simplement. Le bon flipper de leurs parents avait déjà du bon... Comme certaines publicités alimentaires ont manifestement un effet néfaste, il convient de veiller à ce que les jeux vidéo n'en présentent pas, ce qui risque pourtant malheureusement d'arriver bientôt !

Conclusion productiviste ? Un hôpital américain vient de mettre au point une technique ahurissante pour distraire les obèses : une télé qui ne fonctionne qu'avec l'électricité produite par un vélo d'appartement. Elle ne peut être regardée qu'en pédalant. Ce qui occupe les mains, empêchant de manger, et fait dépenser de l'énergie... jusqu'ou ne faut-il pas aller ! Faire occuper les mains par autre chose que par de la nourriture !

Trouver les vitamines : l'omnivorisme obligatoire

Normalement, l'apport en vitamines doit être assuré par les aliments. Comme elles y sont réparties de manière très inégale, il est utile de connaître ceux qui en sont les plus riches, pour composer un repas efficace. Et ne pas se laisser abuser pas les on-dit.

Il est évident que les produits animaux (viandes rouges et blanches, charcuteries, volailles, poissons, œufs, lait et laitages) constituent les principales sources vitaminiques, sauf pour les vitamines C, E et K. Pour la vitamine B12, ils en sont même la source presque exclusive ; toutefois, un demi pour cent provient de quelques précieux breuvages : la bière, par exemple, et les boissons élaborées avec le concours de micro-organismes (et donc fermentées) qui synthétisent allègrement cette vitamine. La bière non filtrée en contient encore plus. Le tableau ci-après montre que l'omnivorisme s'impose, et le carnivorisme est donc de rigueur !

Groupes	A	D	E	B1	B2	Nia-cine	B4	Folates	B12	C
Laitages Fromages	10,9	7,9	3,9	11,0	35,2*	4,0	9,2	13,5	18,8	2,4
Viandes Volailles Charcuteries Poissons Œufs	32,8*	68,8*	8,1	39,6*	35,3*	54,1*	35,6*	14,9	80,4*	1,6
Légumes Fruits	38,2*	0	13,4	17,0	13,5	17,6	22,8	43,1*	0	75,4*
Céréales, Pain Pommes de terre Légumes secs	0	0	0,8	9,5	2,3	22,1	11,4	6,5	0	6,4
Matières grasses végétales Matières grasses animales	15,8	23,2	69,8*	0,9	1,2	0,6	0,7	1,0	0	0,1
Jus de fruits frais et en conserve	0	0	0,1	2,5	1,7	0,9	4,1	2,8	0,5	11,9
Sucreries	0	0,1	1,4	0,9	1,4	0,8	0,7	0,5	0	0,8
Autres	2,3	0	3,5	18,4	9,4	0	15,5	17,5	0	1,2

* Groupe d'aliments contribuant à plus de 25 % des apports vitaminiques totaux.
Source : IFN (Institut Français de Nutrition).

SYNERGIE, COLLABORATION, EFFICACITÉ !

En fait, les nutriments présents dans les aliments s'entraident pour mieux être captés par notre organisme, afin d'être plus efficaces dans nos organes. Leur biodisponibilité est accrue. C'est très exactement ce qu'exprime le mot de synergie : ils agissent de concert, mais la somme est supérieure à la simple addition. C'est pourquoi les nutriments dans les aliments sont plus actifs que dans des gélules, c'est aussi pourquoi plusieurs types d'aliments doivent être pris au cours du même repas ! Examinons quelques exemples.

D'abord la vitamine C des fruits. Dans un comprimé ou dans un fruit (donc naturel ou de synthèse), l'acide ascorbique (c'est-à-dire la vitamine C) est identique sur le plan de la chimie (ce n'est d'ailleurs pas le cas pour toutes les vitamines). Or, pour obtenir la même efficacité, il faut soit 50 mg de fruit, soit 100 mg dans la gélule. Car il y a des facteurs qui augmentent la biodisponibilité de la vitamine. C'est ainsi que seulement 25 mg suffisent si le fruit est accompagné d'une viande !

Ensuite le fer et la vitamine C. La vitamine et le minéral s'aident dans leur captation au niveau des intestins. Quand ils sont ensemble, chacun est capté en quantité beaucoup plus grande que s'il était seul.

Agrémenter les épinards avec du jus d'orange fait passer la captation du fer de 2 % à 4 % ; il en est de même avec les protéines de la viande. Accompagner la viande avec des légumes, et les faire suivre d'un fruit relève simplement de l'efficacité nutritionnelle. À vrai dire, le fer héminique du steak ou du jambon est lui-même beaucoup plus efficace que celui des végétaux, avec ou sans fruits ! Mais le raisonnement est formidablement utile avec les aliments moins riches en fer héminique, comme les volailles, ou pauvres en de fer de qualité, comme certains poissons.

Avec les fibres, il faut savoir choisir la position de l'aliment au cours du repas. Pour optimiser leur efficacité, il est judicieux de consommer les aliments riches en fibres à chacun des repas, en association avec les autres aliments : les légumes et les fruits doivent accompagner les viandes et les laitages, mais aussi les féculents. Il est illusoire et malvenu de consommer beaucoup de légumes à l'un des repas, et pas du tout à un autre. D'autant que les fibres de chacune des grandes classes d'aliments n'ont pas exactement le même effet. En effet, les fibres des légumes calment bien la faim pendant les deux ou trois heures qui suivent les repas. En revanche, l'effet des fruits est moins rapide, mais plus long dans le temps. Pour mettre à profit au mieux l'effet des fibres sur la sensation de faim, pour ressentir rapidement la satiété, et pour mieux rester rassasié le plus longtemps possible après le repas, il est judicieux de commencer par les légumes et de finir avec les fruits. L'habitude culturelle trouve donc sa justification dans une physiologie toute simple !

Qu'en est-il de l'huile et du bêta-carotène ? Cette molécule, le bêta-carotène, sert principalement de précurseur à la vitamine A, mais elle assume, à titre personnel, des rôles particuliers. Cette provitamine est présente dans les fruits et les légumes, parfois en quantité importante. Or, l'adjonction d'huile multiplie par deux le transfert du bêta-carotène dans l'organisme. Les carottes râpées à la vinaigrette sont donc, au moins sur ce plan nutritionnel, beaucoup plus intéressantes que les carottes à la croque ! D'autant que certaines huiles végétales sont indispensables.

Quel intérêt pour les combinaisons de protéines végétales ? Les céréales et les légumes secs (lentilles, haricots, fèves) constituent deux classes d'aliments dont les protéines sont incomplètes. Chacune contient en quantité trop faible un acide aminé indispensable : il s'agit, par exemple, de la lysine pour les céréales, et de la méthionine pour les légumes secs. Il convient donc de les associer au cours d'un même repas, pour que notre organisme ait à sa disposition un mélange complet de protéines fournissant tous les acides aminés dans les bonnes proportions. Il est donc optimal d'associer à la viande (terrestre, aérienne ou maritime) plusieurs familles de légumes.

Existe-t-il de bonnes alliances entre les glucides et les huiles (et graisses) ? L'intérêt de l'amidon, celui des céréales, est d'être digéré lentement, ce qui permet d'approvisionner l'organisme sans à-coup. Ce sucre complexe est qualifié de lent, ce qui est une grande qualité. Les physiologistes disent qu'il a un index glycémique bas, c'est-à-dire qu'il n'augmente pas de manière trop importante la teneur de glucose dans le sang (contrairement à ce que fait le morceau de sucre, qui est qualifié de rapide). Ralentir encore les glucides des pâtes ne peut être que favorable : c'est ce qui est précisément obtenu par l'ajout d'un filet d'huile, ou encore d'un peu de fromage râpé ; ou bien en tartinant le pain avec un peu de beurre ! La présence de fibres augmente encore l'efficacité ! Le mieux est donc une salade composée, avec huile de vinaigrette, riz ou pomme de terre, jambon ou cubes de rosbif ! Un peu de jambon dans les lentilles est certainement aussi une bonne idée ; ou, encore mieux, le petit salé aux lentilles !

Moralité : la diversité au cours d'un même repas est le secret et la source de l'efficacité !

FRAGILES, « POLLUABLES », DONC INDISPENSABLES !

La pollution, par contamination bactérienne notamment, altère même les excellents aliments, surtout les meilleurs. En effet, ceux qui sont très riches en nutriments (comme les œufs, les produits tripiers, les viandes, les charcuteries) sont par définition très fragiles. S'ils favorisent la croissance et l'harmonie de notre corps... ils permettent aussi bien le développement rapide des micro-organismes toxiques ou produisant des toxines. Salmonelle, Listéria et d'autres encore, voilà de redoutables ennemies, qu'il convient d'éviter ou de combattre. En vérifiant soigneusement la qualité sanitaire des aliments, mais certainement pas en les rejetant sous prétexte qu'ils pourraient être éventuellement contaminés.

Pourquoi le steak haché est-il si fragile ? Parce qu'il constitue un excellent milieu de culture pour tout ce qui veut bien y vivre ou l'infester, y compris quelques hôtes indésirables pour l'homme. Quand le steak est entier, les nutriments sont difficilement accessibles, la contamination bactérienne est donc plus lente. Quand il est haché, les structures sont détruites, tout est immédiatement et rapidement mis à disposition des micro-organismes. Curieusement, dans le même esprit, la technologie peut fragiliser. Ainsi, la congélation rend l'eau solide et augmente donc son volume, ce qui a pour effet de faire éclater les cellules qui constituent le tissu vivant. Lors de la décongélation, une sorte de bouillie se produit, pour la plus grande joie de tout ce qui veut pousser. Ce qui rend fragile ce riche aliment quand il est décongelé. Voilà pourquoi il est interdit de recongeler, tout particulièrement la viande.

Le consommé est meilleur que le bouillon, mais il est plus fragile. Le bouillon de légumes, le potage, résiste assez bien à la conservation au frais, car la variété des nutriments n'est pas assez grande pour permettre la croissance rapide de micro-organismes. Mais il risque d'être infesté en quelques heures quand il est préparé dans le consommé, car l'eau de cuisson du pot-au-feu ou du jarret de veau est nutritivement meilleure. Il en est de même avec le bouillon gras, même dégraissé, du petit salé. Les nutriments des viandes se combinent à ceux des légumes pour créer un milieu nutritif excellent pour l'homme, comme pour les micro-organismes. Il ne faut jamais oublier que la contamination est d'autant plus facile que l'aliment est plus riche... Brillat-Savarin le disait bien : « Les professeurs ne mangent jamais du bouilli, par respect pour les principes et parce qu'ils ont fait entendre en chaire cette vérité incontestable : le bouilli est de la chair moins son jus. »

Même la première pression a ses limites ! La pression du fruit ou de la graine pour en extraire son huile végétale de consommation met en présence des substances qui, chimiquement, ont tendance à se détruire les unes les autres, tels les oligo-éléments et les bonnes graisses. Ainsi, le rancissement est très rapide en présence de lumière, d'une modeste température et de l'oxygène de l'air, d'autant que certains oligo-éléments favorisent les attaques radicalaires des acides gras indispensables... ce qui est précisément le rancissement. Voilà pourquoi l'huile de noix, parmi les meilleures avec celle de colza, est si fragile : il faut la conserver en petites bouteilles, à l'abri de la lumière, bien bouchée, au froid.

Le seul comportement pratique recommandable est d'exiger que les aliments soient sains, non souillés. La sécurité sanitaire conditionne l'équilibre alimentaire, et donc la bonne santé. L'assurance de cette qualité sanitaire est une obligation. La sécurité alimentaire est fondamentale. Mais elle n'a d'intérêt que pour des aliments dignes de ce nom, c'est-à-dire pourvus d'une bonne valeur nutritionnelle. L'argile stérile (qui est d'ailleurs parfois même un médicament) est d'une sécurité sanitaire totale, mais d'une valeur nutritionnelle nulle. La préoccupation de sécurité doit se porter sur l'utile, l'utilisable, l'agréable ! Pollution : la refuser, plutôt que de se priver des aliments contaminables, mais fragiles et nutritifs. Un aliment de bonne valeur nutritionnelle est fragile, surtout s'il est frais. Il faut le protéger, le traiter avec soin, ne pas le souiller ! La fréquence des cancers de l'estomac a été divisée par quatre depuis un demi-siècle pour la bonne raison que les pullulations microbiennes ont été formidablement réduites, grâce à la chaîne du froid en particulier. Les infections bactériologiques (notamment par le fameux *Helicobacter pylori*) ou les contaminations par les moisissures et les parasites constituent, dans le monde, la seconde cause de cancer, rappelle le professeur Maurice Tubiana ! Incidemment, l'hygiène et la température du réfrigérateur font partie de l'hygiène corporelle. Une montée de température de cinq degrés pendant quelques minutes (facilement réalisable lors d'ouvertures intempestives) multiplie par deux (et parfois beaucoup plus) la croissance de certains germes ; une remontée de dix degrés la multiplie par quatre. Ainsi, l'« illustre » Listéria peut passer en moins de huit jours de quelques unités à plusieurs milliers lors d'un stockage à dix degrés !

Ces précieux aliments fragiles doivent être préservés par une bonne hygiène domestique. Avec sa multitude de « bouillons de culture », la cuisine est un véritable laboratoire, nom d'ailleurs préservé par la tradition pour le local où officient le charcutier ou le pâtissier, entre autres !

Le choix du bio doit être précédé, de l'équilibre alimentaire. La recherche du bio constitue une juste préoccupation. Mais elle n'est le plus souvent, malheureusement, qu'un emplâtre sur une jambe de bois. En effet, plusieurs dizaines de milliers de personnes meurent chaque année de maladies cardio-vasculaires, pour la principale raison que leur alimentation est inadaptée, déséquilibrée. Un peu – ou même beaucoup – de bio sur ce déséquilibre ne change rien. Quand il y a le feu à la maison, on ne se préoccupe pas d'éteindre une ampoule qui chauffe... Une alimentation variée, certes, mais pas avariée ! Dans *Les Cinq Cents Millions de la Bégum*, Jules Verne avait déjà repéré que pour l'homme : « le travail et le repos sont indispensables à ses organes ; la fatigue est nécessaire à son cerveau comme à son muscle ; que neuf dixièmes des maladies sont dues à la contagion transmise par l'air et les aliments ».

On peut affirmer, sans faire de provocation, que trois aliments très fragiles sont parmi les meilleurs : les produits tripiers, les œufs et les huîtres ; ils sont prisés par l'humanité depuis fort longtemps. Bien plus, d'après Grimod de la Reynière : « depuis longtemps, et pour longtemps encore, l'œuf est à la cuisine ce que l'article est au texte, il est impossible de s'en passer en cuisine ».

Sur le plan nutritionnel et donc alimentaire, il n'existe pas d'aliment complet, car aucun d'entre eux n'est capable, à lui seul, de fournir tous les nutriments dont l'homme a besoin. La variété est donc une obligation indiscutable et incontournable. Mais certains aliments ont la particularité d'être riches en ces précieux nutriments, car ils apportent plusieurs d'entre eux en quantités utiles (c'est-à-dire représentant une fraction importante des apports journaliers recommandés – les AJR –, qui sont définis pour couvrir les besoins). Quoique simpliste, il est cependant possible de proposer une classification des aliments, en fonction de leur valeur nutritionnelle, qui tienne compte du nombre de nutriments présents, de leurs quantités, de leur biodisponibilité. Le foie, les œufs et les huîtres se retrouvent être les meilleurs exemples !

LES PRODUITS TRIPIERS

Pendant des millénaires, le chasseur se réservait les muscles du gibier qu'il avait abattu, alors que les femmes ne bénéficiaient que des restes, c'est-à-dire des abats, que l'on doit dénommer maintenant les produits tripiers. Ce prétendu dédain social permit aux femmes de se nourrir au mieux, car, en fait, elles avaient les meilleurs morceaux sur le plan nutritionnel ! Le machisme repentant est donc de mauvais aloi... La cervelle a mauvaise presse, hélas. Pourtant, sagesse biologique, elle fut pendant des siècles le premier aliment solide donné au nourrisson. À juste titre, non seulement à cause de sa consistance compatible avec des dents naissantes, mais surtout parce qu'elle apporte au système nerveux les nutriments déjà tout prêts dont il a besoin ; car cette période de la vie est caractérisée par la croissance spécifique du cerveau.

Il faut avoir un bœuf sur la langue pour ne pas le clamer ! L'étymologie est amusante, car, selon une locution proverbiale grecque, le bœuf sur la langue est la pièce de monnaie, marquée d'un bœuf, qui paye le silence. En grec *bous*, en latin *pecus*, bétail, sont en relation avec l'argent, *pecunia* ; la richesse pécuniaire que constitue le bétail !

Pour vérifier la richesse du foie, il suffit de consulter les tables de composition des aliments, et les tableaux de ce livre, pour constater qu'il arrive fréquemment en tête. Or, en France, on ne consomme qu'une tranche de foie de veau, par an et par habitant. On est donc fort loin du risque d'une surdose. À défaut, le foie de volaille possède une valeur nutritionnelle voisine. Les protéines des produits tripiers, comme celles des viandes, sont de remarquable qualité biologique, car elles apportent tous les acides aminés indispensables en quantité, en qualité et en bonne proportion.

Pour ce qui est des minéraux, les produits tripiers apportent du fer en quantité et en qualité ! Ce métal intervient dans une multitude de processus physiologiques, parmi lesquels l'oxygénation des organes, en particulier du cerveau et du muscle, qui en sont les plus gros consommateurs. Or le fer présent dans la nourriture n'est pas capté de manière équivalente par l'organisme selon les aliments. Celui des végétaux n'est biodisponible qu'à 5 %, alors que celui des aliments carnés l'est de 20 % à 30 %, car ils contiennent un fer de qualité biologique particulière, qualifié d'héminique. Après le boudin noir, les produits tripiers devraient donc constituer un aliment de choix pour lutter contre cette redoutable carence, si fréquente chez les femmes.

D'autant qu'ils sont aussi riches en zinc, tout comme en divers oligo-éléments d'intérêt, tels le cuivre, le manganèse, le sélénium (qui participe en particulier à la lutte contre le vieillissement). Les minéraux : du cœur aux tripes !

Le fer et le zinc dans les produits tripiers
(en % des apports journaliers recommandés, dans cent grammes)

	Fer	Zinc
AJR	14 mg	15 mg
Foie		
Veau	16	100
Génisse	41	30
Agneau	29	31
Volaille	60	36
Rognons		
Veau	36	33
Bœuf	68	21
Cœur de bœuf	48	15
Langue de bœuf	25	39
Ris de veau	4	7
Queue de bœuf	21	53
Tripes (mode de Caen)	8	25

Calculé d'après les tables de composition des aliments INRA-CNEVA-CIQUAL et CIV ; AJR de l'arrêté du 3/12/93, J.O. 23/12/93. AJR : Apports journaliers recommandés.

Certains produits tripiers constituent de véritables mines de vitamines, en particulier celles du groupe B. Par exemple, le foie poêlé apporte environ 100 % (et parfois plus) des apports journaliers recommandés (les célèbres AJR) pour les vitamines B2, B3, B5, B9 et B12. Cette dernière est célèbre dans l'histoire de la médecine grâce à la guérison spectaculaire d'une forme d'anémie, obtenue en nourrissant simplement les malades avec du foie.

Le foie et le rognon sont des mines de vitamines du groupe B :
(en % des apports journaliers recommandés, dans cent grammes)

	B1	B2	B3	B5	B6	B9	B12
Foie de veau	15	190	75	100	40	150	6 500
Foie de volaille	20	110	40	100	30	330	3 500
Rognon	25	140	40	50	25	35	4 000

Calculé d'après les tables de composition des aliments INRA-CNEVA-CIQUAL ; AJR de l'arrêté du 3/12/93, J.O. 23/12/93.
Le gésier n'existe pas encore dans les tables de composition des aliments !

L'importance de la vitamine A (dans 100 g de foie, il y a beaucoup plus que 100 % des besoins journaliers d'un adulte), notamment pour ce qui concerne la vision, n'est plus à démontrer, ni même à discuter. Depuis longtemps, car des papyrus égyptiens, datant de 1500 avant Jésus-Christ, conseillaient déjà d'appliquer du jus de foie sur les yeux de malades atteints de cécité crépusculaire.

Les produits tripiers peuvent réserver des surprises ! Ainsi, le foie de veau cuit contient autant de vitamine C que les radis et le melon, c'est-à-dire l'équivalent d'un petit verre de cinquante millilitres de jus d'orange fraîche. Malgré leur étymologie, les folates (la vitamine B9) ne sont certainement pas trouvés prioritairement dans les végétaux ! Le premier végétal, le germe de blé, n'arrive qu'en deuxième position, sur une classification prenant en compte les classes des principaux aliments usuels. Le cresson ne se situe qu'en troisième place après les diverses variétés de foie et le germe de blé.

Les aliments les plus riches en folates (B9) (μg/100g) :

Foie de volaille cuit	670
Foie gras	566
Foie de veau	441
Germe de blé	350
Foie d'agneau, de génisse	250
Cresson	214
Lentille	200
Épinard, pissenlit	190
Mâche, pâté de campagne	160
Noix	155
Châtaigne, jaune d'œuf	140
Saint-Marcellin	132
Pâté de foie de porc, melon	100
Camembert, Chaource, bleu	95
Laitue, chou-fleur, haricot blanc, choux de Bruxelles	83

D'après INRA-CNEVA-CIQUAL

Zola énumère les produits tripiers : « Il passa au carreau de la triperie, parmi les têtes et les pieds de veau, les tripes proprement roulées en paquets dans les boîtes, les cervelles rangées délicatement sur des paniers plats, les foies saignants, les rognons violâtres. »

Pour les Étrusques, dès le VIIIᵉ siècle avant notre ère, le foie frais occupait une place considérable : les aruspices s'en servaient de table de lecture ! D'ailleurs, le foie, organe vital, a été considéré par de nombreuses civilisations comme le symbole du courage. Sa perte de couleur ne pouvait donc que traduire la peur, d'où la locution de « avoir les foies blancs », ou plus simplement « avoir les foies » ; maintenant on parle de « sang de navet ». Dans la célèbre BD, le poltron que Lucky Luke injurie est un foie jaune. Les apothicaires et leurs successeurs, les pharmaciens, ont toujours vendu des extraits de foie pour lutter contre la fatigue, l'asthénie ; il n'y a qu'à consulter le dictionnaire Vidal des médicaments pour s'en persuader. N'en soyez pas hépatiques ! Après la vache folle, aurons-nous un jour la chance de ressentir l'émotion de Chateaubriand : « Certains jours, à la Saint-Foix, on étalait une certaine tête de veau marinée pendant cinq nuits, cuite dans le vin de Madère, et rembourrée de choses exquises ; des jeunes paysannes très jolies servaient à table. »

LES HUÎTRES

Cro-Magnon, quand il vivait au bord de la mer ou des estuaires, se délectait des huîtres, car il trouvait plus facile de les cueillir que d'attraper les poissons. Galant, il offrait des coquilles en guise de parures à sa compagne. Plus tard, les Grecs se servirent des huîtres pour voter : notamment à partir de 487 avant notre ère, pour décider démocratiquement de l'exil d'un personnage célèbre devenu indésirable : il était frappé d'ostracisme. Car le vote se faisait avec une variété d'huître plate dénommée *ostracon*, sur laquelle étaient écrits le nom du condamné éventuel ou la sentence. Les Romains appréciaient fortement les huîtres, même loin de leurs bases, à distance du bord de la mer. Comme en témoignent, par exemple, les nombreuses coquilles retrouvées dans l'antique camp militaire découvert à l'emplacement de Strasbourg. Ils avaient déjà mis au point un moyen de les transporter au frais, sans dommages ! Il est vrai qu'ils ramassaient la neige dans les montagnes, et la stockaient dans des caves voûtées, des *frigidarium*, ou plutôt des cryptoportiques, et s'en servaient pour conserver les poissons ou élaborer des sorbets. Évidemment, leur passion ostréicole les suivit quand ils conquirent la Gaule. Par exemple sur l'étang de Berre, à côté de Marseille. Elles y poussaient naturellement depuis des millénaires, comme en témoignent les bancs qui se sont superposés, formant la colline sur laquelle la ville d'Istres fut construite. Istres, fondé par les Romains, veut tout simplement dire huître, et témoigne de leur passion pour les coquillages. Buffon lui-même le décrit : « Or ne faut-il pas bien des années pour que des huîtres, qui s'amoncèlent dans quelques endroits de la mer, s'y multiplient en assez grande quantité pour former une espèce de rocher ? Et combien n'a-t-il pas fallu de siècles pour que toute la matière calcaire de la surface du globe ait été produite ? »

La sexualité des huîtres est attendrissante. Celles qui sont plates sont vivipares : les spermatozoïdes émis par l'une d'entre elles fécondent les huîtres femelles. En revanche, la sexualité de l'huître creuse est alternative : elle fonctionne comme mâle ou comme femelle au cours d'une saison, et change de sexe l'année suivante...

Les huîtres sont remarquables, elles offrent réellement à boire et à manger. Avec 68 calories dans 100 g (3 fois plus que la tomate, le poireau ou les haricots verts, autant que les petits pois) elles sont réellement légères. En revanche elles sont riches en minéraux et vitamines. Ce que Jules Vernes, dans *L'Île mystérieuse*, avait déjà noté : « L'huître ne contient que très peu de matière azotée, et, à un homme qui s'en nourrirait exclusivement, il n'en faudrait pas moins de quinze à seize douzaines par jour. » Ce que confirme Brillat-Savarin : « Les huîtres fournissent peu de substance nutritive, c'est ce qui fait qu'on en peut manger beaucoup sans nuire au repas qui suit immédiatement. On se souvient qu'autrefois un festin de quelque apparat commençait ordinairement par des huîtres, et qu'il se trouvait toujours un bon nombre de convives qui ne s'arrêtaient pas sans avoir avalé une grosse (douze douzaines, cent quarante-quatre). »

À poids égal, il y a presque autant de calcium dans les huîtres que dans le lait ! Dans 100 g d'huîtres (de leur chair, évidemment) il y a 100 % des apports journaliers recommandés (les AJR définis par le législateur) du zinc, 200 % du cuivre, 44 % du sélénium, 45 % de l'iode et même 45 % du fer. Sans négliger le magnésium (15 % des AJR), le phosphore (21 %) et le potassium. Les vitamines B sont bien représentées : à peu près 10 % des AJR pour chacune ; beaucoup plus pour la **vitamine B12**. Les vitamines A et E sont aussi présentes : 9 % des AJR.

Quel est l'avantage des huîtres sur les moules ? Elles contiennent plus de vitamines du groupe B et de la vitamine D (100 % des AJR dans 100 g).

Sauvage, l'huître se drague, cultivée, elle s'élève. Actuellement, l'ostréiculture repose sur deux espèces : d'une part l'huître plate (*Ostrea edulis*) et d'autre part l'huître creuse du Pacifique ou huître japonaise (*Crassostrea gigas*). Leurs pérégrinations sur le globe sont bien différentes. Les premières, par bancs naturels, ont été largement exploitées en Europe dès l'époque romaine. Mais il a fallu, pour faire face à la demande au XVIIe siècle, importer les huîtres creuses du Portugal, de l'espèce *Crassostrea angulata*. Or, dans le cadre de ce commerce, en 1868, dangereusement ballotté par la tempête dans l'estuaire de la Gironde, un navire assurant leur transport fut obligé de se délester de sa cargaison. Elles y survécurent, s'y établirent, et finirent spontanément par prendre le dessus sur les huîtres plates. Mais la domination écologique des huîtres portugaises prit fin vers la fin des années 1960, lors d'une épidémie virale. C'est alors que l'espèce originaire du Japon, morphologiquement identique, fut introduite et acclimatée, comme peu avant aux États-Unis, au Canada et en Australie. Elle représente 95 % des trois millions de tonnes d'huîtres produites dans le monde. Le Français consomme en moyenne trois douzaines d'huîtres par an, les différences sont très notables selon les régions : huit fois plus sur le littoral !

Grâce au progrès de la biologie moléculaire, le séquençage du génome devrait permettre de distinguer toutes les espèces et sous-espèces. Il sert déjà à détecter certaines fraudes, comme celle de substituer la limande à la sole. C'est ainsi que l'on peut retracer l'histoire mondiale des migrations de l'huître ! L'huître portugaise a été importée d'Asie, par des navigateurs portugais, mais aucun document ne permet de savoir si ce fut volontaire ou fortuit. Les huîtres de Taiwan sont *C. angulata*, alors que les *C. gigas* sont d'origine japonaise.

Des chiffres ou des lettres ? Pour les huîtres creuses, la quantité de chair est notée sur la dénomination. La très grosse (TG) pèse 100 g et plus, la grosse (G) de 80 à 99 g, la moyenne de 50 à 79 g et la petite de 30 à 49 g. Si l'huître a filtré l'eau des « claires », riche en plancton mais moins salée que celle des parcs, elle est dite « fine de claire » quand la densité des huîtres est de moins de 20 par m² ; et « spéciale de claire » pour 10 au m².

Pour ce qui est des plates, elles doivent mesurer au moins 5 cm dans le sens de leur plus grande dimension. Vive le pied à coulisse ! Sur la balance, l'aiguille va du triple zéro (100 g et plus) à 6 (20 g au minimum). Le plus petit poids correspond ainsi au numéro le plus grand. Les principales sont la Marennes, la Belon, la Gravette et la Bouzigue. Mais les meilleures sont sans doute les variétés de belon élevées à Cancale. Faites escale à Cancale ! Les larves s'accrochent sur des collecteurs, des tuiles par exemple, ou des rochers ; elles s'y fixent et deviennent alors des naissains. Puis elles sont cueillies, détroquées selon le terme professionnel ; les bébés huîtres sont alors mis en pousse. Elles s'engraissent et prennent du poids, mais pas avec des matières grasses, malgré le nom.

Au Japon, les huîtres se vendent comme des cornichons, en bocaux, décoquillées, en Corée elles se servent à la louche. La culture française préfère les déshabiller. Question de galanterie. Dans un autre domaine, le vaste débat végétarien demande si la limite se situe au niveau de la crevette ou de l'huître.

La perle nutritionnelle ? Casanova, bien avant le Viagra, en consommait de grandes quantités. Pas moins de cinquante tous les soirs, affirment ses admirateurs et ses émules. Considérez l'huître comme une perle, et ne la cherchez pas. De toute manière elle serait obligatoirement de culture. Avec Jean de La Fontaine, après le rat des villes et celui des champs, pas de « rat de marée », mais l'huître qui sépare les plaideurs. Et réjouit le gourmet, tout en nourrissant « moderne », c'est-à-dire complet et léger. Sans oublier Socrate, qui enseignait que nous sommes enchaînés à notre corps, comme l'huître l'est à sa coquille... Corps matériel parcouru de désirs et traversé de plaisirs. Donnons au corps son dû, afin que l'âme et l'esprit demeurent dans la tranquillité, et nagent dans la sérénité et le plaisir.

L'invitation d'Honoré de Balzac est pertinente : « Seriez-vous cruel à une bouteille de vin de Chablis, accompagnée d'un filet sauté aux champignons, et précédée de quelques douzaines d'huîtres ? »

Maître cerveau sur son corps perché : grâce au lait et au fromage !

Les détracteurs du lait utilisent comme argument que nulle espèce dans la nature ne sait utiliser le lait de celui d'une autre. Car ils croient discerner dans la consommation du lait l'origine de tous nos maux (mots ?). Pourtant, la vérité est à l'opposé.

En effet, le trait de génie des humains primitifs fut évidemment d'imaginer, puis d'oser utiliser le lait produit par les animaux. Le résultat fut certainement spectaculaire ; grâce au calcium et aux protéines, la station debout fut facilitée, assurant des os plus solides, plus efficaces, mieux plantés. Le rachitisme fut vaincu. Le cerveau put dominer le corps, commander des mains enfin libérées, dompter la nature, pour s'y nourrir mieux encore. Les protéines animales, d'excellente qualité, présentes dans le lait, pouvaient ainsi être absorbées toute l'année, en évitant d'avoir à entamer le « capital viande » du troupeau laitier. La santé se retira alors dans un... fromage.

Plus que l'invention de l'agriculture, qui permit simplement de sédentariser les hommes, et facilita leur multiplication, l'utilisation du lait constitua une étape à marquer d'une pierre blanche. La grande révolution du Néolithique, avec sa forte croissance démographique, fut l'exploitation du lait des animaux domestiqués, mis en élevage. Il s'agissait alors de chèvres et de moutons. Puis les laits fermentés furent découverts en faisant tremper dans le lait des végétaux, qui apportaient leurs bactéries spécifiques : yoghourt, kéfir, khoumys sont ainsi nés ; ouvrant une nouvelle page dans l'histoire des produits laitiers.

LE FROMAGE : LA MONNAIE ET LA SANTÉ, LE BEURRE ET L'ARGENT DU BEURRE

Comme le lait caille donc spontanément, l'astuce fut de le laisser s'égoutter, puis de favoriser ce caillage. La seconde fabuleuse invention fut l'élaboration du fromage. Il n'est pas né d'hier : le Néolithique le découvrit par hasard, et l'adopta par nécessité : celle d'avoir sous la main et la dent une réserve alimentaire disponible à tout moment de l'année. En Grèce, plus tard, le caillage fut maîtrisé en brassant le lait avec des branches de figuier fraîchement coupées et incisées. Puis, chez les Romains, en ajoutant le contenu de l'estomac de jeunes ruminants non sevrés, de la panse de veau, ce qui fut appelé beaucoup plus tard la présure. Car on savait depuis longtemps, par l'empirisme de l'observation, que le lait tiède coagule, caille, quand il est stocké dans une gourde rudimentaire confectionnée avec l'estomac d'un ruminant. De quoi se nourrir en permanence toute l'année, et même créer ainsi une monnaie d'échange.

Les plus anciennes faisselles connues datent du Néolithique en Mésopotamie. Cinq mille ans avant notre ère, les Alpes étaient déjà une région laitière. Le mot de fromage découle de *forma*, forme, mise en forme. Avant d'utiliser le sel, l'homme utilisait des cendres de diverses essences, qui provoquaient un assèchement superficiel et amélioraient la fabrication du fromage, tout en lui donnant du goût. L'histoire des fromages est déjà contée sur certains bas-reliefs summériens, 3 500 ans avant Jésus-Christ, Pline l'ancien et Columelle leur témoignèrent beaucoup d'intérêt. La ration du soldat, pendant des siècles, fut centrée sur le fromage. Et cela dura des millénaires : sous Charlemagne, grâce aux moines, l'industrie fromagère devint florissante, et même économiquement puissante. L'histoire de l'humanité est jalonnée des senteurs et des parfums rustiques des fromages. Un révolutionnaire n'affirma-t-il pas « le fromage de Brie, aimé par le riche et par le pauvre, a prêché l'égalité avant qu'on ne la soupçonne possible » !

Le corbeau et le renard de la fable de La Fontaine ont raison « cette leçon vaut bien un fromage, sans doute ». Car le fromage est probablement l'aliment qui évoque le plus fidèlement le caractère des paysages des régions et des hommes qui les peuplent. Le pays aux quatre cents fromages, un différent pour chaque jour, est digne de ses ancêtres ! Il doit les préserver, les exploiter, les exalter. Comme le disait James de Coquet « l'amateur de fromage est lui aussi le produit d'un long et délicat affinage ». Celui des papilles, de son cerveau et de son intelligence. Depuis les enfants de Cro-Magnon.

LE LAIT N'EST PAS UNE VACHERIE ! LES LAITS « BIDONS »

Le veau : un sous-produit du lait ! Oui, car Dame nature a ses impératifs : pour qu'une vache puisse fabriquer du lait, elle doit obligatoirement avoir été grosse, et qu'elle ait vêlé ; c'est-à-dire que la naissance du veau est obligatoire pour qu'une vache produise du lait. Mais que faire de ce charmant petit animal, si les consommateurs deviennent végétariens, négligeant le veau pour ne consommer que le lait ? Le « végétariennement correct » de quelques-uns se doit d'ignorer ce problème, pourtant bien réel ; pour ne pas sangloter comme... des veaux ! En pratique, en Angleterre, pays de forte consommation de lait, mais qui compte de nombreux végétariens, les veaux sont « pudiquement » escamotés, c'est-à-dire euthanasiés à huit jours... Ce qui signifie simplement qu'ils sont abattus réglementairement, mais à la sauvette.

Pour éviter cette hécatombe, une première solution pourrait être d'allonger le temps de lactation chez les vaches : faire plus de lait avec moins de veaux. Mais le prix à payer est celui demandé par l'industrie chimique, à travers la pharmacie vétérinaire ; car seul un bricolage pharmacologique pourrait engendrer ce résultat. Une deuxième solution consisterait à faire des vaches-OGM, véritables... veaux d'or qui pourraient produire indéfiniment du lait, sans passer par le veau. Est-ce vraiment cela que certains souhaitent ? Quant à ceux qui affirment avec componction que boire une goutte de lait c'est boire une goutte de sang, ils relèvent, en urgence, de la psychiatrie.

Pour produire trente litres de lait, il faut tuer un kilo d'animal ! Quelques chiffres officiels permettent de le démonter. En France, il y a, bon an mal an, 4,5 millions de vaches laitières, c'est-à-dire qu'elles produisent du lait (les vaches allaitantes, dans le « dialecte » des producteurs, allaitent leur veau, et produisent de la viande). Chacune de ces vaches donne annuellement cinq mille cinq cents kilos de lait. Soit rappelé en passant, la production a fantastiquement augmenté. Au XVIIIᵉ siècle elle était beaucoup plus faible qu'actuellement ; il n'y a qu'à consulter Bernardin de Saint-Pierre : « La vache, qui fournit, dans les riches prairies de la Normandie, jusqu'à vingt-quatre bouteilles de lait par jour, n'en laisseroit couler que ce qui suffit à son veau. »

Que deviennent, de nos jours, leurs veaux ? Ils sont évidemment mangés. Au total, 24 750 millions de kilos de lait nécessitent 883 millions de kilos d'animal, soit environ un kilo d'animal pour vingt-huit litres de lait. Comme nous ne consommons pas la peau, les cornes, les os, les graisses (ni, depuis peu, la cervelle), un kilo d'animal fournit trois cent soixante grammes de viande consommable. Finalement donc, soixante-dix-sept litres de laits impliquent – mécaniquement pourrait-on dire – un kilo de viande dans nos assiettes... À moins d'en faire des farines pour alimenter les fours à ciment ou en faire du béton !

Attention ! il ne faut pas se laisser abuser par la dénomination de lait : le lait de soja, sur le plan nutritionnel, n'a rien à voir avec le lait de mammifères ! Les nourrissons allergiques au lait de vache reçoivent du lait de soja ; mais il ne constitue qu'un simpliste support liquide blanchâtre, enrichi en de multiples minéraux, vitamines et éléments essentiels qui ne sont pas naturellement présents dans ce « lait ».

Prenez du plâtre (plus exactement de l'hydroxyde de calcium) et ajoutez de l'eau : vous obtiendrez du lait de chaux. Avez-vous envie de boire goulûment une lampée agressive, décapante et mortelle de ce lait tout à fait spécial ? Plus digeste est certainement le suc blanchâtre issu de certains végétaux, comme celui de la laitue, dénommé laiteron, mot qui désigne une sorte de latex contenu dans les tiges et les feuilles de ces plantes (répondant au charmant nom de composacées). Il est vrai que ce laiteron est baptisé lait d'âne ! Le lait de coco présente une composition totalement différente du lait d'amande, qui est une émulsion d'amande. Le lait de beauté ne se consomme pas plus que le lait démaquillant. Quant au lait de poule, il constitue une sorte de mutant culinaire de ce gallinacé, le jaune d'œuf étant battu dans du lait sucré et aromatisé... parfois avec de l'alcool !

Le lait de soja est au lait de vache ce que le bifteck de soja est au steak de bœuf, c'est-à-dire qu'ils n'ont rien à voir, sinon une similitude de langage trompeuse. Ne nous laissons pas abuser ! L'omnivorisme bien compris demande de se délecter du lait, des laitages, tout comme de l'escalope ou du foie. Le problème ne se chasse pas d'un simple coup de pied, évidemment chaussé d'une chaussure en box-calf ; pas plus qu'il ne se disserte dans un livre relié en veau ; ou pire, horreur : dont la reliure est en vélin, c'est-à-dire faite avec de la peau de veau mort-né, plus fine que le parchemin ordinaire. Interdiction donc de toucher voluptueusement les livres anciens et les incunables ?

L'ALLAITEMENT, LE CERVEAU ET LA TAILLE

Il est absolument évident que le lait de femme constitue le meilleur aliment, et de loin, pour le nourrisson. Mais adapter n'est pas materniser ! Preuve en est que la loi interdit la dénomination de lait maternisé. Car, pourrait-on dire, plus on en sait, plus on sait... qu'on en sait moins. C'est-à-dire que le potentiel d'analyse fait découvrir ou suspecter des substances nouvelles dans le lait de femme ; mais le technicien est de moins en moins capable de les purifier, pour les ajouter à des laits adaptés. En d'autres termes, le nombre de nouvelles substances mises à jour croît plus vite que celui qu'il est possible d'ajouter.

Quoi qu'il en soit, la diversification s'impose vers le quatrième mois de vie. Car il n'existe pas d'aliment complet (au sens nutritionnel du mot) pour l'espèce humaine ; si ce n'est le lait de femme, mais seulement pendant les quelques semaines suivant la naissance. Un aliment complet, sur le plan alimentaire, serait celui qui apporterait, à lui seul, tous les nutriments nécessaires. À ce propos, il convient de ne pas faire de confusion avec la définition technologique d'un aliment complet, qui signifie simplement qu'il conserve l'essentiel de ses nutriments d'origine, comme le pain ou le riz complets.

L'extrapolation abusive, largement répandue, est que l'allaitement prolongé et quasi exclusif est recommandable. En appelant à la rescousse les Africaines, dont les enfants allaités le plus longtemps sont ceux qui sont en meilleure santé. C'est oublier que, là-bas, quand un enfant cesse d'être allaité, il mange, hélas, des aliments aussi pauvres et souillés que ceux de ses parents ; c'est-à-dire qu'il ne peut manquer, malheureusement, de se carencer. En revanche, l'enfant allaité survit mieux, mais en épuisant sa mère. Une question est de savoir si les carences nutritionnelles sont la cause ou la conséquence du sevrage tardif.

Une étude française, faite par des chercheurs du laboratoire de nutrition tropicale de l'ORSTOM (devenu l'IRD, Institut de recherche sur le développement), réalisée dans une zone rurale du Sénégal, met les choses au point : l'allaitement prolongé est responsable d'un retard de croissance, car les bébés maigres et petits sont beaucoup plus nombreux parmi ceux qui ont été sevrés tard (après trente mois pour certains). Or les signes de malnutrition chez le bébé poussent la mère à prolonger l'allaitement, car le sevrage précoce, dans ces régions augmente le risque de mortalité. L'alternative est dramatique, le résultat toujours défavorable, le cercle est vicieux : les enfants fragiles sont sevrés plus tard, ce qui augmente leur fragilité, par carence alimentaire. Les carences nutritionnelles sont la cause de l'allaitement exagérément prolongé, car il les aggrave. Car les besoins nutritionnels de l'enfant exigent la diversité des aliments. Mais qu'est-ce que sont ces besoins ?

Le besoin : le prix de la nécessité

En pratique, il est primordial d'établir une distinction entre d'une part les besoins nutritionnels et d'autre part les apports nutritionnels conseillés. De quoi s'agit-il ? Les besoins nutritionnels correspondent à la quantité minimale d'un nutriment nécessaire à la compensation des pertes de l'organisme en ce nutriment, ils répondent à des besoins physiologiques réels ; ils évitent la pathologie. Compte tenu des connaissances scientifiques actuelles, ils constituent des limites inférieures en deçà desquelles la maladie s'installe inexorablement. Les apports conseillés, terme retenu par la commission hexagonale sont : « des valeurs choisies par un groupe d'experts français qui tiennent compte non seulement des données scientifiques concernant les besoins nutritionnels, mais aussi des motivations et habitudes alimentaires des personnes concernées dans la mesure où ces habitudes ne sont pas nuisibles à la santé ». La marge d'appréciation, sinon d'erreur, est assez large.

Sans compter que les différences individuelles sont relativement importantes. Par exemple, SUVIMAX (qui signifie <u>su</u>pplémentation en <u>vi</u>tamines et <u>min</u>éraux <u>a</u>ntio<u>x</u>ydants), une étude fondamentale dirigée par Serge Hercberg, permettant de connaître l'état de santé de la population française par rapport à ses aliments, montre qu'un cinquième des femmes n'ont pas de réserves en fer, entre la puberté et la ménopause. Pourtant, parmi celles qui en mangent suffisamment, il en existe quelques-unes qui sont réellement carencées (car, à titre individuel, du fait de leur physiologie, elles ont des besoins supérieurs à la moyenne), alors que certaines carencées « administratives » se portent comme un charme (car leurs besoins sont plus faibles que ceux de la moyenne de la population).

La préoccupation actuelle est de substituer la notion de doses minimales indispensables (dont l'objectif est d'éviter l'apparition de signes de carence majeurs) à celle de doses pouvant assurer un état de santé optimal. Toutefois, la définition d'un tel état est pour le moins délicate. En pratique, il est incontestablement plus séduisant de rechercher l'optimum de qualité de vie plutôt que d'éviter simplement et « primairement » les maladies.

Les apports conseillés par diverses instances fournissent les quantités de nutriments indispensables, qui, consommées chaque jour, garantissent la couverture des besoins quotidiens de la grande majorité de la population en bonne santé. Ils sont maintenant à peu près connus ; un excellent ouvrage (mis à jour début 2001 sous l'égide du CNERNA, devenu élément de l'AFSSA, l'<u>A</u>gence <u>f</u>rançaise de <u>s</u>écurité <u>s</u>anitaire des <u>a</u>liments) les fournit. Mais, quels que soient les chiffres proposés par le spécialiste, il faut impérativement manger le plus varié possible ; de tout un peu, de qualité. La santé et la qualité de la vie sont à ce prix. Malheureusement, en se basant sur ces recommandations, une fraction importante de la population française est carencée en un ou plusieurs micronutriments :

*Pourcentages de femmes dont les apports se situent
en dessous des apports nutritionnels conseillés (ANC)*

	Entre 2/3 ANC et ANC	Sous 2/3 ANC
Vitamine E	42,5	38,0
Vitamine B1	56,3	25,8
Vitamine B2	41,2	7,1
Niacine (B3)	44,9	9,4
Vitamine B6	54,9	36,2
Folacine (B9)	51,0	20,6
Vitamine B12	10,7	2,7
Vitamine C	29,3	27,4
Calcium	43,8	16,4
Magnésium	37,0	19,0
Fer	30,9	45,1

Pourcentages d'hommes dont les apports se situent
en dessous des apports nutritionnels conseillés (ANC)

	Entre 2/3 ANC et ANC	Sous 2/3 ANC
Vitamine E	42,5	38,0
Vitamine B1	56,3	25,8
Vitamine B2	41,2	7,1
Niacine (B3)	44,9	9,4
Vitamine B6	54,9	36,2
Folacine (B9)	51,0	20,6
Vitamine B12	10,7	2,7
Vitamine C	29,3	27,4
Calcium	43,8	16,4
Magnésium	37,0	19,0
Fer	9,2	1,0

D'après SUVIMAX

CONSEILS PRATIQUES : DE L'ADMINISTRATION À LA PHYSIOLOGIE

Le législateur, dans son journal officiel, n'a défini que des AJR (apports journaliers recommandés). En fait, il ne s'agit pas à proprement parler de recommandations, mais de valeurs utilisables pour l'étiquetage des denrées alimentaires ; ce sont des valeurs de référence pour cet étiquetage. Ces AJR ont le mérite d'exister, mais ne concernent que les hommes adultes. *Quid* des femmes, des enfants, des âges de la vie, des diverses situations physiologiques ou pathologiques ? Citoyennes, citoyens trop jeunes ou trop vieux, malades, circulez : vous n'existez pas encore dans les textes. Seuls les nourrissons ont eu droit à une attention particulière.

En fait, survoler l'étiquette peut suffire. Car la présence de chiffres exprimant les pourcentges des AJR est généralement d'excellent augure, il suffit alors de vérifier qu'ils sont du même ordre de grandeur pour tous les nutriments invoqués. Quand l'industriel choisit de les apposer, il a forcément bonne conscience. Sinon, il se contente de la mention : « aux x vitamines et y minéraux », occultant le fait que, souvent, les quantités ajoutées sont inversement proportionnelles au prix d'achat de chacun des nutriments. Pour l'un, peu onéreux, il ajoutera l'équivalent d'un container ; pour l'autre, cher, le volume d'un dé à coudre. Comme le célèbre pâté d'alouette, qui contenait un peu de cheval. Combien ? Moitié-moitié, répondait le producteur. En fait, c'était un cheval et une alouette.

Notre organisme régule l'utilisation des aliments absorbés sur plusieurs jours, au besoin il les stocke, en particulier dans le foie, pour ce qui concerne les vitamines et les minéraux. Il s'agit d'une sage adaptation multimillénaire ; car, il est impossible d'absorber chaque jour tous les nutriments nécessaires. En effet, chaque aliment ne contient que quelques nutriments, en quantité faible ou importante, mais il apporte toujours des calories. Si nous devions manger quotidiennement tous les aliments nécessaires à l'apport de tous les nutriments, alors notre ration serait largement hypercalorique, l'obésité serait immanquablement au détour du chemin.

Pendant des centaines de milliers d'années, l'instinct a dicté aux hominiens ce qu'il convenait d'utiliser comme aliment, en puisant dans toutes les ressources végétales et animales offertes par la nature. Puis l'homme, *Homo sapiens*, a chargé sa nourriture de raffinement, procédé à des choix, lui a attribué des significations. Évidemment, le mot aliment n'infère pas obligatoirement l'apport d'une substance par la bouche. Il se définit, en fait, à l'échelle de l'organisme ou de l'organe. Les cellules, de n'importe quel organe, se nourrissent, reçoivent des nutriments, fractions d'aliments.

Selon Littré, le mot *aliment* est un terme générique qui désigne toutes les matières, quelle qu'en soit la nature, qui servent habituellement ou peuvent servir à la nutrition. Les aliments sont divisés en boissons, condiments ou assaisonnements, et aliments proprement dits, composés surtout de principes d'origine végétale ou animale. D'après le *Petit Robert*, le mot aliment date de 1120 et dérive du latin *alimentum*. Il désigne toute substance susceptible d'être digérée, de servir à la nutrition de l'être vivant. Les mots s'y rapportant sont : comestible, denrée, nourriture, pâture, vivres.

Actuellement, la définition de l'aliment reste délicate. Elle doit exprimer que l'aliment est une matière – en générale naturelle et complexe – contribuant aux besoins de l'organisme (en substances, chaleur, énergie), donc entretenant la vie. Elle doit retenir que l'aliment répond aussi à des désirs, fait plaisir, s'accommode des coutumes (les repas familiaux, les banquets), possède une signification symbolique, comme le montre le multiséculaire partage fraternel du pain. Une définition désormais classique fut proposée par le père de la nutrition française moderne, Jean Trémolières : « Une denrée comportant des nutriments, donc nourrissante, susceptible de satisfaire l'appétit, donc appétence, et acceptée comme aliment dans la société considérée, coutumière. »

La CIAA (Confédération des industries agroalimentaires) a proposé : « On entend par denrée alimentaire toute substance destinée et convenant à la consommation humaine, qui possède une valeur nutritive ou des qualités organoleptiques. » La définition du manuel de procédure du *Codex alimentarius* est plus technique : « On entend par denrée alimentaire toute substance traitée, partiellement traitée ou brute, destinée à l'alimentation humaine, et qui englobe les boissons, le chewing-gum et toutes les substances utilisées dans la fabrication, la préparation et le traitement des aliments, à l'exclusion des substances employées uniquement sous forme de médicaments, de cosmétiques ou de tabac. »

Les législations imposent des critères aux aliments dans le but d'assurer la sécurité et la santé, d'éviter les tromperies, de fixer des limites minimales à la qualité, éventuellement de promouvoir et garantir les critères de performance. L'aliment, par la satisfaction du besoin physiologique d'apaiser la faim, est constitué de toute matière qui sert, par ingestion, à l'entretien comme au développement de l'organisme. Mais, actuellement, la finalité nutritionnelle est estompée au profit des vertus sensorielles et hédoniques, vantées par la publicité, portant sur la « fraîcheur », la « légèreté », la valeur « santé », le caractère « naturel ». Malheureusement la sécurité alimentaire (absence de risques toxicologiques) est mise en avant avec beaucoup plus d'efforts de communication que la qualité nutritionnelle des aliments, pourtant primordiale. Or, en vérité, des pathologies par intoxication sont extrêmement rares par rapport à celles dues à une alimentation déséquilibrée, qui sont très fréquentes.

En pratique, un aliment est généralement complexe, il est constitué d'une combinaison de six classes de substances. D'abord celles utilisées par l'organisme (les nutriments), ensuite celles qui sont utiles mais partiellement non digérées (par exemple les fibres), puis celles qui sont inutiles car non digérées. La quatrième classe concerne les substances qui sont naturelles mais toxiques, éventuellement détruites par la cuisson, la cinquième implique les contaminants, potentiellement toxiques (pesticides, hormones, médicaments vétérinaires, polluants, etc.), la sixième classe porte sur celles qui sont ajoutées intentionnellement (additifs). La digestion doit faire le tri et la sélection. Les nutriments de ces aliments construisent l'organisme et lui fournissent son énergie. Sans eux, pas de vie, pas de perpétuation de l'espèce. Pour qu'ils ne soient pas oubliés, pour qu'ils soient choisis avec soin et de manière renouvelée, le Créateur accompagna leur absorption des plaisirs de la bouche...

CLASSER LES NUTRIMENTS, DENSITÉ NUTRITIONNELLE ET CALORIQUE

Le mot nutriment, quant à lui, définit tout élément ou composé (organique ou inorganique) contenu dans les aliments, capable d'être utilisé par l'organisme et assimilé par les cellules, après avoir été capté lors de la digestion. Parmi ceux-ci se distinguent les vitamines, les minéraux, les acides aminés indispensables (constitutifs des protéines), les acides gras indispensables (autrefois dénommés vitamine F, ils sont constitutifs de certains lipides, c'est-à-dire de graisses). Les nutriments indispensables ou essentiels n'ont aucune capacité d'être élaborés par l'organisme et doivent donc absolument être intégralement apportés en totalité par l'alimentation. En l'absence d'un seul, la qualité de la vie, voire la survie, est irrémédiablement compromise. Si son apport est insuffisant, une carence ou une déficience nutritionnelle se manifeste.

La liste des nutriments essentiels est propre à chaque espèce ; en ce qui concerne l'homme et son cerveau, elle est très étendue en raison de ses faibles capacités de synthèse. Les nutriments, substances simples, sont fabriqués par des organismes frustes ; que l'homme se doit d'absorber, pour assurer sa complexité. S'il devait vivre d'amour et d'eau fraîche, c'est-à-dire utiliser directement le gaz carbonique et la lumière pour élaborer des substances organiques, comme savent le faire les plantes, il serait vert, et sa surface corporelle serait gigantesque. L'esthétique ne le veut pas, la physiologie non plus. Un chat, carnivore obligatoire, meurt s'il est soumis à un régime strictement végétarien, car il est génétiquement contraint d'absorber la chair d'autres animaux (avec son cortège de protéines et de bonnes graisses) pour élaborer et maintenir la sienne propre. Privé de viande, il devient aveugle, car il ne sait pas transformer le bêta-carotène des végétaux en vitamine A ; sa croissance est perturbée car sa peau ne sait pas fabriquer la vitamine D. Incidemment, supprimer les farines animales ne peut que générer de gros problèmes d'approvisionnement chez les producteurs d'aliments adaptés à nos animaux de compagnie...

La liste des nutriments essentiels, à puiser obligatoirement dans les aliments, comprend huit acides aminés : isoleucine, leucine, lysine, méthionine, tryptophane, valine, thréonine et phénylanine ; deux acides gras à structure particulière, portant plusieurs doubles liaisons, les acides gras poly-insaturés appelés acide linoléique et acide alpha-linolénique. À ces acides aminés et acides gras s'ajoutent les vitamines solubles dans les graisses, liposolubles : vitamine A, D, E, K (bien que cette dernière puisse être partiellement fournie par les synthèses de la flore intestinale) ; la totalité des vitamines hydrosolubles : vitamine C (acide ascorbique) et l'ensemble des vitamines du groupe B : vitamine B1 (ou thiamine), vitamine B2 (ou riboflavine), vitamine B3 (ou PP ou niacine ou acide nicotinique), acide pantothénique (vitamine B5), vitamine B6 (ou pyridoxine), biotine (vitamine B8), acide folique (ou vitamine B9), vitamine B12 (cobalamine). Les « vitamines » B4, B7, B10 et B11 (adénine, choline, carnitine, etc.) eurent leur temps de gloire, puis de doute, enfin de rejet : ces substances ne sont pas d'authentiques vitamines, car l'homme sait les fabriquer.

Les éléments minéraux à fonction biologique sont évidemment essentiels. On distingue habituellement les macro-éléments qui sont nécessaires à des taux élevés, et les oligo-éléments, dont une quantité minime suffit pour satisfaire les besoins. Les premiers comprennent le calcium, le phosphore, le magnésium, le sodium, le potassium, le chlore et le soufre. Les seconds se composent du fer, de l'iode, du cuivre, du manganèse, du zinc, du cobalt, du molybdène, du sélénium, du chrome, du fluor, du silicium et du nickel. Mais cette liste n'est sans doute pas exhaustive.

Enfin certains nutriments sont dits banals lorsque l'organisme les élabore à un niveau qui permet toujours de satisfaire ses besoins. Leur présence ou leur absence dans l'alimentation sont indifférentes au cerveau, à condition que les autres organes en soient repus.

On est souvent étonné par l'habileté avec laquelle, par le goût et l'expérience, toutes les civilisations ont su recourir, pour équilibrer leur alimentation, à des denrées bizarres et utiliser des techniques de préparation efficaces dont cependant elles ignoraient complètement le sens biologique. Sans le savoir, pour obtenir leur vitamine B1, les Esquimaux recherchent ainsi les lichens de l'estomac du renne ou des boules végétales stockées pour l'hiver par certains rongeurs, tandis que les habitants des Fidji font fermenter la noix de coco. Les Indiens du Mexique rendent le tryptophane disponible en traitant le maïs dans de l'eau de chaux. Nombreux sont ceux qui, faute de mieux, apprécient les compléments protéiques apportés par des insectes, ou d'autres qui utilisent le pouvoir bactéricide des fermentations lactiques.

Un aliment se doit de nourrir. Il est donc indispensable de connaître son contenu en nutriments : lesquels, en quelles quantités, avec quelle biodisponibilité ? Car il faut que le nutriment (la substance présente dans l'aliment qui est utilisée par l'organisme humain) soit non seulement présent, mais qu'il le soit en quantité utile et utilisable : il y a certes du fer dans les épinards, mais il n'est biodisponible qu'à 2 %, ce qui est négligeable ; il y a de la vitamine C dans le persil, mais il faudrait faire la salade avec du persil et hacher menu la laitue pour que les apports soient significatifs.

Tout aliment apporte aussi des calories ! Il convient donc de sélectionner ceux qui apportent le plus de nutriments ; mais, si possible, le moins de calories ! Avec la chasse aux calories, il devient indispensable de connaître la quantité de calories présentes par gramme d'aliment, ce qui se dénomme précisément la densité calorique, alias la densité énergétique. Mais ce chiffre ne doit pas toutefois occulter la valeur nutritionnelle, c'est-à-dire la quantité et la variété des nutriments présents. On parle alors de densité nutritionnelle. Dans 100 g de bifteck grillé, il y a 148 kilocalories, ce qui représente un densité énergétique de 1,48. Avec 3 mg de fer dans 100 grammes, c'est-à-dire dans

148 kilocalories, la densité nutritionnelle du bifteck en fer est de 0,02 mg/100 kilocalories, ce qui est considérable pour ce nutriment. Il y a aussi 28 grammes de protéines, soit une densité nutritionnelle en protéines de 0,19.

Par définition, la Calorie (avec un « C » majuscule, dénommée aussi grande calorie) correspond à la quantité de chaleur nécessaire pour porter un litre d'eau de 14,5 à 15,5 degrés, sous la pression atmosphérique normale. Car, en montant en altitude, elle diminue : à 2 000 mètres, l'eau bout à moins de 100 degrés, il faut alors beaucoup plus de temps pour faire cuire un œuf à la coque. L'unité internationale est en fait la joule, c'est pourquoi les étiquetages portent en général la double mention, en kcal et kJ.

Les aliments, formés de substances organiques, peuvent brûler en fournissant de la chaleur. Or, notre corps se comporte comme une véritable chaudière, qui consume les aliments pour produire précisément de l'énergie. Elle est qualifiée de base quand il s'agit de la respiration, des battements du cœur, du fonctionnement du cerveau, de l'ensemble des phénomènes chimiques d'entretien des tissus, le renouvellement des cellules. Les dépenses accessoires physiologiques concernent le travail de digestion, les régulations thermiques ; tout écart de 10° accroît l'ensemble des besoins énergétiques de 10 %. Le travail musculaire exige de l'énergie, selon l'effort consenti : une demi-heure de dactylographie consomme l'équivalent d'un petit beurre de 5 g, une heure de piano 150 calories, soit une saucisse de Francfort, une demi-heure à scier du bois ou une heure de maçonnerie 250 calories, soit 50 g de chocolat ; le même temps de ski dévore 140 cal, c'est-à-dire un cornet de 50 g de frites.

Cette énergie provient des glucides et des lipides consommés, ou bien de ceux qui sont stockés ; tandis que les protéines ne fournissent, normalement, pas d'énergie. Les minéraux n'y participent pas, car ils ne brûlent évidemment pas ; les vitamines non plus, car leurs valeurs caloriques sont négligeables, étant présentes en doses infimes par rapport aux macronutriments. Mais il n'est pas possible, quand on calcule dans un calorimètre la quantité d'énergie produite par le mélange de substances qui constituent un aliment, de distinguer ce qui revient aux glucides, aux lipides et aux protéines. On donne donc une valeur globale, totale. Or, les glucides valent 4 calories par gramme, alors que les lipides comptent 9 calories par gramme ! De ce fait, à poids égal, un aliment riche en lipides apporte plus de calories qu'un autre riche en sucres ! Entre les diverses catégories de laits plus ou moins écrémés, la seule différence réside dans la teneur en graisses. Les quantités de vitamines, de sucres, de minéraux et de protéines sont donc identiques ; seule diffère la densité calorique et la densité nutritionnelle en graisses.

Densités énergétiques des laits UHT :

	Entier	Demi-écrémé	Écrémé
Densité énergétique	6,3	4,6	3,4
Teneur en graisses	3,5	1,6	0,2

Calculé d'après les tables de composition des aliments INRA-CNEVA-CIQUAL

Par leur définition physico-chimique, les vitamines liposolubles se dissolvent dans les graisses. De ce fait, la vitamine E ne se trouve en quantités appréciables que dans les graisses, et plus particulièrement dans les huiles végétales alimentaires. Mais toutes ne sont pas identiques. Ainsi, l'oléisol, une variété de tournesol produisant de l'acide oléique, présent dans isio-4, en est particulièrement riche, ce qui est très intéressant. Toutes les huiles végétales ont la même densité calorique, mais elles ne sont absolument pas pour autant identiques en termes de densité nutritionnelle en vitamine E, comme en acides gras indispensables d'ailleurs.

Les aliments dont les densités caloriques sont les plus élevées sont les corps gras, c'est-à-dire les huiles végétales et les graisses : 8,99 calories par gramme. Le lard cru et le beurre, qui contiennent un peu d'eau, ne chiffrent qu'à 6,7 et 7,5. Cependant, pour les acides gras indispensables, la densité nutritionnelle d'une huile de colza est grande, alors qu'elle est nulle pour l'huile de palme. Les aliments dont les densités caloriques sont les plus élevées ne sont pas obligatoirement les plus nutritifs, surtout s'ils contiennent des graisses saturés ! À l'autre extrémité de l'échelle, l'eau pure présente une densité calorique nulle, car elle est dépourvue de nutriments ; alors que le lait demi-écrémé UHT présente 0,46 et le jus d'orange 0,39. Mais cette simple évaluation n'est valable que si l'on considère chacun des nutriments : pour les protéines, le jus de fruit donne zéro, alors que lait prodigue un chiffre très intéressant.

L'alcool fournit également des calories : 7 calories par gramme. Un vin n'est donc pas zéro calories ; quand il est sucré, les calories su sucre s'ajoutent à celles de l'alcool. D'après SUVIMAX (une étude épidémiologique française que nous avons rencontrée il y a quelques pages), l'alcool fournit 5 % de la ration calorique des femmes, et 10 % de celle des hommes.

Dans les légumes, il n'y a pratiquement ni lipides ni protéines, les glucides y sont rares ; de ce fait, leur densité énergétique est faible. Le foie de veau contient de la vitamine C, mais aussi beaucoup de protéines, une quantité restreinte de lipides et un peu de glucides lents (les bons) sous forme de glycogène. Il y a autant de vitamine C dans 100 g de foie de veau cuit que dans 50 g de citron ou d'orange, mais la valeur nutritionnelle du foie est nettement meilleure que celle de l'orange !

Les aliments ayant la plus forte teneur en vitamine C,
rapportée à l'énergie

	mg/100kcal	Quantité (en grammes) d'aliment apportant 55 mg (1/2 ANC)
Poivron vert cru	812	43
Persil frais	731	27
Poivron rouge cru	616	32
Cresson	512	92
Cassis frais	402	27
Brocoli cuit	300	92
Salade verte	287	152
Citron	196	105
Mâche	195	144
Fraise	175	92
Radis noir	175	55
Groseille, chou vert cuit	145	137
Orange	130	103
Tomate	95	304
Foie de veau cuit	0,15	236

Calculé d'après les tables de composition des aliments INRA-CNEVA-CIQUAL. Il convient de faire un compromis entre la plus grande richesse en vitamine C et la plus faible énergie calorique : le persil frais est un peu plus calorique que le poivron vert, mais il contient presque deux fois plus de vitamine C.

La publicité de certains aliments, vantés comme équivalents à un verre de lait, un bifteck ou à une tranche de jambon, est simplement ridicule ! En termes caloriques, un croissant égale... un sandwich aux rillettes ! Mais leur intérêt alimentaire est différent. Les calories vides sont des aliments dépourvus d'accompagnement vitaminique ou minéral, pourtant indispensables à leur utilisation par l'organisme. Le sucre en morceaux en constitue l'exemple le plus patent, comme d'ailleurs le riz blanc : ils sont de l'énergie pure, exempts de vitamine B1 permettant de l'utiliser, notamment par le cerveau. Un verre de soda et un autre de lait apportent le même nombre de calories, mais le lait offre un grand nombre de nutriments, qui sont absents du soda !

La densité énergétique constitue une référence très intéressante, mais il convient de la rapporter à la quantité usuelle d'aliment constituant la portion. Ainsi, malgré une même densité nutritionnelle en fibres, en termes de quantité d'énergie les accompagnant, 125 g de pruneaux secs sont équivalents à 800 g d'endives et à près d'un kilo et demi de laitue. Dans cent grammes, il y a autant de fibres dans les lentilles que dans les groseilles ou le salsifis. Le brocoli, les carottes, le

cresson, le poireau, le chou-fleur, le cresson et les endives sont équivalents.

Les aliments ayant la plus forte teneur en fibres, rapportée à l'énergie

	g/100 kcal	Quantité (en grammes) d'aliment contenant 20 g de fibres
Artichaut cuit	53	212
Endive	32	800
Salsifis	30	222
Groseille	30	244
Céleri rave et branche	26	487
Céleri branche	26	909
Persil	22	333
Cresson	22	769
Chou-fleur cuit	15	769
Navet	15	952
Brocoli cuit	13	740
Poireau cuit	13	740
Laitue crue	12	1 333
Carotte cuite	11	740
Petit pois cuit	10	328
Pruneau sec	10	125
Lentille cuite	9	256

*Calculé d'après les tables de composition des aliments INRA-CNEVA-CIQUAL. Il convient
de réaliser un compromis entre la plus grande richesse en fibres et la plus faible énergie
calorique. Ainsi, les endives et les salsifis apportent autant de fibres dans 100 kcal ; mais
en pratique il faut manger une quantité trois fois plus faible de salsifis pour trouver autant
de fibres que dans les endives.*

En pratique, un aliment qui fournit x % des AJR d'une vitamine
n'est intéressant que s'il n'apporte pas plus de x % de la ration calorique. C'est pourquoi il reste illusoire de considérer le chocolat comme
un aliment riche en magnésium ; à vrai dire, il n'a pas besoin de cet
argument pour donner du plaisir.

Un aliment cuisiné est une préparation basée sur une recette. Plusieurs ingrédients sont donc mis à profit, pour donner naissance à un
plat unique, qui a sa valeur nutritionnelle propre. Le tour de main,
comme sa lourdeur, sont déterminants : une purée faite à l'eau n'a pas
la même valeur nutritionnelle que celle qui est faite avec du lait
(écrémé ou non), agrémentée d'une noix de beurre. Parer sans
compter : faire tout un plat de l'aliment !

Toute une science des « ét(h)iquettes » reste encore à créer !

Enrichir, supplémenter, complémenter ?

Votre alimentation contient-elle assez de nutriments ? Le débat est ouvert à nouveau, avec ses fanatiques et ses détracteurs : faut-il prendre des compléments alimentaires, acheter en pharmacie des vitamines et des minéraux ? Faut-il restaurer notre stock corporel à la fin de l'hiver, au début du printemps, vers l'été avant les vacances, à l'aube de l'automne ? Mangeons-nous réellement bien équilibré, sain et suffisamment ? Faut-il donc envisager d'utiliser des compléments alimentaires, ou bien accepter que les producteurs supplémentent systématiquement certains de nos aliments à la source, comme cela se fait dans certains pays ?

Le législateur et le juge ont eux-mêmes des difficultés à s'y retrouver. Ainsi, un tribunal d'une bonne ville angevine a décidé que la vitamine C devrait être considérée comme un médicament au-delà de cent cinquante milligrammes par jour, et devrait donc être exclusivement distribuée en pharmacie. Car ces magistrats ont cru que l'utilisation prolongée de cette vitamine pouvait induire des insomnies, de l'excitation, la formation de calculs rénaux. Ils ont estimé que la vitamine C était thérapeutique et non plus simplement nutritionnelle, à partir de cent cinquante milligrammes quotidiens. Appliquer à la lettre, ce jugement impliquerait de ne plus trouver de jus d'oranges dans les supermarchés, mais dans les officines, car ils contiennent cinq cents milligrammes par litres... Ubu n'en est plus à cela près.

Il faudrait mettre les villes à la campagne, disait un humoriste. Pour que chacun, tous les jours, ramasse ses œufs, cueille sa salade et prélève ses légumes, trait son lait et tue son poulet. Malheureusement cette vision idyllique n'est qu'un rêve. Avec ses cortèges de stress et de pauvreté, de déplacements dévoreurs de temps, de handicap culturel et de défauts d'éducation, la vie citadine et banlieusarde est source de malnutrition. Par ailleurs, certains aliments sont devenus inabordables, ou rares. Sans oublier que la sélection, les temps de transport et de stockage, les procédés de conservation peuvent parfois diminuer la teneur en vitamines ! Souvent, les fruits et légumes ne sont plus ce qu'ils étaient !

LE GAULOIS ET NOUS :
MÊME BIOLOGIE, MAIS ACTIVITÉS DIFFÉRENTES

Il devient incohérent, en raison de notre mode de vie toujours plus sédentaire, de consommer les mêmes quantités d'aliments qu'au cours des siècles ou des millénaires passés. Pendant seulement ces quarante dernières années, nos besoins énergétiques ont diminué d'un bon quart. Mais, si l'on remonte plus loin dans le temps, les différences sont beaucoup plus importantes encore : la consommation calorique actuelle représente bien moins de la moitié de celle de nos ancêtres. Les dépenses physiques de l'employé de bureau sont très nettement inférieures à celles du forgeron d'autrefois, à celles du robuste Cro-Magnon qui sillonnait au petit trot les monts et les vaux, pour courir après le bifteck sur pied ! Ayant besoin de beaucoup d'énergie, il mangeait énormément. Au sein de la vaste quantité de nourriture qu'il était contraint d'absorber, il trouvait tous les nutriments indispensables (acides gras essentiels, vitamines, minéraux, acides aminés). Étant donné que nous mangeons moins, il n'est donc même plus totalement certain qu'une alimentation saine et variée apporte suffisamment de tous les nutriments indispensables, à niveau calorique correspondant à nos besoins énergétiques actuels.

De plus, les conditions de vie moderne accroissent les besoins en vitamines et en minéraux. Sont par exemple incriminés une trop forte consommation de sucres à distribution rapide, les médicaments, le stress, l'alcool, la pollution, le tabagisme. Les états de précarence sont difficiles à dénombrer, mais ils existent réellement. L'état de sub-carence ne provoque pas une maladie clairement identifiée, mais il entraîne une altération de l'état général qui n'épargne pas le cerveau. Si la dénutrition et la malnutrition persistent, et même gagnent du terrain dans de trop nombreuses contrées de la planète, les simples carences vitaminiques ont pris des visages hypocrites, subtils et variés ; elles frappent des populations particulières : les nouveau-nés, les femmes enceintes, les personnes âgées, les marginaux de la société de consommation, les malades, sans oublier tout ceux qui n'ont pas reçu l'éducation nutritionnelle de base, et qui ne savent pas choisir sur les linéaires des magasins ou les rayons des restaurants collectifs. Le monde occidental connaît la malnutrition pléthorique, il a trop à manger, mais il ne sait pas choisir dans la prolificité qui lui est proposée.

Il est également possible de se carencer en mangeant équilibré, mais trop peu. En effet, par exemple, au-dessous d'environ mille kilocalories par jour, les besoins de base en vitamines et en oligo-éléments ne sont plus couverts. L'enfant et les personnes âgées sont directement concernés, plus encore celles et ceux qui subissent des régimes amaigrissants.

Pour rééquilibrer l'alimentation « moderne », tout en conservant nos traditions alimentaires, il faudrait modifier certaines de nos habitudes actuelles. C'est là qu'interviennent les produits allégés (en graisses saturées, en sucres « rapides ») et plus encore ceux qui sont enrichis (en micronutriments, en acides gras indispensables, en fibres). Ils permettent théoriquement de rééquilibrer très facilement les apports nutritionnels, sans toutefois obliger à remanier les nouvelles habitudes alimentaires. Ce dernier point est très important. En effet, d'une façon générale – cela est bien connu des nutritionnistes – les conseils diététiques contraignants modifiant trop les habitudes sont rarement suivis. Or il ne s'agit pas de rééquilibrer nos apports nutritionnels pendant quelques semaines ou quelques mois mais pendant plusieurs années !

VOUS AVEZ ENTENDU NUTRACEUTIQUE ? ALICAMENT ?

Au moins dans certaines conditions, il faudrait enrichir en quelques nutriments. Mais quels aliments sélectionner, avec quoi, et comment ? Pour eux, des mots nouveaux ont été forgés. Alicament : aliment + médicament. Nutraceutique accouple nutrition et pharmaceutique. Mais, en réalité, si les aliments peuvent contenir des substances qui préviennent les maladies, il est rare d'y trouver de véritables médicaments en quantité utile. Hélas, la préoccupation de la Sécurité sociale n'étant pas la prévention, l'utilisation du mot médicament est inadaptée dans la formation du mot alicament. Comme on devrait parler de nutrition préventive, le mot devrait être « alimpréventi », dont la prononciation est malheureusement rébarbative.

Puisque le mot n'est pas encore dans le dictionnaire, il convient de préciser sa signification. L'alicament est un aliment recomposé, c'est-à-dire constitué d'un aliment auquel on ajoute une ou plusieurs substances extraites d'un autre aliment. En effet, pour diverses raisons, il peut être jugé utile de conserver l'absorption de fractions de ce deuxième aliment, alors qu'il n'est lui-même plus consommé, pour divers motifs. Mais cette procédure demande des justifications scientifiques et médicales. En pratique, il n'existe que deux exemples sérieux ; quoiqu'il ne s'agisse pas de médicament pour l'un d'entre eux, les fibres.

Le premier concerne les fibres. En effet, nos ancêtres devaient manger beaucoup, pour faire face à des dépenses énergétiques faramineuses. Ils se délectaient donc de céréales, qui leur apportaient l'énergie sous forme d'amidon. Mais aussi des fibres, dans le même temps. Nos intestins, qui sont ceux de Cro-Magnon, ont donc encore et toujours besoin d'une quarantaine de grammes de fibres quotidiens pour fonctionner harmonieusement. Or, du fait de la voiture et de l'ascenseur, du chauffage et des commodités modernes, nous sommes contraints de réduire notre ration. C'est-à-dire, par voie de conséquence, celle de fibres (plus de deux fois moins). Il serait donc légitime de les ajouter dans d'autres aliments, que nous continuons actuellement à consommer couramment.

Le deuxième exemple, concernant les alicaments, touche une variété de graisses, les acides gras oméga-3. Ils sont trouvés dans les poissons sauvages, injustement négligés. L'une de leurs vertus est de prévenir nombre d'aspects de maladies cardio-vasculaires et de les traiter. Or, l'huile de chair de poisson a constitué un médicament remboursé par la Sécurité sociale. Ces bonnes graisses construisent et protègent notre corps. Nous en manquons. Elles sont déjà ajoutées (en Angleterre, au Japon, aux États-Unis) dans plusieurs aliments : le pain, le lait, les biscottes, les biscuits. Évidemment, une alternative alimentaire existe : mangez deux fois par semaine du poisson – gras – et vous diviserez par deux votre risque de maladie cardio-vasculaire. Mais, en général, ce délectable aliment n'est que peu mis à profit chez nous ; il ne l'est pratiquement jamais aux États-Unis. N'ayant pas appris le goût du poisson quand ils étaient enfants, les habitants de ce pays – entre autres – sont incapables de l'absorber adultes, le trouvant nauséabond, de goût détestable, et finalement éminemment dangereux pour les gencives et le « gosier », car coupable de contenir des arêtes.

En fait, les alicaments existent déjà, sans en utiliser la dénomination. Le sel iodé constitue un exemple spectaculaire : l'iode est ajouté à un produit de consommation courante, pour éviter le goitre dans les régions pauvres en iode. Une deuxième illustration : l'eau fluorée, élaborée en particulier pour diminuer l'incidence des caries.

Mais tout pourrait abusivement devenir alicament, pour assurer la promotion d'aliments pourtant classiques. Ainsi, le calcium est indispensable pour éviter l'ostéoporose, entre autres. Faut-il alors considérer le lait et le fromage comme des alicaments ? Évidemment non. La carence en vitamine A est redoutable, notamment au niveau de la vision, elle constitue la première cause de cécité dans le monde. Faut-il envisager les carottes ou le foie de veau comme des alicaments ? Pour lutter contre la carence en fer, faut-il apprécier le boudin comme un alicament ?

Il n'est pas évident que les alicaments soient promis à un avenir grandiose. Pour deux raisons. D'abord parce que les industriels de l'alimentaire ne souhaitent vraisemblablement pas une confrontation (sur le terrain du médicament et de la médecine) avec l'industrie pharmaceutique. Ensuite parce que les pouvoirs publics refusent les allégations thérapeutiques sur les emballages et dans les publicités... alors que celles-ci sont précisément censées justifier les alicaments.

L'œuf naturel n'est pas un alicament. Car, en fait, les œufs contiennent naturellement ces bonnes graisses, à la condition expresse que les poules qui les ont pondus aient elles-mêmes été nourries avec leurs aliments naturels. C'est une chercheuse américaine d'origine grecque qui l'a découvert. Elle a eu l'idée de comparer les œufs qu'elle achetait au supermarché américain, avec ceux que ses voisins lui offraient lorsqu'elle passait ses vacances dans son pays natal, œufs produits par des poules picorant en toute liberté, sans aucune nourriture imposée.

Résultats spectaculaires, les œufs naturels contiennent 5 à 10 fois plus de « bonnes graisses » que les œufs « industriels ». Ils sont naturellement riches en acides gras oméga-3. Voilà l'une des raisons pour lesquelles les Grecs et les Crétois font moins de maladies cardio-vasculaires que d'autres. Des œufs, baptisés justement oméga-3, vous sont proposés à l'achat depuis quelques mois. Ils ne sont donc pas véritablement enrichis, au sens propre du terme. Puisqu'ils ont simplement la composition que les autres devraient avoir. Les jaunes de ces œufs sont d'ailleurs utilisés avec succès pour fabriquer des laits adaptés infantiles, encore plus proches du lait de femme. Pour les petits, les enfants, ces œufs sont hautement recommandés. Pour tous les autres aussi.

La valeur nutritionnelle de l'œuf (cent grammes)
En % des apports journaliers recommandés

B1	B2	B3	B5	B6	B9	D	E	A
38	15	0,5	26	17	3	34	12	25

Phosphore	Calcium	Fer	Zinc	Iode	Magnésium
23	7	13	7	32	4

Calculé d'après les tables de composition des aliments INRA-CNEVA-CIQUAL

Et que penser des aliments enrichis, supplémentés, voire naturellement riches en certaines substances ? De toute évidence les risques de dérive sont importants. Les pièges habilement dressés par quelques services de marketing sont nombreux. Au consommateur de ne pas se laisser berner, en étant informé. Car l'extrême serait de prétendre faire un seul aliment, contenant tous les nutriments reconnus. Ineptie totale, prétention monstrueuse. Car environ cinquante substances nous sont indispensables. Mais les connaissances médicales et scientifiques sont incapables, pour chacune d'entre elles, de définir les besoins, selon les âges et les sexes, les conditions physiologiques ou pathologiques, les particularités individuelles. On est donc immensément loin de pouvoir évaluer la combinaison idéale de cinquante substances, ni dix par dix, ni même deux par deux ! Les années quatre-vingt ont été gouvernées par la religion du culte du corps, la période quatre-vingt-dix a été dédiée à l'aliment santé, avec l'apparition des allégations santé, le nouveau millénaire risque de demander à l'aliment ce qu'il ne peut pas donner, avec des alicaments bons pour le corps et l'âme. Après les années nourrissantes, maintenant les années équilibre ; mais avec des aliments naturels, et non pas synthétiques, des ersatz, au sens propre, puisque, pendant la guerre, il s'agissait d'aliments synthétiques.

L'allergie alimentaire : quelle tête sur la peau ?

Souvent évoquées à tort, encore fréquemment sous-estimées, les vraies allergies alimentaires sont, en pratique, de diagnostic assez difficile. Comment réagir devant une manifestation cutanée anormale attribuable à une allergie alimentaire ? Premier élément d'appréciation : les symptômes doivent se manifester moins de trois heures après l'ingestion de l'aliment incriminé ; avec quelques variations qui peuvent porter le délai à cinq heures, ou être modifiées par l'aspirine, l'alcool ou le sport. Accuser un aliment consommé deux jours avant relève de la fantaisie.

Concernant la véritable allergie aiguë, ses manifestations cutanées sont très variables. Elle débute brutalement peu de temps après la prise de l'aliment, quelques minutes à une ou deux heures, au plus, en général. Elle peut être déclenchée par un effort physique. Un œdème peut se démasquer, en particulier au niveau des lèvres qui gonflent démesurément. Elle risque d'induire un grave choc anaphylactique ; rarement une gingivite ou une stomatite. Six allergies sur dix surviennent chez des personnes reconnues comme ayant une tendance constitutionnelle ou héréditaire à présenter des réactions d'hypersensibilité immédiate (elles sont qualifiées d'atopiques) ; l'association avec un syndrome respiratoire est très fréquente. L'hyperconsommation d'un aliment peut être à l'origine d'une réaction, de même que les perturbations des défenses et du fonctionnement du tube digestif ; mais, dans ce dernier cas, il s'agit en fait de fausse allergie alimentaire.

Les irritants du tube digestif peuvent être impliqués. En effet, la muqueuse intestinale peut être rendue perméable aux allergènes (antigènes) alimentaires, sans que la réaction cutanée déclenchée soit pour autant d'ordre immunologique. Sont fréquemment incriminés l'aspirine, les anti-inflammatoires non stéroïdiens (c'est-à-dire ceux qui ne sont pas à base de corticoïdes), certains antibiotiques... et même les laxatifs. Les aliments libérateurs d'histamine sont mis aussi en cause, comme ceux qui en sont riches ; l'ingestion régulière d'irritants intestinaux (comme la moutarde, les épices), les candidoses intestinales, les colites de fermentation dues à l'excès de féculents, les parasitoses et... l'alcoolisme.

Les allergies chroniques évoluent de façon progressive ou par poussées, sans être obligatoirement accompagnées de signes digestifs ou respiratoires. Les substances déclenchantes sont généralement les mêmes que pour l'allergie aiguë, mais les allergènes sont plus délicats à identifier : aliments simples, « classiques », mais aussi additifs, conservateurs et même contaminants. Les manifestations chroniques sont principalement représentées par une urticaire, une aggravation de la dermatite atopique, un eczéma des paumes des mains ou de la plante des pieds, et bien d'autres symptômes encore.

Ne pas vendre la peau de l'ours ! Attention aux allergies croisées : l'allergie à un pollen peut induire l'allergie à un aliment ! Gare aussi aux allergènes masqués : l'arachide, la moutarde, le sésame, le céleri, les épices... En Suède, de nombreux morts sont à déplorer à la suite d'une consommation de soja. Ainsi récemment, une chaîne de grande distribution a été accusée d'avoir causé la mort d'une jeune fille qui avait absorbé des nems contenant de l'arachide. La responsabilité du vendeur réside alors dans le défaut d'inscription de sa présence sur l'étiquette. L'arachide est d'ailleurs cachée dans bien des aliments ; en particulier sa protéine, qui, peu onéreuse, sert de support d'arômes. L'huile de première pression contient des allergènes, contrairement à l'huile raffinée (cela a été vérifié, y compris chez des allergiques reconnus). Mais pas d'affolement : en France meurent chaque année (c'est beaucoup trop) environ cent personnes par choc anaphylactique, un quart à la suite de piqûres d'hyménoptères, probablement autant à la suite d'aliments. Éliminer le risque consisterait à ne plus manger, tel l'âne de Buridan, ce qui est somme toute infiniment plus dangereux que de prendre le volant (huit mille morts par an), ou même d'entrer à l'hôpital (autant de morts par maladies dites iatrogènes) ; ou bien encore de fumer la cigarette du condamné, qui condamne sûrement.

Ce n'est pas du folklore : l'allergie peut se manifester sous forme pulmonaire à la suite d'une fausse route, d'une inhalation de fragment d'aliment. Les allergiques aux acariens doivent se méfier des farines de qualité médiocre : elles contiennent ces bestioles. En mars et avril, les allergiques au pollen de bouleau découvrent que les pommes, les noisettes, les poires, les abricots, les prunes, les cerises, le céleri leur sont inconfortables : il s'agit d'allergies croisées. En revanche, pas de problème avec les fruits cuits, car les allergènes sont le plus souvent détruits par la cuisson.

Il convient de prendre des gants avec l'allergie ! Vérifiez surtout que les personnels de cuisine de votre « cantine » habituelle n'utilisent pas des gants en latex : des microfragments pourraient se retrouver dans les aliments, et provoquer des crises. Car le latex contient deux cent cinquante protéines identifiées, dont soixante-cinq sont allergisantes. Le latex-OGM-analergique n'est pas encore au point ! Si le kiwi arrivait l'an prochain sur le marché... il serait interdit, du fait des nombreuses allergies qu'il induit. Dans le même esprit, mais pour d'autres raisons, l'aspirine serait prohibée par le ministère de la Santé. Car le fameux principe de précaution rend frileuses les administrations.

Tout n'est pas allergie alimentaire. Souvent, le pas est franchi, qui sépare l'extravagance de la folie ! Le voisin indélicat n'a pas besoin d'être croqué pour donner des boutons ; la contrariété ne constitue pas une allergie, mais l'« allergovigilance » est d'actualité... car les cellules de notre sang recèlent dix fois plus d'histamine qu'il n'en faut pour nous tuer. Il serait malvenu de provoquer une avalanche de cette substance.

CHAPITRE II

Pas de problèmes dans la tête : les protéines animales et les autres

Quelle est l'origine du nom « protéine » ? Le scientifique et l'artiste apportent chacun leur explication. Étymologiquement, étant donné l'importance primordiale des protéines, il faut évidemment reconnaître que le mot est tout simplement dérivé du grec *prôtos* qui signifie premier.

Toutefois, poétiquement, il convient de se remémorer les légendes. Protée, le fils de Poséidon-Neptune, reçut de son père le pouvoir de lire dans le passé, le présent et l'avenir. Les visiteurs accouraient donc de partout pour le consulter. Renfermé, pour ne pas dire taciturne, il fut excédé de ces visites et de ces consultations ; pour y échapper, il se métamorphosa, instantanément et successivement, en toutes sortes de monstres de cauchemar aux multiples formes mouvantes. En évoquant ce récit, l'adjectif protéiforme fut créé au XVIᵉ siècle par un fin lettré, grand amateur de fables mythologiques. Tout d'abord, le nom du dieu fut utilisé pour désigner un homme aux opinions changeantes. Puis le qualificatif fut attribué à ce qui peut prendre spontanément des formes diverses, en parlant d'une matière, d'un animal, ou même du caractère d'un individu.

Constituant principal d'une multitude d'aliments de forme, de couleur et de goût très différents, les substances nutritionnelles aux formes multiples et changeantes furent donc appelées protéines.

Manger des protéines pour faire des protéines

Victor Hugo lui-même l'a reconnu péremptoirement (*Les Quatre Vents de l'esprit*) : « La viande, voyez-vous, c'est ça qui fait la chair. »

Car le corps humain n'est pratiquement pas capable de fabriquer des protéines à partir d'autres nutriments, sauf avec les protéines elles-mêmes. Or, ces molécules complexes occupent une place extraordinairement importante dans sa biologie. Le corps humain « standard » en contient une douzaine de kilos ; trois cents grammes sont renouvelés quotidiennement. Si les muscles contiennent la majeure partie des protéines de l'organisme (plus des deux tiers), celles-ci sont néanmoins présentes partout, et leurs fonctions sont multiples. Pour une forte proportion, elles entrent dans la constitution de tous les êtres vivants. En fait, à des degrés divers, tout ce qui vit est formé de protéines. Il y en a plus de douze mille classes différentes dans le corps humain !

Véritable support architectural de notre organisme, elles sont omniprésentes. Les membranes de nos cellules ne sont faites que d'assemblages de longues chaînes protéiques enchâssées dans une matrice de lipides (de graisses, les deux mots sont synonymes). De multiples protéines ont des rôles structuraux (comme le collagène de la peau ou la kératine des ongles), d'autres sont motrices (telles l'actine et la myosine du muscle). Les protéines – notamment la multitude d'enzymes – participent à d'innombrables fonctions physiologiques, sont partie prenante dans l'élaboration d'hormones et d'acides nucléiques, qui sont eux-mêmes les composants de base du matériel génétique ; elles constituent les très nombreuses enzymes, des facteurs de croissance, des anticorps et bien d'autres molécules d'intérêt biologique… Par ailleurs, certains assemblages d'acides aminés (les « maillons » des protéines) constituent des messagers chimiques d'importance considérable dans le cerveau. En réalité les protéines prennent part à toutes les fonctions vitales d'un organisme. D'ailleurs, la malnutrition protéique qui s'observe malheureusement chez les enfants du tiers monde, entraîne des conséquences dramatiques connues, provoquant en particulier une redoutable maladie : le kwashiorkor.

Mais attention ! Quand notre tube digestif traite cent soixante-dix grammes de protéines, seulement cent grammes proviennent directement des aliments. Les soixante-dix grammes restant ont été élaborés par notre organisme lui-même, les jours précédents à partir de la nourriture alors absorbée : il s'agit des protéines que les intestins fabriquent, mais aussi de celles qui sont délivrées par le foie et le pancréas (notamment les enzymes, constituant ce que l'on a longtemps dénommé les « sucs digestifs »). Ainsi, la qualité des protéines absorbées hier induit, pour le lendemain, une bonne digestion ; non seulement des protéines, mais aussi de tous les autres nutriments, grâce en particulier à la qualité des « diastases » qui sont les enzymes qui assurent la digestion de tous les aliments. L'urée, dans l'urine, représente les déchets, avec les dix grammes éliminés dans les fèces (nom technique des excréments).

L'efficacité des intestins exige que près de la moitié de leurs protéines soient renouvelées quotidiennement !

LE BILAN DE L'AZOTE : PAS DE PROTÉINES EN STOCK

Le terme de protéine désigne l'ensemble des matières azotées naturelles de poids moléculaire élevé qui donnent par fragmentation (mécanisme que les biochimistes appellent hydrolyse) des acides aminés, dénommés aussi amino-acides. En fait, la majeure partie de l'azote présent dans l'organisme est située au niveau des protéines. Environ 96 % de l'azote corporel est présent sous forme de protéines, les 4 % restants correspondent aux acides aminés libres, à l'urée, aux nucléotides constituant en particulier le matériel génétique. La principale fonction des protéines d'origine alimentaire est d'assurer la couverture des besoins azotés de l'organisme, d'un point de vue quantitatif et qualitatif ; car les protéines sont formées de maillons, les acides aminés, qui contiennent d'appréciables quantités d'azote. Les acides aminés sont formés d'une chaîne carbonée de deux à douze atomes, toujours terminée par une fonction acide, l'avant-dernier chaînon carboné portant une fonction amine. Cette amine contient précisément de l'azote : le métabolisme des acides aminés est généralement estimé en mesurant l'azote ; on résume et simplifie en parlant de bilan azoté. Les acides aminés naturels les plus courants sont au nombre d'une vingtaine. La plupart possèdent une chaîne linéaire, mais certains ont aussi un noyau aromatique (on le dit alors cyclique). Quelques-uns ont une seconde fonction chimique acide, amine ou alcool, d'autres sont porteurs d'un atome de soufre.

Manger des protéines est obligatoire, car l'azote de l'air atmosphérique ne peut pas directement être utilisé, ni par les plantes ni par les animaux. Dans la chaîne alimentaire, les végétaux exploitent l'ammoniaque pour le transformer notamment en des substances complexes, dont les acides aminés. La fixation de l'azote (qui se définit comme la transformation de l'azote en une substance utilisable par certaines formes de vie) est réalisée par les bactéries et les algues bleu-vert, les cyanobactéries. Certains micro-organismes sont extraordinairement efficaces et intéressants ; parmi lesquels la bactérie symbiotique *Rhyzobium* qui envahit les racines des légumineuses (et de certains arbres comme les acacias ou pseudo-robiniers) pour y former des nodules où s'effectue la fixation de l'azote, qui est ainsi fourni à la bactérie elle-même et à la plante. Ce mécanisme représente 60 % de l'azote nouvellement fixé sur la terre. Ce qui représente annuellement le « modique » poids de 10^{11} kilos, c'est-à-dire cent millions de tonnes ! Les éclairs créés par les orages et les radiations ultraviolettes en fixent 15 %. Le reste, c'est-à-dire 25 %, est fabriqué par des procédés industriels, pour servir principalement d'engrais.

Un bilan azoté négatif signifie que les besoins en protéines de l'individu ne sont pas couverts. Les muscles sont concernés, tout comme les autres organes. Les protéines jouant un rôle considérable dans l'organisme, cette déficience sera responsable d'un certain nombre de perturbations telles que, principalement, des dysfonctionnements du système immunitaire et une réduction du développement et de la force musculaire.

Les sucres (les glucides) et surtout les graisses (les lipides) peuvent être stockés dans l'organisme de l'homme : il existe donc un réservoir d'énergie à disposition. En revanche, contrairement aux matières grasses, les protéines ne peuvent pas être mises en réserve dans le corps humain, qui ne possède pratiquement aucune réserve de protéines mobilisables sans dommage. Une ingestion régulière et permanente s'avère donc absolument nécessaire à tous les repas, matin, midi et soir. En conséquence, deux conditions impératives définissent une alimentation de qualité : non seulement elle doit contenir des protéines en quantité suffisante, mais celles-ci doivent également être de qualité, c'est-à-dire contenant les acides aminés essentiels dans de bonnes proportions.

C'est ainsi que certains régimes, qui fleurissent en général les mois précédant les vacances estivales, sont tout simplement meurtriers ; leurs gourous, thuriféraires et propagateurs, sont parfois même des criminels. En effet, supprimer les protéines de l'alimentation (ou n'en consommer exagérément que d'une sorte, comme cela peut se faire avec certaines « diètes » hyperprotéinées) oblige notre organisme à un véritable autocannibalisme : les muscles, dont le cœur, sont alors partiellement digérés, c'est-à-dire détruits ; pour approvisionner d'autres organes prioritaires comme le cerveau, fonctionnant en permanence, devant élaborer sans jamais aucune interruption des agents de communication entre les neurones dénommés neuromédiateurs ; qui sont pour certains des constructions d'acides aminés. Or une cellule musculaire qui disparaît ne repousse jamais, le cœur fragilisé flanche, avec ou sans infarctus. D'ailleurs, le vieillissement musculaire commence à... trente ans ! La musculature diminue de moitié entre trente et soixante-dix ans, en partie faute d'une alimentation correcte ! La femme, un peu avantagée, voit sa fonte musculaire plus tardive.

Donc, des protéines à tous les repas et tous les jours ; sans doute en accord avec R. Sabatier (*Trois Sucettes à la menthe*) : « Le mardi était le jour du haricot de mouton. Le mercredi régnaient les côtes de porc à la sauce tomate avec câpres et arôme Patrelle. Le jeudi, c'était quelque ragoût : bœuf mode ou Stroganoff, veau en blanquette ou à la provençale, lapin rôti à l'auvergnate ou potée. Le vendredi apparaissait du poisson. » Avec, peut-être une hiérarchie des valeurs, selon G. Perec (*Les Choses*) : « L'image qu'ils se faisaient d'un festin correspondait trait pour trait aux repas qu'ils avaient longtemps exclusivement connus, ceux des restaurants universitaires : à force de manger des biftecks minces et coriaces, ils avaient voué aux chateaubriands et aux filets un véritable culte. »

OMNIVORE, VÉGÉTARIEN, VÉGÉTALIEN ?

Pour éviter toute confusion il convient de préciser la signification des mots en consultant le dictionnaire. Le végétalien est le partisan sectaire d'un régime alimentaire excluant définitivement tous les aliments qui ne proviennent pas du règne végétal. Ce comportement est inadapté à l'être humain et nutritionnellement dangereux. Le végétarien, quant à lui, est un adepte de la doctrine diététique qui exclut la viande de l'alimentation, mais qui accepte certains produits du règne animal : lait, beurre, œufs ; *stricto sensu*, un végétarien ne devrait donc pas manger de poisson, ni de fruits de mer. Contrairement à ce que voudrait faire croire une interprétation erronée d'étude épidémiologique, en Angleterre notamment, si les végétariens coûtent moins cher à la collectivité en soins médicaux, ce n'est pas seulement parce qu'ils ont une alimentation végétarienne, mais principalement parce que leur niveau socioculturel est plus élevé que la moyenne (ils savent donc choisir les bons aliments dans la pléthore qui est proposée), et surtout parce qu'ils ne fument ni ne boivent d'alcool en excès. Cependant, il vient d'être démontré que les végétariens synthétisent moins d'albumine que les omnivores... ce qui constitue un signe de malnutrition ! Ailleurs, malgré l'attrait de l'exotisme, des médecins chinois de Hong Kong ont montré que les végétariens chinois ne sont pas en bonne santé : leur ration est plus faible en calories et en graisses, ce qui est bien, mais elle est aussi restreinte en protéines, ce qui est douteux, et pauvre en vitamine du groupe B, ce qui est dangereux. Leur seul avantage est de consommer plus de glucides, et de calcium. Un tiers d'entre eux est carencé en vitamine B12, associée à une anémie patente....

Le mot omnivore, construit avec *omni* et *vore*, a donc bien été créé pour signifier réellement : qui mange de tout, c'est-à-dire les aliments d'origine animale ou végétale indifféremment, sinon simultanément. L'homme est omnivore. Force est de le constater : le maintien de sa complexité biologique l'oblige à manger de la viande, en particulier celle des animaux « d'homestiques ». L'être humain est « *h*omnivore » selon l'orthographe de Claude Fischler. Son intelligence l'exige.

Compte tenu des connaissances scientifiques actuelles, rien en biologie et en physiologie ne contre-indique l'ingestion de protéines animales (tout au moins en proportion modeste de la ration alimentaire) par un herbivore ; en revanche donner des protéines végétales (ce que l'on voudrait faire avec le soja) à un carnivore (comme le saumon) ou à un omnivore (comme le cochon) est une erreur, car elles leur sont qualitativement insuffisantes. Sans oublier que les poules, qu'elles produisent des œufs ou non, ne sont pas faites pour ne manger que des grains de maïs !

On trouve des protéines dans la plupart des aliments, mais leur concentration y est extrêmement variable. Les protéines d'origine animale sont bien évidemment celles des viandes, poissons, œufs et laitages ; globalement ce sont les meilleures. Quant aux protéines d'origine végétale, elles sont très généralement de plus modeste qualité, car elles sont parfois carencées en certains acides aminés essentiels. Cela explique le grave danger pour la santé que représentent les régimes « végétaliens » qui ne comportent que des végétaux ; en revanche les régimes « végétariens » approvisionnent tout de même l'organisme en protéines animales.

Le végétalisme est donc biologiquement inacceptable, il ne peut qu'empêcher le bon fonctionnement du corps humain. Récemment, il a été montré en Angleterre, que les jeunes filles végétaliennes strictes ont un QI légèrement inférieur à celles qui ne le sont pas. Ce qu'avait entrevu avec beaucoup de rusticité le médecin philosophe Pierre Cabanis, en 1808, dont le *Rapport du physique et du moral* affirmait de manière évidemment trouvée actuellement excessivement simpliste : « Ainsi, dans certains pays, où la classe indigente vit presque uniquement de châtaignes, de blé-sarrazin, ou d'autres aliments grossiers, on remarque chez cette classe tout entière un défaut d'intelligence presque absolu, une lenteur singulière dans les déterminations et les mouvements. Les hommes y sont d'autant plus stupides et plus inertes, qu'ils vivent plus exclusivement de ces aliments : et les ministres du culte avaient souvent, dans l'Ancien Régime, observé que leurs efforts pour donner des idées de religion et de morale à ces hommes abrutis, étaient encore plus infructueux dans le temps où l'on mange la châtaigne verte. Le mélange de la viande, et surtout l'usage d'une quantité modérée de vins non acides, paraissent être les vrais moyens de diminuer ces effets : car la différence est plus grande encore entre les habitants des pays de bois châtaigniers, et ceux des pays de vignobles, qu'entre les premiers, et ceux des terres à blé les plus fertiles. » Avant de s'offusquer de la brutalité de cette citation, il convient peut-être de se situer dans l'ambiance de l'époque, une fois n'est pas coutume.

Valeur biologique des animaux « d'homestiques »

Parmi les acides aminés, certains peuvent être fabriqués par l'organisme humain à partir de substances chimiques plus ou moins voisines. D'autres au contraire ne le peuvent pas, ou ne sont synthé-tisés qu'en quantité beaucoup trop restreinte pour répondre aux besoins. Ils sont alors dits indispensables ou essentiels. Ce sont la lysine, la thréonine, le tryptophane, la méthionine, la valine, l'isoleu-cine, la leucine, la phénylalanine. Les besoins correspondants sont proportionnellement plus élevés chez l'enfant que chez l'adulte, et ils sont particulièrement importants chez le nourrisson. Pour celui-ci, l'histidine est également indispensable.

La méthionine peut être partiellement remplacée par la cystine, on les réunit utilement et globalement sous le terme d'acides aminés soufrés. Il en va de même pour la phénylalanine et la tyrosine qui for-ment le groupe des acides aminés aromatiques, car l'une et l'autre pos-sèdent un « noyau benzène » dans leur molécule. Les protéines ali-mentaires sont d'origine végétale ou animale, mais elles n'ont pas toutes la même valeur biologique : tout dépend de la nature des acides aminés qui les composent. En première approximation, la protéine ali-mentaire est meilleure quand la proportion d'acides aminés essentiels dans la masse des acides aminés totaux est élevée : 50 % pour l'œuf, 45 % pour la viande de bœuf, 40 % pour le petit pois et le soja, 30 % pour la farine blanche de blé.

ASSEMBLAGE D'ACIDES AMINÉS

Quelques acides aminés assemblés bout à bout définissent un pep-tide. Un peptide volumineux s'appelle un polypeptide, et s'il est plus gros encore, il se dénomme protéine. Les protéines, quand elles ont des formes architecturales linéaires, sont des « trains » colossaux formés d'une vingtaine de wagons différents (les acides aminés). Le nombre total de wagons, l'ordre de leur assemblage, l'effectif de chacun d'entre eux font que les molécules de compositions distinctes et d'identités diffé-rentes sont innombrables. Mais les protéines peuvent aussi présenter des structures ramifiées : elles ont alors la forme de boules, de pelotes, d'arbres, de toiles d'araignée. Certaines sont toutes petites, d'autres sont gigantesques. Ainsi, l'insuline est formée de 51 acides aminés, l'hémoglo-bine de quatre chaînes de 145 acides aminés environ (il y a trois cents millions de molécules d'hémoglobine dans un seul globule rouge), la myoglobine de 153 et la myosine (la protéine qui assure la contraction musculaire) de 4 500. La spécificité du code génétique interdit tout rem-placement d'un acide aminé par un autre dans la séquence.

À l'exception notable des immunoglobulines (qui assurent notre immunité), l'immense majorité des protéines de notre corps est fabriquée sous la règle absolue et rigide du patrimoine de l'hérédité génétique. Les possibles variations de leur composition en acides aminés sont extrêmement faibles. Elles sont l'expression de l'inné. Il importe donc d'en manger une variété satisfaisante afin que, totalement démontées, elles puissent fournir à notre organisme tous les acides aminés dont il a besoin. D'autant que les protéines de notre corps ne bénéficient pas d'une présence immuablement figée, mais elles sont au contraire renouvelées en permanence. À chaque instant, une partie d'entre elles est dégradée en ses acides aminés constitutifs, pour être remplacée par d'autres molécules nouvellement synthétisées, identiques à celles auxquelles elles se substituent.

Qu'est-ce que le démontage des protéines lors de la digestion ? Au cours de celle-ci, grâce à un processus dénommé protéolyse, les protéines de toutes origines sont tronçonnées en éléments individuels : les acides aminés. Ceux-ci traversent les intestins puis sont transportés dans le sang pour être captés par les organes en fonction de leurs besoins. Les acides aminés sont alors utilisés pour synthétiser de nouvelles protéines, qui sont parfois presque exactement les mêmes que celles qui ont été consommées. Par conséquent, de manière simple (pour ne pas dire simpliste), le meilleur moyen de faire du muscle est... de manger de la viande (terrestre, maritime ou aérienne), des œufs et des produits laitiers, qui apportent directement les bons éléments, dans les bonnes proportions. Car l'homme est un mammifère, la composition biochimique de ses muscles est donc voisine de celle des animaux. Ce que confirme Alain : « Regardez cet homme qui mange une côtelette, comme il défait l'architecture moutonne au profit de la sienne propre. » « Vive la viande rouge », fait déclamer Flaubert. Pour George Sand, l'un de ses personnages est même très sectaire, il dit : « On y mange cinq sortes de viandes, à savoir : du cochon, du porc, du lard, du jambon et du salé. »

UN ACIDE AMINÉ VOUS MANQUE,
ET TOUT EST DÉSOLATION ALIMENTAIRE

Mais pourquoi les protéines végétales ont-elles une valeur biologique plus faible que les protéines d'origine animale ? Parce qu'elles ont un ou plusieurs acides aminés essentiels qui sont quantitativement déficitaires, et qui constituent donc un facteur limitant la synthèse protidique dans les organes. L'absence ou la réduction importante d'un seul de ces acides aminés essentiels altère, au moins partiellement, l'utilisation de tous les autres, perturbant la synthèse protéique. Toutefois, la méthionine et la cystine sont mutuellement remplaçables ; de même, dans une certaine mesure la phénylalanine et la tyrosine. On tient compte de cette particularité lorsqu'on évalue les besoins en acides aminés.

Dans une protéine alimentaire donnée, l'acide aminé, manquant ou fourni en quantité insuffisante, s'appelle le facteur limitant primaire. Si on le lui ajoute, ce facteur disparaît ; mais il se dévoile alors souvent un déficit relatif en un autre acide aminé, que l'on appelle alors le facteur limitant secondaire et ainsi de suite avec l'ensemble des vingt acides aminés. L'équilibre entre tous les acides aminés est très subtil ! L'homme doit donc impérativement manger un mélange de protéines.

La valeur biologique d'une protéine alimentaire se mesure donc par la présence de l'ensemble des acides aminés qui la composent. Tous les acides aminés essentiels doivent être présents, avec entre eux un équilibre tel qu'il n'y ait pas de facteur limitant. Le facteur limitant fait que l'ensemble des acides aminés essentiels ne sera utilisé que dans la limite de celui d'entre eux qui est présent en plus petite quantité. Prenons par exemple un verre octogonal dont l'une des huit faces serait plus basse que les sept autres, ce verre ne peut évidemment se remplir qu'au niveau de cette face ; elle est le facteur limitant.

Les expérimentations sur l'homme et l'animal démontrent aisément que la composition optimale est celle trouvée dans la protéine d'œuf. Elle constitue certainement une valeur étalon, car elle est la meilleure pour l'apport global d'acides aminés essentiels. Elle est suivie des viandes et des charcuteries. Les céréales, quant à elles, manquent notablement de lysine (leur facteur limitant primaire), alors que les légumineuses contiennent souvent des quantités insuffisantes de méthionine, comme le pois, le haricot et le soja. D'une manière pratique, étant donné la composition des protéines des aliments usuels, seuls trois acides aminés sont susceptibles d'être limitants : le tryptophane, la lysine et la méthionine. D'une façon générale, les protéines d'origine animale contiennent toutes les acides aminés en quantité adéquate.

DE SAGES TRADITIONS

L'association de protéines d'origines différentes permet éventuellement de compenser leurs insuffisances respectives. Globalement, les protéines animales ou celles des légumineuses complètent bien celles des céréales. On trouve peu de lysine et peu de tryptophane dans le maïs ; les haricots et les pois sont une source intéressante de lysine, mais manquent de méthionine ; le tryptophane est présent dans les légumes verts à feuilles, mais plusieurs acides aminés importants sont quantitativement insuffisants...

Toutes les cultures, toutes les civilisations, à la suite d'une très longue sélection, ont fini par palier les déficiences des plantes alimentaires en mettant au point des mets qui les combinent en équilibrant leurs avantages, en compensant leurs manques. Il est vital d'associer au moins deux végétaux. Les Mexicains accompagnent leurs tortillas de maïs avec des haricots, du riz et des légumes à feuilles. Les Jamaïcains mangent le riz et le blé ou du maïs avec des pois. Observez la composition du petit salé, du cassoulet, de la choucroute, de la paella ou du couscous ! Les moines l'avaient bien compris, comme le rapporte Claude Michelet, dans *Les Défricheurs d'éternité* : « De plus, ils (les étangs) permettaient au frère cuisinier d'assurer à la communauté une alimentation sinon variée, du moins convenable, composée de carpes, de tanches, d'anguilles, l'ensemble accompagné de pois, de fèves et de lentilles et surtout de trois bonnes livres de pain par jour. »

Mais l'apport protéique quotidien sera mieux « équilibré » s'il fait appel à des sources variées, tant animales que végétales : viandes, charcuteries et produits carnés, œufs, lait et produits laitiers, céréales et légumes secs. La multiplicité des sources, associée à un équilibre entre elles, représente le seul bon compromis efficace sur le plan nutritionnel. Sur le globe, en des lieux éloignés de culture très différente, l'alimentation carnée de base reste remarquablement voisine : elle est composée de mouton, de cochon, de bœuf, de volaille avec les poulets et les canards ; seules les préparations culinaires sont particulièrement diversifiées.

Sinon se démasque le tableau de Vincent Van Gogh décrivant à son frère ses co-internés dans l'asile de Saint-Paul de Mausole, à Saint-Rémy de Provence : « Les pensionnaires n'ont pas d'autres distractions que de se bourrer de pois chiches, de haricots et de lentilles et la digestion difficile de ces féculents les occupe pour le reste de la journée. » Lui qui estimait que : « L'amour de l'art fait perdre l'amour vrai »... Et qui affirmait : « Comme peintre, je ne signifierai jamais rien, je le sens absolument. » Lui qui n'était pas fou, mais, quoi qu'en pensent obstinément les thuriféraires de la créativité qu'ils voudraient délirante, seulement un grand mélancolique, comme le montre magistralement François-Bernard Michel.

Leur digestibilité : combien en manger ?

Il n'y a pas si longtemps, elle était déterminée en mesurant la quantité de protéines perdue dans les selles. Cette grossière et peu ragoûtante technique ne tient pas compte de la captation d'azote par les bactéries de notre tube digestif, ni de leur potentiel de fabrication de protéines ; or, elles sont vivaces et actives ; nombreuses aussi : dix fois plus que les cellules de notre corps. Cette technique occulte de plus la fabrication de protéines exportées dans le tube digestif par d'autres structures, telles que les cellules intestinales elles-mêmes, le foie dans sa bile, le pancréas dans ses sécrétions ; cependant, ces dernières sont fonction de la nature du repas et de son énergie, de son contenu en fibres ou même en protéines.

Pour éviter cet écueil accompagné d'approximations, et pour être plus précis, des techniques d'intubation ont été expérimentées chez des volontaires. Ainsi, chez des patients auxquels une partie de l'intestin a été chirurgicalement enlevée pour des raisons médicales, la méthode donne des indications intéressantes (la technique s'appelle l'iléostomie). La technique qui consiste à utiliser les isotopes est la plus précise ; il s'agit d'une sorte de datation au carbone 14, que les archéologues connaissent bien. Fort heureusement, la nature a prévu des isotopes stables, c'est-à-dire non radioactifs. Ils sont présents en quantités très faibles, mais on sait maintenant les doser, et même les purifier. Ainsi, pour ce qui est du carbone, il y a le ^{12}C qui est majoritaire, le ^{13}C qui est un isotope stable, et le ^{14}C qui constitue l'isotope radioactif (il est d'ailleurs présent en quantités parfaitement naturelles dans notre corps, comme dans toute structure vivante). Des volontaires ont absorbé des aliments « préparés » avec du carbonne 13, crus pour les uns, cuits pour les autres. Résultat : la cuisson augmente considérablement – elle la double – la digestibilité de la protéine d'œuf, ses acides aminés sont plus biodisponibles.

En pratique donc, combien faut-il en manger ? Pour un homme adulte de soixante-dix kilogrammes, l'apport protéique de sécurité est voisin de cinquante grammes de protéines de référence. Ce qui représente, exprimé en protéines alimentaires usuelles dans un pays comme la France, environ soixante-dix grammes de protéines par jour. En pratique, il y a environ vingt grammes de protéines dans deux tranches de jambon cuit, dans deux œufs, ou bien encore dans cent grammes de steak ou de saumon. Ces quatre catégories d'aliments, sur une journée, assurent à eux seuls la totalité des besoins en protéines, toutes animales ; ce qui est trop puisqu'il convient de consommer aussi des protéines végétales.

Chez l'enfant, le besoin en protéines est bien évidemment plus important, car il construit son organisme ; de la naissance à deux mois il lui en faut quatre fois plus par rapport à son poids. Pendant la grossesse, six cents grammes de protéines construisent le futur bébé, quatre cents sont nécessaires à son environnement (placenta, etc.). Durant la lactation, plus de deux kilos de protéines sont sécrétées dans le lait de la maman ! D'une manière générale, il ne faut pas négliger le fait que chaque état physiologique implique des besoins spécifiques, en quantité et en qualité. Il en découle qu'une même alimentation, basée sur des normes standardisées ne peut être satisfaisante pour l'ensemble d'une population hétérogène comprenant enfants, adultes et vieillards. La vitesse de renouvellement des protéines du cerveau, par exemple, est divisée par cinq chez les vieillards. Plus que tout autre organe, le cerveau requiert un apport en acides aminés judicieux, contrôlé et très précis, afin d'élaborer ses innombrables protéines et synthétiser ses neuromédiateurs. Tout déséquilibre peut être préjudiciable au bon fonctionnement cérébral ; donc dangereux pour l'intégrité de l'intelligence !

BIENFAIT DES GRILLADES

La technique de cuisson induit directement la préservation ou la destruction partielle des acides aminés. Il faut toutefois fondamentalement distinguer deux modes de cuisson : en présence d'eau d'une part, par grillage d'autre part. Les traitements au cours desquels l'eau chaude est mise à contribution (cuisson à l'eau et à la vapeur, autoclavage, stérilisation de produits liquides) sont inoffensifs sur le plan de la valeur alimentaire ; bien au contraire, ils sont même très souvent bénéfiques. À l'inverse, les chauffages en milieu sec (grillage, rôtissage, torréfaction et même séchages divers) peuvent entraîner des pertes nutritionnelles, généralement minimes, mais qui peuvent s'avérer parfois importantes. Toutefois, en même temps, formidable contrepartie, ces procédés accroissent considérablement la valeur gustative en élaborant des arômes très appréciés ; ils transforment les protéines insipides en aliments succulents.

Les quelques acides aminés modifiés à la suite du chauffage sont partiellement assimilables. Mais l'organisme, ne disposant d'aucun moyen pour les régénérer sous leur forme initiale, ne peut pas les utiliser en tant qu'acides aminés. Ces molécules sont donc rejetées dans l'urine, faute d'avoir pu participer au métabolisme azoté. Le goût y gagne considérablement, la nutrition y perd un tout petit peu.

La grillade est plus agressive, car la plupart des réactions chimiques ont une intensité maximale en présence d'une très faible humidité. En effet, selon qu'elle est présente en faible ou en forte quantité, l'eau peut jouer des rôles opposés. Abondante, elle se comporte comme un inhibiteur des réactions chimiques, rare elle se transforme en un activateur. Car, en milieu strictement dépourvu d'eau (anhydre), les molécules chimiques qui constituent les nutriments n'ont pas une mobilité suffisante pour parvenir à réagir entre elles. Au contraire, en milieu très hydraté, ces molécules sont diluées et leur probabilité de rencontre diminue d'autant. En revanche, en présence d'une faible humidité, l'eau est suffisante pour assurer une mobilité optimale des éléments sans être pour autant capable de réduire les vitesses des réactions. C'est dans cette zone que les réactions chimiques et enzymatiques atteignent leur intensité maximale.

Or, quelles que soient les cuisines, régionales, traditionnelles ou industrielles, de très nombreuses opérations de préparation se déroulent dans des situations où une faible humidité favorise les réactions chimiques. Au cours de celles-ci, le produit alimentaire (partiellement ou totalement) passe par un stade où les conditions d'humidité sont réunies pour le déclenchement de réactions chimiques : par exemple dans la croûte du pain ou sur les parties superficielles des viandes grillées. À peu près tous les grillages, rôtissages et torréfactions réunissent les conditions optimales permettant le développement de réactions chimiques intenses en surface. En revanche, la partie interne de l'aliment se trouve souvent dans une situation très différente, peu propice à l'apparition de réactions. Elle demeure tout d'abord beaucoup plus hydratée (la mie de pain contient 40 % d'eau ; la viande renferme 75 % d'eau). Par ailleurs, elle est soumise à des températures nettement plus faibles que ne l'est la couche superficielle. La mie de pain est chauffée à moins de cent degrés ; la viande de soixante-cinq à soixante-quinze degrés.

La température est donc, avec l'eau, un facteur déterminant pour les réactions. Lors de la cuisson se développe dans les aliments un ensemble très complexe de réactions chimiques, qui aboutissent à la formation de pigments colorés, bruns plus ou moins foncés, voire noirs. Ils modifient généralement très favorablement et agréablement les qualités sensorielles, principalement l'odeur et la saveur, mais aussi l'aspect, en flattant l'œil. Les plus connues de ces réactions sont celles de Maillard et de Strecker. Elles génèrent des composés de couleur brune, ils donnent cette couleur alléchante que prennent les bords des œufs au plat, ou les rôtis. Contrairement à ce qu'on croit généralement, il ne s'agit pas alors d'une simple caramélisation, mais bien d'une réaction plus complexe. Les métaux jouent d'ailleurs aussi un rôle non négligeable. Certains inhibent la réaction, comme le manganèse ou l'étain, d'autres au contraire la catalysent, c'est le cas du cuivre et du fer. La bonne vieille poêle constituait un auxiliaire précieux dans la chimie de la cuisine, comme d'ailleurs le chaudron en cuivre.

La réaction de Maillard fait intervenir un sucre et un acide aminé situé dans une protéine, ce processus chimique est capital pour ses implications en technologie alimentaire et ses conséquences physiologiques, particulièrement gustatives. Elle intervient tout autant dans le domaine de la digestion que dans celui des caractéristiques de la qualité protidique des aliments. Mais c'est elle aussi qui est à l'origine d'innombrables arômes, banals ou spécifiques, qui confèrent des goûts agréables aux aliments.

D'une manière générale, les produits de boulangerie et de pâtisserie sont particulièrement exposés à la réaction de Maillard, à l'exception de la mie de pain. Le préjudice biochimique est en relation directe avec le taux de sucre ; ainsi d'ailleurs qu'avec l'aptitude du produit alimentaire à laisser pénétrer la chaleur du four. En conséquence, la poudre de lait est très sensible à la réaction de Maillard en raison de sa forte concentration en lactose, tandis que les farines de poisson sont résistantes étant donné l'absence de sucres réducteurs dans ces produits.

La réaction débute par la formation d'un composé d'addition : le sucre et l'acide aminé se lient ensemble. Dès qu'un acide aminé a ainsi réagi, il est perdu sur le plan de l'utilisation digestive et métabolique, car la liaison chimique qu'il a contractée ne peut pas être scindée par les enzymes du tube digestif, il est devenu un étranger inutile, mais pas forcément indésirable. Ainsi, la fraction de lysine fixée est dénommée « bloquée » ou « indisponible ». Le pourcentage de cette forme bloquée est d'ailleurs souvent retenu pour mesurer l'intensité d'une réaction de Maillard.

La dégradation de Strecker ressemble à la réaction de Maillard. Cependant, différence importante, la réaction chimique ne se fait pas avec les acides aminés inclus dans des protéines, mais avec ceux qui sont isolés, on les dit libres. Ils représentent une fraction infime des acides aminés contenus dans un aliment. Sur le plan nutritionnel, le préjudice demeure absolument négligeable étant donné les quantités minimes mises en jeu. En revanche, la dégradation de Strecker est un remarquable facteur de valorisation gustative (et donc commerciale) des produits grillés. Elle est à l'origine d'arômes très recherchés : croûte de pain, biscotte, biscuit, croissanterie, chocolat, arachides grillées. Elle participe également à l'arôme des viandes grillées et des fromages passés au four. En fait, l'attrait gustatif de nombreuses denrées est la conséquence directe du développement d'une dégradation de Strecker, dont les tests psychosensoriels mesurent directement les effets. Le goût sublime du fromage chaud sur la salade est dû à cette réaction ; tout comme celui de la fondue.

Bien au-delà de la réaction de Strecker, la pyrolyse des acides aminés survient à des températures très élevées et à la surface même des produits fortement grillés. Certaines des molécules cyclisées sont ainsi formées. L'ensemble forme une très vaste famille dont quelques membres se sont révélés mutagènes, donc fréquemment cancérogènes. Mais on n'est plus dans l'alimentation. Toutefois, la cuisson d'un aliment directement au contact de la flamme, ou sur la braise, génère des substances cancérigènes, à partir des lipides et des protéines de toutes origines, animales ou végétales. Les viandes sont impliquées plus souvent que les légumes, car elles sont généralement plus grasses. Ce phénomène s'amplifie d'ailleurs avec l'intensité et la durée de la cuisson, en même temps que la destruction des vitamines. De ce fait certains prétendent que la cuisine simple et délicieuse au barbecue n'est peut-être pas des meilleures. S'ils sont fumeurs, ils doivent se souvenir de la parabole de la paille et de la poutre ! En effet, plusieurs kilos de viande bien grillée peuvent contenir autant d'hydrocarbures cancérigènes que la fumée d'une seule cigarette. Bien plus, avaler ces substances est beaucoup moins toxique que les fumer.

Prix de la complexité biologique : tuer l'animal pour que l'homme vive

Il y a toujours eu, dans l'esprit des hommes, une espèce de sentiment trouble, un malaise, une ambiguïté concernant la consommation de viande et de son « essence », la graisse. Les neurones sont réticents, le problème est largement dans la tête. En effet, depuis la nuit des temps, les rapports de l'homme et de l'animal sont difficiles ; ils sont récemment devenus extrêmement complexes, explosifs et souvent tout à fait contradictoires. Sociologues et historiens, géographes et nutritionnistes, philosophes et théologiens, tous tentent d'en analyser et d'en expliquer les raisons.

Ceux qui analysent les motifs du refus d'aliment carné ont recours à six types d'arguments qui sont moraux ou métaphysiques, rituels ou diététiques, zoologiques ou finalement écolo-économiques. Tous sont réfutables. Certains sont d'ailleurs tout à fait admirables, ne serait-ce que « parce qu'ils sont tellement mauvais qu'ils ont atteint une sorte de perfection dans la médiocrité », comme l'affirmait Tristan Bernard.

Les arguments moraux affirment que tuer un animal peut inciter à tuer un homme. Mais il n'existe pas de statistiques claires sur les rapports entre la violence à l'égard de l'animal et celle envers l'homme. Les exemples sont innombrables de végétariens convaincus mais sanguinaires (Hitler, le révolutionnaire Saint-Just et l'anarchiste Bonnot) et de doux pacifiques carnivores acharnés. Sans compter le célèbre Paco Rabane, de par ses divagations apocalyptiques de fin du monde sur fond d'éclipse, qui s'autoproclame sain d'esprit parce qu'il a cessé de manger de la viande depuis vingt ans !

Les arguments métaphysiques sont liés à la métempsycose, qui suppose que l'âme puisse passer de l'homme à l'animal et réciproquement. Ils impliquent des devoirs moraux envers tous les refuges des âmes humaines. Cette vision de la vie et de l'au-delà est pour le moins très diversement controversée sur le globe. Les arguments rituels font valoir que c'est offenser les dieux que de se réjouir par les actes barbares du sacrifice sanglant. Là aussi les évaluations sont des plus nuancées.

Les arguments diététiques associent une certaine frugalité à la santé physique et mentale de l'homme. Cette manière de voir condamne en réalité l'excès de consommation de viande, mais non son usage luimême. Les arguments zoologiques sont fondés sur une reconnaissance des capacités intellectuelles des animaux, ainsi que sur les qualités de leurs organes sensoriels, estimés tout à fait comparables aux nôtres. Ils seraient comme nous capables de sentir et d'aimer, de souffrir. Ils méritent donc un respect égal. Dans les civilisations occidentales, il est à juste titre considéré comme illégitime et répréhensible de faire souffrir les animaux. Cet argument est donc légitimement le plus exploité. Mais où se situe la ligne de démarcation entre le végétal insensible et l'animal qui l'est tout autant : est-ce la moule, le calmar, la crevette ? Les questions fusent dans les congrès et les réunions. Ce que n'a pas manqué de relever A. Vergne, dans son livre si bien intitulé *L'Innocence du boucher* : « Bien sûr, l'huître ne crie pas, elle ne vous roule pas des yeux de pitié, mais au fond en y pensant mieux c'est encore pire pour elle que pour le bœuf, puisqu'on la becte toute crue. Je n'ai cependant jamais vu personne repousser des fruits de mer en disant : ça me fait trop de chagrin demain je m'inscris à la SPA. » Ils ne veulent pas de mangeurs d'animaux « zoophages » ; comme en grec *sarcos* signifie muscle, ils trouvent plus moderne de baptiser les gourmets de « sarcophages ». La sarcopénie traduit la perte de fibres musculaires au cours du vieillissement ; notamment à cause d'une restriction dans l'alimentation des protéines d'origine animale.

Les arguments économiques, associés aux discours écologiques, demandent de consommer au plus bas de la chaîne alimentaire. En d'autres termes, ils recommandent d'utiliser des aliments qui sont des êtres vivants très primitifs, les premiers de l'immense chaîne naturelle. La prise en compte de cette prescription prétend supprimer l'onéreuse transformation d'une espèce à l'autre, car beaucoup de protéines végétales ne font que peu de protéines d'herbivore, qui donneront très peu de protéines de carnivore.

L'argument du rendement le plus fort est d'ailleurs largement battu en brèche par la nature elle-même : ainsi, une huître plate libère cinq cent mille à un million et demi de larves, dont peu deviendront des huîtres adultes ; la creuse pond vingt à trente millions d'œufs, dont ne survivront qu'une dizaine d'huîtres. Rendement : un pour dix millions. Guillaume Apollinaire (*Les Mamelles de Tirésias*) l'avait noté : « La morue produit assez d'œufs en un jour pour qu'éclos ils suffisent à nourrir de brandade et d'aïoli le monde entier pendant une année entière. » Un gâchis apparent ? Non, simplement Dame nature qui fonctionne majestueusement. Pour faire un kilo de saumon d'élevage, il faut le nourrir avec au minimum trois kilos de poissons pêchés, au risque d'appauvrir les mers. Hors ce poisson est carnivore. Si on ne veut pas lui donner des farines animales, il faut lui trouver autre chose, peut-être des protéines végétales ? Ce serait le monde à l'envers. Transformer un carnivore en herbivore ; après avoir nourri les vaches herbivores en carnivores, d'où la crise dite de la « vache folle » ?

Encore que le veau ne soit certainement pas herbivore, puisqu'il mange du lait… Sa mère, la vache est de temps en temps carnivore, car elle absorbe son placenta à sa naissance.

Le bénéfice secondaire de manger au plus bas dans la chaîne alimentaire serait en outre d'éviter la concentration des toxiques qui se font chez le prédateur par rapport à sa proie. Mais il ne faut pas oublier que des algues mal cultivées dans des zones inadaptées sont sûrement moins bonnes pour la santé qu'une viande provenant d'un animal dont l'alimentation a été très contrôlée. Bien plus, le bœuf et le mouton ne sont pas en compétition alimentaire avec l'homme : ils mangent une herbe que l'homme ne sait pas digérer, sur des sols qui ne pourraient souvent pas faire pousser grand-chose d'autre.

La mort de l'animal est le prix de la complexité biologique et intellectuelle de l'homme. Elle est incontournable, il convient donc de cesser de se culpabiliser, mais il importe absolument de prendre toutes les précautions pour qu'elle ne soit pas donnée n'importe comment. L'entretien de la vie humaine l'impose sûrement, la qualité de la vie l'exige peut-être ; il serait dangereux de s'en priver. Ces dogmes élémentaires et sectaires qui refusent la viande ne sont que des facettes de « religions » suicidaires. Manger de la viande apprêtée, c'est le primat du culturel sur le biologique, et non pas de l'artifice sur le naturel.

Sans négliger la condition sociale, par exemple d'après B. et F. Groult (*Il était deux fois*) : « Heureusement pour notre dignité, l'Hôtel Rama nous attendait avec son bar international, ses glaçons, ses serveurs anonymes, ses soles dieppoises, ses tournedos Rossini-pommes maître d'hôtel, bref tout ce qu'il fallait pour nous rassurer sur nos valeurs. » À moins de préférer Georges Duhamel, roboratif à souhait : (*Le Désert de Bièvres*) : « Nourriture saine, abondante, savoureuse… Des choses franches : du gigot, du bœuf mode, mais avec tout ce qu'il faut : le pied, la couenne et les lardons. »

LA VIANDE : ALIMENT ET TABOU, DÉESSE, DEMI-DIEUX ET SATAN !

Quoique vivant au Paradis, Adam et Ève étaient déjà soumis à de nombreux interdits. D'abord, ils n'avaient pas le droit de goûter à l'arbre de la Connaissance ; ensuite ils devaient être strictement végétariens. Seul Dieu pouvait consommer des animaux, on les Lui offrait en sacrifice. Manger la chair d'un être vivant revenait à absorber le principe vivant lui-même et se poser en égal de Dieu, injure immense et inexpiable. Mais, après le déluge, l'interdiction pour ses descendants de manger de la viande fut levée. Le tabou se reporta sur la consommation de sang, principe de vie, qui restait strictement réservé aux dieux vampires.

Mystérieuse transmutation, l'aliment, une matière inerte obtenue par le travail et la peine, se transforme en soi-même ; il construit et entretient le corps et l'esprit. De ce fait la consommation de nourriture, donc de viande, suppose que l'homme attente à la vie des animaux. Cette obligation est, depuis l'origine des civilisations, liée à l'histoire mythologique et religieuse. D'ailleurs, la fameuse légende de Prométhée témoigne que la civilisation a commencé le jour où le cuit a remplacé le cru ; c'est-à-dire lorsque l'homme a su dominer sa faim et la prévoir, au point d'inventer l'art de la cuisine et distinguer l'appétit de la faim.

Pour l'humanité tout entière, probablement depuis qu'elle existe, la viande ne fut jamais un produit neutre, anodin. Elle n'a jamais été considérée avec indifférence. Depuis des millénaires, dans toutes les civilisations, elle a cependant été constamment un aliment, tout en ayant toujours été un objet de restrictions ou d'interdictions et de modes ; impure à certaines époques, elle est source de vie et de force à d'autres.

De tout temps la viande a été chargée, surchargée d'une lourde symbolique individuelle, sociale et religieuse. Chez les Égyptiens, le taureau Apis est un animal sacré, un dieu vivant. Il est le symbole de la force et de la fécondité. Dans la mythologie grecque, Zeus se transforme en taureau pour enlever Europe. Thésée affronte le Minotaure, mi-homme mi-taureau, fruit des amours de Pasiphaé et d'un taureau blanc envoyé par Poséidon. Pour les Hébreux comme pour les Grecs, toute viande à consommer devait être sacrifiée rituellement sur un autel. Le sacrifice était offert aux dieux auxquels étaient réservés la graisse et surtout le sang de l'animal ; car le sang constituait son âme. L'interdit frappant la consommation de sang et de viandes non saignées n'est tombé en désuétude qu'au Xe siècle de notre ère seulement, pour aboutir à la fabrication du boudin comestible, source exceptionnelle d'un fer particulièrement digeste.

Au cours des siècles, l'alimentation carnée fut de plus en plus chargée de symbole social valorisant, alors que l'aliment végétal se restreignait à une sorte d'état social inférieur, apparenté d'ailleurs à celui des bêtes herbivores. Les excellentes légumineuses – lentilles, haricots secs, pois – ne sont-elles pas encore appelées les viandes du pauvre ? Même la cueillette réalisée par les hommes préhistoriques est considérée comme étant une activité fruste, alors que les chasseurs, puis les éleveurs étaient admirés et cajolés.

Tous les dogmes religieux comportent des prescriptions alimentaires. La viande y occupe une place tout à fait prépondérante, car la forte valeur symbolique qui lui est attribuée tient à l'exigence préalable à toute consommation de viande : la mise à mort de l'animal. Le sacrifice porte sur l'animal sauvage chassé selon certaines pratiques nécessitant tout un cérémonial ; quant à l'animal domestique, il était traditionnellement immolé lors d'un sacrifice rituel. Le chasseur d'antan avait un rapport direct de compétition, d'antagonisme avec le gibier qu'il pourchassait. Il tuait parfois pour ne pas être tué. En revanche, l'éleveur entretenait des rapports étroits et permanents avec son bétail : pour l'abattre il lui fallait une justification supérieure, source d'une certaine ritualisation, avec la notion de sacrifice. De nos jours, l'abattage du bétail fait encore souvent l'objet de prescriptions, soit religieuses, soit sociales.

La religion catholique interdit la viande lors de l'abstinence, qui est une forme élargie et adaptée du jeûne. Toutefois, la théologie catholique affirme que la prohibition de la viande n'est pas la conséquence d'une aversion injustifiée à l'égard de la chasse, ni d'un respect superstitieux pour les animaux. Le refus résulte du fait qu'étant particulièrement substantielle, elle procure au corps ce que les textes désignent comme une exubérance de la vie. Au xiiᵉ siècle, Isidore de Séville disait : « Les aliments carnés engendrent la luxure de la chair ; ils sont en effet échauffants et nourrissent tous les vices. » Un concile a d'ailleurs jeté l'anathème sur ceux qui jugèrent la viande incompatible avec le salut. Pour les Juifs, il faut que l'aliment soit casher ; non seulement le sacrifice de l'animal est ritualisé, mais la cuisine elle-même doit suivre nombre de préceptes. Le Coran a ses propres interdits alimentaires contraignants. La viande est proscrite dans l'hindouisme, le végétarisme devenant un moyen d'accéder à la pureté. Mais les violents tabous concernant la viande peuvent totalement s'inverser en de véritables prescriptions. Le médecin hindou recommande à son malade anémié non seulement de la viande, mais de celle qui est estimée être la plus infecte, la plus dégoûtante de toutes pour un brahmane : c'est-à-dire celle d'animaux qui mangent eux-mêmes de la viande. De nos jours encore, l'inconscient populaire attribue encore aux viandes, rouges en particulier, un caractère fortifiant et virilisant. Pour combien de temps encore ?

SACRIFIER POUR VIVRE. QUAND LE BŒUF N'EST PAS MODE !

La viande ne s'obtient que par la mise à mort, le sacrifice des animaux, acte sanglant que la société s'efforce de cacher, d'oublier. Déjà les Grecs anciens oblitéraient la présumée culpabilité engendrée par le sacrifice en accusant le couteau qui avait tué l'animal, ils le jetaient très cérémonieusement à la mer. Au xixᵉ siècle, la séparation entre abattage et boucherie fut décisive ; elle rendait légalement invisible le lien entre la mort, la saignée et la viande. Il faut reconnaître que, même dans l'abattoir, les divisions de plus en plus fines du travail font que, diluée entre plusieurs moments et plusieurs acteurs, la mort des bêtes devient une abstraction insaisissable : le premier anesthésie, il ne tue donc pas ; le second saigne un animal qui se présente comme mort, ce qui n'est pas vraiment tuer. De plus, les automatismes mécaniques prennent de plus en plus le relais ; le robot œuvrant, l'homme devient une autruche. Le métier de boucher n'est-il pas l'un des plus anciens, mais aussi l'un des plus mystérieux ? Le poète, Lamartine (*Les Confidences*), qui n'était pas pourtant un ascète, considérait avec un peu de mauvaise foi les professionnels : « Je me précipitai sur l'agneau, je demandai ce que le boucher voulait en faire et ce que c'était qu'un boucher. La cuisinière me répondit que c'était un homme qui tuait les agneaux, les moutons, les petits veaux et les belles vaches pour de l'argent. »

Le clivage entre l'animal vivant et sa chair, appelée viande, apparaît toujours dans le vocabulaire, les noms des professions et les usages de la table. L'homme prétendu moderne oublie autant que possible qu'un plat de viande a quelque rapport avec un animal mort. Le bifteck est haché, le poisson carré pané, le poulet débité, le lapin décapité. Par manque d'information, mais aussi par pusillanimité, le consommateur répugne à trouver dans son assiette des formes morphologiques. Cela est encore plus évident dans l'existence d'un double vocabulaire, selon qu'il concerne la dissection anatomique ou la découpe bouchère. Le double langage de l'anglais *ox, beef, calf, veal* est particulièrement démonstratif ; en France, le cochon devient porc. La sélection des mots est plus favorable à l'animal qu'à l'homme. En effet, on abat un animal comme un chêne ; mais on se recueille devant les vies fauchées sur les champs de bataille, les mitraillades sont le fruit de l'activité de la grande faucheuse ! Curieusement, au moins d'après Jules Michelet, la surprise se trouve au coin de l'étal : « La grandeur des Anglais avait été d'être originairement une race de bouchers (le plus grand de tous, Shakespeare, était un boucher). »

La viande est le témoignage du festin partagé entre les hommes, mais les morceaux les plus appréciés ont varié au cours des siècles. Au Moyen Âge, le bœuf était considéré comme une viande particulièrement grossière et réservée au peuple, peu prisée des gens délicats, sinon pour en faire du bouillon. Pour les médecins, les viandes de bœuf étaient de la « grosse viande » à réserver à l'estomac robuste des travailleurs, tandis que l'élite sociale préférait la chair des volailles qu'elle croyait plus facile à digérer. Il y a quelques décennies encore, le poulet était le plat luxueux du dimanche, héritage de la poule au pot d'Henri IV. Choyés aux XVIe et XVIIIe siècles, les morceaux dignes des bonnes tables sont devenus aujourd'hui les bas morceaux : abats et quartiers gras comme la poitrine, car la graisse était alors plus appréciée que le maigre. Elle était deux fois plus chère. Autres temps, **autres** mœurs, autres besoins, autres préoccupations diététiques !

Ce mépris porté à la viande de bœuf résultait sans doute beaucoup de sa mauvaise qualité, car l'animal était élevé pour le labour et n'était abattu (« le salaire de labeur »...) qu'en fin de carrière. Sa chair était donc dure, plus ou moins parfumée, coriace et d'un goût qui était soit insipide, soit beaucoup trop prononcé, selon l'état de conservation. Mais les considérations médicales n'étaient pas seules à intervenir ; la religion eut toujours une très forte influence ; beaucoup de règles monastiques ont limité la viande, quand elles ne l'ont pas proscrite. Pendant près de deux mille ans, les laïcs ont dû, eux aussi, s'en abstenir pendant les jours maigres, soit cent cinquante sur les trois cent soixante-cinq jours de l'année. Le but était de mortifier le corps et développer la vie spirituelle, mais aussi d'alterner favorablement les aliments : la prescription religieuse avait une sagesse nutritionnelle certaine.

En revanche, dans les années cinquante, la viande devint une source de force, d'énergie et de vitalité. Il importait d'en donner absolument aux enfants pour favoriser leur développement, surtout s'ils étaient chétifs. La viande rouge était un aliment viril ; le travailleur de force en avait davantage besoin que les autres, malheureusement ses modestes revenus ne lui permettaient pas d'en manger à sa faim.

À partir des années soixante-dix, les idées changent. En effet, le mode de vie s'est modifié : les travaux de force, et par conséquent les dépenses d'énergie sont en baisse pour la grande majorité des populations occidentales. Un souci croissant pour la santé jaillit, qui tourne rapidement à l'obsession. Les Français deviennent très réceptifs et hypersensibles aux inquiétudes et menaces diétético-nutritionnelles qui continuent d'ailleurs d'être soigneusement entretenues par quelques gourous diététiciens. Dans un contexte d'abondance, certains aliments comme le sucre et la viande se banalisent et leur abondance même devient source d'inquiétude.

C'est dans ce contexte dévoyé de l'emprise tentaculaire et dogmatique d'une alimentation de plus en plus frugale, voire végétarienne quand elle n'est pas exotique, que la viande – terrestre, maritime et aérienne – doit retrouver la place à laquelle elle a droit, complémentée évidemment avec les protéines végétales, pour la sauvegarde de la santé.

Protéines végétales : alimentation zoo-illogique

Les protéines végétales ne doivent évidemment pas être négligées, car elles sont incontournables ne serait-ce que parce qu'elles sont présentes dans des aliments qui apportent des vitamines, des minéraux, des « sucres lents », des fibres. En revanche, l'addition de protéines végétales (extraites, purifiées, raffinées) dans certains aliments doit susciter une attention critique.

Les protéines végétales purifiées sont obtenues par des techniques industrielles de préparation et de raffinage à partir de végétaux divers, essentiellement les protéagineux et les oléagineux ; mais aussi les céréales, les légumes et d'autres encore. Le processus est donc industriel. Il semble nouveau pour les protéines, mais ne l'est en rien pour d'autres aliments. En effet, pour les deux autres grands constituants de l'alimentation que sont les lipides et les glucides, les techniques industrielles de séparation et de purification sont mises en œuvre depuis très longtemps. Les produits ainsi obtenus (huile d'oléagineux, saccharose, glucose, amidon, par exemple...) peuvent être directement achetés et absorbés par le consommateur ; ou bien utilisés par des firmes alimentaires en tant que produits intermédiaires pour formuler des aliments composés, correspondant à certains critères technologiques, nutritionnels et organoleptiques. La margarine en constitue l'un des exemples les plus classiques. Dans le domaine des protéines végétales, jusqu'à il y a environ une trentaine d'années, il n'existait pratiquement rien de semblable.

Dans les années 1960 aux États-Unis, la préparation des protéines végétales nouvelles de soja ne fut donc pas réellement une innovation révolutionnaire, car elle suivait l'évolution antérieure des autres secteurs du monde agroalimentaire. Cependant, compte tenu de l'importance toute particulière que présente la protéine dans l'alimentation humaine, sur le plan nutritionnel bien sûr, mais surtout aussi dans le domaine psychologique, l'impact de l'apparition de ces matières premières protéiques fut très différent. Il le demeure d'ailleurs.

Les protéines végétales extraites ont été principalement conçues pour offrir de nouveaux débouchés commerciaux aux pays développés, et principalement aux États-Unis. Les grandes entreprises internationales qui vendent des aliments végétaux ont été créées par des entrepreneurs ayant des intérêts, sinon des arrière-pensées, diététiques, philosophiques et bien évidemment économiques. Mais ne faut-il pas être quelque peu masochiste pour apprécier sectairement dans son assiette un aliment qui ne soit pas de la viande, mais dont on exige qu'il en ait la forme, la couleur, le goût et la consistance ? Impudicité comparative.

Le cerveau commande : combien pour l'exercice musculaire ?

Les molécules productrices d'énergie lors de l'exercice musculaire sont avant tout glucidiques et lipidiques. Toutefois, à l'issue de pratiques sportives de longue durée (le marathon étant l'exemple extrême), la dégradation des protéines augmente systématiquement, parfois de façon considérable. Le travail musculaire implique donc des besoins spécifiques en protéines. Or, l'activité musculaire s'accompagne souvent d'un bilan azoté négatif, surtout si elle est inhabituelle. Les besoins des individus, qui suivent des entraînements intenses, sont plus élevés que ceux des personnes inactives ; par exemple, un lanceur de poids a besoin de plus de protéines alimentaires pour assurer la vie de ses muscles qu'un employé de bureau filiforme.

En fait, la plupart des athlètes consomment déjà suffisamment de protéines, grâce à leur ration énergétique accrue. Lorsque l'apport protéique journalier est de un gramme par kilo de poids corporel, l'initiation d'exercices musculaires chez des hommes habituellement sédentaires s'accompagne clairement d'une augmentation des pertes protéiques, et par conséquent d'un bilan azoté négatif. Les spécialistes de médecine du sport s'accordent pour affirmer qu'un apport protéique à un gramme et demi par kilo de poids corporel est alors nécessaire pour assurer l'équilibre. Le chiffre se traduit, de manière pratique, pour un homme de soixante-dix kilos par une absorption de protéines comprise entre cent et cent vingt grammes par jour. Ces valeurs correspondent environ à un doublement des apports nutritionnels conseillés pour un individu sédentaire.

Il faut considérer différemment les sports de force et de puissance tels que l'haltérophilie, la musculation... En effet, les objectifs de ces athlètes sont différents, puisqu'ils souhaitent accroître leur masse musculaire, parfois de façon considérable. Positiver le bilan azoté peut se faire au détriment de la santé, et les limites semblent difficiles à préciser. Concrètement, deux à deux grammes et demi de protéines par kilos de poids corporel par jour paraissent suffisants pour positiver largement le bilan azoté, cette « recommandation » paraît compatible avec la santé de l'individu. Dans certains milieux, tels que le culturisme de haut niveau, des prises deux à trois fois plus importantes sont faites, ce qui est de toute évidence exagéré.

Quand les muscles sont en activité, les origines du déficit en azote sont principalement de trois ordres : destruction des fibres musculaires par microlésions, dégradation de protéines musculaires et utilisation d'acides aminés à des fins énergétiques. Tout d'abord, au cours de l'effort, les cellules subissent un certain nombre de chocs, des microtraumatismes dont l'intensité varie en fonction du type d'exercice. Ils sont évidemment élevés lors de la boxe, de la course à pied, de la marche en descente ou de certaines formes de musculation. Ces chocs occasionnent des ruptures de membranes cellulaires, ces « brèches » entraînent une perte de protéines qu'il ne faut pas méconnaître. Pendant un marathon, par exemple, plusieurs dizaines de grammes de muscle sont détruites. Biochimiquement et médicalement ce phénomène peut être mesuré par l'élévation des taux sanguins d'enzymes d'origine musculaire. Soit dit en passant, la réparation des membranes biologiques lésées demande impérativement des acides gras poly-insaturés essentiels, les fameuses bonnes graisses que nous allons rencontrer dans le chapitre suivant.

La dégradation des protéines musculaires représente la deuxième cause de déficience azotée. Elle dépend de l'intensité, de la durée et du type d'exercice. Pour couvrir les besoins du muscle, les protéines du foie sont aussi mobilisées, jusqu'au dixième, voire aux deux tiers d'entre elles !

Troisième cause du déficit en azote : les acides aminés sont utilisés pendant l'exercice. Après avoir été démontées, les protéines hépatiques et musculaires sont en partie réutilisées, mais ce processus n'est que partiel. En effet, les acides aminés peuvent fournir de l'énergie pour la resynthèse d'ATP (la monnaie énergétique de base). Cette contribution des acides aminés à la production d'énergie n'est pas négligeable, au cours du travail musculaire ils peuvent apporter 5 % à 15 % de l'énergie totale, en fonction de l'état nutritionnel du sportif et de l'exercice pratiqué. Malheureusement, ces phénomènes d'oxydation touchent plus spécifiquement les acides aminés essentiels qui sont détruits (c'est-à-dire catabolisés) et donc perdus, en particulier la leucine. L'exercice musculaire entraîne donc un accroissement des besoins en acides aminés essentiels.

Tout régime alimentaire hyperprotéiné augmente – parfois considérablement – le besoin en certaines vitamines (en particulier B6, B9 et B12) ainsi qu'en quelques minéraux (fer et zinc pour la synthèse du collagène et de l'albumine ; calcium et magnésium).

ACIDES AMINÉS ROMAINS ET VIETNAMIENS

Pour l'anecdote, il existe une source d'acides aminés très nutritive : le garum... et le nuoc-mâm. Il s'agit de protéines en quelque sorte prédigérées (les chimistes appellent le produit un hydrolysat, les technologues un autolysat) ; les préparations fournissent un mélange constitué principalement d'acides aminés. L'usage du garum, une liqueur de poisson obtenue à partir du dernier stade de la décomposition des chairs de poisson, est apparu en Grèce dès le IVe siècle avant Jésus-Christ. Sa réputation fut longue à s'établir. Pline s'étonnait même de l'engouement des Romains pour cette précieuse sanie de poissons à l'odeur nauséabonde. Dans un vase d'une contenance d'une trentaine de litres, on plaçait une première couche de poissons gras, saumons, anguilles, aloses ou sardines, puis on disposait dessus des herbes très odorantes, aneth, coriandre, fenouil, céleri, sarriette, menthe sauvage, serpolet, origan, ou argémone. On ajoutait ensuite une autre couche de poissons sur laquelle on plaçait deux doigts de sel. Au fur et à mesure que le vase se remplissait jusqu'au sommet en alternant les couches d'herbes, de poissons et de sel. Le récipient était ensuite fermé avec un couvercle et on laissait mariner une semaine. Puis on remuait ce mélange pendant une lune, c'est-à-dire vingt-huit jours. Après, il suffisait de recueillir la liqueur qui, mise en jarres après avoir été filtrée, devenait le fameux garum. Mais il existait également, pour respecter les règles culinaires des Juifs, un garum de poissons à écailles, dit *garum castimoniale* : un garum casher, en somme ! Parmi tous les dérivés du garum, on pouvait trouver aussi un savoureux « garum au vin », mélange de garum, de vin et d'épices, réduit à la cuisson. Il était constitué de poivre broyé, de rue, de miel, de vin, de liqueur de poisson, de vin cuit, le tout chauffé à feu très doux.

Au Moyen Âge, cette variante fut particulièrement appréciée, puisqu'elle permettait aux moines et aux laïcs d'absorber un substitut de viande en temps d'abstinence. La ration en acides aminés était sauvegardée, la santé corporelle et spirituelle aussi ! Étant donné la complexité d'une telle préparation et les difficultés évidentes pour se procurer du garum aujourd'hui, on peut lui substituer certaines variétés de nuoc-mâm, en usage dans le Sud-Est asiatique. Quand ils sont bien préparés avec les bons ingrédients, ils possèdent, en effet, toutes les qualités du garum.

Vous en mangez moins que l'administration n'en a décidé

Vous lisez dans certains écrits et vous entendez dire que vous consommez trop de viande, c'est faux ! Car certains assimilent viande et produits carnés. Pour quelques-uns, la viande n'est que celle qui est rouge. D'autres comptabilisent simultanément viandes, volailles, lapins, charcuteries, produits tripiers et quelquefois même les gibiers voire les poissons. C'est ainsi qu'il est affirmé que vous consommez vingt-cinq kilos de viande de bœuf par an. En réalité ces chiffres prennent en compte la viande que vous allez retrouver dans votre assiette, mais aussi les os et les déchets. En effet, ces vingt-cinq kilos sont exprimés en TEC (tonne-équivalent-carcasse). Cette unité bureaucratique ne représente rien pour le consommateur ; le chiffre est calculé à partir du poids total des animaux abattus (le nombre multiplié par le poids de chacun) divisé par le nombre d'habitants ; elle surestime de 25 % à 30 % la quantité de viande de bœuf réellement absorbée par an et par personne. Car elle vous fait manger les os, les cornes et sabots, la graisse, et bien d'autres choses non comestibles. En fait, avant le problème des farines animales et de la « vache folle », vous ne consommiez en moyenne que seize kilos de viande de bœuf par an et par personne, soit cinquante grammes par jour, ce qui ne représente finalement qu'un steak de cent cinquante grammes tous les trois jours. Ce n'est sûrement pas excessif.

Manger de la viande constitue une véritable « opération » gastro-nomique. Bossuet lui-même l'avait déjà pressenti : « Le corps vide de nourriture en a besoin, et l'âme aussi la désire : le corps est altéré par ce besoin, et l'âme ressent aussi la douleur pressante de la faim : les viandes frappent l'œil ou l'odorat, et en ébranlent les nerfs ; les sensa-tions conformes s'excitent, c'est-à-dire que nous voyons et sentons les viandes : par l'ébranlement des nerfs cet objet est imprimé dans le cerveau ; et le plaisir de manger remplit l'imagination : à l'occasion de l'impression que les viandes font dans le même cerveau, les esprits coulent dans tous les endroits qui servent à la nutrition ; l'eau vient à la bouche, et on sait que cette eau est propre à ramollir les viandes, à en exprimer le suc, à nous les faire avaler ; d'autres eaux s'apprêtent dans l'estomac, et déjà elles le picotent ; tout se prépare à la digestion, et l'âme dévore déjà les viandes par la pensée. C'est ce qui fait dire ordinairement que l'appétit facilite la digestion : non qu'un désir puisse de soi-même inciser les viandes, les cuire et les digérer ; mais c'est que ce désir vient dans le temps que tout est prêt dans le corps à la digestion. »

Et puis, finalement, on ne peut que féliciter certains industriels de se préoccuper de diffuser les conclusions des nutritionnistes, en parti-culier en ce qui concerne les protéines. Mais on peut regretter que cer-tains de leurs produits ne comportent pas l'étiquetage nutritionnel qui permettrait au consommateur de les replacer dans le cadre de ces recommandations...

Guide pratique : les protéines

Où sont présents les 40 grammes de protéines végétales absorbés, chaque jour (50 % du besoin total, l'autre moitié étant constituée de protéines animales) ?

Lentille, haricot sec, pois	180 g
Amande, noix, noisette	200 g
Céréales	350 g
Pain	500 g
Riz cuit	600 g
Pâte cuite	700 g
Champignon, brocoli	1 600 g
Pomme de terre, légume vert, betterave	2 000 g
Asperge, haricot vert, poireau	2 200 g
Salade	2 500 g
Tomate, concombre, carotte	4 000 g
Fruits	8 000 g

Où trouver les 40 grammes des protéines animales nécessaires chaque jour (l'autre moitié étant constituée par les protéines végétales) ?

FROMAGES	
Pâte cuite	140 g
Pâte pressée non cuite	150 g
Pâte molle	200 g
Persillé	200 g
Frais	260 à 1 000 g
Œuf	300 g
Lait	2,8 l
VIANDES	
Foie (veau, bœuf, porc, mouton)	150 g
Veau (escalope, rôti)	160 g
Bœuf (steak)	170 g
Foie de volaille	180 g
Poulet, dinde, lapin	200 g
Oie, canard	220 g
Rognon	230 g
Cervelle (veau, bœuf, porc, mouton)	400 g
POISSONS	
Morue, thon	160 g
Truite	200 g
Hareng, saumon, carpe	210 g
Sole, cabillaud, carrelet, merlan, daurade	250 g
Maquereau, anguille	290 g
Palourde	350 g
FRUITS DE MER	
Huître	400 g
Moule	500 g

CHAPITRE III

Choisir le bon gras

Sans graisses, la vie serait impossible ! Car les corps gras interviennent prioritairement à tous les niveaux de la vie : ils fournissent de l'énergie, participent à l'architecture des structures, constituent les précurseurs d'hormones.

Sans graisses, la vie serait triste, bien des cuisines seraient insipides ! Car le goût des protéines est largement celui des graisses qui les accompagnent : « Une bouchée de pain à laquelle il avait fait toucher la tranche de lard pour lui donner au moins le parfum de la viande », reconnaît Théophile Gauthier (*Le Capitaine Fracasse*). Quand l'aliment contient trop peu de graisses, il faut donc l'accompagner, comme le fait par exemple Romain Gary : « Je n'aime pas, en général, le poulet, qui finasse toujours un peu, sauf lorsqu'il se présente aux girolles ou à l'estragon. »

Par définition, les huiles sont des corps gras liquides, alors que les graisses sont solides. En termes de nutrition, il s'agit de lipides dans les deux cas. Car les désignations de graisse et de lipide sont strictement synonymes. Ne serait-ce que parce que l'étymologie grecque de lipide est *lipos*, qui signifie graisse ! Les huiles sont principalement végétales, mais elles peuvent aussi être d'origine animale, comme celles de poisson. La distinction entre animal et végétal n'infère pas, *a priori*, un intérêt nutritionnel différent.

Les corps gras sont formés de molécules dénommées triglycérides, eux-mêmes constitués d'acides gras. La nature de ces derniers confère à chaque corps gras ses caractéristiques nutritionnelles. Saturé signifie que les acides gras saturés sont majoritairement présents ; mono-insaturé témoigne de la domination des acides mono-insaturés (l'acide oléique principalement) ; poly-insaturé démontre qu'ils contiennent des acides gras poly-insaturés. Or, parmi ceux-ci, deux sont indispensables, c'est-à-dire que l'organisme des mammifères, donc celui de l'homme, ne sait et ne peut pas les synthétiser ni les transformer l'un en l'autre. Leur origine alimentaire est par conséquent obligatoire ; avant leur identification chimique, ils ont été regroupés sous le vocable de « vitamine F ». Ils portent les noms d'acide linoléique et d'acide alpha-linolénique, les chefs des familles baptisées oméga-6 et oméga-3. C'est pourquoi l'huile de la vinaigrette ne devra jamais être exclue d'aucun régime. Elle doit être constituée de l'une des quatre huiles qui apportent les deux acides gras indispensables : il s'agit des huiles de colza, de soja et de noix, ainsi que de germe de blé. Un mélange constitué d'une part avec une huile végétale de votre choix et d'autre part avec l'une de ces quatre huiles peut être utilement mis à profit. Toute friture doit en revanche utiliser une huile mono-insaturée, telle l'huile d'arachide ou de pépin de raisin. En effet, le chauffage réitéré à forte température oxyde les acides gras (ils rancissent) et ce d'autant plus facilement qu'ils sont plus insaturés. Globalement, l'intérêt nutritionnel d'un corps gras est proportionnel à son degré d'insaturation, mais aussi à sa fragilité.

1ᵉʳ composant de la « vitamine F » : l'acide linoléique

Grammes d'aliment fournissant 50 % ANC de l'acide linoléique (soit 5 g/jour)	Acide linoléique	Grammes d'acide linoléique dans 100 g d'aliment
	HUILES :	
7	*Pépin de raisin*	*70*
7,5	*Tournesol*	*65*
8	*Noix, maïs*	*60*
9	*Soja*	*53*
14	*Arachide : américaine*	*36*
23	*africaine*	*22*
25	*Colza*	*20*
50	*Olive*	*10*
60	Palme	8
	DIVERS	
20	*Noix*	*26*
36	*Beurre*	14
12-40	*Margarine*	15-40
	GRAISSE :	
25	De dinde, de poulet	20
50	D'oie, de canard	18
60	De cheval, de porc	8
100	Suif : mouton	5
250	bœuf	2
1 000-2 500	Fromages	0,2-0,5

En italique et gras : les aliments réellement utiles, compte tenu des portions usuelles et de la nature des autres acides gras présents dans chacun des corps gras.
D'après INRA-CNEVA-CIQUAL. Aliments crus, chiffres arrondis.
Il n'y a pas d'AJR pour l'acide linoléique au JO du 26 novembre 1993. Seuls les ANC (apports nutritionnels conseillés) peuvent donc être pris en compte : 10 grammes par jour. Pour un enfant, il faut à peu près la moitié de la ration d'un adulte.

2e composant de la « vitamine F » : l'acide alpha-linolénique

Grammes d'aliment fournissant 50 % ANC de l'acide alpha-linolénique (soit 1 g/jour)	Acide alpha-linolénique	Grammes d'acide alpha-linolénique dans 100 g d'aliment
	HUILES :	
11	*Colza*	*9*
12	*Noix*	*8*
14	*Soja*	*7*
100	Maïs	1
125	Olive	0,8
350	Pépin de raisin	0,3
500	Tournesol, Palme	0,2
1 000	Arachide	0,1
	DIVERS	
30	*Noix*	*3,5*
200	Haricot, amande	1
500	Olive, framboise, groseille	0,4
600	Brocoli, salade, épinard	0,3
1 000	Lait entier	0,2
800	Salade, pain complet, cassis	0,25
3 000	Concombre	0,06

En italique et gras : les aliments réellement utiles, compte tenu des portions usuelles et de la nature des autres acides gras présents dans chacun des corps gras.
D'après INRA-CNEVA-CIQUAL. Aliments crus ; chiffres arrondis.
Il n'y a pas d'AJR pour l'acide alpha-linolénique au JO du 26 novembre 1993. Seuls les ANC (apports nutritionnels conseillés) peuvent donc être pris en compte : 2 grammes par jour. Pour un enfant, il faut à peu près la moitié de la ration d'un adulte.

Chronologie des découvertes : vitamine F, après E

Il y a quelques décennies, des chercheurs ont constaté que des animaux recevant des protéines de qualité, avec l'ensemble des minéraux nécessaires et toutes les vitamines connues, mouraient pourtant sans appel quand leur régime alimentaire excluait toute graisse. Ils en ont fort logiquement déduit que le gras contenait un facteur vitaminique. Ils l'ont dénommé F, car la vitamine E était déjà connue. Cette dénomination revient en tête d'affiche dans la publicité pour produits cosmétiques. Mais, en fait, elle ne correspond pas à l'exacte définition d'une vitamine, qui impose au moins trois critères simultanés : être organique, être indispensable à la vie, être nécessaire à l'organisme en quantité très faible. Les acides gras poly-insaturés répondent aux deux premières obligations, mais pas à la troisième : il en faut des quantités importantes pour construire et maintenir l'ensemble des membranes de toutes les cellules. Par exemple, un tiers de la structure lipidique membranaire cérébrale est dérivé de l'alimentation, directement et obligatoirement ! En effet, dans le cerveau, un acide gras sur trois est poly-insaturé.

En l'absence des deux acides gras essentiels, la vie est donc strictement impossible, car les membranes biologiques ne peuvent pas se construire, ni se maintenir. Mais existe-t-il des carences chez l'homme, spécifiques en l'une ou l'autre des familles d'acides gras poly-insaturés ? Fort heureusement, sauf cas exceptionnel d'alimentation artificielle pendant plusieurs mois, il est difficile de ne pas absorber d'acide linoléique ; il est en effet présent dans l'immense majorité des aliments, mais en quantité variable. Une insuffisance, élective et sérieuse, en cet acide n'a donc pas été observée chez l'homme. Mais peut-être les investigations n'ont-elles pas été assez poussées.

En revanche, une carence spécifique en acide alpha-linolénique est observée chez l'homme. Ralph Holman, aux États-Unis, a décrit le premier cas, il y a quelques années. Une petite fille, soumise à une alimentation artificielle présentait divers troubles, parmi lesquels des anomalies neurologiques. L'effet curatif de l'addition d'acide alpha-linolénique dans la ration alimentaire démontra pour la première fois l'effet absolument essentiel de cet acide chez l'homme. Depuis, sur de nombreuses autres études, principalement chez des malades hospitalisés et parfois soignés à domicile, ce résultat a été largement confirmé. Les premiers concernés par la carence en acide alpha-linolénique sont les nourrissons.

Tenant compte de ces cas extrêmes, qui mettaient en évidence un certain nombre de symptômes, une pathologie de carence en acide alpha-linolénique a été décrite chez le singe, et chez l'homme. Un syndrome des sociétés modernes, à forte connotation psychiatrique, a été proposé comme étant une déficience en acides de la famille alpha-linolénique ; il serait provoqué, entre autres, par certains régimes « cafétéria ». Il est donc indiscutablement très important de contrôler le mieux possible les quantités d'acides gras de cette famille contenues dans l'alimentation : un minimum doit être apporté pour permettre aux membranes, y compris et surtout cérébrales, de posséder une composition judicieuse et un fonctionnement normal.

Recommandations, conclusions hâtives et statistiques erronées

Pour des raisons de facilité, les recommandations nutritionnelles proposent des pourcentages. Cette habitude est globalement acceptable mais simpliste à la lumière des connaissances scientifiques actuelles ; elle entraîne un grand nombre d'effets pervers. Elle est donc source d'erreurs, sinon d'incompréhensions.

L'expression en pourcentage se réfère à l'absorption calorique. En pratique cependant, quand cette absorption est importante, excessive par rapport aux dépenses énergétiques, un pourcentage faible de lipides masquera un apport quantitatif cependant trop élevé. En revanche, si elle est faible, il faut un pourcentage trop grand en apparence pour préserver l'apport nécessaire en acides gras mono-insaturés et poly-insaturés indispensables. Par ailleurs, selon les divers âges de la vie, la fraction de l'apport calorique destinée à la construction des organes est différente. Il est actuellement manifestement abusif de fixer un seuil identique quels que soient les âges de la vie, toutes les situations physiologiques, ou les états pathologiques.

Il est évident que, dans les périodes de développement, les besoins en acides gras indispensables ne sont pas strictement linéaires avec la ration calorique : il existe un seuil ; il est probable et logique, mais pas encore totalement démontré. Les besoins et les recommandations doivent donc être estimés en termes de quantités absolues (g/jour) et non pas seulement en fonction de la ration calorique. Restreindre la valeur d'un aliment ou d'un nutriment à son équivalence calorique est devenu inacceptable. Cette référence aux consommations caloriques sont clairement erronées pour les personnes âgées : une malnutrition (une alimentation déséquilibrée) entraîne une perte du tissu musculaire (la sarcopénie) qui induit secondairement une restriction des besoins caloriques. Définir les besoins en acides gras et en acides aminés par rapport à un besoin calorique moyen ne peut qu'entraîner une perte musculaire, engendrant une restriction des dépenses énergétiques et par conséquent une diminution des besoins énergétiques, véritable cercle vicieux.

Bien plus, des conclusions hâtives peuvent être prononcées à partir de statistiques erronées. Rappelez-vous ! La consommation en graisse a été mal évaluée pour diverses raisons. L'une d'elles se trouve dans l'utilisation du TEC (tonne-équivalent-carcasse), qui a largement contribué à surévaluer la consommation en viandes, et donc en graisses. Concernant les huiles, une erreur similaire est commise. L'administration fait boire aux Français toutes les huiles de friture ! Car elle calcule la consommation individuelle en divisant le tonnage total des huiles alimentaires vendues en France par le nombre d'habitants. Aux États-Unis, les statistiques officielles causent des erreurs d'interprétation particulièrement graves et lourdes de conséquences. En effet, la consommation d'acides gras indispensables, en particulier, d'acide alpha-linolénique, a été déduite de la production alimentaire d'huile de soja. Or une fraction très importante de cette huile est en réalité consommée après avoir été hydrogénée, ce qui la prive de la majeure partie de ses acides gras indispensables !

Pour ajouter au désordre, toutes les graisses des aliments servis sont supposées être consommées. Cette simplification est la source d'une surestimation de 10 % environ. En effet, un bonne part des graisses visibles est laissée dans l'assiette (ou sur le plateau de présentation) : peau du poulet, bardage de la viande, vinaigrette, etc.

Les enquêtes alimentaires ont mesuré la répartition des nutriments en faisant référence au poids des aliments déclarés absorbés (ou même achetés), et aux tables de composition. Or ces tables sont parfois périmées, et affichent même souvent de nombreuses erreurs. Par exemple, des péréquations abusives sont faites : elles attribuent indifféremment la graisse du porc à tous les morceaux ; de ce fait il est encore parfois affirmé que le jambon contient 20 % de graisse, ce qui est largement supérieur à la réalité. Des technologies anciennes sont encore parfois utilisées, qui ignorent certaines classes de molécules. Ainsi, certaines tables de composition en acides gras ne prennent pas en compte les acides gras poly-insaturés à très longues chaînes (par utilisation de techniques de chromatographie gazeuse désuètes) ; de ce fait, la teneur en acides gras de cette famille est souvent extrêmement minorée. Ces tables sont totalement fausses pour les produits animaux maigres (ne contenant que peu de triglycérides), car ces aliments restent en tout état de cause formés de membranes biologiques (affectant à tout aliment une teneur incompressible en lipides), qui sont principalement des phospholipides formés d'acides gras poly-insaturés.

QUELLES PRESCRIPTIONS POUR LES ACIDES GRAS

Au sein des lipides, les recommandations en acides gras sont fréquemment définies en pourcentages qui varient selon les préoccupations. Les autorités françaises proposant les apports nutritionnels conseillés en acides gras saturés, mono-insaturés et poly-insaturés, ont été jusqu'à une date récente, de 25 %, 50 %, 25 % ; pour le nouveau millénaire ils sont de 24 %, 60 %, et 16 %. Dans la catégorie des poly-insaturés, un rapport de 1/5 environ est préconisé pour les acides gras poly-insaturés oméga-6 et oméga-3 (alors que dans l'alimentation usuelle, il est de 1/15 à 1/50 !). Pour la première fois, il est demandé que les acides gras poly-insaturés à très longues chaînes représentent 3 %, notamment 0,5 % pour le DHA, alias acide cervonique.

Les acides gras « trans » sont naturellement présents en faibles quantités dans les viandes et les produits laitiers. Ils étaient trouvés en quantités importantes dans certains aliments, principalement du fait des processus industriels d'hydrogénation utilisés pour rendre solides les huiles végétales afin d'en faire des margarines. Ils sont toujours largement présents dans les crackers, les snacks, les apéritifs, les biscuits, les chips... qui sont fabriqués avec des huiles mono-insaturées ou poly-insaturées, hydrogénées chimiquement industriellement pour faire des acides gras saturés, beaucoup moins fragiles... et moins bons pour la santé ! Les insaturations (c'est-à-dire les doubles liaisons chimiques entre deux atomes de carbone) sont physiologiquement de nature « cis », exprimant le fait que les deux « morceaux » de la chaîne carbonée sont du même côté de l'insaturation, quand on la représente en structure plane. Dans un acide gras « trans », elles sont de part et d'autre, ce qui n'est pas physiologique. Or, ces acides gras trans posent un double problème. Quand ils sont mono-insaturés (en pratique la majeure partie des acides gras trans alimentaires sont représentés par l'acide élaïdique, qui est l'isomère trans de l'acide oléique) ils sont classiquement comptabilisés avec les acides gras saturés, ce qui est un non-sens par rapport à la physiologie des mammifères. D'autre part, l'attention a été attirée sur les risques cardio-vasculaires que leur présence peut générer.

Concernant les connaissances scientifiques et leur perception par les consommateurs, par rapport aux acides aminés des protéines, les acides gras des lipides ont une vingtaine d'années de retard, qu'il faut impérativement combler. En effet, il est actuellement exclu de mesurer les effets de tel acide aminé indispensable, en prenant comme contrôle un autre acide aminé ; malgré leurs éventuelles interrelations métaboliques, l'individualité et la spécificité de chaque acide aminé sont reconnues. En revanche, pour les acides gras, on n'en est pas encore tout à fait à ce niveau. Or, s'il existe une vingtaine d'acides aminés, il y en a autant d'acides gras ! Ainsi, l'acide alpha-linolénique n'a été reconnu indispensable pour l'homme que récemment, une confusion persiste entre les acides gras indispensables (les acides linoléique et alpha-linolénique) et ceux qui sont essentiels, leurs dérivés à chaînes carbonées plus longues et plus insaturées, qui sont essentiels à certaines fonctions biologiques (comme le demande une note de l'Académie de médecine). D'autre part, l'intérêt des acides gras mono-insaturés est focalisé sur l'acide oléique, alors que ses dérivés sont importants dans les membranes biologiques, en particulier cérébrales ; d'autant que l'acide oléique pourrait être semi-indispensable (au moins partiellement, sinon conditionnellement, comme mon laboratoire vient de le démontrer). Finalement, contre vents et marées qui leurs sont défavorables, les acides gras saturés possèdent des rôles qui sont probablement considérables, spécialement dans les membranes biologiques, en particulier au niveau du cerveau. Dans cet organe, leur nature est connue, mais pas leur rôle exact, ni leur origine, qui pourrait être alimentaire.

Une société internationale, l'ISSFAL (International Society for the Study of Fatty Acids and Lipids) a souligné que la réduction trop importante des lipides dans l'alimentation pouvait induire une carence en acides gras indispensables et essentiels. En effet, tous les corps gras contiennent simultanément presque tous les acides gras, mais dans des proportions variables. Une alimentation variée, non restrictive et dépourvue d'interdits, nécessite la mise à profit d'un grand nombre d'aliments, c'est-à-dire d'une grande variété de graisses visibles et cachées, ce qui implique la consommation de toutes les classes d'acides gras. En tout état de cause, trop peu de graisses est désagréable, comme l'a noté François-René de Chateaubriand, pourtant fort peu disert sur la gastronomie, dans ses *Mémoires d'outre-tombe* : « Nous retranchâmes la moitié du pain, et nous supprimâmes le beurre. Ces abstinences fatiguaient les nerf de mon ami. »

La volonté et les préconisations des autorités administratives peuvent être sans effet, voire contrariées, quand quelques industriels peuvent dresser des contre-feux. Par exemple, aux États-Unis : le comité du « National Cholesterol Education Program », a publié en 1991 des recommandations en faveur d'une meilleure éducation diététique des enfants et des adolescents. Son action ne fut pas suivie d'effets, et même entraîna de graves conséquences perverses. En effet, les industries ont réalisé des contre-feux, pour sauvegarder leurs parts de marché. C'est ainsi que les publicités télévisées pour aliments riches en graisses, qui représentaient 16 % du total des spots en 1989 avant les recommandations de leurs diminutions, sont passées à 41 % en 1993 ; l'augmentation a porté sur la tranche horaire des émissions pour la jeunesse du samedi matin. Or, le ton des responsables gouvernementaux de santé était conciliant, donc partiellement démissionnaire, discret, effacé : ils demandaient que soit montrée une salade sur l'assiette, à côté du hamburger. Rien, en somme, qui aurait pu dissuader les industries de l'alimentation et de la télévision de continuer à faire leur beurre pendant que le consommateur fait ses choux gras ! Image « pischédélique » !

QUELLES HUILES CHOISIR ? UNE SEULE ? UN MÉLANGE ?

Brièvement, quelles sont les propriétés demandées à une huile ? Pour l'acide linoléique, il n'en faut pas trop (le choix se porte sur celles de noix, de maïs, de soja et de tournesol, à la rigueur celle d'arachide et de colza). Pour l'acide alpha-linolénique les élues exclusives sont les huiles de colza, noix, et soja. Toutes les huiles contiennent des acides gras saturés, il est judicieux de sélectionner celles qui en sont les moins riches (pour des raisons que nous allons découvrir dans quelques pages), parmi lesquelles se distinguent celles de noix et de colza. Pour les acides gras mono-insaturés, le choix est libre car l'acide oléique est médicalement neutre voire bon, quand il n'est pas excellent, selon les critères.

En tête de la compétition se présente l'huile de colza, suivie de celles de soja, de noix et de germe de blé. Les autres sont très largement distancées, car elles n'apportent pas d'acide alpha-linolénique, ou beaucoup trop peu comme celle du maïs. En réalité, cet acide constitue le facteur limitatif, puisque de très nombreuses huiles n'en contiennent pas du tout. En revanche toutes apportent, mais à des degrés variables, l'acide linoléique, l'acide oléique, les acides gras saturés... et des calories.

Mais, plutôt que d'utiliser une huile après l'autre, utiliser un mélange semble plus efficace, plus pratique. La variété en une fois, en quelque sorte ! Un mélange alors ? Ce qu'il faut d'acide alpha-linolénique : le colza ou le soja. Pas trop d'acide linoléique : le tournesol fait l'affaire. De l'acide oléique : l'oléisol, un nouveau tournesol naturel qui contient autant d'acide oléique que le colza ou l'olive. Une personnalité ? Le choix est grand parmi les huiles, pourquoi pas celle de pépin de raisin ? C'est ainsi qu'a été créé Isio 4, par Lesieur. Une révolution dans les annales des amoureux connaisseurs des lipides. Espérons que d'autres produits du même type seront bientôt mis à la disposition des consommateurs, avec des huiles de goût par exemple. Pour la bonne fortune et la performance du corps et des sens, de l'intelligence et du goût.

ACIDES GRAS SATURÉS
Grammes pour cent grammes d'huile

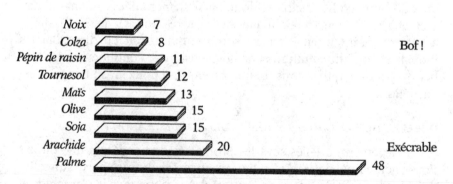

ACIDES GRAS MONO-INSATURÉS
Grammes pour cent grammes d'huile

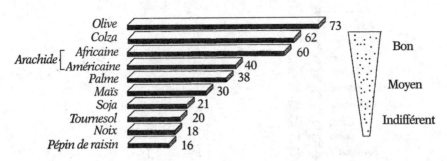

ACIDE LINOLÉIQUE
Grammes pour cent grammes d'huile

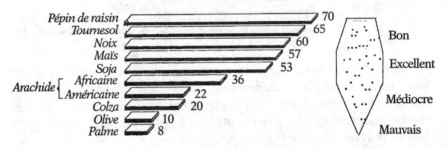

ACIDE ALPHA-LINOLÉNIQUE
Grammes pour cent grammes d'huile

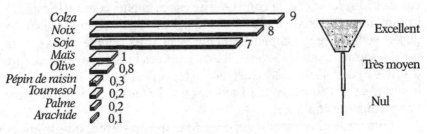

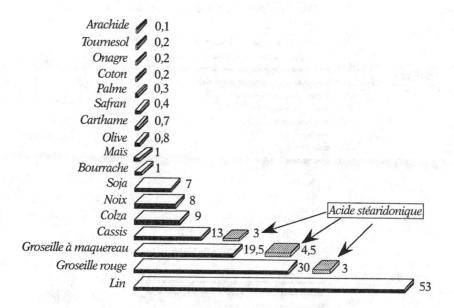

Teneur en acide alpha-linolénique de quelques huiles
de graines (dont les fruits sont parfois délicieux...
pour les grapilleurs gastronomes)

Malheureusement, les acides gras poly-insaturés sont fragiles : leur peroxydation est facile, par authentique rancissement. De manière presque exclusive, ils sont très efficacement protégés dans les membranes biologiques par la vitamine E, plus particulièrement par l'un de ses constituants, l'alpha-tocophérol.

IL N'Y A PAS D'HUILE PLUS LÉGÈRE QU'UNE AUTRE !

En chimie et en physique les choses sont pourtant claires ; en bio-chimie, médecine et science, la vérité oblige pourtant à réaffirmer que les huiles végétales alimentaires présentent la même quantité de calories ! En revanche, la contre-vérité est en vogue, comme le montre un sondage SOFRES réalisé en 1999. Les réponses aux questions posées sont souvent complètement fausses ! Ainsi, pour les trois quarts des consommateurs interrogés, il existerait des huiles plus légères que d'autres ; pour 40 % des médecins, la teneur en lipides de toutes les huiles n'est pas équivalente ! Dans ces conditions, comment préparer une vinaigrette équilibrée ?

Comme les huiles alimentaires sont toutes formées de triglycé-rides (glycérol estérifié par 3 acides gras), leurs valeurs caloriques sont identiques. Seul un publicitaire mal informé a pu inventer l'huile plus légère que les autres, vantée par un célèbre professeur de BD. Quoi qu'en pensent les médecins généralistes ou la population, les huiles de tournesol, d'olive ou de pépin de raisin sont aussi riches en lipides que les autres. L'huile de pépin de raisin bénéficie d'une faveur inexplicable, tout au moins sur le plan de la diététique. En effet, elle n'a pas de réel intérêt notable, car elle s'apparente à une huile de tournesol appauvrie en acide oléique (celui de l'huile d'olive). Mais tout ce qui est issu du raisin, que d'aucuns considèrent comme du précurseur de vin en gélules rondes quand il est sur sa grappe, reçoit une considération particulière.

Enquête SOFRES : quelles sont pour vous
les huiles les plus légères ?

	PATIENTS %	MÉDECINS %
Olive	41	19
Tournesol	32	30
Pépin de raisin	11	26

Légèreté n'est pas synonyme de digestibilité ! La digestibilité est définie, dans ce cas de figure, par la capacité de tronçonnage (c'est-à-dire d'hydrolyse) des graisses (de leurs triglycérides) par l'intestin. Elle est équivalente pour toutes les huiles : leur valeur calorique nutritionnelle est donc la même. Sauf processus pathologique ou excès alimentaire considérable, les graisses ne se retrouvent pas dans les fèces. L'impression de « mauvaise digestibilité » de certaines huiles n'est souvent que la conséquence du ralentissement de la vidange de l'estomac, ce qui constitue d'ailleurs un avantage nutritionnel. Car les corps gras, en réduisant le temps de vidange gastrique, diminuent l'index glycémique des glucides qu'ils accompagnent (nous allons le voir dans le prochain chapitre). Ainsi, le saccharose, sucre « rapide » du chocolat, est-il transformé en sucre « lent » par la présence des graisses... Bien mieux, les lipides stimulent la sécrétion de bile. Quelle alchimie complexe !

Les calories des corps gras. Il n'y a pas d'huile plus légère !

HUILES	Palme	899
	Arachide	899
	Olive	899
	Tournesol	899
	Colza	899
	Foie de morue	899
GRAISSES	Végétaline	899
	Bougie	899
	Suif mouton	899
	Saindoux	899
	Lard	670
	d'oie	896
	de poulet	897
	de dinde	898
	Beurre	752
	Margarine	744
	Foie gras	462
	Fromages	300-400

Calories dans 100 g.
Source : Répertoire général des aliments, Tech et Doc Lavoisier.

Un médecin sur deux sait que les apports caloriques du beurre et de la margarine sont similaires ; mais 13 % seulement de leurs patients présents ou futurs. Les « on-dit » ont la vie dure ; il n'y a pourtant qu'à consulter les tables de composition des aliments ! Beurre ou margarine : du pareil au même nombre de calories ! 752 cal/100 g pour le premier et 744 cal/100 g pour la seconde. Mais il faut savoir que l'enseignement de la nutrition générale ne représente qu'une dizaine d'heures dans les études médicales, sur les sept années d'enseignement ! Le futur médecin ne connaît les aliments qu'à travers la déformation du prisme des maladies. Ainsi, schématiquement, les graisses sont appréhendées lors de l'étude des maladies cardio-vasculaires, les glucides le sont lors du diabète.

Enquête SOFRES : lequel apporte le plus de calories ?

	PATIENTS %	MÉDECIN %
Beurre	84	45
Margarine	–	3
Autant	13	49
Ne sait pas	3	3

ET LE RÉGIME MÉDITERRANÉEN ?
PAS SEULEMENT L'HUILE D'OLIVE

Un manichéisme simplificateur attribue le bénéfice du régime méditerranéen à l'huile d'olive exclusivement. Or, celle-ci ne saurait expliquer la totalité du « paradoxe français ». Ne serait-ce que parce que cette huile ne fournit que 2 % environ des calories dans la ration alimentaire des Français ! Cette quantité est trop faible pour tout expliquer ; pour agir en quantité si restreinte, il faudrait qu'elle recèle un médicament. Mais il y a sans doute longtemps qu'il aurait dû être découvert. L'acide oléique qu'elle contient, à l'instar de multiples autres aliments, est certainement intéressant ; par principe des vases communicants, sa simple présence évite la consommation d'autres graisses, pensent certains.

Donc, dans le bénéfice nutritionnel méditerranéen, d'autres aliments sont concernés. Ce sont, en particulier, ceux qui apportent les vitamines capables de diminuer la concentration sanguine d'un acide aminé particulier, l'homocystéine, et donc de réduire le risque de maladies cardio-vasculaires. Son accumulation dans le sang (l'hyper-homocystéinémie) constitue un facteur de risque réel. Le traitement par les vitamines B6, B9 et B12 peut induire sa diminution et, par voie de conséquence, réduire le risque cardio-vasculaire. La vitamine B9 (l'acide folique), que les Crétois absorbent en importantes quantités, participe largement à la gloire méditerranéenne ; certains pensent même avoir démasqué les auteurs du paradoxe français comme étant les folates. En tout état de cause, l'augmentation nutritionnelle (et pharmacologique) des folates diminue l'homocystéinémie, et donc le risque cardio-vasculaire.

Sans négliger aussi le fait que les antioxydants jouent des rôles très importants à de multiples niveaux. Le « régime », le « paradoxe » français, réside aussi dans la structure des repas, et même dans la consommation – régulière et véritablement modérée – de vin, et, pourquoi pas, de bière. Le secret d'un bon repas : bien huilé, et judicieusement arrosé ! En termes de mortalité cardio-vasculaire, la France se situe mieux que les autres pays méditerranéens (Espagne, Italie, Grèce, Portugal).

Consommation annuelle individuelle d'huile d'olive

Grèce	Espagne	Italie	Portugal	Tunisie	Syrie	Maroc	France	Monde
19,5	12,1	11,2	5,2	7,9	6,1	1,9	0,7	0,4

Kilogramme par habitant et par an. D'après Luchetti, 1999.

La moitié de la production mondiale d'huile d'olive est consommée en Espagne et en Italie (55 % exactement), les sept dixièmes sont consommés dans la communauté européenne.

Part des huiles d'olive dans la consommation annuelle d'huiles végétales alimentaires selon les pays

Espagne	Italie	Grèce	France	Portugal	Autres pays CEE	Turquie	Tunisie	Maroc	Syrie	Algérie
36,6	40,1	51,0	4,4	18,2	0,7	5,1	30,5	14,0	44,5	7,3

D'après Luchetti, 1999

Sans graisses, la vie serait insipide et impossible !

Les graisses constituent la « poésie » des viandes : ce sont elles qui leur donnent leurs goûts caractéristiques et parfois subtils. L'expérience est bien connue, réalisée avec des dégustateurs professionnels ou des consommateurs : un morceau de blanc de poulet (haché menu pour éliminer l'identification de la texture) a le goût du porc, du poisson, du veau ou de cheval selon la graisse qui lui est ajoutée ! Il est même possible pour un consommateur – *a fortiori* pour un membre de jury de dégustation – dont le palais n'est pas trop inerte, de faire la différence entre un saumon d'élevage qui a été nourri avec des aliments contenant des huiles de poisson et un autre avec des huiles végétales !

Ignorer que le goût de bien des aliments constitue la conséquence de leur contenu en graisses provoque des méprises. Ainsi, au printemps, pour perdre quelques kilos il est fréquent d'entendre conseiller de manger de la volaille. Comme la consommatrice n'est pas masochiste, elle choisit le pilon car il a du goût ; elle ignore simplement que cette qualité est la conséquence de la présence de gras. Avec sa peau, ce petit pilon contient huit fois plus de graisse que le bifteck dont elle s'est privée. Sans la peau, il reste tout de même encore quatre fois plus de graisse ! Certes, le cochon est plus gras que le mouton, qui l'est plus que le bœuf, qui l'est lui-même plus que le poulet ; mais dans chacune de ces espèces certains morceaux sont maigres et d'autres sont gras.

Dans chaque espèce il y a des morceaux maigres, et d'autre gras (teneur en lipides de 100 grammes de viande crue) :

BŒUF :

Tende de tranche	2 %
Rumsteack	3 %
Onglet	9 %
Plat de côte	20 %

PORC :

Filet mignon	3 %
Épaule	6 %
Échine	12 %

POULET :

Blanc	1 %
Haut de Cuisse	15 %

PRODUITS TRIPIERS :

Foie de bœuf	2 %
Rognon de bœuf	3 %
Langue de bœuf	17 %

Par conséquent, deux recettes de pot-au-feu peuvent induire des teneurs en graisses très différentes, selon qu'ils sont confectionnés avec du plat de côte (16 % de lipides) ou du jarret (4 % de lipides). D'ailleurs, tout cuisinier amateur sait bien qu'un minimum de plat de côte doit apporter son onctuosité et son goût, sinon le mets est trop « sec ».

Après le choix du morceau, la cuisson a-t-elle une influence sur la teneur en graisses ? Oui, mais moins qu'il n'est généralement dit. La grillade n'élimine pas toutes les graisses, loin s'en faut ; de même que l'utilisation de matière grasse dans une préparation n'est pas toujours un facteur déterminant de la teneur en lipides. En effet, une grillade peut parfois être plus grasse qu'un plat en sauce. Par exemple, une part d'entrecôte grillée contient encore 12 % de lipides, alors qu'une part « réglementaire » (c'est-à-dire non consommée à la louche) de bourguignon n'en contient que 7 %.

L'anecdote est instructive et amusante. Elle concerne Eugène Chevreul, qui se distingua dans la définition des propriétés perçues par les sens ; lui qui inventa la chimie et l'industrialisation des graisses, et qui vécu 103 ans. En étudiant les corps gras, il proposa de qualifier ces propriétés d'organoleptiques ; mot qu'il forgea à partir du grec *organo leptikos*, qui signifie « organe qui prend ». En effet, il se trouva dans la quasi-obligation de créer cet adjectif en tentant de mesurer les propriétés physiques et chimiques de substances et d'aliments ; car il constata que leurs aspects, leurs couleurs et surtout leurs goûts ne pouvaient pas se mesurer, ni même simplement s'évaluer, sans introduire dans la bouche une substance grasse. D'autant que les corps gras (beurre, saindoux, suifs, graisses diverses) ne donnent ni la même sensation ni le même goût selon la température, les consistances étant différentes. Le Littré de 1865 atteste de cette origine.

La membrane biologique du neurone : une construction autour des lipides

Notre corps est constitué de milliards de minuscules entités vivantes appelées cellules, dont les « peaux » sont en réalité de véritables films d'huile piquetés d'une multitude de protéines ; ces peaux sont appelées des membranes biologiques. Celles-ci constituent la frontière et l'identité, le centre de communication et le foyer fonctionnel de chaque cellule. Celles de l'intestin protègent, sélectionnent, digèrent, celles du foie captent, élaborent, peaufinent et sécrètent, celles du rein filtrent, celles du cœur et du muscle se contractent, celles des globules rouges se déforment pour délivrer l'oxygène. Le cerveau est constitué d'un fantastique assemblage de membranes, qui assurent de multiples fonctions, par exemple la transmission nerveuse entre les neurones. D'ailleurs, cet organe ne connaît pas l'obésité, sauf par enflure de la pensée, car il ne possède pratiquement aucun moyen de stocker l'énergie ; il se caractérise par une concentration exceptionnelle en lipides, qui le situe juste après celle des masses adipeuses.

Cela résulte du fait que toute membrane biologique est formée de graisses. Par conséquent n'importe quel aliment brut, végétal ou animal, ne peut absolument pas être 0 % de matière grasse, car il contient obligatoirement des membranes biologiques. Les 3 % de graisses du jambon ou du steak sont principalement constituées de membranes, formées de lipides à forte valeur nutritionnelle ; avec ses 15 % de matières grasses, l'entrecôte contient la même quantité de membranes, mais beaucoup de graisses de réserve. Évidemment les cellules du grain de blé ou de riz sont des sortes de bulles gonflées d'amidon ; la quantité de graisse est donc faible. La cellule qui fait la cellulite, l'adipocyte, est elle aussi gonflée, mais de graisses.

De nombreux chercheurs et techniciens, dans des centaines de laboratoires, sont tout particulièrement préoccupés par les récepteurs présents sur les membranes, récepteurs qui sont de véritables serrures pour entrer dans les cellules (la clef est alors une substance chimique naturelle ou un médicament). Malheureusement, beaucoup moins nombreux sont ceux qui se préoccupent de la porte elle-même ou du mur sur laquelle elle est fixée, c'est-à-dire la membrane. Or, un bon pêne ne se justifie que sur une porte solide ! Dans le cerveau, certains de ces récepteurs contrôlent notre « humeur » ; les soigner peut donc s'apparenter à poser un cautère sur une jambe de bois, si la membrane est délabrée, par malnutrition par exemple. Malheureusement, certains pharmacologues sectaires prétendument neuro-physiologistes s'ingénient à ne pas vouloir le comprendre.

LES MEMBRANES CELLULAIRES :
L'IDENTITÉ ET LA COMMUNICATION

La membrane définit la frontière et la physiologie de la cellule. Elle est le support de son identité, elle détermine ou négocie ses relations avec ses congénères, voisines ou ennemies. Elle est aussi l'organe de tous les « sens » de la cellule : sa bouche, son nez, sa main, son oreille. Il ne lui manque que la vue, et encore, car certaines sont sensibles à la lumière. L'homme adulte est formé de dizaines de milliers de milliards de cellules. Mais son intestin abrite en permanence dix fois plus de bactéries vivantes qui participent à la digestion. L'écologie bactérienne de notre intestin est encore bien mystérieuse. Ces bactéries ont coévolué avec le mammifère et l'homme depuis des millions d'années. Cohabitation et collaboration fascinantes. La flore intestinale ? Une formidable armée presque toujours victorieuse contre d'autres bactéries toxiques, une armure chimique impénétrable, une intendance efficace approvisionnant l'organisme en de nombreux nutriments, et quelques vitamines.

Les cellules différencient des formes et des structures selon leur environnement et leurs fonctions. Elles peuvent présenter une organisation extrêmement complexe. Dans l'organisme humain, où les spécialisations cellulaires sont très poussées, il existe plus de deux cents types différents de cellules. Certains types sont permanents, leur population maximale est établie à la naissance et a perdu la capacité de se multiplier : la cellule détruite est alors irrémédiablement perdue. C'est le cas des neurones et des cellules musculaires. D'autres cellules différenciées, comme celles du foie dénommées hépatocytes, ont une durée de vie très longue, mais conservent toutefois la capacité de se reproduire par division. Enfin, il existe des cellules dont la durée de vie est brève. Elles sont produites et renouvelées à partir de cellules souches indifférenciées durant toute la vie de l'individu. C'est le cas des spermatozoïdes, des cellules épithéliales (de la peau par exemple) ou encore des cellules sanguines. Ainsi, chaque seconde, deux millions de globules rouges sont détruits et remplacés dans l'organisme humain. Au total, ce sont environ cent millions de milliards de divisions cellulaires qui se produisent au sein de l'organisme au cours d'une vie humaine. Mais aucune division pour les neurones... Pour Joël de Rosnay, qu'est-ce que la vie ? Une activité basée sur trois caractéristiques fondamentales de la cellule : autoconservation, autoreproduction, autorégulation. Le neurone, *nec plus ultra*, ne se reproduit pas. Et pourtant il est le patron de notre corps, une société de cellules qui communiquent entre elles par des nerfs et des hormones, un système immunitaire et des nutriments.

Les dimensions cellulaires sont très variables. L'unité de mesure est le micromètre, qui vaut un millième de millimètre. Les plus petites cellules (bactéries) mesurent un centième de micromètre au plus, les plus grandes (œufs des batraciens et des oiseaux) atteignent de un millimètre à... sept centimètres, ce qui représente la taille du « jaune » de l'œuf de l'autruche. La plupart des cellules animales ont un diamètre qui varie entre sept et vingt micromètres. Dans l'espèce humaine, parmi les plus petites cellules figurent les petits leucocytes, globules blancs du sang dont le diamètre est voisin de cinq micromètres. Parmi les plus grandes on peut citer les ovules, cellules sexuelles féminines qui ont un diamètre de cent à cent quarante micromètres, et les neurones dont le prolongement dénommé axone peut atteindre une longueur de plusieurs dizaines de centimètres. Tous les éléments d'une cellule, ses organites, sont composés – du moins en partie – de membranes. La surface cellulaire est limitée par une membrane bien différenciée. Cette membrane est intégrée à l'ensemble fonctionnel de la machinerie active vivante et dynamique de la cellule. Elle joue en particulier un rôle primordial dans les échanges de matériel et d'information entre la cellule et le milieu extérieur et dans les relations intercellulaires au sein d'un organisme. Les membranes, en isolant la cellule du milieu environnant, ont pour fonction essentielle de contrôler les échanges de substances : la perméabilité sélective est une de leurs propriétés physiologiques fondamentales. Elles sont à la fois pompe aspirante et barrière de défense. Elles peuvent se comporter de façon passive, laissant passer certaines molécules et retenant d'autres substances. Mais elles jouent aussi un rôle actif, accélérant le transport de molécules particulières ou favorisant le déplacement de certaines autres, à l'encontre des gradients de concentration.

Une membrane biologique fonctionne aussi comme séparateur de compartiments différents à l'intérieur de la cellule, pour dissocier sur le plan métabolique les diverses activités biochimiques de la cellule. Cette sectorisation de la masse cellulaire est souvent évolutive avec le temps : plasticité, extension et invagination, coalescence et fusion, sont des propriétés communes à toutes les membranes biologiques, y compris pour les membranes des neurones. Les membranes de compartimentation augmentent l'efficacité de la cellule et facilitent certainement la division du travail métabolique en leur sein. Elles individualisent aussi d'innombrables secteurs dans la masse cellulaire, cloisonnant la cellule en de multiples petits volumes, dans lesquels les accumulations des diverses molécules peuvent être assez élevées, alors que ces concentrations seraient très basses si le milieu cellulaire (le cytoplasme) n'était pas recloisonné. Dans chaque compartiment peuvent se dérouler des réactions enzymatiques particulières et spécifiques. Les très nombreuses activités biochimiques de la cellule sont ainsi rendues plus efficaces, plus ordonnées, favorisées. Par exemple, les gènes s'expriment dans le noyau. Dans les mitochondries, les réactions produisent l'ATP, la « monnaie énergétique » de la cellule ; dans les lysosomes et les peroxysomes, site de destruction des déchets, se dégrade tout élément intrus pénétrant dans la cellule, ainsi que les résidus qui s'y trouvent.

UNE ARCHITECTURE DE LIPIDES ET DE PROTÉINES

L'ensemble des molécules formant les membranes est donc un agrégat de lipides et de protéines. Ces molécules sont toujours placées de telle sorte qu'une zone lipidique centrale, formant le cœur de la membrane, soit entourée de part et d'autre par des zones plus hydrophiles au contact des fluides aqueux présents à l'intérieur et à l'extérieur de la cellule. La stabilité des membranes est assurée par le très grand nombre de liaisons de faible énergie existant entre les milliards de molécules lipidiques qui se pressent l'une contre l'autre dans le plan de la membrane. Il faut environ vingt milliards de molécules de lipides pour couvrir la surface d'une cellule de taille très moyenne, quoique ce chiffre varie énormément selon son type. Par contre, la superposition de deux molécules bout à bout suffit pour donner son épaisseur à la membrane cellulaire ! Cette extraordinaire finesse est associée à une formidable solidité : le prolongement du neurone, qui s'appelle l'axone, peut s'étirer sur plusieurs dizaines de centimètres. À une autre échelle, il s'agirait d'une feuille de papier de plusieurs kilomètres, qui ne casserait pas, malgré des contraintes provoquées par le passage d'une voiture qui roulerait dessus !

Qu'il s'agisse du monde vivant animal comme végétal, l'analyse chimique des membranes biologiques montre que, globalement, celles-ci sont formées de protéines et de lipides en proportions sensiblement égales ; mais les variations peuvent être très importantes selon les types de cellules vivantes. Les protéines sont en quelque sorte des icebergs flottant dans une mer « lipidienne », la membrane. Les sucres complexes, associés aux protéines ou bien aux lipides, n'en représentent en général qu'une faible part.

La membrane du neurone peut renfermer plus de quatre cents types moléculaires différents de phospholipides. Ces molécules diffusent latéralement, c'est-à-dire dans le plan de la surface de la membrane, avec une vitesse probablement impressionnante. En effet, on sait qu'une molécule de phospholipide peut faire le tour complet d'une bactérie d'environ un micromètre de long, comme le colibacille, en trois secondes !

Les phospholipides se caractérisent par l'existence d'acides gras à longues chaînes, ayant de quatorze à vingt-quatre carbones, dont plus d'un tiers dérivent des acides gras poly-insaturés essentiels et donc obligatoirement alimentaires, les acides linoléique et alpha-linolénique. Une membrane insaturée sera souple, fluide, flexible, dynamique ; une membrane saturée sera rigide, peu active. L'alimentation, et plus particulièrement certains acides gras essentiels, contrôlent la qualité des membranes cérébrales. Outre les phospholipides, qui représentent 50 % à 60 % des constituants lipidiques des membranes, on trouve aussi du cholestérol (un cinquième des lipides), et divers autres types moléculaires.

Les membranes biologiques sont asymétriques, leurs deux faces ne sont pas semblables et ne présentent donc pas les mêmes propriétés. Cette asymétrie concerne aussi bien la répartition des lipides dans chacune des deux couches que la répartition des protéines faisant saillie sur l'une ou l'autre face. En particulier les sucres associés aux lipides (formant des glycolipides) ou aux protéines (formant des glycoprotéines) tapissent toujours une seule des deux faces de la membrane, celle qui est au contact direct du milieu extracellulaire ; ils assurent, entre autres, l'identité des familles de cellules. C'est leur « empreinte digitale ». Un exemple : ils définissent les groupes sanguins.

La membrane de toute cellule vivante constitue un générateur électrique miniature, dont le pôle négatif est la face interne de la membrane. De part et d'autre de cette frontière physique de la cellule, il existe en permanence une différence de potentiel électrique de l'ordre de soixante-dix millivolts. Ce phénomène peut paraître faible, mais rapporté à l'épaisseur de la membrane (un millionième de centimètre), il correspond à soixante-dix mille volts pour un centimètre, ce qui est considérable ! Ce potentiel repos est créé par la répartition inégale d'ions minéraux, c'est-à-dire des particules électriquement chargées, soit positives, soit négatives, de part et d'autre de la membrane. En particulier, la concentration d'ions sodium dans le liquide intérieur de la cellule (le cytoplasme) est dix fois plus faible que dans le milieu extracellulaire ; à l'inverse, le potassium est trente fois plus concentré à l'intérieur de la cellule qu'à l'extérieur.

Les grandes familles : le bon gras indispensable

Puisque certains acides gras sont essentiels, c'est-à-dire qu'ils sont obligatoirement d'origine alimentaire, l'alimentation contrôle la qualité de toutes les membranes (y compris celles du cerveau), sur tous les plans : chimique, physique, biochimique, physiologique. Acide et gras, deux mots qui ne sont pourtant pas séduisants de prime abord ! Ils assurent pourtant le triomphe de la vie.

Deux familles sont dérivées des deux précurseurs linoléique et alpha-linolénique : il s'agit de la famille ω3 et de la famille ω6, écrit en toutes lettres comme on le voit maintenant exprimé dans la presse et sur les notices d'aliments et de médicaments : oméga-3 et oméga-6. Ces deux chefs de famille, extrêmement jaloux de leurs prérogatives, car l'un ne peut jamais remplacer l'autre, ont chacun des enfants plus ou moins turbulents, dont certains ont acquis une notoriété formidable et une puissance gigantesque, l'un est l'acide arachidonique ; l'autre s'appelle acide cervonique, dénomination caractéristique découlant de sa découverte dans le cerveau, son nom chimique est abrégé en DHA (<u>d</u>ocosa<u>h</u>éxaénoic <u>a</u>cid).

ACIDE ALPHA-LINOLÉNIQUE : LA QUALITÉ DE LA VIE

Bien évidemment, nul ne peut prélever des fragments de cerveau sur des humains pour y vérifier l'efficacité des aliments qu'ils ont consommés. La mesure des effets des aliments sur la structure et la fonction du cerveau fait donc obligatoirement appel à l'expérimentation animale. Avec Odile Dumont, en collaboration avec Georges Durand de l'INRA, nous avons analysé les effets inquiétants, bien que subtils, d'une déficience en acide alpha-linolénique sur la composition biochimique, et l'architecture complexe des membranes de modèles animaux : le rat et la souris. D'ailleurs, toutes les anomalies, que nous avons découvertes chez ces animaux, ont été confirmées chez des nourrissons ! Depuis, tous les laits adaptés sont supplémentés en acide alpha-linolénique, comme tout un chacun peut le constater en consultant les publicités présentées dans les vitrines des pharmacies.

Chez l'animal expérimental, une carence alimentaire spécifique en acide alpha-linolénique provoque des perturbations dramatiques dans la composition des membranes du système nerveux. La vitesse de récupération, après arrêt de la carence, est extrêmement lente pour le cerveau : elle demande de nombreux mois chez l'animal, donc probablement plusieurs années chez l'enfant.

La présence d'acide alpha-linolénique dans l'alimentation confère une plus grande résistance face à certains neurotoxiques, les animaux meurent beaucoup moins vite. L'efficacité de leur barrière hémato-encéphalique est meilleure, le cerveau est mieux protégé ; l'action de l'alcool est moins délétère, au moins sur le plan de la physico-chimie des membranes. En effet, alimenter des animaux avec une huile pauvre en acide alpha-linolénique altère la fluidité de leurs hématies mais aussi celle des membranes de leur cerveau, l'effet fluidifiant de l'alcool y est alors plus grand.

La nature des acides gras membranaires commande les activités enzymatiques dans de nombreux organes, le cerveau n'échappe pas à la règle générale. Il est extrêmement intéressant, et préoccupant, de constater que, chez des animaux soumis à un régime déficient en acide alpha-linolénique, l'enzyme sans doute la plus importante de tout l'organisme, aussi bien quantitativement que qualitativement, la Na^+-K^+-ATPase que nous avons déjà rencontrée, est diminuée de moitié dans les terminaisons nerveuses (les sites où se font les transferts d'information entre les neurones). Car cette enzyme a pour fonction principale et fondamentale d'exercer le contrôle des transports ioniques provoqués par la transmission nerveuse. Elle consomme approximativement la moitié de l'énergie utilisée par le cerveau ; c'est-à-dire qu'un dixième de la totalité de l'énergie consommée par tout l'organisme au repos sert à faire fonctionner cette seule enzyme cérébrale !

La rétine est l'un des tissus vivants de l'organisme les plus riches en acides gras poly-insaturés de la famille alpha-linolénique. Chez les rats de quatre semaines, l'âge d'un enfant de sept ans, les modifications de l'électrorétinogramme des animaux carencés en acide alpha-linolénique sont sérieuses : le seuil de détection de l'électrorétinogramme, chez les animaux carencés, nécessite un éclairement dix fois plus puissant que celui des animaux normalement nourris !

Après les enzymes et l'électrophysiologie, qu'en est-il des fonctions supérieures ? Une pénurie alimentaire simultanée en acide linoléique et alpha-linolénique altère les capacités d'apprentissage des animaux, avant de les affaiblir, de les abrutir, puis de les tuer. Une carence en l'un d'eux s'avère moins catastrophique : l'absence d'acide alpha-linolénique perturbe par exemple les performances d'apprentissage, comme le montre, parmi de nombreux tests, celui de la « shuttle box ».

Ce test est une épreuve de conditionnement qui a pour but de mesurer les capacités d'apprentissage des animaux. Comment est-il réalisé ? Une cage est divisée en deux compartiments reliés par un orifice, l'un est constitué d'un plancher électrifiable, qui peut être éclairé avec une ampoule. Dix secondes après avoir donné de la lumière, le courant électrique est envoyé dans le compartiment habité. Une séance de test dure quinze minutes, à raison de deux chocs par minute, chocs électriques désagréables, mais non douloureux. Un animal est d'autant plus « intelligent » qu'il passe plus rapidement dans l'autre compartiment pour éviter le choc électrique. L'expérimentation a clairement démontré qu'à la première séance les animaux dont l'alimentation contient de l'acide alpha-linolénique font plus rapidement l'association entre le stimulus lumineux et le choc électrique, puisqu'ils évitent en moyenne sept chocs sur trente ; alors que les animaux carencés n'en évitent que deux ! Augmenter le nombre de séances, les différences tendent à s'estomper pour disparaître à la quatrième séance. Les animaux les plus « bêtes » finissent quand même par apprendre, à force de répétition.

Bien plus curieux, les animaux carencés en acide alpha-linolénique qui ont fini par apprendre, à la suite de plusieurs séances d'apprentissage, ont ensuite beaucoup de mal à « désapprendre ». Si on inverse le mode de fonctionnement du test, c'est-à-dire que l'on envoie le courant électrique, non pas dans le compartiment où la lumière s'allume mais dans l'autre, dès l'apparition de la lumière les animaux carencés se précipitent néanmoins dans l'autre compartiment pour y subir le déplaisant choc électrique. Les bêtes sont encore plus bêtes (quoi qu'en ait dit un zoophile obsédé et masochiste affirmant qu'il n'y a que les hommes qui soient assez bêtes pour croire que les bêtes sont bêtes) ! Et pourtant, les animaux carencés ne sont pas perturbés par malvoyance, les empêchant d'identifier l'orifice assurant la fuite salutaire, car les tests de motricité et de reconnaissance d'espaces sont pratiquement normaux, ainsi que leur sensibilité à la douleur. De multiples tests de mesure du comportement ont été réalisés par Henriette Francès et Isabelle Carrié, dans mon laboratoire. Elles ont ciblé les interventions des acides gras poly-insaturés : ainsi, ils modulent toute une gamme de performances d'apprentissage qui sont en relation avec l'habituation.

Encore plus intéressant, la vision et l'audition semblent perturbées à deux niveaux par la carence en acide alpha-linolénique : celui de l'organe récepteur sensoriel d'une part et d'autre part celui de la région cérébrale qui l'interprète ! Au cours du vieillissement, la réduction de l'audition et de la vue sont dues tout autant à la diminution de l'efficacité des parties du cerveau concernées, qu'aux perturbations de l'oreille interne et de la rétine ! Un niveau de perception donné du goût du sucré demande plus de sucre chez les animaux déficients. La carence en acide alpha-linolénique diminue subtilement la perception du plaisir, en altérant légèrement l'efficacité des organes sensoriels et en affectant certaines structures cérébrales !

LES PHOSPHOLIPIDES CÉRÉBRAUX D'ORIGINE ANIMALE : LES MEILLEURS

En fait, les acides linoléique et alpha-linolénique, absorbés avec quelques aliments, sont majoritairement transformés dans le foie en des chaînes carbonées plus longues et plus insaturées. Il s'agit principalement des acides arachidonique et cervonique, qui sont en réalité les acides gras présents dans toutes les membranes biologiques des cellules, y compris cérébrales, où ils contrôlent structures et fonctions. Or les synthèses hépatiques sont diminuées lors de plusieurs phases physiologiques de la vie ; par exemple la période néonatale et le vieillissement ; comme sous certaines conditions pathologiques telles les perturbations hormonales ou l'alcoolisme. Étant donné que les acides gras essentiels pour le cerveau sont les très longues chaînes carbonées, il est donc tout à fait judicieux de proposer qu'elles soient elles-mêmes conditionnelle- ment essentielles, quand le foie est devenu inapte à les élaborer. Il s'avère par conséquent indispensable de les trouver dans l'alimentation. Or, elles ne sont globalement présentes que dans les produits animaux. En effet, les triglycérides des huiles végétales, tout comme les phospho- lipides d'origine végétale, tels ceux de soja par exemple, ne contiennent pratiquement que les précurseurs linoléique et alpha-linolénique. En revanche, les phospholipides d'origine animale renferment ces très pré- cieuses longues chaînes toutes manufacturées, parmi lesquelles se dis- tinguent les acides arachidonique et cervonique ; ceux des mammifères ont en outre l'avantage de les contenir tous les deux, et dans de bonnes proportions. Hélas, la cervelle n'est plus de prescription ! Mais les autres produits tripiers restent intéressants.

CONSTRUIRE LE CERVEAU DES NOURRISSONS

À la suite des travaux réalisés dans mon laboratoire, il a été découvert que la nature des acides gras présents dans les laits adaptés contrôle finement les performances visuelles des nourrissons, ainsi que bien d'autres activités biologiques, comme par exemple la qualité du sommeil et même certaines performances d'apprentissage. La sup- plémentation de laits adaptés avec seulement de l'acide alpha-linolé- nique est cependant insuffisante pour couvrir les besoins en acides gras poly-insaturés oméga-3 de l'enfant. Il lui faut de très longues chaînes poly-insaturées, dont l'importance a été démontrée en don- nant à des prématurés, soit un lait adapté classique, soit une formule enrichie avec une huile de poisson, et en comparant les résultats.

En fin de grossesse, l'enfant dépose chaque semaine dans son cer- veau environ soixante-dix milligrammes d'acide oméga-6 (aux neuf dixièmes sous forme d'acide arachidonique) et trente milligrammes d'acide oméga-3 (aux neuf dixièmes sous forme d'acide cervonique et un vingtième sous forme d'acide eicosapentaénoïque). Il importe donc que la mère absorbe les acides gras poly-insaturés en quantités judicieuses, les précurseurs mais aussi les fins de chaîne. Les réserves d'un préma- turé de trente-cinq semaines sont inférieures à un jour de lait de sa mère ; celui qui est à terme bénéficie de plusieurs jours. Rapporté en kilo de poids, il faut cinq fois plus de lipides à un nourrisson qu'à un adulte.

Pour diverses raisons, en particulier technologiques (difficulté des dosages), les très longues chaînes poly-insaturées (et notablement oméga-3) ont été négligées jusqu'à une date récente. Or, le lait maternel humain renferme des quantités non négligeables de dérivés à longue chaîne des séries oméga-6 et oméga-3. Leur relative constance de composition incite à préconiser le lait maternel, en particulier pour les prématurés. Si on se réfère à une consommation de cent soixante-dix millilitres de lait par jour et par kilogramme de poids corporel, l'enfant nouveau-né absorbe chaque jour plus de cent milligrammes de ces acides gras ; chiffre qui représente environ dix fois la quantité déposée dans le cerveau. Par contre, à quelques rares exceptions près en France, les laits infantiles ne contiennent pas d'acides gras poly-insaturés à très longues chaînes.

Plusieurs services de pédiatrie ont maintenant montré que les enfants prématurés, tout comme ceux qui sont nés à terme, bénéficient d'un développement psychomoteur meilleur quand ils reçoivent dans leur lait des acides gras poly-insaturés à très longues chaînes, comparables à ceux du lait de femme. Mieux encore, ce résultat peut être chiffré ! Par exemple, le quotient de développement d'enfants prématurés est proportionnel à la teneur en acide cervonique des phospholipides de leurs globules rouges (reflet de ce qui se passe dans le cerveau) ; il en est de même pour les performances visuelles. Or, chez des enfants prématurés suivis pendant une année, 60 % de la variation de l'index de développement psychomoteur et 82 % de celle de l'index mental peuvent être expliquées statistiquement par la teneur en acide cervonique des phospholipides d'hématies !

Quotient de neuro-développement

	Q.D.	Phospholipides des hématies	
		Cervonique (DHA)	Arachidonique
Lait de femme	102	2,8	6,9
Lait adapté : Alpha-linolénique (et linoléique) + DHA (et arachidonique)	105	2,7	5,5
Lait adapté : Alpha-linolénique (et linoléique)	96	0,9	3,9

Enfants de 4 mois. D'après Agostoni, 1995.

Le statut neurologique d'enfants de neuf ans, anglais dans l'étude en question, est meilleur pour ceux qui ont été nourris au sein, que pour ceux qui ont reçu un lait adapté. Les acides gras poly-insaturés à très longues chaînes (et notamment ceux de la famille oméga-3) seraient les responsables de cet effet favorable. La question est de savoir si les carences observées dans la période périnatale induisent des anomalies qu'il sera possible de corriger ensuite, soit simplement avec le temps, soit en fournissant les acides gras qui ont manqué dans la période périnatale ; ou bien s'il s'agit de perturbations définitives. La réponse n'est malheureusement pas très optimiste, *a priori*. En effet, des résultats obtenus sur les modèles animaux montrent que, si des rats préalablement carencés en acide alpha-linolénique sont soumis à un régime qui ne l'est plus, alors le cerveau récupère (au bout d'un temps relativement long) une composition normale, mais reste tout de même perturbé dans ses fonctions d'apprentissage. La chimie des membranes cérébrales se normalise mais le comportement reste affecté, car, faute d'aliments adaptés fournis au moment adéquat, les connexions n'ont pas pu s'élaborer.

Ce triste résultat est logique : les circuits de neurones se mettent en place à une période bien déterminée du développement cérébral. Donc, fort malheureusement la perte sera presque inéluctable et définitive si l'étape est manquée. Mais le pessimisme n'est pas obligatoire : en effet, il s'agit là non pas de risque de vie ou de mort, ni de bonne santé ou de maladie, mais simplement de qualité de la vie. Celle-ci est simplement un peu moins favorable si les bons acides gras indispensables n'ont pas été apportés dans la nourriture au bon moment.

Mais que faut-il manger, quelles quantités d'acides gras essentiels ?
Apports nutritionnels conseillés en grammes par jour.

	Saturés	Mono-insaturés	18 :2 oméga-6 (linoléique)	18 :3 oméga-3 (alpha-linolénique)	Poly-insaturés à longues chaînes	Dont DHA
Homme adulte	19,5	49	10	2	0,5	0,12
Femme adulte	16	40	8	1,6	0,4	0,1
Femme enceinte	18	45,5	10	2	1	0,25
Femme qui allaite	20	50	11	2,2	1	0,25
Sujet âgé	15	38	7,5	1,5	0,4	0,1

D'après les ANC 2001. Tech. et Doc. Lavoisier. A. Martin, coordonnateur.

Mais attention : les apports journaliers recommandés ne sont que des moyennes. En fait, il faudrait parler d'apports par semaine, voire par quinzaine. La chasse aux graisses ne doit pas être extrémiste et forcenée, elle peut s'avérer très dangereuse, quand les acides gras indispensables et essentiels sont éliminés. D'ailleurs, constatant que les préconisations demandent de réduire la quantité de lipides absorbés dans les aliments, il est intéressant de rappeler que des instances internationales (y compris sous l'égide américaine) suggèrent que le taux de lipides dans les aliments ne soit pas situé en dessous d'un certain niveau, pour ne pas risquer des carences...

DU SINGE À L'HOMME, GRÂCE AUX PRODUITS DE LA MER

La formidable chaîne des acides gras poly-insaturés débute avec les deux précurseurs, au niveau des végétaux. Elle se poursuit avec des chaînes carbonées, plus complexes chez les ruminants, et se termine chez les carnivores avec une concentration maximale des molécules les plus longues et les plus insaturées, notamment les acides cervonique et arachidonique. D'une manière générale, chez les mammifères, les carnivores ont un poids cérébral supérieur à celui des herbivores, si l'on se réfère, bien évidemment, au poids corporel. Le mode de vie des carnivores comme leur « intelligence » sont reconnus d'une qualité supérieure à celle des herbivores. Cette remarque reste valable pour les oiseaux et les poissons : l'aigle n'est-il pas mieux considéré que le moineau, le brochet que la carpe ?

Au cours de l'évolution multiséculaire, les espèces carnivores ont eu à leur disposition les acides gras poly-insaturés à très longues chaînes, qui leur ont permis d'accroître leur poids cérébral. En revanche, les herbivores se sont contentés de faire de plus en plus de muscle, pour atteindre parfois une monstruosité inutile, inefficace et parfois fatale dans leur lutte pour la vie. D'ailleurs, l'analyse chimique montre que la composition en acides gras essentiels des herbivores est proche de celle que l'on peut observer chez les carnivores qui sont artificiellement carencés en acides gras poly-insaturés. Cette pseudo-carence est due, chez les herbivores, aux bactéries hydrogénantes de leur système digestif, qui transforment les acides gras poly-insaturés essentiels efficaces en acides gras saturés au mieux inertes. Mais injecter certains acides gras à un herbivore ne le rendra pas plus intelligent : les effets de ces acides gras se sont révélés sur des millions d'années, au gré de l'évolution et de la sélection naturelle ! N'est-il pas d'ailleurs fascinant d'observer que tous les mammifères, même herbivores, sont en réalité des « carnivores » pendant le début de leur vie, c'est-à-dire pendant l'élaboration de leur système nerveux, car ils se nourrissent, avant de naître, du sang de leur mère, et de son lait après la naissance... La vache qui vient de vêler mange son placenta, carnivorisme d'un moment !

Dans l'histoire de la vie et celle de l'humanité simiesque, les acides gras poly-insaturés ont très probablement joué un rôle primordial. En effet, la vie primitive fut marine et non pas terrestre, les premiers animaux se sont nourris de plancton, très riche en acide alpha-linolénique. Les acides gras principaux des poissons furent, et restent, ceux de la famille alpha-linolénique (oméga-3). Par contre, après leurs premiers pas, à l'occasion de leurs premiers repas sur le sol terrestre, les animaux anciennement aquatiques ont absorbé des plantes, qui, elles, contiennent principalement de l'acide linoléique. Ils ont ainsi incorporé cet acide dans leurs membranes biologiques, et le jeu du rapport entre les deux familles a permis de moduler les fonctions des membranes et de fournir ainsi un avantage sélectif. Pour que le singe devienne homme, la nature a peut-être aidé le Créateur en ramenant les premiers hommes, ou les derniers singes, dans un milieu marin, milieu dans lequel la famille oméga-3 est très abondante.

L'homme ne serait pas un singe descendu de l'arbre, selon le vieil aphorisme bégayé ; par contre, les premiers hommes se seraient élaborés en étant partiellement immergés dans l'eau, comme en témoignent nombre de particularités : relativement peu de poils (car au froid, une toison mouillée perd totalement son efficacité sur tout le corps), une implantation des poils compatible avec la nage (ils ne se hérissent pas à contre-courant, mais se couchent précisément dans le sens de l'eau) ; un réflexe unique dans le monde des mammifères qui ralentit le cœur quand la face est plongée dans l'eau, pour épargner l'oxygène lors de la chasse sous-marine ; graisse sous-cutanée isolante, et, bien évidemment, famille alpha-linolénique puissante dans toutes les structures de l'organisme, surtout dans celle du cerveau. Sans négliger le fait qu'il est plus facile de se tenir debout dans l'eau que sur terre, ce qui aida sans doute à l'acquisition de la bipédie.

L'importance considérable des deux familles d'acides gras trouve sa confirmation dans le maintien du taux caractéristique des mammifères de la famille linoléique chez la baleine et plus encore chez le dauphin ; bien que ces espèces vivent en milieu marin où la famille alpha-linolénique est très riche et la famille linoléique parcimonieusement représentée. En fait, les mammifères marins sont issus de mammifères terrestres qui sont complètement retournés à la mer : la nature de leurs acides gras en est la preuve. La puissance du cerveau du dauphin n'a pu se maintenir qu'en gardant les acides gras des deux familles. Leur exploit alimentaire est de savoir trouver, et de manger, des aliments riches en acides de la famille linoléique ; à l'inverse des animaux terrestres.

Si le cerveau de l'homme veut perdurer et même progresser, il ne devra jamais oublier cette histoire millénaire, et continuer de consommer de tous les acides gras poly-insaturés : acides linoléique, alpha-linolénique, arachidonique et cervonique, tous les quatre présents dans le lait de femme, très rarement dans les laits animaux, rarement dans les laits artificiels prétendus adaptés. Les cerveaux de nos bébés ne boivent pas encore du petit lait...

Coup de cœur pour le poisson

Les acides gras construisent donc le corps, et particulièrement le cerveau. Mais ils soignent aussi ! C'est le rôle des huiles de chair poisson, qu'il ne faut pas confondre avec les huiles de foie de morue ou de flétan.

Les premières évidences de l'utilité des huiles de poisson ont été démontrées à l'occasion d'études épidémiologiques réalisées chez certains peuples. Les Esquimaux (appellation qui signifie « mangeurs de viande crue ») appelés aussi « Inuits » (ce qui veut simplement dire les « hommes ») ignorent les maladies cardio-vasculaires obstructives (de type athérosclérose), car ils mangent beaucoup de poisson. C'est d'ailleurs l'un des rarissimes peuples autochtones à n'avoir jamais pris les armes, et à vivre encore sur la terre de leurs ancêtres, bien qu'elle soit peu hospitalière. Ils sont aussi très protégés contre certaines maladies dermatologiques (en particulier le psoriasis qui touche quand même un Français sur dix), et certaines affections allergiques et inflammatoires. Ces observations ont été confirmées par de nombreuses autres études épidémiologiques, en particulier en Hollande et au Japon.

	Esquimaux	Danois
Infarctus du myocarde	3	40
Sclérose en plaques	0	5
Épilepsie	16	8
Psychose	10	8
Psoriasis	2	40
Asthme bronchique	1	25
Diabète	1	9
Cancer	46	53
Ulcère gastrique	19	29

(Nombre de personnes atteintes pour 1 000 habitants ; d'après Kromann et Green)

Les mécanismes d'action des acides gras poly-insaturés sont relativement mal connus. Ils agissent directement sur la composition des membranes, et participent donc à leur efficacité biologique et physiologique. Ils interviennent indirectement par l'intermédiaire de métabolites dérivés. Dans le cadre des interactions complexes entre les cellules sanguines et les parois vasculaires, les huiles de poisson diminuent l'agrégation plaquettaire, réduisant les risques d'obstruction des artères.

D'autres mécanismes allant dans le même sens sont impliqués. Ainsi, est diminuée la peroxydation, qui est un véritable rancissement. L'incorporation dans les membranes des plaquettes sanguines d'un acide gras oméga-3 particulier contenu dans le poisson (appelé EPA) accroît leur concentration en antioxydant, les protégeant contre les radicaux libres et diminuant leur agrégabilité, d'où une réduction du risque d'obstruction (dénommée thrombose). De plus, les acides gras poly-insaturés oméga-3 pourraient constituer par eux-mêmes des protecteurs contre les radicaux libres, dérivés toxiques de l'oxygène.

	Poisson consommation (g/jour)	Agrégation (unités de mesure)
Pêcheurs	260	2,3
Agriculteurs	90	6,6

Chez les Japonais

Par ailleurs, une meilleure oxygénation des vaisseaux est assurée par une plus facile déformabilité des globules rouges. En effet, les fluidités des membranes biologiques sont contrôlées par la structure des lipides qui les composent, et plus particulièrement par la nature et la quantité de leurs acides gras poly-insaturés. Plus déformables, les globules rouges s'insinuent mieux dans les microvaisseaux, ce qui est particulièrement appréciable au niveau du cerveau. D'autre part, le muscle cardiaque se trouve plus efficace, puisque la structure de ses cellules et leurs fonctions membranaires dépendent de la composition en acides gras poly-insaturés. Subsidiairement, les huiles de poisson ont une action anti-arythmique appréciable.

Au niveau de la paroi vasculaire, les huiles de poisson ont un effet hypotenseur. Par ailleurs, la récupération après intervention chirurgicale est de meilleure qualité quand le futur opéré absorbe des huiles de poisson. En particulier, la reobstruction après traitement mécanique des artères (que l'on appelle la resténose après angioplastie) est moins fréquente chez les malades recevant des huiles de poisson. La technique consiste à faire remonter dans les artères, à partir de l'une d'elles, jusqu'au cœur, un petit tuyau terminé par un ballonnet. Arrivé au lieu de l'obstruction, le chirurgien gonfle le ballonnet, ce qui dilate l'artère à l'endroit où elle est bouchée. Parfois elle se rebouche quelque temps après l'intervention, c'est ce qui est appelé précisément une resténose.

Parmi les paramètres biologiques fondamentaux facilement mesurables, l'effet majeur des huiles de poisson est d'abaisser les triglycérides du sang, d'autant que la maladie artérielle peut être indépendante du cholestérol, mais seulement dépendante de la triglycéridémie. Les huiles de poisson constituent un lien entre la nutrition, la physiologie, la pharmacologie et la pathologie.

LE POISSON LE PLUS GRAS N'EST PAS PLUS MAIGRE QUE LA VIANDE LA PLUS MAIGRE !

Il n'y a qu'à consulter les tables de composition des aliments pour être convaincu. Le jambon cuit et le bifteck se trouvent au beau milieu des poissons maigres ; le rosbif, l'escalope de dinde et le faux-filet dans les poissons mi-gras. Finalement, l'entrecôte et les côtelettes de mouton ou de porc sont moins grasses que certains poissons, comme le maquereau ou l'anguille. Il est donc complètement faux d'affirmer encore que la viande la plus maigre est plus grasse que le poisson le plus gras. Bien mieux, le maquereau est aussi gras... que le camembert. Toutefois, ces graisses n'ont pas la même composition. Pourquoi l'entrecôte du CIV n'a-t-elle pas la même quantité de graisse que celle de l'INRA ? Parce que le premier n'a dosé que ce qui est mangé, le second la totalité du morceau qui est acheté chez le boucher. D'autre part, il est normal que les résultats ne soient pas identiques (mais sans écarts notables), car ils dépendent du morceau, de l'animal, du laboratoire, de la technique, de l'opérateur...

Et dire qu'Aristophane, dans *Le Banquet* de Platon, fait référence à un poisson, le carrelet, pour représenter la triste condition humaine depuis que les dieux ont placé le destin des hommes sous le signe du châtiment, du désespoir et de la punition ! En fait, comme bien des aliments, le poisson doit être apprêté et cuisiné, chacun ayant sa spécificité culinaire ; selon Philippe Solers : « Vous avez des idées ? – Soles grillées, rougets au beurre d'anchois, merlu mayonnaise, bar au fenouil, dorade au citron, raie au beurre noir... » Comme sont apprêtées toutes les spécialités, d'après G. Matzneff : « Le bar au beurre rouge, ou le filet de saint-pierre sur lit de poireaux, ou le pigeon de Bresse rôti à l'ail, ou l'escalope de turbot au basilic, ou la dorade à la vapeur de choux, ou le cœur de filet de bœuf à la ficelle, ou la salade de poissons crus à la menthe. »

Le poisson le plus gras n'est pas plus maigre que la viande la plus maigre !

(g/100 g)

Baudroie	0,7
Cabillaud	0,7
Raie	0,8
Sole	1,1
Colin, escalope de dinde	1,2
Bifteck	2,2
Jambon cuit	2,5
Turbot	3,1
Truite, filet de porc	3,3
Flétan	3,6
Rouget	3,8
Rosbif de bœuf	4,7
Foie de veau	5
Carpe	5,2
Faux-filet (bœuf), lapin	5,5
Roussette	7
Entrecôte de bœuf (CIV)	8,3
Jambon sec	8,7
Sardine, cuisse de dinde, jambon sec	9
Saumon	10,1
Omelette	12,5
Hareng, épaule d'agneau, cuisse de poulet	14,5
Entrecôte de bœuf (INRA), gigot	14,7
Côtelette d'agneau ou de porc	15
Andouillette	18
Maquereau	18,1
Camembert 40 % MG, boudin blanc	19
Chèvre demi-sec, boudin noir	28

Source : INRA-CNEVA-CIQUAL. CIV : centre d'information des viandes

Donc, le poisson soigne et prévient ! Par conséquent, manger du poisson deux fois par semaine réduit par deux le risque de maladie cardio-vasculaire. La prescription découle d'observations épidémiologiques, sa conséquence est que l'huile de chair de poisson a constitué un médicament remboursé par la Sécurité sociale (il ne l'est plus, suite à quelques errements administratifs). Mais tous les poissons ne contiennent pas les précieuses bonnes graisses, les acides gras oméga-3. Car il convient qu'ils aient pu les fabriquer, en mangeant ce qu'il leur fallait, c'est-à-dire des zooplanctons. Si tel n'est pas le cas, ils n'en contiendront que très peu. Ainsi, le saumon d'élevage peut contenir vingt fois moins de « médicament » que celui qui est sauvage ; sauf s'il est nourri avec des huiles de poisson... Fort heureusement, certaines fermes élèvent maintenant des poissons en leur donnant à manger de graisses satisfaisantes et conformes à leurs besoins, c'est-à-dire des acides gras oméga-3. Régulièrement, logiquement donc, il est fait référence aux qualités nutritionnelles des poissons... gras des mers froides. Car plus un poisson est gras, meilleur il serait pour la santé.

Or, pour ce qui concerne les poissons crus, les teneurs en graisses sont extrêmement variables. Pour ne considérer que des poissons usuels, les teneurs sont de 1 % environ pour la limande et le cabillaud cru (ou cuit à la vapeur), mais environ 10 % pour la sardine crue et le saumon cru (un peu plus quand il est fumé ou cuit à la vapeur), 15 % pour le hareng cru, 18 % pour le maquereau (21 % quand il est cuit au four, ce qui déshydrate et augmente logiquement la teneur en graisse). Attention : une même dénomination peut cacher deux poissons dont la teneur en graisse est très différente : le thon albacore contient 2 % de graisses, le thon commun 6 %.

Il convient de non seulement savoir choisir, mais aussi de savoir cuire. L'influence des préparations est évidemment primordiale. Par exemple, pour ce qui est du carrelet, la teneur en graisses, qui n'est que de 2 % quand il est cuit à la vapeur, atteint 16 % quand il est frit. Des écarts similaires sont trouvés avec la limande nature ou panée. Quant au hareng, il contient autant de graisses qu'il soit cru ou frit. Mais ce ne sont pas les mêmes ! En effet, pour de simples et strictes raisons physico-chimiques de dissolution mutuelles des corps gras, les graisses naturelles de ce poisson gras fuient dans celles du bain de friture (elles sont donc perdues ; car il n'est pas bu, sauf affection psychiatrique grave), en revanche les huiles du bain de friture inondent le poisson, pour remplacer celles qui étaient naturellement présentes.

La valeur nutritionnelle du poisson pané ou frit dépend donc presque intégralement de la valeur nutritionnelle de l'huile utilisée pour sa cuisson. Si elle est saturée, l'erreur grossière est au rendez-vous. Selon sa sélection et sa préparation culinaire, le poisson prévient ou accélère les maladies cardio-vasculaires, entre autres... Car deux choix se présentent. Avec le premier tout est faux, car générateur de risque cardio-vasculaire : le poisson est gras, d'élevage et mal nourri, trempé dans une friture saturée (type végétaline, graisse de palmiste et autres, très utilisées en restauration collective du fait de leur résistance à la chauffe et de leur faible prix). Tout est bon avec le deuxième : le poisson est gras, mais sauvage et cuit en papillote, par exemple. C'est ainsi que les objectifs de santé peuvent être atteints ou contrariés ! Mais en fait le choix n'est pas évident entre le sauvage et l'élevage.

Teneur en graisse de quelques poissons :
variations dans une espèce, effets des préparations

(g/100 g)

Limande crue	1,2
panée frite	13
Carrelet à la vapeur	2
frit	15,9
Hareng cru	14,6
grillé	12,3
fumé	13,5
frit	16

LES MERS : OUTRAGEUSEMENT POLLUÉES ?

En Suède et en Norvège, il est maintenant recommandé aux femmes enceintes de ne pas manger de poisson. Curieuse prescription, quand on connaît l'utilité des bonnes graisses contenues dans ces aliments ! En fait, la cause en est leur contamination massive avec, entre autres, des dioxines (on ne parle pas encore de radioactivité, bien que la mer soit une poubelle pour sous-marins atomiques, mais ils ne présentent pas trop de fuites pour le moment, officiellement du moins). Car les jeunes femmes consomment actuellement dans ces pays des poissons pêchés dans la Baltique, qui est outrageusement polluée. Les Françaises et les Français aussi, d'ailleurs ; mais il serait paraît-il politiquement incorrect de refuser des poissons de la Baltique qui sont déversés dans nos ports (et qui participent au fait que les poissons nous fournissent 30 % de la dioxine que nous consommons), au risque de ruiner quelques pêcheurs locaux ; de manière franco-française, la sévérité est autrement plus grande avec les produits de l'Hexagone, rillettes comprises !

En fait, seul le poisson d'élevage risque, si l'on ne prend pas garde, de pouvoir être garanti sur le plan sanitaire. En effet, de nombreuses mers sont polluées, sous toutes les latitudes, par toutes sortes de substances, y compris le fameux mercure qui défraye régulièrement la chronique. Il risque de devenir impossible de garantir la sécurité des produits de la pêche, sauf à imposer toutes sortes de dosages au débarquement de chaque chalut, ce qui est évidemment tout aussi impraticable qu'onéreux.

Les poissons d'élevage sont maintenant très nombreux : saumon, bar, truite, flétan, turbot, esturgeon, daurade. Sans parler des crevettes, qui donnent des frissons aux services des fraudes, car leur provenance est parfois quelque peu douteuse. Mais il faudrait que la nourriture donnée à ces poissons soit judicieusement sélectionnée, pour qu'ils soient à même de fabriquer et donc de contenir ces précieux nutriments dont ils abondent quand ils sont à l'état sauvage. Même au risque de choquer, il faut reconnaître que les élevages de poisson peuvent être comparés à des forêts : il n'y a pas de risque pour l'environnent et la pérennité du biotope si les individus sont tués ou prélevés avant leur mort naturelle ; bien au contraire d'ailleurs. L'important est que le stock soit renouvelé, constant. La forêt est plus belle, à l'échelle humaine, si les arbres sont régulièrement coupés. Il est inutile d'attendre que les adultes dépérissent et meurent : cela représente une perte de temps ainsi que des risques sanitaires. Pendant les dernières années de leur existence, ils ne gagnent plus en volume, et donc ne prennent pas de valeur ; mais ils accumulent les maladies.

En n'oubliant pas que les deux tiers au moins de la pêche actuelle servent à produire des aliments pour les animaux... Quelle perte et quel gâchis ! D'autant que le métier de pêcheur est certainement l'un des plus dangereux : un marin meurt de son métier toutes les demi-heures sur les mers du monde ! Comme effet pervers, l'interdiction des farines animales terrestres risque d'induire la dévastation des mers. Car il faudra bien, au minimum, nourrir les carnivores avec ce qui leur convient, y compris les poissons ; sachant que 75 % d'entre eux sont carnivores dans les mers ! Or, leurs besoins en protéines sont importants, d'autant qu'ils retiennent dans leurs muscles 50 % à 70 % des protéines synthétisées, alors que pour les mammifères le pourcentage est de 25 % à 35 %. Malheureusement, les protéines végétales sont manifestement incorrectes, car il leur manque des acides aminés indispensables ; la nature n'a pas prévu que les poissons mangent de la luzerne, du pois, du lupin ou de la féverole ; en attendant le topinambour. Absence de résultat intéressant : même en ajoutant à ces protéines végétales les acides aminés manquants (produits par la chimie, comme cela se fait déjà pour nourrir certains animaux), il reste encore impossible de faire pousser les saumons. Ainsi donc, la juxtaposition besogneuse d'acides aminés est insuffisante, car on est loin de connaître la physiologie de ces poissons ; et donc, incidemment, plus loin encore d'appréhender celle des humains. Le saumon ne sait que difficilement élaborer les bonnes graisses (les acides gras oméga-3 à très longues chaînes) à partir des précurseurs trouvés dans les huiles végétales (les composants de la vitamine « F » que nous avons rencontrée) ; il y a donc deux alternatives : soit le nourrir avec des graisses d'autres poissons, soit faire fabriquer ces composés par des plantes OGM... En tout état de cause, les poissons trouvent leur énergie principalement dans les graisses, car ils ne savent pas bien digérer les glucides complexes ; il n'y a d'ailleurs qu'à observer les mers pour constater que les céréales y sont pour le moins rares !

L'humanité a capturé il y a fort longtemps des animaux sauvages ; à la suite de sélections multiséculaires faites par les pasteurs et les éleveurs, ils sont devenus les ovins, les moutons et les vaches que nous connaissons actuellement (et qui sont génétiquement fort loin de leurs ancêtres). En sera-t-il de même pour les poissons, qui ne seront plus pour les générations humaines futures, que des animaux élevés dans des fermes ; et qui s'éloigneront petit à petit de leurs ancêtres ?

Les femmes enceintes doivent manger impérativement du poisson, mais de qualité ! Le prétexte du risque de la pollution ne doit pas les priver de cette classe d'aliment unique. Qu'elles profitent de la palette des coloris des poissons, qui resplendit de ses couleurs selon Émile Zola : « Couleurs précieuses, lavées et attendries par la vague, irisées et fondues dans les tons de chair des coquillages, l'opale des merlans, la nacre des maquereaux, l'or des rougets, la robe lamée des harengs, les grandes pièces d'argenterie des saumons. C'était comme les écrins, vidés à terre, de quelque fille des eaux, des parures inouïes. »

Les maladies cardio-vasculaires ne sont pas toutes dues aux graisses !

Les graisses sont non seulement mal connues, mais encore impliquées abusivement dans nombre de maladies avec lesquelles elles n'ont rien à voir, notamment celles de la sphère vasculaire ; bien plus, leur impact dans le public est surévalué, contribuant ainsi à augmenter encore leur mise à l'index. Pour ce qui est de la tranche d'âge de 25 à 60 ans, les médecins eux-mêmes leur attribuent 55 % de la mortalité (leurs patients 53 %), alors que le chiffre est de 33 % pour les épidémiologistes. Dans le même temps, ils sous-évaluent la place des cancers, qu'ils chiffrent à 15 % (leurs patients à 22 %) alors que la réalité est de 33 %. En vérité, les lipides, les graisses, ont trop souvent, été condamnés à coups d'arguments basés sur des connaissances scientifiques simplistes, voire abusivement simplifiées, associées à la recherche de formules à l'emporte-pièce, destinées à frapper les esprits. « Ce qui est excessif est négligeable. » : certes, mais en l'occurrence le déséquilibre alimentaire, en particulier au niveau des graisses, n'est absolument pas dérisoire.

Or, en pathologie, notamment cardio-vasculaire, les graisses sont la victime expiatoire. Le vrai est relativement simple, pourquoi faut-il donc le compliquer ? Certitude vaut servitude. Comme l'affirmait Jean Rostand : « Réfléchir c'est déranger ses pensées. » Surtout quand elles sont toutes faites, en particulier en ce qui concerne les graisses ! L'obsession aveuglante antigraisse et la terreur cardio-vasculaire font dire à Pierre Corvol, dont les titres et travaux certifient de la compétence sur le sujet (professeur au Collège de France, membre de l'Académie des sciences et président du conseil scientifique de l'INSERM) : « Le concept de risque cardio-vasculaire signifie-t-il le triomphe du célèbre docteur Knock, le génial inventeur des maladies qui s'ignorent. » Au fait, avant d'être malade, étiez-vous en bonne santé ?

Deux chiffres permettent de tempérer les ardeurs des croisades lipophobes. Les chiffres officiels de l'INSERM montrent qu'en 1997 276 791 hommes sont décédés, dont 9,4 % de cardiopathies ischémiques. Parmi les 258 984 femmes décédées, 8,2 % l'étaient pour la même cause. Pour la tranche d'âge 25-60 ans les chiffres sont 6,6 % et 2,2 %. C'est évidemment beaucoup trop, d'autant qu'il est possible de diminuer ces valeurs par de bonnes mesures nutritionnelles, mais ce n'est pas l'apocalypse annoncée par certains gourous, pour qui la bonne santé est un état précaire qui ne présage rien de bon, ni par quelques émules du héros de Jules Romain, le célèbre docteur Knock, pour qui « les gens bien portants sont des malades qui s'ignorent ». Il est vrai que le célèbre médecin François Xavier Bichat, mort en 1802, y a mis du sien, en assurant sa célébrité par la sentence : « La vie est l'ensemble des fonctions qui résistent à la mort. » Laissons les pessimistes qui ne voient que des bouteilles à moitié vides, pour rejoindre ceux qui préfèrent observer qu'elles sont à demi pleines.

Il est donc faux d'affirmer que les maladies « cardio-vasculaires » constituent la première cause de mort en France, toujours et à tout âge. Il existe de fortes différences selon les périodes de la vie. Dans la tranche d'âge de 25 à 60 ans, les hommes décèdent deux fois moins de maladies cardio-vasculaires que de cancers (les tumeurs, de toutes catégories), les femmes près de quatre fois moins ! Mais c'est beaucoup trop, inacceptable, car il s'agit de morts prématurées qui pourraient être évitées pour beaucoup d'entre elles par une alimentation équilibrée !

Causes de mortalité en France. 1997

	Hommes		Femmes	
	nombre	% des décès dans la tranche d'âge	nombre	% des décès dans la tranche d'âge
Tumeurs tous âges confondus	89 213	32,2	58 552	22,6
25 – 60 ans	*17 773*	*34,0*	*9 579*	*43,7*
> à 90 ans	3 558	14,7	6 041	9,0
Appareil circulatoire tous âges confondus	79 631	28,8	93 638	36,1
25 – 60 ans	*7 835*	*15,0*	*2 427*	*11,3*
> à 90 ans	9 340	38,5	28 934	43,2

Source : INSERM SC-8

« CARDIO-VASCULAIRE » NE SIGNIFIE PAS
UNIQUEMENT ATHÉROSCLÉROSE !

En fait, il ne faut absolument pas assimiler les maladies cardio-vasculaires aux seules complications de l'athérosclérose. Car, si l'on prend comme exemple le cœur et le cerveau, les causes de maladie sont nombreuses. En effet, la définition du mot d'accident vasculaire cérébral recèle des pathologies très différentes : certes les infarctus cérébraux liés à l'athérosclérose (due à la fameuse plaque d'athérome, bourrée de cholestérol), mais aussi les lacunes (des conséquences de crises d'hypertension, qui « effacent » de la circulation sanguine des petites régions cérébrales, en général pour des épisodes brefs), les embolies cérébrales d'origine cardiaque (dans ce cas, une plaque se détache d'un vaisseau, puis est propulsée par le cœur dans le cerveau, où elle est arrêtée par une artère qui a sa taille), les hémorragies cérébrales (c'est-à-dire les ruptures de vaisseaux sanguins) et les hémorragies sous-arachnoïdiennes. En outre, l'âge constitue un paramètre important : l'athérosclérose des vaisseaux à destinée cérébrale débute souvent plus tard au cours de la vie que celle des vaisseaux coronaires. De ce fait, l'infarctus cérébral lié à l'athérosclérose survient en partie chez ceux qui ont survécu à la maladie coronaire !

En revanche, la maladie des coronaires (c'est-à-dire les artères qui irriguent le cœur) est, dans la très grande majorité des cas, liée à l'athérosclérose et ses complications. Mais sous le terme générique de maladies cardio-vasculaires – dans leurs composantes cardiaques – se retrouvent indistinctement englobées toute une série de pathologies dont les causes sont extrêmement variables : les complications de l'athérosclérose, avec notamment celles de l'infarctus du myocarde et de l'angine de poitrine, les cardiopathies valvulaires, l'insuffisance cardiaque, les troubles du rythme et de la conduction cardiaques. De plus, avec le vieillissement, les cellules musculaires tendent à disparaître, ce qui augmente les risques d'arythmies cardiaques. Or, pour ce qui concerne les altérations du muscle cardiaque lui-même, ce sont les protéines qui sont en cause, par diminution de leurs quantités et de leurs qualités.

On a tendance à tout mélanger : les facteurs de risque et les maladies. Or, chaque maladie a ses propres facteurs de risque, dont certains n'ont rien à voir – au moins directement – avec l'alimentation. Ainsi, comme le souligne le président de la Société française de cardiologie, André Vacheron : « Les graisses ne sont impliquées que dans les cardiopathies ischémiques (l'infarctus), mais ne le sont pas dans nombre de maladies cardiaques ; elles le sont en revanche dans une fraction des maladies vasculaires cérébrales ; elles ne le sont pas dans les autres maladies de l'appareil circulatoire, que l'on englobe médiatiquement dans les maladies cardio-vasculaires. » La prévention cardio-vasculaire ne passe donc pas uniquement par la diététique, mais aussi par une détection précoce des facteurs de risques cardiaques et vasculaires cérébraux, comme les troubles du rythme cardiaque et les valvulopathies ; et plus particulièrement par la recherche de l'hypertension artérielle, qui constitue la première cause de consultation en France chez le généraliste. Finalement, sur le plan de la pathologie, il est fondamental de reconnaître que les maladies cardio-vasculaires ont des causes multiples. Elles sont multifactorielles : le tabagisme (qui multiplie par quatre le risque d'infarctus du myocarde), la sédentarité, l'alcoolisme, l'obésité etc. ; le facteur lipidique n'est que l'un d'eux.

Tous âges confondus. Maladies de l'appareil circulatoire
Mortalité en France. 1997.

	Hommes		Femmes	
	Nombre	% des décès	Nombre	% des décès
Cardiopathies rhumatismales	299	0,3	661	0,7
Maladies hypertensives	2 396	3	4 041	4,3
Troubles du rythme	5 348	6,7	7 131	7,6
Autres formes de cardiopathies	6 396	8,0	7 330	7,8
Autres maladies de l'appareil circulatoire	7 953	10,0	7 615	8,1
Insuffisances cardiaques et « mal définies »	13 046	16,4	20 246	21,6
Maladies vasculaires cérébrales	18 053	22,7	25 441	27,2
Cardiopathies ischémiques	26 140	32,8	21 167	22,6
Total	79 631		93 638	

Source : INSERM, SC-8.

25- 60 ans. Maladies de l'appareil circulatoire.
Mortalité en France. 1997.

	Hommes		Femmes	
	Nombre	% des décès	Nombre	% des décès
Cardiopathies rhumatismales	28	0,3	38	1,6
Maladies hypertensives	199	2,5	89	3,7
Troubles du rythme	587	7,5	213	8,8
Autres formes de cardiopathies	742	9,5	361	14,9
Autres maladies de l'appareil circulatoire	706	9,0	237	9,7
Insuffisances cardiaques et « mal définies »	659	8,4	220	9,4
Maladies vasculaires cérébrales	1 461	18,6	784	32,3
Cardiopathies ischémiques	3 453	44,1	485	20
Total	7 835		2 427	

Source : INSERM, SC-8. Un grand nombre de ces morts pourraient être évitées !

Pour des apports alimentaires de cholestérol sensiblement comparables, les Français meurent deux fois moins d'infarctus que leurs voisins belges et... trois fois moins que les Américains. Mais il n'en reste pas moins que le nombre annuel d'infarctus myocardiques aigus atteint 110 000 en France. Seulement 65 000 arrivent vivants à l'hôpital. Le nombre total d'épisodes coronariens aigus hospitalisés chaque année serait de l'ordre de trois cent quarante hospitalisations par jour ! La dépense de santé s'élève annuellement à plus de neuf milliards de francs en coûts indirects d'arrêts de travail, d'invalidité et de décès prématurés. Ruineux ! Il a été calculé que la mortalité coronarienne baisserait de 78 % si les Américains mangeaient mieux ! C'est moins pire chez nous, mais quand même ! La France semble encore favorisée. Pourquoi ? Sûrement en partie parce que l'alimentation y est encore variée et traditionnelle.

L'INFAILLIBILITÉ N'EXISTE PAS : LA PREUVE PAR LA CHARCUTERIE !

Dogmatique, un ancien ministre de la Santé, excusez du peu, a récemment affirmé, lors d'une émission télévisée consacrée aux Crétois (cet exotisme méditerranéen est à la mode) : « Il faut absolument apprendre aux enfants que les charcuteries et le beurre sont pleins de cholestérol. » Quelle confusion ! Cette seule phrase cache un amoncellement d'erreurs, de contre-vérités, de simplifications abusives, d'ignorance scientifique. *Lapsus calami* réellement calamiteux.

Car, physiologiquement, le cholestérol de notre corps, qui peut s'accumuler dans nos artères pour générer la plaque d'athérome risquant de les obstruer... est pour ses quatre cinquièmes fabriqué par nous-mêmes. Le cholestérol que nous mangeons n'est donc que secondaire. De plus, les charcuteries n'en contiennent pas plus que les autres aliments d'origine animale, poulet compris.

En revanche, il est prouvé que ce cholestérol est en relation avec les graisses saturées que nous absorbons. Par conséquent, dans le monde des graisses, le choix est cornélien, car certaines sont tellement bonnes qu'elles sont indispensables, alors que d'autres sont à éviter ! Mais les charcuteries sont-elles grasses ? Évidemment oui, pour certaines d'entre elles (il n'est pas question d'affirmer que les rillettes sont légères !) ; mais non, pour d'autres : le jambon cuit, véritable allégé, ne contient que 3 % de graisse. Déconsidérer les charcuteries en bloc, avec brutalité et sans discernement, alors qu'elles constituent une classe d'aliments aussi variés que divers (dans leurs goûts comme dans leurs valeurs nutritionnelles) relève de l'erreur grossière, qui peut être dangereuse quand on sait que le jambon représente 57 % de la consommation des charcuteries chez les femmes, leur apportant vitamines, minéraux (essentiellement le fer, dont elles ont tant besoin), et protéines de qualité. Pour les hommes, la proportion est de 51 %. L'exceptionnelle qualité des jambons français a été mise en valeur dans le mensuel *Que choisir* de février 2001.

Le gras réel est ailleurs que dans les charcuteries (et les viandes). Le résultat n'est pas totalement inattendu, car les charcuteries, en France, ne représentent en moyenne que 5,5 % des calories que nous absorbons. S'il existe des personnes trop grosses c'est parce qu'elles mangent abusivement de tout, leur alimentation est déséquilibrée, en excès. En classant les Français en diverses catégories selon le niveau de leur consommation de charcuteries, SUVIMAX donne des chiffres : si la consommation de charcuterie est augmentée de 30 %, alors l'index de mesure du degré du surpoids et de l'obésité, l'IMC, n'est augmenté que de... 0,3 % (exactement 0,1 point d'IMC) ! Ce sont d'autres aliments qui font abusivement grossir. Le chiffre donnant l'IMC est obtenu en divisant le poids par le carré de la taille. L'obésité est au rendez-vous quand le résultat est supérieur à 30, la maigreur pathologique est signée par un chiffre inférieur à 18.

Classification de surpoids et de l'obésité par l'OMS

	IMC
Fourchette normale	18,5-24,9
Surpoids (pré-obésité)	25-29,9
Obésité classe 1 (modérée)	30,0-34,9
Obésité classe 2 (sévère)	35,0-39,9
Obésité classe 3 (massive ou morbide)	> 40

D'après OMS et Sérog, 2001.

Globalement, selon la région où nous vivons, si nous supprimons toutes les charcuteries de l'alimentation française, cela ne réduit que de 9 % à 11 % notre consommation en graisses ; la diminution des graisses saturées n'est que de 6 % à 8 %. Devinette : où sont réellement les graisses, actuellement ? Souvent à travers les huiles de palme ou de coprah, très utilisées en restauration collective ; ou bien encore plus hypocritement avec des huiles végétales ou de poisson industriellement et chimiquement hydrogénées. Quels aliments apportent un bon tiers du total des graisses saturées que nous ingurgitons en France ? Ce sont les snacks, les crackers, les sucreries, les apéritifs, les biscuits, un peu les viennoiseries, et tous ces en-cas divers « généreusement » présentés dans les distributeurs automatiques. En France, on consomme plus de graisse dans les... sucreries, que dans les viandes et les charcuteries ! Dans nombre de barres, éventuellement chocolatées, il y a 50 centimes de lait et 7 francs d'obésité. Un autre exemple : en termes de calories, un croissant est à peine inférieur à un sandwich aux rillettes... En tout état de cause, en nutrition, il est interdit d'interdire ; il est prudent de s'informer. Intelligemment !

Le fameux cholestérol à contrecœur ?

Il a partout été question du cholestérol depuis quelques années : pour certains aliments, son absence fut même le gage de l'innocuité, sinon de la qualité. Il a été abusivement utilisé pour assurer des promotions de produits alimentaires de qualités restreintes, pour ne pas dire plus. Il a occupé, « de frime abord » le devant de la scène, il fut le prétexte pour imposer des normes alimentaires autoritaires qui se sont avérées inefficaces, « modes et mythes parades ». Qu'en est-il maintenant ? Bien évidemment, toute activité de n'importe quel organe exige que les artères ne soient pas obstruées. Le cholestérol est l'interlocuteur privilégié, ou plutôt le fauteur de trouble sinon le bouc émissaire le plus incriminé. Or, ce n'est pas la molécule qui est toxique, mais sa seule accumulation. De plus, elle est indispensable à bien des mécanismes de la vie.

UN PARTENAIRE INDISPENSABLE POUR LA VIE

Le cholestérol est réellement, absolument indispensable à la vie : toutes les membranes biologiques cellulaires en contiennent. À une extrémité de la chaîne de la vie, certaines bactéries n'ont pas de cholestérol dans leurs membranes. À l'autre se situe l'organe le plus élaboré, le cerveau : ses membranes en sont les plus riches. Il sert immanquablement à quelque chose d'important dans ces structures ! C'est un constituant essentiel de l'isolant des nerfs sur des centaines de kilomètres ; il contribue à la fabrication de l'enveloppe des centaines de milliards de cellules du corps humain. Dans l'organisme, le cholestérol constitue le noyau de base d'hormones aussi indispensables que nombreuses et variées : corticoïdes, hormones sexuelles ; sans cholestérol, point de sexe, quelle tristesse ! Le cholestérol participe à la structure de vitamines, telle la vitamine D ; sans cholestérol, pas d'ossification efficace, quelle décrépitude ! Le cholestérol est à l'origine des sels biliaires, indispensables à l'assimilation des graisses ; sans cholestérol, nulle digestion, quelle misère !

Il existe souvent une confusion entre cholestérol alimentaire et cholestérol sanguin. En réalité, le cholestérol dosé dans le sang possède une origine double. Étant produit pour la plus grande partie par l'organisme lui-même (pour les trois quarts du cholestérol sanguin total), il ne provient que pour une faible part de l'alimentation (le quart restant). De plus, pour environ les neuf dixièmes de la population, ce taux de cholestérol sanguin est relativement stable ; ainsi, quand les apports alimentaires augmentent, la synthèse réalisée par les organes diminue, celle du foie principalement. La plupart des sujets réagissent donc relativement bien au cholestérol de leur alimentation. En effet, plus ils en absorbent, moins l'organisme en synthétise, d'où ce niveau relativement constant du taux sanguin, à condition toutefois de ne pas s'adonner à des excès réellement très importants, ni de subir des déséquilibres alimentaires.

Contrairement aux idées reçues, le taux de cholestérol sanguin n'est donc pas primordialement proportionnel à la quantité de cholestérol alimentaire. Le corps d'un être humain « standard » possède cent quarante-cinq grammes de cholestérol, dont environ huit grammes dans le sang – soit un vingtième de la quantité totale. L'alimentation moyenne n'apporte journellement que (seulement, pourrait-on dire !) un demi-gramme de cholestérol, dont la moitié est absorbée. De plus, chaque jour l'organisme en synthétise environ trois cents milligrammes, et ce quel que soit l'âge. L'alimentation et la synthèse par le corps lui-même fournissent donc environ un gramme par jour, dont un quart est aussi nécessaire qu'indispensable à la synthèse des acides biliaires par le foie. Les chiffres sont éloquents !

S'IL BOUCHE, NE PAS LUI FAIRE EMBOUCHER
LES TROMPETTES DE L'EXCLUSION !

Le cholestérol est devenu l'objet de préoccupations médiatisées pour plusieurs raisons. La première est que son augmentation trop importante dans le sang se traduit immanquablement par un accroissement du risque de maladie cardio-vasculaire, et par conséquent de mort. Cela a été démontré lors de multiples études épidémiologiques, en France comme dans plusieurs pays. L'excès de cholestérol dans le sang (l'hypercholestérolémie) est, sans contestation, l'une des causes d'obstruction des artères (de l'athérosclérose) chez l'homme ; cette incidence a d'ailleurs été vérifiée auprès de diverses espèces animales.

En outre, les résultats remarquablement cohérents ont été obtenus dans un grand nombre d'enquêtes épidémiologiques prospectives effectuées dans différents pays. La fréquence des cardiopathies ischémiques (dont l'aboutissement est l'infarctus) croît avec la cholestérolémie de façon continue, positive et exponentielle.

Une preuve par le scalpel a même été donnée. En effet la suppression chirurgicale d'une partie de l'intestin entraîne une diminution de l'absorption du cholestérol ; par conséquent sa concentration sanguine diminue et la plaque d'athérome du sujet opéré cesse de croître (mais un tel procédé perturbe gravement la digestion des aliments, une telle prescription est donc totalement déconseillée, sauf pathologie rarissime). Les Romains pouvaient se bâfrer de manière outrancière, car ils se faisaient vomir ; les temps modernes proposeraient-ils une version progressiste et chirurgicale de cette thérapie particulière ?

Pour desservir le cholestérol, une autre raison réside dans l'existence, chez l'homme, d'une maladie héréditaire assez rare (un individu sur cinq cents en est atteint), dénommée hypercholestérolémie familiale. Sa principale caractéristique consiste en une élévation sélective et très importante du cholestérol sanguin. Il s'agit d'une maladie génétique héréditaire, innée. Sa gravité tient au fait qu'elle se complique d'accidents artériels obstructifs. La maladie est le plus souvent la conséquence de perturbations situées sur les membranes cellulaires, qui affectent les récepteurs des transporteurs du cholestérol.

En effet, les gènes, quels qu'ils soient, sont normalement présents en deux exemplaires, un sur chacun des deux chromosomes homologues. Chez les malades hétérozygotes, un seul gène d'un seul chromosome est atteint, celui de l'autre est normal. La commande de synthèse des récepteurs membranaires aux transporteurs de cholestérol est donc diminuée au moins de moitié ; les cellules ne portent donc que quelques récepteurs. Mal capté par les cellules et inutilisable dans les artères, le cholestérol sanguin s'accumule. Cette maladie est parfaitement compatible avec la vie, car toutes les cellules de l'organisme, quant à elles, synthétisent le cholestérol dont elles ont besoin ; elles n'ont donc pas de difficultés métaboliques majeures. Les complications vasculaires surviennent vers l'âge de quarante ans. En revanche, chez les homozygotes les gènes des deux chromosomes sont atteints ; les récepteurs sont presque absents ; la teneur sanguine en cholestérol est multipliée par cinq ou dix, voire plus ; la maladie se démasque dès la petite enfance : des enfants de dix ans font ainsi des infarctus très graves, qui sont souvent mortels.

Bien évidemment, il est indispensable de dépister ces malades, ces familles, pour les traiter par une alimentation adaptée et par des médicaments, voire par la chirurgie quand cela est possible. Il s'agit de la transplantation de foie pour les formes homozygotes. Le foie greffé étant capable d'épurer le sang, il arrête le cours dramatique de la maladie.

« BON » ET « MAUVAIS » CHOLESTÉROL :
SÉPARER LE BON GRAIN DE L'IVRAIE

En premier lieu, il convient de retenir que le cholestérol est pratiquement absent du monde végétal. Valoriser un fruit ou un légume, ou encore une préparation faite exclusivement à partir d'eux, sous prétexte d'absence de cholestérol, relève de la plus simple... escroquerie.

Le cholestérol est une molécule qui se dissout dans les graisses. Insoluble dans l'eau, il ne peut donc pas circuler seul dans le sang, tel quel. Il doit être intégré dans de grosses molécules, composées par une association de protéines et de lipides (lui-même, des phospholipides et des triglycérides) ; ce sont des transporteurs que l'on appelle des lipoprotéines. Il existe différentes classes de lipoprotéines, qui peuvent être séparées en laboratoire, notamment en fonction de leur densité. Les trois catégories principales sont les lipoprotéines de haute densité ou HDL (*high density lipoprotein,* en anglais) ; les lipoprotéines de faible densité ou LDL (*low density lipoprotein*), et les lipoprotéines de très faible densité ou VLDL (*very low density lipoprotein*).

De nombreuses études épidémiologiques ont clairement montré qu'une augmentation du taux sanguin de cholestérol-LDL est un facteur de risque de maladies cardio-vasculaires. Le cholestérol des LDL est par conséquent appelé le « mauvais » cholestérol. Les HDL, au contraire des LDL, nettoient les artères en jouant un véritable rôle de ramoneur. Les mêmes études épidémiologiques ont montré qu'une augmentation de la concentration du cholestérol-HDL dans le sang diminue le risque de maladies cardio-vasculaires. Le cholestérol des HDL est par conséquent dénommé le « bon » cholestérol.

La distinction entre le bon et le mauvais cholestérol constitue un abus de langage, une simplification excessive, quoique très pratique sur un plan didactique. En effet, en réalité, il n'existe évidemment pas deux molécules différentes de cholestérol. Le cholestérol est absolument unique ; mais il est véhiculé dans le sang par deux systèmes de transport, des sortes de taxis, qui jouent des rôles opposés, ce sont précisément les LDL et les HDL. Dans l'un des sens du transport, les HDL récupèrent le cholestérol dans les organes qui en ont trop, tout particulièrement celui qui pourrait se déposer au niveau des parois artérielles et les obstruer, pour le rapporter au foie où il est ensuite éliminé.

Dans l'autre sens, les LDL apportent le cholestérol fabriqué par le foie aux organes qui en ont besoin. Ces LDL doivent être captées par les cellules, grâce à des récepteurs situés sur les membranes cellulaires. Ceux-ci reconnaissent spécifiquement ces LDL, et plus particulièrement leur partie protéique. Le couple récepteur-LDL étant formé, il est transféré à l'intérieur de la cellule où le cholestérol est mis à la disposition de la cellule. Ces récepteurs sont fabriqués par les cellules elles-mêmes, mais leur élaboration est autorégulée : ils sont en nombre d'autant plus grand que la cellule contient moins de cholestérol, ou qu'elle a besoin de quantités plus importantes de cette substance. Inversement, si la quantité de cholestérol à l'intérieur de la cellule dépasse ses besoins, la synthèse du récepteur est diminuée et le cholestérol ne peut plus s'accumuler dans la cellule.

Une sous-population de LDL a été suspectée d'être plus athérogène que les autres, impliquant l'existence d'un second mécanisme épurateur des LDL, qui serait différent des récepteurs classiques. Ces LDL particulières seraient anormalement oxydées (on les dit peroxydées), elles auraient par conséquent perdu leur identité ; elles ne seraient plus reconnues par les récepteurs standards des cellules normales. Mais l'organisme, pour s'en débarrasser, a prévu des récepteurs éboueurs situés à la surface de cellules sanguines, appelées macrophages. Ces cellules se gonflent de cholestérol, deviennent spumeuses, ne sont plus mobiles, s'accumulent... et bouchent les artères ! Risque supplémentaire : afin d'être efficaces, ces macrophages ne régulent pas leur quantité de cholestérol, contrairement aux autres cellules. C'est-à-dire que la surcaptation de cholestérol ne diminue pas leur synthèse des récepteurs. Ils accumulent donc indéfiniment le cholestérol, ce processus sans fin est redoutable. Or la probabilité de posséder des LDL peroxydées est évidemment d'autant plus grande que la quantité de LDL est plus grande, et qu'elles sont moins bien protégées contre les obligatoires dérivés toxiques de l'oxygène.

Fort heureusement, la vitamine E protège des peroxydations : dans le cadre de la prévention des maladies cardio-vasculaires son efficacité a été récemment démontrée lors d'études épidémiologiques.

L'objectif de vitalité est donc de diminuer les LDL. Cela peut simplement se faire à l'aide de règles nutritionnelles, car leur quantité est liée aux habitudes alimentaires. En revanche, le cholestérol-HDL ne peut varier que dans des limites assez étroites. Ainsi toute augmentation importante du cholestérol total du sang porte presque obligatoirement et malheureusement, sur le cholestérol-LDL.

MAUVAISE PLAQUE : L'ATHÉROME

Lorsque la concentration sanguine de cholestérol transporté par les LDL augmente trop, ce cholestérol se dépose donc au niveau des parois artérielles. Il se forme alors, petit à petit, de véritables plaques de graisse, appelées athéromes. Tout excès chronique de cholestérol-LDL dans le sang risque de générer très progressivement un dépôt au niveau de la paroi des artères. Au départ, ces plaques ne provoquent aucune perturbation sur la circulation sanguine. Mais, au fil des années, elles finissent par réduire le diamètre interne de l'artère, par perturber le débit sanguin et par s'opposer au passage du sang. L'irrigation des organes devient alors moins bonne, son efficacité diminue.

Si la plaque d'athérome continue à grossir, différentes anomalies apparaissent. Il s'agit principalement de douleurs au niveau des organes qui ne reçoivent plus assez de sang. Dans les jambes, ce sont les douleurs qui obligent systématiquement à s'arrêter de marcher au bout d'une certaine distance, qui ne fait que diminuer avec la progression de la maladie : c'est la claudication intermittente. Toutes les artères sont susceptibles de se boucher de cette façon, mais celles du cœur sont particulièrement vulnérables : c'est l'angine de poitrine. Enfin, si aucune précaution n'est prise, malgré les crises douloureuses, la plaque d'athérome peut finir par boucher totalement l'artère.

Par ailleurs, une plaque plus ou moins volumineuse risque de se détacher, d'autant plus facilement que la pression artérielle est élevée. Entraînée par le courant sanguin, elle va obstruer une petite artère dont le diamètre est trop faible pour la laisser passer. Ce mécanisme est mis en cause dans l'« attaque », médicalement connue sous le nom d'infarctus, il concerne souvent les artères du cœur, mais touche aussi d'autres organes, et divers tissus. Quand il s'agit du cerveau, c'est l'hémiplégie, conséquence du défaut d'irrigation de toute une région cérébrale, avec ses redoutables séquelles.

Dans les pays occidentaux, les habitudes alimentaires favorisent malheureusement l'augmentation du cholestérol sanguin transporté par les LDL. Les deux principaux déséquilibres sont, avant tout, la surconsommation d'acides gras saturés, associée à une sous-consommation d'acides gras poly-insaturés, mais aussi à une carence d'aliments riches en fibres. L'excès de cholestérol alimentaire n'étant pas le premier coupable.

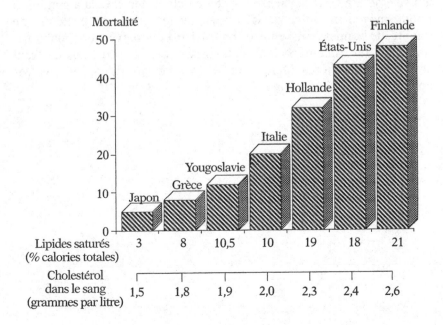

Les nutritionnistes, et les publicistes, ont une révision culturelle déchirante – argentée et urgente – à entreprendre. Car, ainsi que le répète inlassablement Jean-Luc de Gennes, un malade sur trois faisant un infarctus n'arrive pas vivant à l'hôpital ; alors que de simples mesures de prévention diététique éviteraient ces catastrophes prématurées. Un bilan à vingt ans, du prix d'une coupe de cheveux, éviterait une mort prématurée deux ou trois décennies plus tard ! Ainsi, pour de multiples causes – parmi lesquelles se trouvent les maladies cardio-vasculaires – l'espérance de vie à 35 ans est inférieure à ce qu'elle est à 60 ans ! Pour les hommes de 35 ans elle est de 40,2 ans (d'où une longévité moyenne de 75,2 ans) ; alors que pour ceux de 60 ans elle est de 19,2 ans (assurant une durée de vie moyenne de 79,2 ans). Car beaucoup meurent avant 60 ans, prématurément, de diverses maladies qui auraient pu être évitées pour leur immense majorité.

La chasse au cholestérol provoqua des trouvailles amusantes. Ainsi, un vieil Américain du Middle-West a été enrôlé pour participer à une enquête épidémiologique. Il fut interrogé sur ce qu'il avait mangé ces dernières années, car sa santé florissante avait attiré l'attention. Stupeur : les enquêteurs réalisèrent que, voilà plusieurs décennies, on lui avait interdit la viande, car il souffrait alors un peu du cœur, pensait-on. Depuis, il se nourrissait avec force œufs, plusieurs par jour, ce qui représentait au moment de l'interrogatoire plusieurs dizaines de milliers d'œufs mangés, au plus grand dam des intégristes anticholestérol, pour la plus grande joie de la gastronomie. Ainsi, l'œuf a été mis abusivement à l'index, car il est riche en cholestérol. Cela a conduit à nous priver d'une mine de vitamines, de minéraux, de protéines de qualité, de bonnes graisses. Avec pour triste effet pervers une malnutrition dans les milieux sociaux défavorisés, car les protéines de l'œuf sont les moins chères. Mangez varié, en y prenant du plaisir avec vos convives, à votre bon… cœur !

CHAPITRE IV

Penser rapidement avec les sucres lents

Comment assurer et stimuler la concentration de l'intelligence sur une pensée que l'on veut approfondir, et la traduire en paroles ou en actes ; de quelle manière stimuler la précision du corps sur une action, avec un cerveau et des organes normalement construits et entretenus ? En apportant l'énergie nécessaire. Quelle énergie permet d'être plus énergique ? Celle qui trouve sa source dans un sucre, pour le cerveau et bien des organes ou dans les acides gras pour le muscle ; sachant que d'autres éléments comme les acides aminés et les corps cétoniques peuvent venir au secours. En vérité, la vigilance est une attention soutenue et vive. Plus prosaïquement, selon les physiologistes, il s'agit d'un état de l'organisme qui reçoit les stimulations et y répond. La vie du corps exige que le cerveau soit attentif, son succès qu'il soit plus que vigilant. Comme l'affirme Henri Bergson : « La conscience est accrochée au cerveau comme un vêtement à son clou. » Grâce au glucose, qui constitue le carburant unique du cerveau, utilisé d'ailleurs grâce à la vitamine B1. Mais ce glucose participe aussi à une multitude de fonctions neuronales, entre autres. Pour certaines d'entre elles, par exemple, il contribue à l'élaboration d'un neuromédiateur : l'acétylcholine.

Ce glucose appartient à la grande et complexe famille des sucres, appelés glucides et parfois hydrates de carbone. Quand l'apport est insuffisant, la réduction de la concentration en sucre dans le sang perturbe le fonctionnement nerveux. C'est la fameuse hypoglycémie ! Elle amoindrit la fonction cérébrale ; en se prolongeant elle la ralentit, puis l'anesthésie, la paralyse et parfois la tue à petit feu ou brutalement. C'est la déroute. Il faut du glucose en permanence, sans aucun à-coup. Votre attention et votre vigilance peuvent sûrement être stimulées par un meilleur apport de glucides, judicieusement choisis et mieux répartis dans la journée, ceux des pâtes et du pain, par exemple. L'effet sera plus puissant que le coup de fouet temporaire d'un excitant, fût-ce celui d'une tasse de café. À l'opposé, l'excès de glucose dans le sang altère insidieusement tous les organes. Le succès est donc dans l'équilibre. La réussite de la journée est déterminée par la qualité du premier repas du matin. Contre-exemple trop commun, de trop nombreux enfants prennent un petit déjeuner très sommaire, ils subissent donc le « coup de pompe » de milieu de matinée. Ainsi, dans les infirmeries des écoles d'apprentissage, les quatre cinquièmes des admissions consécutives à des blessures se situent entre onze heures et midi. Un suivi médical et des prises de sang ont montré que les élèves étaient en hypoglycémie lors de l'accident. Inversement, l'ingestion de glucides « lents » améliore la mémorisation des enseignements !

Quelle « sucritude » ? Les « sucres » sucrés ne sont pas les meilleurs

Les glucides (dont le nom trouve son étymologie dans le grec *glukos* qui signifie doux) constituent l'une des trois grandes familles de nutriments apportés par notre alimentation, avec les lipides et les protéines.

Les glucides sont des substances organiques naturelles qui contiennent des atomes d'hydrogène, d'oxygène et de carbone dans la proportion 2:1:1. Leur formule chimique empirique générale est $C_x(H_2O)_x$, de ce fait ils sont également appelés hydrates de carbone. Toutefois, cette dénomination est inadaptée. En effet, elle inclut des composés qui ne sont pas des sucres tels que les acides acétique (celui du vinaigre par exemple) et lactique (qui s'accumule dans le muscle lors d'effort prolongé, provoquant la crampe). En revanche, elle exclut certains composés tels que les sucres-alcools, qui ont un pouvoir sucrant intéressant.

Comme de nombreux glucides confèrent aux aliments une saveur sucrée, ils sont désignés sous le terme générique de « sucres » un mot qui est au pluriel.

D'ALEXANDRE À L'APOTHICAIRE, PUIS À LA SWEET-NUTRITION

Le saccharose (unique molécule présente dans le sucre en morceaux) qui bénéficie de la dénomination de sucre est un terme qui provient du mot sanskrit *sarkara*. Il aurait été introduit en Europe par Alexandre le Grand, qui aurait découvert « le roseau qui donne du miel sans le secours des abeilles ». Considéré comme une épice, vendu autrefois chez les apothicaires, ancêtres de nos pharmaciens, le sucre était réservé les jours de fêtes aux riches bourgeois, ainsi qu'aux hôtes de marque ; cette considération dura jusqu'à la fin du XVIIIᵉ siècle. L'injure suprême pour qualifier l'incompétence et l'absence de stock était alors d'« apothicaire sans sucre » ! D'ailleurs, les mots miel et médecine ont la même racine indo-européenne : « Medha », la conception de l'aliment médicament, qui revient à l'ordre du jour n'est donc pas si moderne que cela ! Curieux retour des choses, vengeance du passé, nous tendons à revenir à la conception primitive des aliments. Ainsi que l'écrivit Shakespeare : « La vertu accouplée à la beauté, c'est le miel servant de sauce au sucre. »

Sous Napoléon Iᵉʳ, le procédé d'extraction du sucre de betterave fut mis au point à l'échelon industriel par Benjamin Delessert, pour pallier le blocus anglais qui rationnait l'approvisionnement en sucre de canne d'outre-mer. Pour protéger les betteraviers hexagonaux, c'est ainsi que l'appellation « sucre » au singulier fut réservée par l'usage au saccharose ; cette molécule est elle-même appelée sucrose par les Anglo-Saxons. Nous en subissons encore les conséquences. Ainsi certains aliments « sans sucre » pouvaient (peuvent encore ?) contenir en fait des sucres, fructose ou polyols par exemple. En termes caloriques, rien n'est gagné ; les bonbons affichés sans sucre, mais constitués de fructose, sont de véritables escroqueries pour le consommateur peu informé. Quand ils ne contenaient pas des gélatines d'origine bovine !

Du point de vue nutritionnel, celui qui présente un intérêt réellement pratique, on distingue les glucides assimilables et les glucides indigestibles, donc inassimilables. Les glucides assimilables sont globalement identifiés en trois familles : les monosaccharides, les disaccharides et les glucides complexes. Les principaux monosaccharides sont le glucose, le fructose, et le galactose ; parmi les disaccharides se distinguent le saccharose (association d'une molécule de glucose à une molécule de fructose), le maltose (association de deux molécules de glucose), et le lactose présent dans le lait comme son nom l'indique, combinaison d'une molécule de galactose et d'une molécule de glucose.

Les glucides complexes, quant à eux, possèdent des formules chimiques assez compliquées qui justifient cette dénomination ; par opposition aux précédents, appelés parfois glucides simples. Dans l'alimentation, les glucides complexes assimilables sont essentiellement représentés par **les** amidons, qui sont les glucides des végétaux ; mais aussi, en très faible quantité, par le glycogène, qui est le glucide animal de stockage. Ils sont formés d'une grande quantité de molécules de glucose accrochées les unes aux autres.

Comme leur nom l'indique, les glucides dits indigestibles sont inassimilables tels quels. Du point de vue de l'alimentation et de la digestion, il faut toutefois distinguer d'une part les glucides fermentescibles et d'autre part ceux qui ne le sont pas. Sur le plan pratique, cette discrimination est très importante, car les apports réels en énergie sont différents. En effet, les glucides qui peuvent fermenter produisent des acides gras dont les chaînes carbonées sont courtes ; ils sont utilisés par les bactéries de l'intestin, mais aussi par le corps. Ils sont donc réellement énergétiques. Consommés en quantités importantes, ils provoquent, en outre, des fermentations intestinales sources d'inconfort digestif, avec notamment des flatulences. Attention donc aux aliments et boissons supplémentés en fibres qui ne sont pas zéro calories, comme le prétendent pourtant certaines étiquettes !

Le bon choix : de l'énergie à deux vitesses

Outre le cerveau, les globules rouges (qui transportent le comburant, c'est-à-dire l'oxygène) fonctionnent eux aussi avec le glucose, qui est leur carburant. Ce glucose est rarement isolé, sauf dans le miel. En revanche, il se trouve lié à une seule autre molécule de glucide... dans le morceau de sucre, ou dans d'autres substances, toutes appelées sucres « rapides », c'est-à-dire rapidement absorbés par le métabolisme. Un exemple permet de justifier ce qualificatif cinétique. Ainsi, les cinq grammes du morceau de sucre que vous mangez en milieu de journée arrivent dans l'estomac pour en sortir immédiatement, puis ils sont très rapidement digérés par les intestins ; ils affluent alors dans le sang, qui ne trouve pas d'organe à qui les fournir, à moins qu'un effort musculaire soit en cours. L'organisme stocke donc cette énergie sous la forme prévue par la nature, donc de... graisses. Ce sucre de mauvaise réputation est par conséquent dit « rapide ».

En revanche, une multitude de molécules de glucose arrimées les unes aux autres forment des assemblages, dont le plus connu s'appelle amidon. Cinq grammes de pâtes ou de pain, qui sont aussi des glucides, sont lentement malaxés par l'estomac, digérés avec une sage lenteur par les intestins ; le sang reçoit ces bons sucres « lents » en petites doses, et pendant longtemps. Ils vont donc approvisionner utilement en énergie l'organisme ; l'alimentant pendant plusieurs heures, entretenant régulièrement ses besoins. Ce sont donc les sucres « lents », ainsi dénommés car ils se distribuent lentement dans le corps. Avec eux, la glycémie est ainsi maintenue constante, pour le plus grand bénéfice du cerveau. La vigilante attention du cerveau, pour lui-même, mais aussi au service du corps, est ainsi entretenue par une concentration constante en glucose dans le sang.

Point extrêmement important, tous les nutritionnistes constatent que la consommation de glucides est globalement satisfaisante en

France, voire un peu trop faible. Mais ils demandent – ils exigent – que nous divisions, par deux sinon trois, la consommation de sucres rapides ; et, par principe des vases communicants, nous multiplions par deux ou trois la consommation de glucides lents ! De plus, les fibres, dont nous devrions avoir une consommation au moins deux fois plus importante, sont elles-mêmes des glucides particuliers. Trop de sucres mangés signifie moins d'énergie utilement distribuée. On le sait depuis fort longtemps. Même Bernardin de Saint-Pierre avait pressenti avec beaucoup d'approximation les éléments de la biochimie des sucres : « Les fruits vineux et cordiaux, tels que les pommes, les poires et les raisins, mûrissent en automne pour fortifier notre corps épuisé par les transpirations trop abondantes de l'été. Les fruits échauffants par leurs huiles, tels que les noisettes, les noix, les amandes, fournissent de la chaleur à notre estomac, et une bile digestive à nos intestins. Enfin les semences céréales et légumineuses, comme les blés, les haricots, les pois, nous donnent en tout temps des substances farineuses, qui renouvellent les diverses humeurs de notre tempérament par une digestion qui, mieux que nos fermentations chimiques, les décompose en acides, en sucs, en esprits et même en huiles. »

LES ÉTAPES DE LA VIE.
LA TÊTE ET LES PÂTES : AVEC LES SUCRES LENTS

Les glucides constituent la plus grande partie de la matière organique de la terre ; ils interviennent à de très nombreux niveaux, dans une multitude de formes de vie. Ils leur servent de réservoirs d'énergie, de molécules produisant directement de l'énergie et d'intermédiaires métaboliques. Ainsi, l'amidon des végétaux et le glycogène des animaux constituent les polysaccharides les plus rapidement mobilisables pour fournir du glucose, molécule fondamentale pour la création d'énergie. L'ATP, monnaie universelle d'énergie libre, est un dérivé phosphorylé d'un glucide simple, lui-même dénommé « ose ». Si le cerveau n'est plus irrigué par le sang, ne recevant plus de glucose, il ne peut résister que quatre petites minutes en brûlant le glycogène qu'il contient. En fait, le malaise est déjà là depuis longtemps. Car dix secondes de privation d'oxygène provoquent la perte de connaissance : le temps, pour le cerveau, de consommer l'oxygène déjà présent dans l'organe et celui du sang qui se situe encore dans ses vaisseaux sanguins.

Par ailleurs, des sucres particuliers dénommés oses, le ribose et le déoxyribose, sont des substances qui participent directement à la structure du ADN (le composant des chromosomes qui portent l'information génétique) et du ARN (le messager qui sert de « patron » pour transformer l'information génétique en construction de protéines). Enfin, les polysaccharides sont des éléments importants des structures des parois cellulaires des bactéries et des végétaux, ainsi que de l'exosquelette (la carapace) des arthropodes et des invertébrés dont le corps, formé de pièces articulées, est recouvert de chitine, tels les crustacés, les insectes et les arachnides. Cette chitine, un polysaccharide, est une substance organique, de structure pouvant ressembler à la cellulose. Elle est totalement inassimilable, tout comme les cheveux, les poils ou les ongles sont constitués des protéines parfaitement indigestes. Enfin, les glucides sont liés à nombre de lipides et de protéines. Ils participent ainsi à l'identité des cellules, par exemple celles des groupes sanguins.

Dans le monde vivant, la cellulose, principal constituant des parois des cellules végétales, est l'un des composés organiques les plus abondants dans la biosphère. Comme elle est indigeste, les glucides d'intérêt nutritionnel sont autres. Par conséquent, plus de la moitié des glucides ingérés par l'homme devrait être constitués par l'amidon, réservoir d'énergie des plantes. En revanche, le glycogène ne représente qu'un modeste stockage pour les animaux. Un homme de soixante-dix kilos possède une réserve énergétique de cent mille calories sous forme de graisses mobilisables (des triacyglycérols) ; vingt-cinq mille calories sous forme de protéines, principalement musculaires, et normalement non mobilisables ; et enfin seulement la minuscule quantité de cinq cents calories sous forme de glycogène, associée à onze calories de glucose. Or, les graisses représentent environ onze kilos de poids corporel ; si cette quantité d'énergie était stockée sous forme de glycogène, le poids corporel serait augmenté de… cinquante-cinq kilos. Dame nature est donc bien faite !

Réserves d'énergie chez l'homme

Tissu	Glucose et glycogène		Protéines mobilisables		Triglycérides	
	g	kcal	g	kcal	g	kcal
Sang (10 kg)	15	61	100	407	5	44
Foie (1 kg)	100	407	100	407	50	442
Intestin (1 kg)	0	0	100	244	0	0
Cerveau (1,4 kg)	2	8	40	162	0	0
Muscle (30 kg)	300	1 220	4 000	16 268	600	5 311
Tissu adipeux (15 kg)	20	81	300	1 220	12 000	106 220
Peau, poumon, rate (4 kg)	13	52	240	976	40	354
Total	450	1 830	5 000	19 684	12 695	112 372

À titre d'indication, les graisses normalement stockées représentent environ 100 000 calories, qui peuvent être « brûlées » lors d'une course à pied soutenue et ininterrompue de… 150 heures !

Afin de pouvoir être utilisé par les cellules comme source d'énergie, ou mis en réserve pour élaborer des stocks, le glucose doit être véhiculé à travers la membrane des cellules. Ceci est effectué par l'intermédiaire d'une protéine de transport. Dans le foie, le cerveau ou les cellules sanguines, il s'agit d'un processus qui n'est pratiquement pas modifié par l'insuline. Concernant l'hépatocyte, le système est de haute capacité, suffisant dans toutes les situations physiologiques et permettant des échanges, c'est-à-dire les entrées et les sorties. Dans les muscles et les cellules adipeuses, un système de diffusion est opérationnel ; il est activé par l'insuline. Il existe deux principales voies métaboliques du glucose, soit la mise en réserve sous forme de glycogène, soit la dégradation (appelée glycolyse) fournissant à l'organisme un substrat énergétique quand il en a besoin.

Le glycogène est présent en faible quantité dans de nombreux tissus. Il est surtout abondant dans le foie (soixante-dix à cent vingt grammes chez l'adulte), les muscles striés squelettiques (deux cents à quatre cents grammes) et le myocarde. En situation d'abondance c'est-à-dire lors des repas, le foie met en réserve le glucose sous forme de glycogène ; pour le libérer en cas de besoin en énergie (lors du jeûne ou de l'exercice physique), au profit de divers tissus tels le cerveau et les muscles. Contrairement au foie, les muscles sont incapables de dégrader le glycogène jusqu'au glucose.

Le cerveau ne contient pratiquement pas de réserves énergétiques sous forme de glycogène. Cependant, point très important, l'entrée du glucose n'y est pas contrôlée par l'insuline. Des échanges intenses entre les entrées et les sorties évitent l'accumulation de glucose dans le cerveau en cas d'hyperglycémie. En revanche, cet organe reste très sensible à l'hypoglycémie, c'est pourquoi il importe absolument que la glycémie reste en permanence au même niveau. Mais, pour que le glucose soit transformé en énergie efficace, il faut que la machinerie cellulaire soit évidemment fonctionnelle, grâce notamment aux vitamines et à certains minéraux.

LES CÉRÉALES C'EST RÉEL :
VOTRE CORPS LE SAIT À CHAQUE REPAS

À tous les âges de la vie, dans toutes les situations physiologiques, la substance énergétique clef est le glucose à distribution lente des céréales. Pour assurer une glycémie dont la constance est le gage de l'efficacité, elles doivent être consommées à tous les repas. En effet, outre dans les céréales, l'amidon n'est utilitairement présent que dans les pommes de terre, les pois et les lentilles (qui ne sont mis à profit malheureusement que marginalement). Le germe – notamment de blé – bénéficie de la propriété exceptionnelle de contenir de fortes quantités de vitamines, de minéraux et d'acides gras indispensables. La présence de fibres permet un fonctionnement harmonieux de la digestion, et donc une meilleure utilisation des autres aliments.

La paléontologie montre que les céréales ont toujours constitué un aliment de base, d'autant que les grains pouvaient se conserver ; d'où, pour certains, l'origine de l'invention de la poterie. Leur cueillette puis leur culture et leur préparation ont fédéré les groupes humains, ont fait naître les premières sociétés. La nature et la préparation culinaire des céréales ont participé à la stabilisation du tissu géographique, au ciment social, à l'identification des groupes humains, des cultures. Car, selon les conditions climatiques et les régions, toutes les civilisations ont largement mis à contribution les céréales : le blé en Europe, le riz en Asie, le maïs en Amérique, le sorgho et le millet en Afrique. La sublimation des céréales s'est traduite par leur divinisation : Cérès leur a donné leur nom.

Les diverses conditions de cuisson des céréales et leur combinaison avec de nombreux aliments permettent de satisfaire au plaisir de l'alimentation. Une unique molécule, le glucose, est donc efficacement trouvée dans une grande variété de préparations. Comme il n'existe pas d'aliment complet au sens nutritionnel du terme, les céréales doivent obligatoirement accompagner les autres aliments, qu'ils soient animaux ou végétaux. Tout avec les céréales, mais rien sans elles. Les consommateurs doivent réidentifier les céréales dans les aliments, les céréales sont partout, vous ne le savez pas, mais votre corps le sait. De nombreux enfants ignorent que le pain est préparé avec une céréale !

Les céréales concentrent la réalité de l'authentique, du naturel et du vrai. Leur transformation fait appel à des technologies naturelles simples, généralement courtes, et qui le resteront. Leur transformation ne les dénature pas. Au contraire, elle conserve, voire amplifie leurs valeurs nutritionnelles. Fait exceptionnel, les céréales ne souffrent pratiquement d'aucun interdit religieux ni philosophique, leurs contre-indications médicales sont rares. Elles constituent une valeur sûre et vraie sur les plans nutritionnel, alimentaire, gustatif, gastronomique et culturel.

Hypoglycémie, mythe et réalité

Quelles sont donc les principales causes d'hypoglycémie ? La première est classique : elle constitue la conséquence d'une alimentation insuffisante ou inadaptée. La deuxième est plus surprenante : elle suit le repas à quelques heures, elle est dite réactionnelle. La troisième est provoquée par certaines maladies ou consécutive à la prise de médicaments particuliers.

L'hypoglycémie d'origine alimentaire se traduit par des manifestations récidivantes, stéréotypées et réversibles. Elles surviennent suivant une chronologie rythmée par les repas, leur insuffisance ou leur absence. Les manifestations sont des palpitations, une sensation de faim impérieuse, une pâleur, une anxiété, un mal de tête, des sueurs froides et des tremblements. Les symptômes plus graves viennent ensuite, dont, par ordre de gravité croissante : grande fatigue soudaine (asthénie), vue trouble ou double, confusion mentale d'installation progressive ou aiguë, altération du comportement, convulsions et enfin coma.

La deuxième cause d'hypoglycémie semble paradoxale. Comment absorber trop de sucre peut-il provoquer une hypoglycémie réactionnelle ? Comment quelques morceaux de sucre absorbés avant une compétition rendent les jambes molles au moment du départ ? Car, après un repas sucré, l'organisme réagit en sécrétant de l'insuline, qui permet de stocker ce sucre-énergie sous forme de graisse, s'il n'est pas brûlé dans l'exercice physique. Mais l'insuline reste encore présente dans le sang, bien après que le glucose directement d'origine alimentaire a été utilisé. Elle induit l'utilisation du glucose restant dans le sang, dont la concentration diminue, pour se trouver en dessous du seuil de la normalité, d'où la sensation de faim... et la recherche d'un autre morceau de sucre. C'est précisément l'hypoglycémie réactionnelle. Ainsi, la pomme en fin de matinée ne coupe pas l'appétit, mais en réalité l'ouvre, car l'hypoglycémie donne faim... Avis donc aux amateurs !

Le diagnostic d'hypoglycémie réactionnelle est confirmé sous surveillance médicale ; avec l'aide d'un test qui consiste à manger des morceaux de sucre, puis à faire des prélèvements de sang à intervalles réguliers. Cette épreuve, dite d'hyperglycémie provoquée par voie orale, dure cinq heures. Elle entraîne secondairement chez les personnes sensibles une chute franche de la glycémie associée aux signes évocateurs qu'il convient alors de corriger rapidement. Ces signes disparaissent avec l'administration de glucose, et non avec un placebo. Le test est important, car il n'est pas rare que certains hypoglycémiques ne soient, en réalité, que des angoissés.

En cas de véritables hypoglycémies postalimentaires, le traitement repose évidemment sur des consignes diététiques. Il est conseillé de prendre un petit déjeuner glucido-lipo-protidique (en d'autres termes complet) enrichi en fibres végétales (pain complet ou au son), de manger régulièrement des repas riches en « sucres lents », de supprimer les sucres d'assimilation rapide et l'alcool, qui provoquent des fluctuations importantes de la glycémie et de la concentration d'insuline dans le sang (l'insulinémie).

La troisième cause d'hypoglycémie est logique : elle peut évidemment survenir au cours d'un effort physique prolongé. Dans les sports, tout particulièrement ceux d'endurance, un apport glucidique est indispensable après deux heures d'effort, afin d'éviter la fatigue, la baisse de performance, les crampes épigastriques (faim douloureuse), les manifestations générales de l'hypoglycémie, physiques et mentales. La réhydratation en cours d'exercice par des boissons sucrées permet d'apporter le glucose nécessaire. Le sucre rapide permet alors de combler avec célérité le déficit. Sous forme de barre de céréales sucrée par exemple, une ration glucidique est indiquée lorsque les épreuves durent plus de trois heures. C'est d'ailleurs sa seule indication !

Guide pratique des sucres (les glucides)

Dans quelles quantités d'aliments trouver les sucres « lents » qu'il faudrait manger quotidiennement ?

	Grammes de sucre « lent » pour 100 grammes d'aliments :
Tapioca, maïzena	85
Biscotte, riz cru	75
Pâtes alimentaires crues	68
Lentille, haricot blanc	60
Pain blanc	55
Pain complet	50
Châtaigne	40
Banane, pomme de terre	20
Petit pois, noix	17
Artichaut	10
Haricot vert, chou, champignon	5

La vidange de l'estomac conditionne celle du cerveau. Le TVG

La vitesse avec laquelle s'effectue l'évacuation de l'estomac, que les spécialistes appellent prosaïquement la vidange gastrique, constitue probablement l'un des facteurs les plus importants du contrôle de la vitesse de l'absorption intestinale. En réalité, selon que l'aliment est consommé seul ou non, les différences de temps de vidange gastrique (le TVG) sont plus ou moins accentuées. Ce temps conditionne la vitesse de distribution dans l'intestin grêle du glucose produit préalablement dans l'estomac, et des amidons restants ; il induit, par conséquent, les réponses glycémiques qui suivent l'absorption.

Pendant plusieurs dizaines de minutes après leur ingestion, un cinquième à un bon tiers des glucides complexes subissent encore dans l'estomac l'effet d'une enzyme salivaire, l'amylase ; ils se transforment en sucres « simples » tels que le maltose et le glucose. Ceux-ci sont immédiatement absorbés par les premiers centimètres de l'intestin grêle, tandis que les amidons résiduels sont digérés, plus loin dans l'intestin, par les enzymes pancréatiques, puis captés tout au long du grêle. Le TVG dirige et organise, il délivre petit à petit les nutriments, évite les à-coups, il assure l'étalement de l'apport en glucose à l'organisme sur plusieurs heures.

Globalement, selon qu'un aliment glucidique donne lieu à un TVG rapide ou lent, le pic de concentration de sucre dans le sang est plus ou moins accentué ; il est suivi d'ailleurs, dans un second temps, d'un pic hyperinsulinémique. Il convient que ces deux pics soient aussi peu marqués que possible. L'intérêt de l'étude de ce TVG est considérable pour comprendre le devenir des aliments, et choisir les plus efficaces ; pour tout le monde et notamment le diabétique ou le sportif en compétition. Pour tout un chacun, elle conditionne le maintien d'une efficacité constante du corps entre les repas. En tête des aliments à bon TVG lent, on trouve ceux qui sont riches en glucides complexes. Cela est particulièrement vrai pour les pâtes ; dans la compétition entre les aliments, elles se détachent nettement devant le riz, le pain et la purée de pommes de terre.

Temps de vidange gastrique de différents produits
(exprimés en minute pour évacuer la moitié du bol alimentaire)

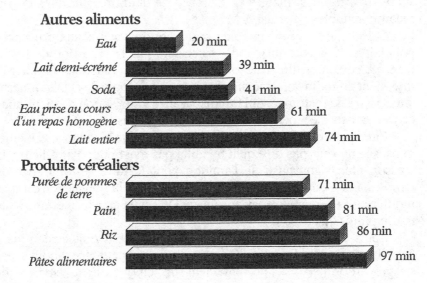

(D'après J.-J. Bernier)

Un exemple de la complexité des phénomènes : une banane peu mûre contient surtout de l'amidon (donc un bon sucre « lent »), mais quand elle est mûre et sucrée, il y a surtout du sucre (donc du sucre « rapide »). En réalité, la composition de chaque aliment intervient sur les caractéristiques – lentes ou rapides – de ses propres sucres. Si on doit donc faire un classement global des céréales et des légumes, qualitatif et non simplement quantitatif, les pâtes alimentaires constituent les meilleurs « sucres lents ». Elles sont suivies des lentilles, pois et haricots secs. Le riz complet et le pain complet sont plus lents que le riz raffiné ou le pain blanc ; alors que les sucres de la pomme de terre, et du pain blanc sont relativement rapides. Différents facteurs peuvent influencer le temps de vidange gastrique. D'abord la teneur en lipides : plus le repas en est riche et plus le temps de vidange est long. Ensuite les quantités de glucides complexes eux-mêmes : ils augmentent le temps de vidange. C'est ainsi qu'une fine purée de pommes de terre bien cuite, sans graisse, est absorbée par l'intestin presque aussi vite que de l'eau contenant une quantité équivalente de glucose : c'est alors un véritable sucre « rapide ». D'où l'intérêt, de « ralentir » les sucres, avec du beurre, ou mieux, du fromage râpé, de quelques gouttes d'une excellente huile végétale poly-insaturée, telle celle de noix qui donne un goût sublime ! Dans le même sens, un morceau de sucre pris avec une cuillère d'huile devient théoriquement un sucre « lent ». Un dessert bien sucré pris en fin de copieux repas peut ainsi devenir un sucre « lent », et n'être pas interdit à un diabétique. Le chocolat contient du sucre, qui est « rapide » ; mais aussi des graisses, qui le transforment en sucre presque « lent »… En revanche, hélas, les frites restent des sucres très rapides, malgré la présence de quantités énormes et peu recommandables de graisses !

L'alcool joue aussi un rôle : mais, contrairement aux croyances populaires, le « trou normand » n'accélère pas l'évacuation de l'estomac, puisqu'en réalité l'alcool allonge le TVG. L'alcool, semble-t-il, intervient en induisant une distension ou une atonie des fibres musculaires lisses de l'estomac, qui fait disparaître la sensation de plénitude ; cette « anesthésie » permet de poursuivre le repas.

Plus les particules ingérées sont grosses, plus la vidange est lente, mais cela ne veut pas dire qu'il ne faille pas mastiquer. Par ailleurs, la cuisson plus vigoureuse de l'amidon peut le faire rester moins de temps dans l'estomac. Enfin, le moment de la journée n'est pas indifférent : un même repas aurait un TVG plus court s'il était pris le matin plutôt que le soir.

Après avoir été libéré par l'estomac, l'aliment doit évidemment être digéré dans les intestins. Or, cette opération peut être modifiée par sa préparation. Ainsi, normalement un cinquantième environ de l'amidon de pommes de terre cuites échappe à la digestion dans l'intestin grêle. Ce déficit monte à plus du dixième lors de l'ingestion de pommes de terre cuites puis refroidies par une nuit au réfrigérateur. D'ailleurs, en réchauffant ces dernières, leur digestibilité dans l'intestin grêle s'améliore, mais il reste un déficit d'un quinzième de malabsorption. L'amylopectine, l'une des formes chimiques de l'amidon, est partiellement responsable de cet effet. Enfin, certains végétaux contiennent des inhibiteurs naturels de l'amylase : lectine, acide phytique ou encore tanins, ces éléments pourraient également réduire leur digestibilité.

Les nutritionnistes ont longtemps postulé que les différences de réponses glycémiques étaient le reflet des différences de digestibilité intestinale des glucides ingérés. En réalité, la vitesse d'accumulation du sucre dans le sang, qui est objectivée par l'aspect de la courbe glycémique, est déterminée par l'équilibre entre le flux de glucose entrant dans le sang, et la vitesse avec laquelle il le quitte pour être assimilé par les tissus.

LE BON INDEX, PETIT MAIS EFFICACE

Tous les aliments contenant des glucides n'induisent pas la même réponse glycémique au sein de l'organisme, d'où la notion d'index glycémique des aliments. Celui-ci se caractérise, à quantité égale de glucides, comme l'effet hyperglycémiant d'un aliment comparé à une solution de glucose. Un index glycémique a été défini pour classer les aliments selon l'importance et la durée de l'élévation de la glycémie qu'ils produisent lorsqu'ils sont ingérés, par rapport à ce qui est obtenu avec un apport équivalent de glucose. Il est très exactement défini par un chiffre qui est déterminé par une fraction. Au numérateur de celle-ci figure l'aire calculée sous la courbe glycémique pendant trois heures après ingestion de cinquante grammes de glucides contenus dans l'aliment testé, au dénominateur est comptée l'aire glycémique sur trois heures après l'ingestion d'une solution standard de cinquante grammes de glucose. Il est d'autant meilleur qu'il est plus faible.

Index glycémique de quelques aliments
(l'aliment de référence est le glucose)

Groupe d'aliments	Index glycémique bas (< 50)	Index glycémique moyen (50-74)	Index glycémique élevé (> 75)
Sucres	Fructose 23 Lactose 46	Saccharose 65	Miel 73 Glucose 100 Maltose 105
Fruits	Cerise 22 Pamplemousse 25 Pêche 28 Abricot sec 31 Pomme, poire 36 Orange, raisin 43	Kiwi 52 Banane 53 Mangue 55 Ananas 66	Pastèque 72
Boissons	Jus de pomme 41	Jus d'orange 57 Fanta 68	
Céréales petit déjeuner	All-Bran 30	Porridge 61	Spécial K® Kellogg's 77 Cornflakes 84
Pains	Pain au son d'avoine 44 Pain aux céréales 45	Pain noir (seigle) 50 Pain blanc 70	Baguette française 95 Pain complet 77
Céréales/pâtes	Pâte aux œufs 32 Vermicelle 35 Ravioli à la viande 39 Spaghetti 41 Nouille 47	Riz blanc 57 Riz brun 55 Couscous 65	Riz rapide 91
Légumes	Pois chiche 33 Petit pois 48 Igname 51	Patate douce 54 Pomme de terre Pontiac 56 Pomme de terre nouvelle 62 Betterave 64 Carotte 71	Rutabaga 72 Pomme de terre frite 75 Pomme de terre flocons 83
Collations, en-cas, confiseries	Cacahuète 14 Chocolat 49	Chips 54 Pop corn 55 Pizza au fromage 60 Mars 68 Chips de maïs 73	
Gâteaux	Muffin aux pommes 44 À la banane 47	Gâteau de Savoie 46 Croissant 67 Pâtisserie 59	Gaufre 76
Légumineuses	Soja 18 Haricot sec 27 Lentille 29 Haricot blanc 38		Fève 79
Produits laitiers	Lait entier 27 Lait écrémé 32 Yaourt parfumé maigre 33 Crème anglaise (avec farine) 43	Crème glacée 61	

D'après Bellisle et Coll. Apports nutritionnels conseillés, Martin Ed. Tec. et Doc. Lavoisier 2001.

Parmi les aliments contenant de l'amidon, les pommes de terre fournissent l'index le plus élevé, celui du pain varie selon son type, suivi par celui du riz. Les pâtes alimentaires, par exemple sous forme de spaghettis, se distinguent avec l'index le plus bas. Ce sont donc les pâtes qui procurent les réponses glycémiques les plus modérées, les plus régulières et les plus étalées dans le temps, c'est-à-dire les plus favorables. Tous les amidons ne sont pas assimilés de la même façon, ni à la même vitesse. De même, la texture compacte d'un aliment entraîne une faible attaque par les enzymes digestives et explique en partie l'index glycémique bas, ce qui est le cas des pâtes alimentaires.

Par ailleurs, la faible réponse glycémique obtenue avec les légumes secs contenant des particules solides de grande taille, riches en fibres alimentaires et en protéines par rapport à d'autres hydrates de carbone, résulte non seulement d'une digestibilité intestinale moindre, mais également d'une vidange gastrique plus lente. Mais l'index glycémique d'un aliment dépend aussi de nombreux facteurs, parmi lesquels il faut signaler les procédés technologiques qui lui ont été appliqués (la cuisson notamment), la teneur en fibres, la vitesse d'évacuation gastrique, et bien évidemment les tolérances individuelles. Par conséquent, cet index glycémique ne peut être objectivement considéré que comme une donnée totalement descriptive ; il reste cependant l'indicateur le plus intéressant, compte tenu des connaissances scientifiques actuelles.

En tout état de cause, la satiété est inversement proportionnelle à l'index glycémique d'un aliment. C'est-à-dire que plus un sucre est « lent », mieux il coupe la faim.

Les féculents ont un index glycémique abaissé s'ils sont absorbés avec d'autres aliments. Celui des pâtes alimentaires diminue pratiquement de moitié lorsqu'elles sont consommées dans un repas constitué de plusieurs aliments. Cette caractéristique fait des pâtes un excellent aliment, y compris et surtout pour le diabétique et le sportif.

La conséquence logique de l'augmentation de la glycémie est la sécrétion d'insuline par le pancréas. Or l'insulinémie est beaucoup moins élevée après la prise de glucides complexes qu'après la prise de glucose pur. La décharge d'insuline est la plus forte avec la purée de pommes de terre ou le pain, et la plus contrôlée avec les pâtes, ce qui constitue un autre élément particulièrement favorable. La tête et les jambes grâce aux pâtes, pourrait-on affirmer.

Moyenne des index insulinémiques

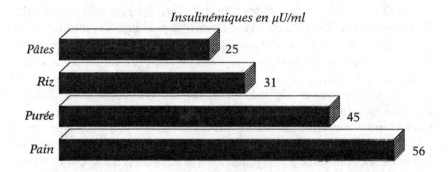

Insulinémiques en µU/ml

Pâtes 25

Riz 31

Purée 45

Pain 56

Finalement, pour boucler la boucle des considérations physiologiques, de la bouche au sang, il existe une intéressante corrélation négative entre l'index glycémique et le temps d'évacuation gastrique. Un temps de transit gastrique court s'accompagne d'une réponse glycémique ample et rapide, un temps long s'accompagne d'une réponse glycémique plus progressive et plus régulière, donc physiologiquement beaucoup plus favorable.

Temps de demi-évacuation gastrique

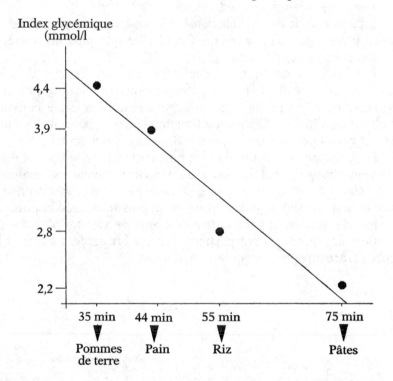

Les graisses font-elles plus grossir que les sucres ?

Cette affirmation constitue l'extrapolation abusive d'une réalité biologique. En effet, dès l'instant que l'alimentation est non seulement équilibrée et variée, mais aussi en proportion des dépenses énergétiques, les sucres servent préférentiellement à approvisionner le corps en énergie, alors que les lipides sont plutôt stockés. Mais il ne faut absolument pas en conclure que seules les graisses font grossir. Quand des sucres sont absorbés en excès par rapport aux besoins, l'organisme humain emmagasine cette énergie sous la forme principale qu'il connaît, c'est-à-dire de graisses.

Ainsi que l'affirmait G. Pascal, alors qu'il était le président du CNERNA (Centre National d'Études et de Recommandations sur la Nutrition et l'Alimentation ; intégré depuis peu à l'AFSSA : l'Agence française de sécurité sanitaire des aliments) : « La réduction de la part des calories lipidiques dans l'alimentation des Américains depuis quarante ans n'a entraîné aucune diminution de la proportion des sujets obèses dans la population. On ne peut que s'interroger sur le bien-fondé de la théorie n'accordant aux glucides (rapidement oxydés et emmagasinés sous forme de glycogène par l'organisme) aucun rôle dans le processus de lipogenèse (la fabrication des lipides, c'est-à-dire des graisses) *de novo*. On peut également se demander s'il est vrai que l'organisme ne saurait oxyder les lipides alimentaires que de façon limitée, ceux-ci étant pour la plupart stockés dans le tissu adipeux. » Sans négliger l'hypothèse que l'insulinorésistance et les hypertriglycéridémies constituent un réel facteur de risque. Attention au diabète !

Le nouvel ouvrage des apports nutritionnels conseillés édité début 2001 insiste en surlignant dans le texte : « Il est donc important de rappeler que tout excès d'apport énergétique, qu'il soit d'origine glucidique, lipidique ou mixte, entraîne une prise de poids lorsqu'il n'est pas compensé par une augmentation des dépenses énergétiques. » En pratique, une canette de boisson sucrée quotidienne multiplie par 1,8 le risque d'obésité (il passe donc à 3,2 pour 2 canettes par jour) !

UN PLAISIR DIVIN : LE CHOCOLAT

Préparer le chocolat est tout un art, selon Brillat-Savarin : « Ceux qui n'ont pas manipulé ne se doutent pas des difficultés qu'on éprouve pour parvenir à la perfection, en quelque matière que ce soit, ni ce qu'il faut d'attention, de tact et d'expérience pour nous présenter un chocolat qui soit sucré sans être fade, ferme sans être acerbe, aromatique sans être malsain, et lié sans être féculent. » Cacahuaquchtl signifie non seulement cacaoyer mais aussi et surtout l'Arbre. Celui des dieux mayas. Un arbre de quatre à dix mètres de haut qui pousse dans les forêts vierges du Yucatan et du Guatemala. Actuellement, il y a des milliers de variétés de chocolat. Dans l'état actuel de nos connaissances, étant donné la discrétion des effets toxiques à proprement parler lors de la consommation massive de chocolat, il ne semble pas possible de parler de « toxicomanie », mais seulement de « chocolatomanie ». Quelles peuvent donc être les raisons d'accéder à cette consommation massive ? Toujours retrouvés, une recherche d'optimisation des performances, un substitut émotionnel, ou une économie antirituelle, surtout chez les adolescents, ou enfin un étayage psychologique. Cela semble beaucoup plus rare cependant avec le chocolat au lait.

Le cacao est une substance complexe formée d'au moins huit cents molécules différentes. Les éléments psycho-pharmacologiquement actifs actuellement détectés dans le chocolat sont essentiellement des substances d'éveil. Quelques-unes ont une activité pharmacologique certaine. La caféine est la mieux connue. Des substances particulières dénommées bases xanthiques sont présentes principalement dans le chocolat noir, la théobromine représente un demi-gramme environ pour cent grammes. Il contient aussi les bioamines. Sont trouvées des vitamines (vitamine E : à raison de trois milligrammes pour cent grammes ; la vitamine B3 cinq fois moins) et des sels minéraux. La consommation de chocolat, associant par ailleurs un apport calorique intense sous un faible volume, apparaît donc performante pour ceux qui sont particulièrement sollicités par les fonctions de vigilance... et de gourmandise. Il demeure que l'homme reste « un mammifère excitable et craintif », et que l'absence d'anxiété notée chez les forts consommateurs de ce nutriment stimulant peut avoir une base biochimique, non encore reconnue. Il serait intéressant de la préciser.

Les effets secondaires de la « chocolatomanie » paraissent réduits : il n'y a pas d'insomnie, pas d'agitation psychomotrice, de rares maux de tête, souvent d'ailleurs sans relation avec la consommation, car antérieurs à l'absorption. La prise de poids peut être manifeste, bien sûr, mais seulement si le chocolat s'additionne au régime normal. Car il apporte plus de quatre mille kilocalories par kilogramme ! Cent grammes de chocolat contiennent en effet, avec de grandes variations selon la marque, en moyenne : cinq grammes et demi de protides, vingt grammes de lipides et cinquante-cinq grammes de glucides, donc un rapport déséquilibré des trois nutriments essentiels.

Aucun sujet n'est désocialisé par sa « chocolatomanie » : ce comportement n'est en effet pas jugé extravagant, bien au contraire. La bonne acceptabilité collective, l'accessibilité facile à cet aliment et son coût faible rendent bien compte de cette absence de toxicité sociale. L'état de manque chez le « chocolatomane » sevré est particulièrement discret. Il n'y a pas d'hypersomnie, mais une certaine anxiété de recherche apaisée par la provision. Ainsi que l'affirme Brillat-Savarin : « Les personnes qui font usage de chocolat sont celles qui jouissent d'une santé plus constamment égale, et qui sont le moins sujettes à une foule de petits maux qui nuisent au bonheur de la vie ; leur embonpoint est aussi plus stationnaire : ce sont deux avantages que chacun peut vérifier dans sa société, et parmi ceux dont le régime est connu. »

Les fibres : « toucher du bois » pour bien digérer !

Les nutriments constituent les substances incluses dans les aliments qui sont digérées, captées et utilisées par notre corps, soit pour le construire et le maintenir, soit pour lui permettre de fonctionner, de lui apporter l'indispensable énergie. Or, chacun le sait bien, les fibres sont indispensables à notre bonne digestion, mais ne constituent pas des nutriments au sens propre du terme. Il s'agit donc de substances particulières. Pour assurer une digestion harmonieuse, le problème est donc de connaître combien de fibres il convient d'absorber. Les multiples enquêtes alimentaires montrent que l'alimentation française apporte actuellement entre quinze et vingt grammes de fibres par jour (50 % dans les céréales, 32 % dans les légumes, 15 % dans les fruits, 3 % dans les légumes secs). Cette consommation est très insuffisante : en effet, les quantités généralement recommandées par les experts de l'AFSSA dirigés par Denis Lairon sont environ deux fois plus importantes.

Concernant les fibres alimentaires, nous nous trouvons donc confrontés à une véritable carence nutritionnelle, dont l'origine est triple. La première réside dans le bouleversement récent, tout au moins au niveau de l'histoire de l'humanité, de la composition des repas et du choix des aliments ; car des aliments dépourvus de fibres ont pris la place des végétaux qui sont presque les seuls fournisseurs de fibres de notre alimentation.

La deuxième cause de carence vient de ce que les aliments qui apportaient le plus de fibres au cours des siècles passés, en particulier les produits céréaliers, ont perdu la capacité de le faire, car leur raffinage est de plus en plus poussé. Le pain complet, par exemple, possède 8,5 % de fibres, alors que le pain blanc n'en contient que moins de 3 %. En 1880, les Français mangeaient en moyenne six cents grammes de pain complet quotidien, soit un apport de cinquante grammes de fibres de blé par jour ; alors que la consommation est tombée actuellement à cent soixante grammes de pain blanc par jour, ce qui se traduit par un apport inférieur à quatre grammes quotidiens. Ainsi, en un siècle, l'apport de fibres par le pain a été divisé par plus de dix. Facteur aggravant, dans le même temps, la quantité de légumes secs a été divisée par cinq !

La troisième cause de la raréfaction des fibres dans nos repas réside dans la diminution importante de nos besoins énergétiques. Avec l'avènement des moyens de locomotion à moteur, des ascenseurs, du chauffage et de divers conforts, nous avons besoin de beaucoup moins d'énergie que nos ancêtres, qu'il s'agisse de Cro-Magnon ou même de nos grands-parents vivant à la fin du XIXe siècle. Ayant besoin de moins de calories pour vivre, il nous faut moins manger, notamment en réduisant les céréales ; ce qui induit « mécaniquement » une réduction dans nos apports en fibres, par manque d'information et de connaissance nutritionnelles de base.

Malheureusement, sur le plan de la physiologie de nos organes, et en particulier de nos intestins, la diminution de nos besoins énergétiques n'implique pas une diminution de nos besoins en fibres. En France, en moins grave que dans beaucoup d'autres pays, l'augmentation de la consommation des fruits et des légumes n'est pas suffisante, à cause de leurs teneurs relativement faibles en fibres. Or, pour obtenir une sensation de satiété (en particulier au niveau de l'estomac) avec une alimentation pauvre en fibres, il faut absorber une quantité importante d'aliments ayant une forte densité énergétique (lipides, glucides, protéines), ce qui favorise la prise de poids, objectif généralement peu recherché.

DES ALIMENTS BIEN FIBRÉS ?

Les fibres végétales alimentaires sont, à l'exception de la lignine composée de polyphénols, des polysaccharides de composition et d'organisation variables. Un aliment végétal contient, en proportions différentes, divers types de ces polysaccharides. Pour simplifier, globalement, parmi les fibres végétales alimentaires que nous consommons, on distingue principalement la lignine, la cellulose et l'hémicellulose. La lignine, ni digérée ni fermentée, est donc strictement inassimilable. Ainsi que le rappelle son étymologie (ligneux, qui signifie bois), c'est une fibre dure. Contrairement aux autres fibres, elle ne retient que de très faibles quantités d'eau. La teneur en lignine augmente au cours du vieillissement des végétaux. Par conséquent, les légumes âgés et ceux dont la croissance est lente en sont les plus riches.

Un tiers environ de la cellulose, la fibre la plus répandue, est utilisée pour être partiellement transformée en acide lactique, réabsorbée par le côlon. Elle est le principal constituant des parois des cellules des plantes : céréales, légumes secs, fruits et légumes. La viande, le poisson, les œufs, le lait et les produits laitiers en sont totalement dépourvus. L'hémicellulose et la pectine sont presque complètement dégradées, les substances ainsi produites sont réabsorbées par le côlon ; elle est principalement présente dans les céréales et les féculents. Les gommes ne sont présentes qu'en très faibles quantités dans l'alimentation courante, dans certaines graines de haricots et dans les algues. Cette classe particulière de fibres devient à la mode, nous allons donc absorber des gommes... D'autant que certaines fibres n'appartiennent d'ailleurs pas naturellement à nos aliments traditionnels, mais sont ajoutées comme agents de texture sous les noms de E_{400} à $_{405}$ (alginates, qui sont des extraits d'algues), E_{407} (carraghénanes), E_{410} (farine de caroube), E_{412} (farine de guar), E_{413} (gomme adragante), E_{414} (gomme arabique), E_{415} (gomme xanthane).

Les céréales constituent les principales sources de fibres. Le blé est largement majoritaire, car il représente 90 % des céréales consommées en France. Quand elles sont complètes, elles contiennent 7 % à 15 % de fibres, dont la majorité sont des hémicelluloses insolubles. Les autres fibres sont aussi présentes : la cellulose (15 %-25 %), la lignine (1 %-4 %). Les teneurs en fibres solubles sont variables selon les aliments : blé (16 %), seigle, orge, avoine (50 %), en les classant par ordre de quantités croissantes. Les fibres sont concentrées dans l'enveloppe du grain, le son contient plus de 40 % de fibres ; ainsi que dans le germe, mais en quantités moindres. Par conséquent, l'accroissement du raffinage (pour obtenir de la farine blanche) réduit la teneur en fibres. Les légumes secs apportent aussi des quantités appréciables de fibres alimentaires. Leur teneur est particulièrement élevée, comptant environ 25 % de fibres solubles. Lors de la cuisson, ils absorbent de fortes quantités d'eau, de ce fait, leur teneur en fibres de départ est abaissée d'un facteur trois environ, à cause de l'hydratation. Il convient de noter qu'une faible proportion des fibres solubles peut être perdue dans l'eau de cuisson. Une raison de plus pour la réutiliser le plus souvent possible.

Les fruits et les légumes contiennent en moyenne 2 % de fibres car ils sont constitués de beaucoup d'eau ; mais les variations sont très importantes, la fourchette est large : de moins de 1 %, pour le raisin et le melon, à plus de 4 %, pour l'artichaut, les petits pois, les épinards. En revanche, les fruits secs sont riches en fibres (5 % à 15 %), puisqu'ils sont précisément secs, c'est-à-dire très pauvres en eau. Sur le plan gustatif et celui du toucher, une erreur serait de chercher une relation entre la richesse en fibres des légumes ou des fruits, et leur aspect « filandreux ».

SCATOLOGIE FONCTIONNELLE ET CONSTIPATION

Les fibres participent activement à la digestion sur le plan de la physiologie comme niveau mécanique. Cette réalité ne peut pas pudiquement être escamotée, il s'agirait d'ingratitude ! D'autant qu'on oublie trop souvent que s'active dans notre intestin une vie extrêmement intense. Car il contient dix fois plus de bactéries qu'il n'y a de cellules dans tout notre corps ! Après la petite digestion sélective en bouche, puis celle qui continue dans l'estomac, suivie par celle qui s'affaire dans l'intestin grêle, le gros intestin réceptionne finalement ce qui n'a pas été digéré précédemment. Il propulse lentement son contenu, qui finit par être éliminé sous la forme des selles.

Lors de la traversée du côlon, les résidus alimentaires sont fermentés par les milliards de bactéries présentes, le rumen des ruminants fonctionne d'ailleurs de manière comparable. Les fibres solubles, pectines, hémicelluloses et gommes y fermentent et disparaissent donc en grande partie ; tout en produisant des acides gras volatils et des gaz. En revanche les fibres insolubles, puisque très peu fermentées, se retrouvent en grande quantité dans les selles. Quand la masse de fibres ingérées est suffisamment importante (surtout insolubles, comme par exemple celles du son de blé), le côlon fonctionne bien. Son contenu assez volumineux est malléable car les fibres captent beaucoup d'eau, le transit est normalement rapide : la constipation n'est pas au rendez-vous.

En revanche, quand l'alimentation est pauvre en fibres (inférieure à vingt grammes de fibres quotidiennes), les résidus qui arrivent dans le côlon sont peu volumineux, empêchant son fonctionnement correct sinon efficace ; le transit est alors ralenti et les selles deviennent plus dures : c'est précisément la constipation, source d'inconfort ; y compris cérébral, par préoccupation. Cela concerne tout de même 10 % de la population française !

La principale qualité des fibres est de se gorger d'eau. Chez les végétaux, c'est-à-dire dans leur milieu naturel, les fibres forment des réseaux plus ou moins fortement gonflés d'eau. Mais, très schématiquement, les fibres de céréales sont généralement insolubles dans l'eau, tandis que celles des légumes secs, des légumes verts et des fruits sont le plus souvent solubles. Cette distinction est d'importance, d'autant que les effets physiologiques possibles des aliments végétaux dépendent largement de leur richesse relative en fibres solubles ou insolubles. Après purification, certaines fibres sont solubles en milieu aqueux (pectines, gommes, quelques hémicelluloses), alors que d'autres demeurent insolubles (cellulose, lignine, certaines hémicelluloses). Point particulier, l'hémicellulose possède une capacité de rétention d'eau plus importante que la cellulose.

Sur le plan nutritionnel, alimentaire, physiologique, une caractéristique importante des fibres réside dans leur pouvoir de fixation, de rétention de l'eau. Celui-ci peut être considérable : certaines fibres insolubles peuvent gonfler en absorbant jusqu'à vingt fois leur poids d'eau. Les fibres solubles, quant à elles, peuvent former soit des solutions épaissies qui présentent une viscosité importante (gommes, certaines hémicelluloses), soit des gels (comme les alginates, les carraghénanes ou les pectines). Ces propriétés sont fréquemment mises à profit par l'industrie agroalimentaire, les fibres constituant alors de véritables additifs, le plus souvent gélifiants. À lire les étiquettes, on les trouve presque partout !

Avantage fort apprécié, que vous mettez à profit dans quelques préparations culinaires, la pectine, une sorte de ciment entre les autres fibres des parois internes des végétaux, forme un gel en présence d'eau. Elle fournit, par exemple, la consistance voulue aux délicieuses confitures. Elle est présente principalement dans les fruits (la pomme en est très riche) et les jeunes légumes.

PRÉVENTION DE MALADIES : QUELLES RÉALITÉS ?

Bien qu'inertes, les fibres présentent un grand intérêt physiologique, car non seulement elles facilitent la digestion, tant sur le strict plan mécanique que sur celui de la biochimie, mais elles apportent en outre une protection indéniable contre certaines maladies.

Une mauvaise conception du principe des vases communicants a laissé affirmer qu'une augmentation de la consommation de viandes allait de pair avec un accroissement du cancer du côlon. En fait, en comparant différents pays, plusieurs études épidémiologiques ont clairement montré que, sur le plan de l'ingestion des aliments, l'accroissement de la ration de lipides et de viande entraîne obligatoirement une diminution d'autres aliments, qui sont précisément ceux qui contiennent des fibres alimentaires. Le contrecoup d'un tel transfert aboutit à une majoration du nombre de personnes atteintes de cancer du côlon. Ce n'est donc pas l'augmentation de viande qui est à incriminer, mais la réduction corrélative des aliments riches en fibres ! D'autres études ont montré que le risque de ce cancer est abaissé environ de moitié quand on ingère au moins vingt-sept grammes de fibres quotidiennement. Or, avec trente-cinq mille nouveaux cas tous les ans, c'est le « premier cancer » français !

La teneur en cholestérol est-elle modulée par les fibres ? Dans la pratique, l'effet est très variable. De plus, il est parfois relativement difficile de distinguer leur action propre de celles des modifications nutritionnelles qui sont associées à l'augmentation de leur part dans l'alimentation. En effet, les régimes riches en fibres sont souvent relativement pauvres en lipides et en cholestérol ; quoi qu'il en soit, la pectine entraîne une réduction du cholestérol sanguin, de 10 % à 15 %. Récemment, en Finlande, une étude très sérieuse a montré que les fibres du seigle sont très intéressantes. Le son de blé semble être sans effet sur les lipides ; en revanche, le son d'avoine possède un effet hypolipidémiant (réduction des graisses dans le sang), en diminuant le cholestérol total et le cholestérol-LDL (le « mauvais ») dès la dose de vingt-cinq grammes par jour. Les fibres de soja réduisent les lipides plasmatiques et diminuent la teneur en cholestérol et en triglycérides de toutes les lipoprotéines, en particulier des HDL (le « bon »), ce qui ne constitue pas un titre de gloire ! La gomme guar induit une diminution du cholestérol total, du cholestérol-LDL, sans entraîner de modifications du cholestérol-HDL. Globalement, un apport relativement important en fibres, de l'ordre de cinquante-cinq grammes par jour, c'est ce que consommaient nos ancêtres, abaisse le cholestérol total, le cholestérol-LDL et les triglycérides ; sans modifier le cholestérol-HDL, ni les VLDL. Le « mauvais » cholestérol est donc diminué, sans que le « bon » soit obligatoirement augmenté. Le bilan reste donc positif !

L'effet principal des fibres est donc sans doute lié à une action sur le cycle entéro-hépatique des acides biliaires ; il signifie que ces acides biliaires sont synthétisés par le foie puis retrouvés dans les intestins, pour être recaptés par le sang et revenir au foie, véritable cycle. Or, l'excrétion dans les selles des sels biliaires est concomitante avec celle des fibres ; il se crée donc ainsi un effet de pompe à cholestérol, puisque les sels biliaires sont fabriqués par le foie à partir du cholestérol. Car elles retiennent (c'est-à-dire qu'elles piègent) dans leurs mailles certaines substances présentes dans les aliments, qui, elles aussi, ne pourront pas être assimilées et seront par conséquent éliminées. Or les éléments piégés sont principalement des lipides dont d'importantes quantités de cholestérol et d'acides biliaires, ce qui est évidemment très intéressant pour la prévention des maladies cardio-vasculaires.

Toutefois les fibres agissent de manière non spécifique, aveuglément : c'est ainsi qu'elles retiennent aussi certains minéraux, quelques protéines. Il est donc exclu d'en consommer abusivement ! L'excès, comme d'habitude, est à proscrire ; le trop serait manifestement l'ennemi du bien. Certaines fibres, mais pas toutes, ont en prime la propriété de tapisser le tube digestif. Cette action les transforme en obstacle entre, d'une part le bol alimentaire et d'autre part les cellules du tube digestif. Par conséquent, elles ralentissent (mais sans l'empêcher) l'assimilation des nutriments, en particulier celle des sucres. Ainsi, les fibres régularisent dans une certaine mesure la distribution des molécules énergétiques à l'organisme.

Curieusement, le mécanisme d'action des fibres est largement inconnu. La vidange gastrique est ralentie ; la réponse neuro-hormonale lors de leur ingestion est modifiée, interférant ainsi avec le métabolisme des glucides. Les fibres : un véritable ballast, utile et actif. De ce fait, elles sont souvent préconisées à ceux qui veulent perdre du poids, car, gonflant en présence d'eau, elles ont l'avantage de remplir l'estomac sans nourrir et d'avoir un effet coupe-faim.

LES FIBRES

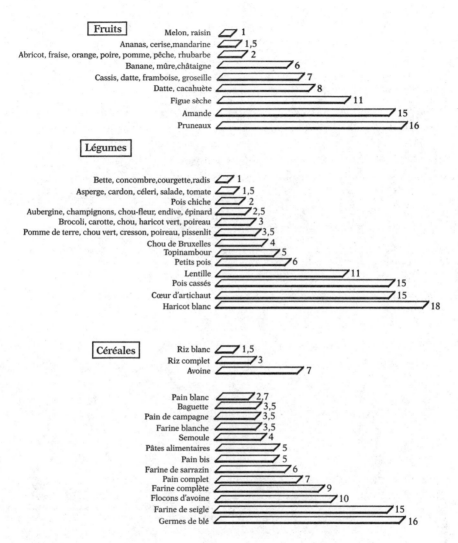

(Source : CIQUAL, 1995)

CHAPITRE V

Les vitamines : épanouir les neurones

Vitamine ! Un mot magique, mystérieux, formidablement bien choisi, puisque sa racine suggère le mot vital. Mais les vitamines ne constituent pas une famille de molécules chimiquement parentes. Elles ne peuvent absolument pas se substituer les unes aux autres ; chacune possède sa constitution propre, son activité biologique spécifique et sa source alimentaire précise. Ces substances organiques sont absolument nécessaires à la vie, ce sont des biocatalyseurs indispensables que l'organisme humain ne sait pratiquement pas fabriquer ; elles agissent à doses minimes et n'ont pas de valeur énergétique intrinsèque.

Les vitamines assurent une bonne humeur, qui permet le succès du corps, de l'esprit et de l'intelligence. Changez d'humeur en changeant d'aliments ! Car l'humeur est un état changeant, fluide, comme en témoigne son étymologie : *humor* en latin signifie liquide. Médicalement l'humeur définit une substance fluide élaborée par l'organisme animal, tels sang, bile, lymphe, sperme, sueur et bien d'autres encore. Plutôt que par volonté ou raison, l'action par humeur signe le caprice, l'impulsion, la fantaisie, qu'elle soit gaie ou maussade, exubérante ou renfermée. D'ailleurs, de l'humeur à l'humour il n'y a qu'une lettre de différence... L'humeur est une disposition de l'esprit qui donne à nos états d'âme une tonalité agréable ou désagréable. Il est bien connu que le corps agit sur l'esprit : la digestion affecte le tempérament. L'humeur n'est que la qualité de la vie. Le philosophe Alain n'affirmait-il pas « je mettrai la bonne humeur au premier rang des devoirs ». Grâce aux aliments, et particulièrement aux vitamines qu'ils contiennent, pourrait-on ajouter.

En fait, la pratique alimentaire comme la réalité physiologique impliquent la division des vitamines en deux classes principales : celles qui sont liposolubles, c'est-à-dire qu'elles sont dissoutes dans les graisses (elles sont donc principalement présentes dans les aliments gras), et celles qui sont hydrosolubles, c'est-à-dire dissoutes dans l'eau (risquant, par conséquent, de fuir dans l'eau de la cuisson). Le consommateur trouvera dans une boîte de sardines à l'huile les premières, mais très peu des secondes. En revanche, les fruits et légumes sont relativement pauvres en vitamines liposolubles, mais riches en celles qui sont hydrosolubles.

Même le philosophe Henri Bergson notait déjà quelques années après la découverte des vitamines : « On nous enseignait au collège que la composition des substances alimentaires était connue, les exigences de notre organisme également, qu'on pouvait déduire de là ce qu'il faut et ce qui suffit comme ration d'entretien. On eût été bien étonné d'apprendre que l'analyse chimique laissait échapper les "vitamines", dont la présence dans notre nourriture est indispensable à notre santé. On s'apercevra sans doute que plus d'une maladie, aujourd'hui rebelle aux efforts de la médecine, a son origine lointaine dans des "carences" que nous ne soupçonnons pas. » Car les vitamines, toutes sans exception, participent à une multitude de mécanismes biochimiques et physiologiques. Mais certaines cellules, les neurones, par exemple, du fait de leurs spécificités fonctionnelles, mettent certains processus à contribution, de manière exceptionnellement intense. La carence en la vitamine concernée induit par conséquent des effets néfastes, voire dangereux, quand ils ne sont pas catastrophiques ou mortels. Il est donc possible, très schématiquement, de cibler les effets de déficit en telle ou telle vitamine sur chaque organe :

Principales caractéristiques des carences

Manifestations cliniques		Digestives	Cutaneomuqueuses	Oculaires	Neuromusculaires	Psychiatriques	Cardiaques	Hématologiques	Osseuses
A	Héméralopie Xérophtalmie		■	■					
D	Rachitisme Ostéomalacie								■
E	Dégénérescence neuromusculaire				■			■	
K	Hémorragies							■	
B1	Béribéri				■		■		
B2	Dermatose		■						
PP	Pellagre	■	■			■			
B5	Pas de signe typique	■							
B6	Pas de signe typique	■							
B8	Pas de signe typique	■							
B9	Anémie mégaloblastique							■	
B12	Anémie pernicieuse				■			■	
C	Scorbut		■					■	■

Héméralopie : diminution et perte de la vision nocturne.
Xérophtalmie : sécheresse et atrophie de la conjonctive entraînant l'opacité de la cornée et la perte plus ou moins complète de la vision. Héméralopie et xérophtalmie sont les principaux signes de l'hypovitaminose A.

D'après Le Grusse et Watier.

Par conséquent, en termes de prévention et même de traitement, de certaines maladies, les vitamines peuvent s'avérer efficaces. De ce fait, les recherches sont actives :

Recherches médicales concernant les vitamines

	A	βC	D	E	K	B2	B6	B9	B12	C
Cancers	▨	■	▨	■			▨		▨	▨
Maladies cardio-vasculaires				■				▨		
Immunité et infections	■		▨	▨			▨			
Cataracte		■								■
Pathologie osseuse du sujet âgé			■							
Malformations fœtales									■	
Asthme							■			
Maladie de Parkinson				▨						

D'après *Le Grusse et Watier. Noir : corrélations prouvées. Hachuré : corrélations plus faibles, ou en cours d'évaluation. βC : bêta-carotène*

Mais les vitamines sont très fragiles, comme le sont toutes les substances organiques. Certaines d'entre elles sont détruites par la chaleur, d'autres par la lumière, d'autres encore par les oxydants, les réducteurs, les acides, les bases. Même l'humidité peut, dans certaines conditions, s'avérer dangereuse ! Qu'en est-il exactement :

Guide pratique : fragilité des vitamines

	Chaleur	Lumière	Oxydants	Réducteurs	Humidité	Acides	Base
A	▨	■	■			▨	▨
D	▨	■	▨				
E	▨	▨	▨				▨
K		■	▨				■
B1	■	▨		▨			▨
B2	▨	■		▨			▨
PP				▨			
B5	▨	▨				■	■
B6		▨				▨	▨
B8		▨					▨
B9	▨	▨	■	■		▨	▨
B12	▨	▨		▨		▨	■
C	▨	▨	■		▨		▨

D'après *Le Grusse et Watier. Noir : très sensible.*

En pratique, la cuisson induit deux effets sur les aliments : d'une part elle peut augmenter leur contenu en eau (ce qui diminue la teneur relative en nutriment, par rapport à l'aliment cru), d'autre part elle risque de détruire une partie des vitamines. Par exemple, les brocolis et les épinards ne perdent ni ne gagnent d'eau lors de leur préparation, qui diminue la teneur en folates de 26 % et de 36 %, signant leur fragilité à la chaleur. Les lentilles cuites contiennent beaucoup plus de folates que celles qui sont crues, bien que ces vitamines soient autant détruites par la cuisson ; en fait, la teneur en eau des lentilles passe de dix à soixante-dix grammes pour cent grammes ! Il est donc logique qu'il y ait moins de folates dans cent grammes de lentilles cuites que dans la même quantité de lentilles crues. La préparation du foie de veau détruit une certaine quantité de folates, qui n'est pas, dans les chiffres, compensée par la perte de l'eau.

Effets de la cuisson de quelques aliments sur les folates (mg/100 g)

	Cru	Cuit	Eau (variation en %)
Foie de volaille	560	670	– 12
Foie de veau	441	300	– 8
Lentille	200	60	+ 600 (de 10 à 70 g/100 g)
Épinard	190	140	0
Brocoli	111	72	0

D'après INRA-CNEVA-CIQUAL

Le chauffage détruit approximativement la moitié de la vitamine C, comme le montre la préparation de divers aliments végétaux dont la teneur en eau ne varie pas lors de la préparation :

Les effets de la cuisson sur la vitamine C (mg/100 g)

	Cru	Cuit
Brocoli	110	60
Poivron	150	100
Orange, citron, pulpe	53	
Chou-fleur	50	38
Foie de veau	25	23
Poireau	18	7
Oignon	7	5

D'après INRA-CNEVA-CIQUAL

Vitamine A : voir, entendre et comprendre

La vitamine A intervient dans l'organisme de façon primordiale à de très nombreux niveaux : par exemple dans la synthèse des pigments visuels, le contrôle de la différenciation et de la prolifération des cellules – y compris cérébrales – pendant la vie fœtale ; celui des épithéliums, qui définissent les tissus non vascularisés constitués de cellules juxtaposées réalisant soit une membrane continue comme dans la peau, soit des formations glandulaires. La vitamine A participe à l'efficacité du système immunitaire, au métabolisme des hormones stéroïdes, à la spermatogenèse. Son rôle est important dans la neutralisation de la toxicité de certaines substances par le foie, c'est-à-dire la détoxication hépatique.

Le rétinol et surtout sa forme active, l'acide rétinoïque « touttrans » (*all trans* en anglais) exercent leurs actions moléculaires dans les différentes cellules-cibles par liaison avec des récepteurs des noyaux cellulaires. La molécule de la vitamine A et plus particulièrement son précurseur, le bêta-carotène, contribuent à la stabilisation des membranes biologiques. Enfin, la vitamine A et les caroténoïdes (parmi lesquels le bêta-carotène, la provitamine A) participent avec d'autres micronutriments (notamment vitamines E et C, sélénium) à la protection des tissus contre les agressions par les radicaux libres ou par les formes actives de l'oxygène. Tous ensemble, ils participent à la prévention de certains cancers, de l'athérosclérose, de la cataracte, du vieillissement prématuré. La vitamine A est un excellent exemple qui montre que tout est affaire d'équilibre, et que l'efficacité réside dans la coopération et la complémentarité des nutriments.

RUSÉ POUR BIEN VOIR LA NUIT.
DU FOIE OU DES CAROTTES ?

La carence en vitamine A affecte d'abord la vision. Le premier symptôme est une diminution de l'acuité visuelle dans la pénombre (dénommée héméralopie), suivie de l'apparition de lésions de la conjonctive de l'œil, puis de la cornée (baptisée xérophtalmie) qui aboutissent à une cécité irréversible, dramatique affection qui frappe encore des millions d'individus dans le monde. Aux Philippines, à la fin de l'an 2000, la supplémentation des petits pains dans les écoles s'est déjà montrée particulièrement efficace. Une affirmation populaire fort répandue affirme que la consommation de grandes quantités de carottes permet de mieux voir la nuit ; une telle assertion a peut-être contribué à modifier le cours de l'histoire. En effet, au cours de la Seconde Guerre mondiale, la Royal Air Force garda secrète quelque temps l'invention du radar grâce à un subterfuge. Il consista à répandre la rumeur que la précision de tir des pilotes en mission nocturne tenait à leur vision améliorée par les énormes quantités de carottes qu'on leur faisait absorber. Les Allemands se laissèrent abuser un temps, puisqu'ils partageaient le même préjugé favorable en faveur des carottes.

La carence clinique est rare en France, exception faite de celle causée par des anomalies digestives induisant une malabsorption. Des enquêtes portant sur de jeunes adultes ont montré que, dans l'ensemble, les hommes ont un statut satisfaisant ; en revanche un quart des femmes aurait un statut limite, par mauvaise alimentation. Des carences sont aussi malheureusement à craindre chez les jeunes enfants (le nouveau-né ne possède que de très faibles réserves hépatiques, il dépend de la qualité de l'allaitement), chez les sujets dont l'alimentation est déséquilibrée, ceux qui sont atteints d'affections digestives ou bien exposés à des nuisances particulières (tabac, alcool), ainsi que chez les personnes âgées dont les conditions de vie économiques et sociales sont défavorables, ce qui aggrave leurs troubles métaboliques et leurs difficultés de captation intestinale.

L'absorption de la vitamine A et de ses précurseurs nécessite une sécrétion biliaire satisfaisante, l'assimilation des caroténoïdes étant par ailleurs favorisée par la présence de matières grasses. Un apport protéique suffisant est également nécessaire. En effet la mobilisation hépatique du rétinol implique une liaison avec deux protéines importantes. Toutes deux sont synthétisées par le foie, dont le métabolisme est diminué par la dénutrition protidique.

L'alimentation doit donc fournir les deux micronutriments : rétinol et caroténoïdes, ces derniers sont essentiellement d'origine végétale ; parmi eux le bêta-carotène devrait représenter près des deux tiers de l'activité vitaminique A de la ration exprimée en équivalent rétinol. Car, dans les aliments, deux sources de vitamine A sont disponibles : le rétinol, d'origine animale et les provitamines A (surtout le bêta-carotène) d'origine végétale. L'ensemble est réuni sous le terme d'équivalent rétinol « ER » : 1 ER = 1 µg de rétinol = 6 µg de bêta-carotène = 12 µg d'autres caroténoïdes provitamines. Mais des découvertes récentes montrent que, pour certaines fonctions physiologiques, les rétinols ne sont pas biologiquement équivalents au bêta-carotène, et réciproquement.

La vitamine A est mise en réserve essentiellement dans le foie ; au-dessus de certaines concentrations, il y a risque d'intoxication, c'est-à-dire que le trop est l'ennemi du bien. L'intoxication aiguë se caractérise par des céphalées, des somnolences, des lésions inflammatoires des lèvres (chéilites), des troubles cutanés, une cirrhose, des hémorragies. Ces perturbations sont observées chez l'adulte pour une ingestion (souvent iatrogène, c'est-à-dire provoquée par des thérapeutiques) d'une quantité de l'ordre de cinq cent mille équivalents rétinol. L'intoxication chronique est généralement induite par une automédication effrénée ou bien par des conduites alimentaires déviantes ou inadaptées, comme une consommation excessive de foie de poisson très riche en vitamine A. Le seuil de toxicité n'est pas nettement fixé, mais de l'ordre d'une dizaine de fois l'apport conseillé. Les accidents surviennent après des mois (et parfois des années) de surconsommation. Le tableau clinique se complète de douleurs et d'anomalies osseuses. Les risques squelettiques sont toutefois atténués si l'apport en vitamine D est suffisant. Chez l'enfant, plus sensible, les phénomènes toxiques sont déclenchés par des doses beaucoup plus faibles ; il s'agit principalement de graves signes d'hypertension intracrânienne. Un apport surabondant en vitamine A chez la femme enceinte est responsable, chez le fœtus, de malformations des oreilles, de la face et du système nerveux. Le bêta-carotène, d'origine végétale, ne paraît pas présenter de danger dans ce domaine.

Les aliments d'origine animale fournissent directement la vitamine A toute manufacturée, alors que ceux d'origine végétale contiennent un précurseur qui doit être transformé par le corps. La vitamine A d'origine animale est donc six fois plus efficace que la provitamine A trouvée dans les végétaux. De ce fait, certains végétariens peuvent être carencés en vitamine A, s'ils ne consomment pas assez de fruits et légumes colorés ! Le foie, le lait, le beurre, les œufs, les poissons sont riches en rétinol ; les légumes verts, carottes, tubercules colorées, fruits jaunes et orange sont de bonnes sources de caroténoïdes. L'adjonction d'huile (insaturée si possible, évidemment) multiplie par au moins deux le passage du bêta-carotène de l'intestin vers l'organisme : les carottes crues râpées en vinaigrette sont donc plus intéressantes que les carottes à la croque, même au sel, façon lapin.

La vitamine A est sensible à l'oxydation et craint donc l'oxygène, les catalyseurs d'oxydation, la lumière et la chaleur. Les techniques pratiquées dans les industries laitières (pasteurisation, stérilisation, upérisation) n'occasionnent pas de pertes très importantes, car ces traitements ont lieu sans renouvellement d'air. En revanche, l'ionisation et surtout la cuisson-extrusion sont beaucoup plus destructrices. Dans les aliments, la présence de matière grasse non oxydée et de vitamine E joue pour elle un rôle protecteur. Le bêta-carotène est toutefois partiellement entraîné par les eaux de cuisson. Lors de la cuisson des aliments, on estime que les pertes vitaminiques A n'excèdent pas le cinquième.

Principaux exemples de quantités d'aliment fournissant la moitié de la ration journalière de « vitamine A » (rétinol et bêta-carotène) :

Huile de foie de morue	1,5 gramme
Foie de dinde	2 grammes
Bœuf, porc, mouton, poulet, foie de veau	7 grammes
Carotte, épinard, persil	25 grammes
Fromage	40 grammes
Cresson, endive	45 grammes
Beurre, jaune d'œuf	56 grammes
Melon, courge, abricot	125 grammes
Cresson, tomate, cerise	165 grammes
Poisson, fromage	200 grammes
Asperge, haricot vert, salade	300 grammes
Huître	500 grammes
Lait, maïs	750 grammes

Ni déprime ni excitation grâce aux vitamines B1, B2 et B3

LA VITAMINE B1 (THIAMINE) : L'ÉNERGIE UTILISABLE

Grammes d'aliment fournissant 50 % AJR de B1 (soit 0,7 mg/jour)	Vitamine B1 (Thiamine)	Milligrammes de vitamine B1 dans 100 grammes d'aliment
30	*Germe de blé*	*2*
70 – 100	*Porc (côtelette, rôti, filet, échine)*	*0,7 – 1*
100	*Jambon*	*0,7*
140	*Lentille sèche, haricot blanc*	*0,5*
175	*Rognon, cœur*	*0,4*
200	*Foie (volaille, veau, génisse)*	*0,3*
200	Noix	0,3
350	Jaune d'œuf, cervelle, châtaigne	0,2
350	Lotte, saumon, carrelet	0,2
700	Poulet, pâtes	0,1
200 – 700	Viande : bœuf, veau, mouton	0,1 – 0,3
700	Huître, orange	0,1
700 – 1 400	Poisson	0,05 – 0,1
1 400 – 7 000	Fromages	0,01 – 0,05
875 – 3 500	Légumes	0,02 – 0,08
1 400	Lait	0,05
1 400 – 7 000	Fruits	0,01 – 0,05
1 000 175	Riz : Blanc Complet	0,07 0,4
777 200 350	Pain : Blanc Complet Seigle	0,09 0,3 0,2

En italique et gras : les aliments réellement utiles, compte tenu des portions usuelles.
AJR : apports journaliers recommandés pour un adulte (JO du 26 décembre 1993 : 1,4 milligramme par jour pour la vitamine B1). D'après INRA-CNEVA-CIQUAL. Aliments crus ; chiffres arrondis. Les AJR sont très légèrement supérieurs aux ANC (apports nutritionnels conseillés), qui sont de 1,3 milligramme par jour. Pour un enfant, il faut à peu près la moitié de la ration d'un adulte.

Après six jours de carence en vitamine B1, chez des hommes jeunes et volontaires, le médecin généraliste et le neurologue trouvent des signes de lassitude, une intelligence qui s'éteint, une irritabilité, des crampes ; le cardiologue décèle des anomalies à l'électrocardiogramme. Tout disparaît après la prise de cette vitamine. Si la carence persiste, le « volontaire-malade » se plaint d'anomalies nerveuses, en particulier aux extrémités des membres, souvent douloureuses.

Un apport très équilibré en vitamines est exigé pour permettre le fonctionnement subtil du cerveau, sa vigilance et son efficacité, ses joies et celles de tout le corps qu'il doit commander. Mais certaines vitamines ont plus d'importance que d'autres, ou plutôt se trouvent en première ligne. Fort logiquement, le cerveau répond le premier à la vitamine B1. En effet, il tire pratiquement toute son énergie du glucose, dont les mécanismes d'utilisation nécessitent précisément la vitamine B1. De plus, la carence engendre des troubles de l'appétit et de la digestion, des perturbations neurologiques. Si le déficit est important, s'ajoutent une abolition des réflexes tendineux, puis une dégénérescence musculaire progressive, une atteinte cardiaque, des troubles psychiques graves et une issue fatale. Car, outre sa participation à la production d'énergie, cette vitamine permet un bon fonctionnement des ensembles de neurones dont le médiateur de communication est l'acétylcholine, on les dit cholinergiques (ils sont d'ailleurs largement affectés lors de la maladie d'Alzheimer) ; ce qui explique certaines altérations comportementales. Les autres neuromédiateurs sont aussi affectés : des dysfonctionnements des systèmes dopaminergiques et cathécolaminergiques se manifestent, tout au moins après une carence longue.

Manger trop de sucre nécessite des surplus de vitamine B1, si tel n'est pas le cas, la déprime guette ! Ainsi, les premiers patients perfusés avec du sérum glucosé pendant longtemps se sont retrouvés déprimés par carence, car leur organisme s'appauvrissait en cette vitamine ; les stocks existants étant faibles et vite épuisés chez ces malades. Les boulimiques de boissons et de gâteaux sucrés ont du souci à se faire. Anecdote amusante, en 1904, lors de la guerre russo-japonaise, le gouvernement japonais promulgua une loi martiale interdisant l'usage du riz poli dans ses armées. Cette modeste mesure contribua peut-être à la victoire du petit japonais, banzaï, sur le colosse russe ; car le riz poli n'est que de l'amidon (un sucre complexe énergétique, mais calorie vide puisque dépourvue de nutriments) alors que le riz complet est assorti de quelques minéraux et vitamines, dont la B1 qui contribue à la bonne utilisation des sucres de l'amidon. Le militaire russe était apathique par carence alimentaire, état peu compatible avec une activité guerrière ! Un peu plus de vitamine B1 rend plus énergique par meilleure utilisation de l'énergie alimentaire.

Pourquoi le béribéri est-il amélioré en mangeant plus gras ? Parce que, par simple compensation, plus de graisses dans les aliments font spontanément diminuer les sucres. Car ce ne sont généralement pas les mêmes aliments qui sont soit riches en glucides, soit riches en graisses. Comme la ration de sucre diminue, le besoin en vitamine B1 est réduit !

Historiquement, la découverte de la thiamine (nom scientifique de la vitamine B1) est liée au traitement du béribéri, maladie connue en Extrême-Orient depuis des millénaires. Sa description figure déjà dans certains manuscrits chinois datant de 2 600 ans avant Jésus-Christ ! Dans l'ère moderne, elle fut clairement décrite, en 1630, par un médecin hollandais officiant dans l'île de Java qui notait qu'« une affliction très pénible qui attaque l'homme est appelée par les indigènes "béribéri". Je pense que ceux qui sont atteints par cette maladie, avec leurs genoux tremblants et leurs jambes qui se soulèvent, marchent comme des moutons. C'est une sorte de paralysie, ou plus exactement de tremblement. Elle affecte le mouvement et la sensibilité des mains et des pieds et parfois le corps tout entier ». Béribéri veut dire en malais « je ne peux pas, je ne peux pas », par référence à l'impossibilité – cérébrale, nerveuse et musculaire – de faire des mouvements. Endémique sous les climats tropicaux et particulièrement en Extrême-Orient, il peut sévir sporadiquement dans les régions tempérées ; ou de façon épidémique dans des groupes malnutris, pendant les guerres, les famines, dans les camps de prisonniers, chez les marins. J. Perret l'a écrit en 1930, dans *Roucou* : « Il était couché dans l'entrepont d'une caraque espagnole, atmosphère enfumée par les soudards pétunant vautrés dans les hamacs, cuirasses rouillées et morions bosselés roulaient de bâbord à tribord dans un bruit de ferraille, fièvre, scorbut et béribéri mijotaient dans le tiède alizé qui tombait des sabords, mais la cale était lestée par l'or des Aztèques et le trésor des Incas. »

Cette affection, liée à la consommation quasi exclusive de riz poli, n'était pas consécutive à la présence d'éléments toxiques, comme on le crut pendant relativement longtemps, mais à l'absence d'une substance indispensable à la vie. Sur le plan de l'analyse chimique il s'avérera que c'était une amine ; comme elle était nécessaire à la vie, le terme « vitamine » fut proposé. Cette dénomination connut un tel succès qu'on l'appliqua aux autres facteurs indispensables de l'alimentation, même s'ils n'ont strictement rien à voir avec la fonction chimique appelée amine.

En santé humaine, deux séries de symptômes peuvent apparaître lors du redoutable béribéri : une forme sèche ou une forme humide, cette dernière étant caractérisée par la formation d'œdèmes. Les deux manifestations majeures du béribéri sont l'insuffisance cardiaque et surtout la polynévrite, c'est-à-dire des atteintes des nerfs, ceux qui véhiculent les perceptions sensorielles, comme ceux qui envoient les ordres aux muscles ; elle commence aux extrémités inférieures et se manifeste par des douleurs et des sensations anormales qui vont des cuisses aux membres supérieurs. Des troubles respiratoires et laryngés peuvent se dévoiler. La tachycardie, c'est-à-dire l'augmentation du rythme cardiaque, est également de règle. Sur le plan histologique, la polynévrite se traduit d'abord par des lésions dégénératives des gaines de myéline. À un stade ultérieur, les axones des nerfs moteurs et sensitifs sont aussi atteints. Les altérations trouvent leur origine dans un trouble fonctionnel du corps cellulaire neuronal, qui n'arrive plus à assurer la nutrition des parties les plus éloignées de ses prolongements.

Le béribéri, absolument redoutable, peut être mortel en quelques heures chez un enfant ! En France, l'avitaminose B1 se rencontre principalement chez les alcooliques chroniques, chez les sujets souffrant de vomissements incoercibles dus à un rétrécissement de l'orifice de sortie de l'estomac, pendant la grossesse, et quelquefois chez les sujets en réanimation prolongée, recevant des perfusions importantes ou prolongées de sérum.

Dans la polynévrite alcoolique, l'avitaminose B1 est directement la cause, en outre, du redoutable syndrome de Gayet-Wernicke. Celui-ci se caractérise par une confusion mentale, une paralysie du mouvement des yeux, une perte de la coordination des mouvements volontaires et un coma. Ce syndrome est une extrême urgence médicale. La meilleure confirmation du diagnostic est la réponse spectaculaire à l'injection de vitamine B1 par voie intramusculaire, à la dose de cent milligrammes par jour ; ce traitement sauve la vie du malade et fait rétrocéder les signes neurologiques. Les résultats sont d'autant meilleurs et plus rapides que la médication intervient à un stade moins avancé. Tardivement appliquée, elle n'a souvent que des effets partiels et laisse des séquelles. Les cas mortels sont heureusement exceptionnels dans les régions tempérées.

En ce début de millénaire, on ne devrait pas observer de cas de carence manifeste se traduisant par le béribéri patent, mais on rencontre des formes frustes de polycarences en vitamines B, pour lesquelles le déficit en B1 est prépondérant. Elles concernent des personnes qui ont non seulement de faibles apports alimentaires en ces vitamines, mais appartiennent aussi à des groupes à risque, tels que celui des buveurs excessifs, ou celui, notamment aux États-Unis, des fanatiques des mêmes fast-food, matin, midi et soir, toute l'année durant ; chaque chaîne présente une alimentation peu variée et toujours identique. En France, SUVIMAX démontre que, dans la tranche d'âge étudiée, 56 % des hommes ont des apports déficients en vitamine B1, se situant sous les AJR, mais au-dessus des deux tiers de ceux-ci. Un quart d'entre eux est en dessous de cette barre fatidique, manifestant une carence franche ! Comme pour toutes les vitamines hydrosolubles, l'excès d'ingestion par rapport aux besoins physiologiques se traduit par une élimination rapide dans les urines, l'organisme humain possède donc peu de réserves en vitamine B1.

Les aliments usuels les plus riches en vitamine B1 sont la viande de porc, et en particulier le jambon, les viandes en général et les produits tripiers, les œufs, les pois et haricots secs, les lentilles, les céréales complètes. Le pain était autrefois une des principales sources de thiamine, mais sa consommation a beaucoup diminué ; en outre, le pain « blanc » en contient trois à quatre fois moins que le pain « complet ». Il ne faut pas négliger le fait que la solubilité et la fragilité à la chaleur de cette vitamine entraînent une déperdition lors de la cuisson à l'eau. Ces pertes peuvent même atteindre les deux tiers de la teneur initiale ! Par ailleurs, une partie de la thiamine se retrouve dans le jus de viande ou dans l'eau de cuisson, qui ne sont malheureusement pas toujours consommés. En l'absence d'eau, c'est-à-dire dans les fritures ou lors de la cuisson au four, les dégâts sont plus faibles, de l'ordre d'un petit tiers. Le maintien au chaud ainsi que le réchauffage des aliments déjà cuits occasionnent des dommages supplémentaires. Les différents types de fours ont une incidence variable sur le niveau des pertes, qu'ils soient traditionnels ou bien à micro-ondes. La surgélation ne touche pas la thiamine des aliments, qui est très bien conservée au froid.

LE CERVEAU ÉQUILIBRÉ AVEC LA VITAMINE B2 (LA RIBOFLAVINE)

Grammes d'aliment fournissant 50 % AJR de B2 (soit 0,6 mg/jour)	*Vitamine B2 (Riboflavine)*	Milligrammes de vitamine B2 dans 100 grammes d'aliment
20	*Foie (veau, génisse, agneau, volaille)*	*2,9*
30	*Rognon, cœur*	*1,9*
150 – 200	*Bœuf*	*0,3 – 0,4*
100 – 300	Fromages	0,2 – 0,6
200 – 300	Porc	0,2 – 0,3
130	Jaune d'œuf	0,5
200 – 600	Poissons	0,1 – 0,3
1 000 – 3 000	Fruits	0,02 – 0,06
1 000 – 2 000	Légumes	0,03 – 0,06
2 000 800	Riz : Blanc Complet	0,03 0,08

En italique et gras : les aliments réellement utiles, compte tenu des portions usuelles.
AJR : apports journaliers recommandés pour un adulte (JO du 26 décembre 1993 : 1,6 milligramme par jour pour la vitamine B2). D'après INRA-CNEVA-CIQUAL. Aliments crus ; chiffres arrondis. Les AJR sont identiques aux ANC (apports nutritionnels conseillés), qui sont de 1,6 milligramme. Pour un enfant jusqu'à 3 ans, d'après les ANC, il en faut la moitié.

Cette vitamine est responsable d'une certaine harmonie physiologique, car elle permet l'efficacité des autres, en particulier des vitamines B1 et B3. Elle garantit l'utilisation concertée de toutes les énergies alimentaires. C'est la collaboratrice des autres vitamines, sans être, en aucun cas, la mouche du coche. Non seulement elle rend les neurones sociaux, mais, en prime, sa présence assure une belle peau fonctionnelle, garantit des muqueuses éclatantes et efficaces, telles les lèvres, la langue et quelques parties intimes. De quoi rendre les neurones fiers et heureux !

Rare chez l'homme, sa déficience ne se rencontre pratiquement que sous forme de polycarences liées à des problèmes d'absorption globaux et simultanés de nombre de nutriments, à des régimes déséquilibrés, surtout s'ils sont dépourvus en laitages.

Cette vitamine subit une biochimie particulière. En effet, elle est l'objet d'une phosphorylation, qui aboutit à la formation de deux esters phosphoriques. Ceux-ci entrent dans la constitution de nombreuses enzymes, qui jouent un rôle essentiel dans la dégradation de très nombreuses substances fournies par l'alimentation, en particulier dans les réactions biochimiques qui libèrent l'énergie nécessaire aux besoins cellulaires. En outre, les dérivés de la vitamine B2 interviennent dans le métabolisme des acides gras, des protéines et des acides aminés, ainsi que dans celui des bases puriques constituant des acides nucléiques (ARN et ADN, qui forment le matériel génétique lui-même). Cette vitamine participe également au métabolisme d'autres vitamines comme la pyridoxine (B6) et la niacine (B3), il s'agit donc en quelque sorte d'une « supervitamine ».

L'aliment le plus riche est le foie (très insuffisamment consommé), suivi des autres produits tripiers, puis du fromage, des œufs et de la viande. En pratique culinaire, il convient de retenir que la vitamine B2 manifeste une certaine robustesse ; étant donné qu'elle est assez résistante à la chaleur, contrairement à la vitamine B1. Toutefois, elle peut être partiellement perdue du fait de sa dissolution dans l'eau. Par exemple, un petit tiers de la vitamine B2 d'une viande de pot-au-feu se retrouve dans le bouillon. Elle est très sensible à la lumière. Sa destruction peut atteindre huit dixièmes dans du lait exposé deux heures à la lumière solaire !

LE PSYCHISME SEREIN GRÂCE À LA NIACINE (VITAMINE PP OU B3)

Grammes d'aliment fournissant 50 % AJR de B3 (soit 9 mg/jour)	Vitamine B3 (PP, niacine)	Milligrammes de vitamine B3 dans 100 grammes d'aliment
60	*Foie (veau, agneau, génisse)*	*15*
60	Cacahuète	15
100	*Foie de volaille*	*10*
120	*Poulet, dinde*	*7,8*
130	*Rognon, saumon*	*7*
150	*Veau (filet, côte, poitrine*	*6,5*
150 – 250	*Bœuf, porc*	*4 – 5*
200	*Jambon*	*4,4*
250	Cervelle	3,7
450	Pâtes, lentille sèche, haricot blanc	2
600	Lotte, carpe, colin	1,5
750	Boudin noir	1,2
1 500 – 4 500	Légumes	0,2 – 0,6
1 800 – 9 000	Fruits	0,1 – 0,5
600 200	Riz : Blanc Complet	1,5 4,4
900	Camembert, Brie, bleu, Chaource	1
3 000 – 9 000	Fromages	0,1 – 0,3

En italique et gras : les aliments réellement utiles, compte tenu des portions usuelles.
AJR : apports journaliers recommandés pour un adulte (JO du 26 décembre 1993 : 18 milligrammes par jour pour la vitamine B3). D'après INRA-CNEVA-CIQUAL. Aliments crus ; chiffres arrondis. Les AJR sont légèrement supérieurs aux ANC (14 mg). Pour un enfant jusqu'à 3 ans, il faut la moitié de la dose d'un adulte. Les besoins des femmes sont un peu inférieurs à ceux des hommes.

Cette vitamine B3 est sans doute la vitamine de la séduction, provoquée par l'aspect du corps et par le fonctionnement équilibré et intelligent de l'esprit. Grâce à elle, la peau (surtout celle de la tête, du visage, du cou et des extrémités des membres), les intestins, le sang... et le psychisme sont au mieux de leur forme. L'acide nicotinique et la nicotinamide (la nicotinamide est, en termes de chimie, l'amide de l'acide nicotinique) possèdent une activité vitaminique identique. De ce fait, on les réunit souvent sous le nom de niacine, ou vitamine PP.

L'organisme humain est capable de synthétiser une partie de la niacine qui lui est nécessaire, à partir du tryptophane. Dans les conditions normales, on admet que soixante milligrammes de tryptophane peuvent servir de précurseur à environ un milligramme de niacine ; mais la présence de vitamine B6 est indispensable pour cette transformation, il y a donc une synergie d'utilisation de ces deux vitamines.

Cette vitamine doit son nom trivial de vitamine PP au fait qu'elle prévient la pellagre. L'étymologie, *pella agra* signifie peau rugueuse. La maladie fut clairement décrite pour la première fois en Lombardie dans les années 1760. À la même époque, dans les Asturies en Espagne, elle était dénommée « *mal de la rosa* », qui signifiait mal de la rougeur, de l'érythème. Elle touchait les familles rurales pauvres consommant presque exclusivement du maïs, mais, à cette époque calmement sectaire, les manants étaient tranquillement considérés comme des arriérés ; si bien que la composante psychiatrique de la maladie fut ignorée jusqu'en 1818, date à laquelle un médecin exerçant dans les Landes, décrivit la maladie sous le nom de « *mal de la teste* », car il était plus préoccupé par les symptômes cérébraux que dermatologiques. Ironie de l'histoire, il officiait dans un village landais dénommé Teste de Buch. François Mauriac, natif de la région, confirme dans *Le Baiser au lépreux* : « Jean pensait à ces vieux bergers atteints du mal mystérieux de la lande, la pellagre, et qu'on retrouve toujours au fond d'un puits ou la tête enfoncée dans la vase d'une lagune. »

On résume les symptômes de la pellagre par le terme de maladie des trois D : démence, dermatose, diarrhée. C'est en effet une maladie caractérisée par une dermatose, associée à une diarrhée ; mais elle est dominée par des problèmes psychiatriques, qui sont les plus précoces et les plus constants. Au début de la carence, les modifications du comportement prennent l'aspect psycho-névrotique, puis apparaissent des états d'excitation, qui deviennent confusionnels. Quand le déficit se prolonge sur plusieurs années une démence irréversible peut s'installer, conduisant à l'internement, et même à la mort ! L'excitation débordante, la confusion, voire la démence nuisent évidemment à l'harmonie de la vie et au bon fonctionnement de l'intelligence. Or de tels états peuvent être simplement la conséquence de carences en vitamine B3 !

Historiquement ce fut une maladie liée à l'utilisation quasi exclusive de maïs. Elle a causé, en Europe et aux États-Unis, des ravages d'autant plus graves que la consommation de viande fournissant du tryptophane était faible (cet acide aminé peut servir de précurseur efficace à la vitamine B3). En Amérique du Nord et en Europe, le maïs est non seulement dépourvu de niacine, pauvre en tryptophane, mais contient de surcroît un facteur qui inhibe la transformation de cet acide aminé en vitamine. Cette caractéristique explique l'incidence d'une consommation quasi exclusive de cette céréale sur la progression de la pellagre, et l'apparition de cette maladie avec la consommation accrue de maïs.

Anecdote poignante, l'histoire de la pellagre en Europe coïncide donc avec l'introduction du maïs dans l'alimentation humaine, importé des États-Unis. Les observations et les études réalisées sur cette maladie ont d'ailleurs conduit à la découverte de la vitamine PP, à travers de multiples démarches alambiquées. Le problème fut d'autant plus difficile à résoudre que la pellagre était inconnue chez les habitants indigènes du Nouveau Monde, où cependant le maïs constituait la base de l'alimentation. Difficulté supplémentaire, le dosage chimique montrait que le maïs contenait des quantités substantielles de « provitamine PP » biologiquement inactive. En fait, les habitudes alimentaires des Indiens étaient adaptées ; elles le sont restées : au Mexique, les tortillas traditionnelles sont préparées en traitant d'abord le maïs par de la bouillie de chaux pendant une demi-heure de cuisson, puis le tout est laissé une nuit à température ordinaire. Dans ces conditions la « vitamine » est libérée. Ce traitement, dicté par la sagesse populaire multiséculaire, en Amérique du Sud, ne fut pas utilisé en Europe ; l'invasion du maïs amena donc la maladie de carence. Au début du XXᵉ siècle cette pathologie fut enrayée par l'addition systématique de vitamines dans les aliments. Elle fut stoppée en 1941, quand le gouvernement fédéral américain rendit obligatoire l'enrichissement de la farine avec de la niacine. En quelques années la maladie disparut définitivement, après avoir fait des milliers de morts. Un exemple à méditer chez nous, mais aussi en Afrique, où certaines régions sont très largement touchées. Mais la pellagre ne s'est pas effacée, en réalité elle resurgit çà et là de manière insidieuse. Elle constitue l'une des quelques maladies de carence dont l'issue est fatale en l'absence de traitement. La pellagre se rencontre donc encore surtout dans les populations défavorisées et paysannes pauvres, nourries presque exclusivement de maïs. Or, un peu de viande suffit pourtant à s'en préserver !

Actuellement, des formes mineures de carence peuvent être observées chez des alcooliques, des personnes qui se nourrissent mal de manière chronique ou sont atteintes de malabsorption, ou bien encore au cours de certains traitements médicamenteux. Les aliments les plus riches en vitamine B3 sont le foie, la volaille et le lapin, suivis de la viande et de certains poissons. La vitamine B3 est la moins fragile des vitamines solubles dans l'eau. Lors de la cuisson ménagère, les pertes par destruction dues à la chaleur sont toujours inférieures au cinquième. Les dégâts les plus importants sont en réalité la conséquence de sa solubilité dans l'eau (la moitié dans le pot-au-feu par exemple).

Tout pour les nerfs : l'acide pantothénique (vitamine B5)

Grammes d'aliment fournissant 50 % AJR de B5 (soit 3 mg/jour)	Vitamine B5 (Pantothénique)	Milligrammes de vitamine B5 dans 100 grammes d'aliment
40	*Foie (veau, agneau, génisse)*	*7,6*
50	*Foie de volaille*	*6,1*
60	*Jaune d'œuf*	*4,5*
100	*Rognon*	*3*
120	Cacahuète	2,7
130	*Cervelle*	*2,5*
160	*Saumon*	*1,8*
170	Roquefort	1,7
200	*Pastèque*	*1,5*
200	Lentille sèche	1,4
350	Veau, porc	0,8
400	Bœuf	0,7
400 – 1 500	Fromages	0,2 – 0,7
300 – 1 500	Poissons	0,2 – 0,9
250	Poulet	1,1
1 000	Lait	0,3
600 – 5 000	Fruits	0,06 – 0,5
600 – 3 000	Légumes	0,1 – 0,5
350	Riz : Blanc	0,9
200	Complet	1,4

En italique et gras : les aliments réellement utiles, compte tenu des portions usuelles.
AJR : apports journaliers recommandés pour un adulte (JO du 26 décembre 1993 : 6 milligrammes par jour pour la vitamine B5). D'après INRA-CNEVA-CIQUAL. Aliments crus ; chiffres arrondis. Les AJR sont légèrement supérieurs aux ANC : 5 mg. Pour un enfant ils sont de l'ordre de la moitié, ce qui représente 3 mg jusque vers 9 ans. Les femmes qui allaitent leur enfant ont des besoins de 40 % supérieurs.

Grâce à cette vitamine, le dynamisme est assuré, les nerfs sont solides, l'intelligence est vive, la digestion efficace et harmonieuse ; les cheveux et les poils se montrent éclatants. Ce qui est bon pour le moral, évidemment ! Elle est le constituant fondamental du coenzyme A. Par ce fait, elle intervient dans les réactions permettant la libération d'énergie à partir des glucides et des acides gras. Elle participe aux synthèses des acides gras et de nombreux autres composés comme les stérols, parmi lesquels certaines hormones sexuelles. De manière générale, elle active le métabolisme tissulaire.

Ainsi que son nom l'indique (en grec, *pantos* signifie « partout trouvé »), l'acide pantothénique est présent dans de nombreux aliments, les carences sont donc tout à fait exceptionnelles. Cependant, chez des individus mal nourris, le risque de sub-carence existe, parallèlement à celui des autres vitamines du groupe B. L'acide pantothénique est présent en quantités appréciables dans les foies, les jaunes d'œufs, les saumons et les pastèques ; comme il se dissout facilement dans l'eau, il risque d'être perdu dans l'eau de cuisson, mais il est stable à la lumière, peu sensible à l'oxydation ; en revanche, il est facilement détruit par la chaleur. Les usages médicamenteux ayant pour but de traiter la chute des cheveux (associés à la biotine) ou d'accélérer la cicatrisation, nécessitent des doses de l'ordre du gramme par jour ; de telles quantités sont nettement supérieures aux doses alimentaires conseillées !

Bon sang pour le cerveau

DES NEURONES QUI COMMUNIQUENT GRÂCE À LA VITAMINE B6

Grammes d'aliment fournissant 50 % AJR de B6 (soit 1 mg/jour)	Vitamine B6 (Pyridoxine)	Milligrammes de vitamine B6 dans 100 grammes d'aliment
30	**Germe de blé**	**3**
35	**Cervelle**	**2,8**
110	**Saumon**	**0,9**
120	**Foie (veau, génisse)**	**0,8**
170	Lentille sèche, haricot blanc	0,6
200	Foie de volaille	0,5
220	Jambon, hareng	0,45
250	Poulet, porc, veau, dinde	0,4
350	Agneau, poivron	0,3
1 500 – 5 000	Fruits	0,02 – 0,07
1 000 – 3 000	Légumes	0,03 – 0,09
300 – 1 000	Poissons	0,1 – 0,3
1 000 – 2 500	Fromages	0,04 – 0,1
250 150	Riz : Blanc Complet	0,4 0,6

En italique et gras : les aliments réellement utiles, compte tenu des portions usuelles.
AJR : apports journaliers recommandés pour un adulte (JO du 26 décembre 1993 : 2 milligrammes par jour pour la vitamine B6). D'après INRA-CNEVA-CIQUAL. Aliments crus ; chiffres arrondis. Les AJR sont presque identiques aux ANC (apports nutritionnels conseillés) : 1,8 mg par jour. Pour un enfant, d'après les ANC, il faut un peu moins de la moitié de la ration d'un adulte. Les seniors ont des besoins augmentés de 25 %.

Sa concentration est cent fois supérieure dans le cerveau que dans le sang ! Globalement, en assurant une bonne communication grâce aux neuromédiateurs, la vitamine B6 permet de surmonter l'asthénie, de vaincre l'irritabilité, d'éviter la dépression. Grâce à elle, le sang joue son rôle au mieux, il irrigue efficacement le cerveau ; la peau et les muqueuses sont harmonieuses.

La vitamine B6 participe, comme coenzyme, à de très nombreux systèmes enzymatiques : plus d'une cinquantaine ont été dénombrés. Elle exerce une action déterminante dans les processus métaboliques cérébraux, notamment dans la synthèse de certains neurotransmetteurs qui assurent la communication entre les neurones. Elle sert de coenzyme à tous les grands processus fondamentaux. C'est pourquoi son importance biologique est exceptionnelle. Elle intervient ainsi dans la dégradation et la synthèse des acides aminés, dans les relations entre le métabolisme des acides aminés et celui des glucides, dans la dégradation du glycogène par le muscle lors du travail musculaire et dans de nombreuses autres réactions indispensables à la vie, telles que la synthèse de l'hème de l'hémoglobine, molécule d'intérêt considérable car elle contient du fer et assure le transport de l'oxygène par les globules rouges du sang. La vitamine B6 assure donc la bonne oxygénation du cerveau. Les effets de sa restriction ont malheureusement pu être parfaitement étudiés lors de carences observées chez des enfants qui ont reçu un lait adapté dépourvu accidentellement de cette vitamine. L'attention avait été attirée par une « épidémie » de convulsions ; l'injection de vitamine B6 l'a fait cesser immédiatement.

Des carences peuvent être induites par de multiples situations. Par exemple, la prise quotidienne de contraceptifs chez les jeunes femmes entraîne un besoin accru de vitamine B6, donc une probabilité réelle de déficit ; pouvant parfois déclencher des troubles menstruels, des manifestations dépressives, de l'agressivité, qui participent à ce qui est appelé le syndrome prémenstruel. La vitamine B6 prescrite à dose thérapeutique permet alors de faire régresser certains symptômes. Il faut souligner également que les vieillards présentent un risque relativement important de restriction en B6. Par ailleurs, des déficits peuvent survenir quand l'alimentation est très hyperprotéique, ce qui en accroît les besoins. Mais les carences sont en réalité fréquemment dues à une réelle malnutrition ou bien à la prise de médicaments présentant une activité antivitaminique. Chez le nourrisson, des convulsions liées au défaut de vitamine B6 ont même été observées au cours de certains types d'allaitement artificiel...

Il est intéressant de noter que les espèces qui ont des physiologies carnivores très marquées comme les poissons et les chats sont celles qui manifestent le plus rapidement les signes de carence en cette vitamine, avec au premier chef des troubles nerveux : convulsions, hyperirritabilité, nage ou marche erratique ; ces symptômes étant largement la conséquence de déficit de synthèse en neuromédiateurs.

Trois substances extrêmement voisines chimiquement (la pyridoxine, la pyridoxamine et le pyridoxal) présentent une activité vitaminique B6. Les aliments les plus riches sont le saumon, le jambon, la cervelle et le foie, les lentilles et les haricots blancs. La vitamine B6 est assez stable. Dans les aliments, les pertes les plus importantes, du dixième à la moitié, sont provoquées par sa dissolution dans l'eau lors de la cuisson.

UN CERVEAU BIEN FAIT : AVEC LA COBALAMINE (LA VITAMINE B12)

Grammes d'aliment fournissant 50 % AJR de B12 (soit 0,5 µg/jour)	Vitamine B12 (Cobalamines)	Microgrammes de vitamine B12 dans 100 grammes d'aliment
0,5	*Foie (veau, génisse)*	*80*
1	*Foie (agneau, volaille)*	*60*
3	*Huître*	*1,6*
4	*Rognon*	*1,4*
6	*Hareng, cervelle*	*8*
10	*Jaune d'œuf*	*5*
12	*Saumon, bar, homard*	*4*
15	*Camembert*	*3*
25	*Bœuf, agneau*	*2*
50	*Porc*	*1*
80	*Jambon*	*0,6*
150	Poulet	0,3
30 – 150	Fromages	0,3 – 1,5
250	Lait	0,2
Impossible	Fruits	0
Impossible	Légumes	0

En italique et gras : les aliments réellement utiles, compte tenu des portions usuelles. AJR : apports journaliers recommandés pour un adulte (JO du 26 décembre 1993 : 1 microgramme par jour pour la vitamine B12). D'après INRA-CNEVA-CIQUAL. Aliments crus ; chiffres arrondis. NB : Les AJR sont beaucoup moins importants que les ANC (apports nutritionnels conseillés), qui sont de 2,4 µg ; il conviendrait donc de manger trois fois plus qu'inscrit sur ce tableau, par sécurité. Pour un enfant il faut à peu près les 2/3 de la ration d'un adulte.

Le nom de vitamine B12 concerne des substances dites « cobalamines », car l'une de leurs caractéristiques est la présence d'un atome de cobalt au centre de la molécule. Elle assure le mordant de l'intelligence, le dynamisme du cerveau et par conséquent celui du corps. En effet, en clinique humaine comme chez les modèles animaux, la carence en vitamine B12 se définit en partie par les mêmes troubles que la restriction en acide folique : troubles neurologiques, psychiques, et altérations hématologiques. Historiquement, la mise en évidence de la vitamine B12 fut la démonstration de l'action anti-anémique du foie de veau, qui est capable d'arrêter l'évolution de la maladie de Biermer, une maladie tout à fait particulière. En 1926, Minot et Murphy ont été les premiers à clairement écrire que : « Le traitement diététique de l'anémie pernicieuse pourrait jouer un rôle plus important que l'on ne l'a admis généralement jusqu'à présent. Quarante-cinq patients atteints d'une anémie pernicieuse ont suivi, pendant six semaines à deux ans, un régime essentiellement composé d'aliments riches en protéines complètes, particulièrement en foie (cent vingt à deux cent quarante grammes par jour). Le régime comportait, pour chaque jour, au moins cent vingt grammes de viande de muscle... À la suite de ce régime, tous les patients ont montré une prompte et importante rémission de leur anémie, qui coïncidait avec une amélioration nette des symptômes, à l'exception de ceux dus à la dégénérescence de la moelle épinière. L'amélioration était souvent frappante ; là où la numération des globules rouges était en moyenne de un million quatre cent soixante-dix mille par millimètre cube au début du traitement, un mois après il atteignait environ trois millions quatre cent mille... » On peut difficilement être plus clair !

En fait, les signes neurologiques peuvent largement précéder les signes hématologiques. Les malaises sont extrêmement fréquents. Or, un diagnostic précoce est indispensable, pour éviter les atteintes irréversibles du système nerveux ! Les principaux symptômes sont des pertes de mémoire, des douleurs et des sensations anormales aux extrémités des membres, refroidissement, engourdissement, impressions de brûlures, des difficultés à la marche. Parfois la personne se plaint d'avoir les jambes sans repos, elle ressent le besoin irrésistible de bouger les membres, de déambuler, ce qui la soulage en général. La carence grave peut même confiner le malade au lit. Un grand nombre de carences en cette vitamine ont été décrites, il s'agissait le plus souvent d'enfants dont les mères étaient des végétariennes strictes. À défaut de donner aux petits de belles tranches de foie de veau, ils ont reçu de la vitamine, ce qui les a immédiatement guéris, preuve de la réalité de la carence.

Exemple de coopération entre les micronutriments, le métabolisme de la vitamine B12 nécessite d'autres vitamines, spécifiquement les vitamines B2 et B3. Pratiquement aucun animal ni aucun végétal supérieur ne possèdent de matériel génétique permettant la synthèse de la vitamine B12. En effet les cobalamines sont exclusivement synthétisées par les micro-organismes, bactéries et levures. Dans l'alimentation humaine, la vitamine B12 est exclusivement présente dans les aliments d'origine animale : viandes, œufs, crustacés, poissons, lait et dérivés. Les viandes bovines en sont particulièrement riches, du fait de la synthèse par une flore intestinale, importante chez les ruminants. Généralement, ils synthétisent cette vitamine en grande quantité dans le rumen, elle transite par la caillette, vers l'intestin grêle où elle est absorbée. Certains animaux monogastriques, tels le cheval ou le lapin, fabriquent dans leur cæcum cette vitamine à partir du cobalt. Le lapin réingère cette vitamine (et d'autres) par coprophagie nocturne de ses fèces, habitude efficace mais peu ragoûtante. Les herbivores constituent un maillon essentiel dans la chaîne alimentaire, pour les carnivores et l'homme.

La France est un pays amateur et consommateur de produits animaux et d'œufs. De ce fait, les restrictions d'apport ne concernent que des groupes limités d'individus végétariens, végétaliens, en particulier chez les jeunes enfants et les nourrissons. Mais elles peuvent aussi avoir pour origine des troubles métaboliques ou gastro-intestinaux, éventuellement congénitaux ; ou encore être causées par le vieillissement qui induit une diminution de l'acidité de l'estomac, par réduction de l'acide chlorhydrique, dénommée achlorhydrie. Mais une cause de carence réside dans la déficience du transporteur digestif, appelé facteur intrinsèque, normalement présent dans le suc gastrique ; cette anomalie provoque précisément l'anémie de Biermer.

La vitamine B12 se trouve donc principalement dans le foie et les reins : deux à cinq milligrammes sont stockés dans le foie de l'homme. Cette énorme réserve est à mettre en parallèle avec les besoins journaliers, qui sont d'environ trois microgrammes par jour. Le stock hépatique couvre théoriquement les besoins pendant plus d'une année ; malgré cela les carences sont loin d'être rares ! L'homme est omnivore : il doit impérativement manger de la viande, ou des produits animaux. Certaines algues et spirulines, trouvées notamment en magasins de diététique, contiennent des cobalamines, de pseudo-vitamine-B12. Or, elles ne sont que peu biodisponibles, leur efficacité est donc restreinte. La vitamine B12 est décomposée par les agents réducteurs (parmi lesquels se trouve… la vitamine C), les acides et les bases. La lumière et l'humidité accentuent cet effet. Dans les conditions normales de préparation des aliments, on considère que les pertes ne dépassent pas un cinquième.

La force biologique avec la biotine (vitamine H ou B8)

Avec un nom aussi bien sélectionné, clairement significatif, la biotine évite la fatigue et l'anorexie. Les ongles, la peau, les cils, sourcils et cheveux sont superbes, comme l'affirment avec juste raison les publicités de cosmétologie. En tant que coenzyme (partie non protéique de l'enzyme, indispensable à son activité), sa contribution est spécifiquement importante dans le métabolisme des glucides et des lipides. Les carences spontanées chez l'homme sont rarissimes. Cependant, d'exceptionnels cas liés à une consommation très exagérée de blancs d'œufs crus, qui contiennent de l'avidine, un antagoniste de la biotine, ont permis de constater des syndromes neurologiques non spécifiques, associés à des altérations de la peau, des muqueuses ; tous ces symptômes disparaissant après un apport de biotine. La cuisson de l'œuf libère la biotine. Paradoxalement, comme nous l'avons déjà vu, manger cru un aliment très riche en biotine provoque une carence en cette vitamine, car elle reste alors inaccessible ! Démonstration supplémentaire que la cuisson et la cuisine sont indispensables !

La flore intestinale apporte une certaine contribution à la couverture des besoins journaliers, mais elle n'est pas encore clairement évaluée. L'estimation des quantités nécessaires que doivent renfermer les aliments est donc délicate. En alimentation parentérale exclusive (c'est-à-dire lorsque les aliments sont introduits dans l'organisme par une autre voie que le tube digestif : les veines sont en particulier mises à contribution), des apports quotidiens de soixante microgrammes pendant plus de six mois chez l'adulte ont suffi à empêcher l'apparition de signes de déficience. Cette quantité représenterait par conséquent l'apport physiologique suffisant pour éviter la pathologie ; mais en réalité la dose optimale n'est pas déterminée. Elle serait de l'ordre de cinquante à quatre-vingts microgrammes par jour chez l'enfant, de cent chez l'adulte.

Cette vitamine possède quelques particularités physico-chimiques intéressantes : elle est dissoute dans l'eau, stable à la lumière, à la chaleur, elle est peu sensible à l'oxydation, notamment à l'air.

Acide folique (vitamine B9) : garder le cerveau dans le crâne !

Grammes d'aliment fournissant 50 % AJR de B9 (soit 100 µg/jour)	Vitamine B9 (Folates)	Microgrammes de vitamine B9 dans 100 grammes d'aliment
15	*Foie de volaille*	*590*
20	*Germe de blé*	*430*
30	*Jaune d'œuf*	*320*
35	*Haricot blanc*	*300*
40	*Foie (veau, génisse, agneau)*	*240*
45	*Cresson, noix*	*220*
50	*Épinard*	*190*
70	*Brie, St Marcelin*	*150*
70	*Châtaigne*	*140*
80	*Poireau, laitue*	*130*
125	*Asperge, brocoli, chou-fleur*	*80*
200 – 1 000	Légumes	10 – 50
100 – 1 000	Fromages	10 – 90
400 250	Riz : Blanc Complet	25 40
300	Jambon	30
1 000	Bœuf	10
2 000	Veau, porc	5
500 – 3 000	Poisson	3 – 20

En italique et gras : les aliments réellement utiles, compte tenu des portions usuelles.
AJR : apports journaliers recommandés pour un adulte (JO du 26 décembre 1993 : 200 microgrammes par jour pour la vitamine B9). D'après INRA-CNEVA-CIQUAL. Aliments crus ; chiffres arrondis. Les AJR sont inférieurs aux ANC (apports nutritionnels conseillés), qui sont pour un adulte de 330 µg, pour un enfant ils sont de l'ordre de 150 µg jusque vers 6 ans. Ils sont augmentés à 400 µg pour les femmes enceintes ou qui allaitent, chez les seniors.

L'acide folique entretient un bon sommeil, assure une solide mémoire, évite irritabilité et fatigue ; il permet au sang de remplir harmonieusement ses fonctions, en particulier celle d'oxygénation des organes. Globalement, grâce à lui, toutes les divisions et multiplications des cellules, toutes les croissances se feront correctement. Car l'acide folique intervient dans de nombreuses synthèses : celle d'un des quatre chaînons de l'ADN, celle du noyau purine et donc des acides nucléiques, celle d'un acide aminé très important, la méthionine. Sa participation à la réparation de l'ADN a récemment été mise en évidence.

L'acide folique participe à tous les systèmes qui se construisent ou présentent un renouvellement rapide. Il s'agit d'abord de l'embryon et du fœtus. Sa carence entraîne des risques de malformation, de perturbations ou de retard de développement cérébral. En effet, il intervient dans la genèse et la prévention des anomalies embryonnaires de non-fermeture du tube neural dont les manifestations sont diverses malformations. L'une d'elles, qui n'est pas rare, consiste en une fissure de la colonne vertébrale, due à un défaut de soudure de vertèbres, à travers laquelle la moelle épinière fait hernie (elle est dénommée « spina bifida »). D'autres malformations dramatiques sont caractérisées par la présence du cerveau en dehors de la boîte crânienne (l'exencéphalie) ou même l'absence de cerveau (l'anencéphalie). Ces effroyables malformations ont une fréquence plus élevée dans les populations défavorisées des pays celtes, en particulier en Grande-Bretagne, où les études épidémiologiques les plus poussées ont été réalisées. Aux États-Unis, la très sévère FDA (Food and drug administration) ne permet que cinq allégations nutritionnelles, l'une d'elles concerne les folates, au motif du risque de malformations du système nerveux. Son activité est pratiquement toujours associée à la présence de vitamine B12. L'acide folique assure le renouvellement harmonieux des tissus notamment des muqueuses, des globules blancs, des plaquettes, des globules rouges ; sinon, il y a grand risque d'anémie macrocytaire, c'est-à-dire que les globules rouges sont de grande taille. Il n'y a que le poète Lamartine pour oser affirmer : « Je vais bien et je vis d'épinards, de pêches cuites » !

Les folates représentent un groupe de composés qui ont une structure chimique commune, l'acide ptéroylglutamique, plus précisément connu sous le nom d'acide folique. Il a d'abord été isolé, en 1943 par Mitchell à partir de la feuille d'épinard ; d'où son nom, car feuilles en latin se dit *folia*. Les neuf dixièmes des dérivés de l'acide folique présents dans les aliments sont sous forme de polyglutamates. Ils doivent être transformés en ptéroylmono-glutamates pour être absorbés au niveau de l'intestin. Ces derniers doivent être alors réduits en acide tétrahydrofolique pour devenir métaboliquement actifs.

La biodisponibilité des folates est très variable selon les aliments, en raison notamment de l'inhibition exercée par certains composants acides, comme ceux du jus d'orange ou de la tomate, sur le système nécessaire à l'absorption de la vitamine. Cette biodisponibilité se situe en moyenne entre 50 % et 70 %. L'absorption des folates augmente lorsque les réserves diminuent.

Toutefois, il existe de fortes variations individuelles. Une fraction non négligeable de la population souffre d'un déficit d'apport alimentaire, elle présente donc un risque de déficience biologique de folates. Certaines tranches d'âge ou catégories de Français paraissent, d'après de récentes enquêtes, plus vulnérables : les adolescents, les femmes jeunes et les personnes âgées. On peut situer la prévalence (le nombre de personnes touchées) de la déficience entre 5 % et 10 % des sujets dans chacune de ces catégories. Dès 100 µg par jour (soit seulement un tiers des AJR) les signes cliniques médicaux de carence apparaissent !

Par ailleurs les besoins en folates sont accrus lors de la survenue d'infections, de lésions intestinales, de pertes sanguines dues aux parasitoses ou à divers traumatismes. D'autre part, quelques mauvaises habitudes peuvent induire des besoins supplémentaires : tabagisme, consommation d'alcool ou de certains médicaments. Les antiépileptiques ou les antimitotiques, utilisés en chimiothérapie anticancéreuse, sont les plus impliqués ; comme le sont aussi, à un moindre degré, les contraceptifs oraux ou l'aspirine. L'acide folique intervient également dans le métabolisme de l'alcool éthylique, il contribuerait en effet à résorber l'excès d'anions superoxyde produits par l'oxydation de l'alcool.

Les aliments riches en folates sont le foie, l'œuf et un grand nombre de légumes verts (cresson, épinard, poireau, lentille, asperge, brocoli, chou-fleur), le maïs et les pois chiches, les amandes et les châtaignes. En revanche, ils sont rares dans les produits laitiers si ce n'est dans certains fromages fermentés. Ils sont relativement fragiles et sont sensibles à l'oxydation comme aux agents chimiquement réducteurs ainsi qu'à la lumière, et aux milieux alcalins. Une partie importante des folates peut être entraînée dans l'eau de cuisson, ils sont détruits par une ébullition prolongée. De ce fait, les pertes dans les aliments peuvent atteindre la moitié de la teneur initiale. Ils sont par contre bien protégés en milieu acide et en présence d'agents antioxygène, dont le meilleur est l'acide ascorbique, c'est-à-dire la vitamine C.

La vitamine C : flamboyant dans le corps et les neurones

Grammes d'aliment fournissant 50 % AJR de vitamine C (soit 30 mg/jour)	Vitamine C (Ac. ascorbique)	Milligrammes de vitamine C dans 100 grammes d'aliment
15	*Cassis, persil*	*200*
30	*Brocolis*	*110*
40	*Poivron, citron, kiwi*	*70*
60	*Fraise, cresson, orange, chou rouge*	*50*
75	*Chou vert, groseille, pomelo,*	*40*
100	*Riz et foie (veau, agneau, génisse)*	*30*
120	*Chou vert, bette, mandarine, melon*	*25*
150	Radis, poireau, tomate, cervelle	20
200	Laitue, rhubarbe, rognon, escargot	15
300	Pomme, oignon, banane, pêche	10
400	Huître, endive, courgette, concombre, céleri, pastèque	7
600	Cœur, grenouille, carotte, abricot, cerise,	5
1 500	Poire	2
3 000	Lait, poulet	1
6 000 – 300 000	Poisson	0,01 – 0,05
30 000 – 300 000	Fromages	0,01 – 0,1
Impossible	Viande (de bœuf, porc, mouton)	0

En italique et gras : les aliments réellement utiles, compte tenu des portions usuelles.
AJR : apports journaliers recommandés pour un adulte (JO du 26 décembre 1993 : 60 milligrammes par jour pour la vitamine C). D'après INRA-CNEVA-CIQUAL. Aliments crus ; chiffres arrondis. Les AJR sont inférieurs aux ANC (apports nutritionnels conseillés), qui sont de 110 mg ; la même dose est recommandée aux adolescents et aux femmes. Pour un enfant, il en faut un peu moins de la moitié jusqu'à 3 ans. Il faut noter que les recommandations augmentent régulièrement au cours des années : les ANC étaient de 80 mg quotidien il y a 10 ans. Le législateur de 1993 est donc un tout petit peu au-dessus de la moitié de la dose recommandée pour le nouveau millénaire !

L'effet tonifiant de cette vitamine est bien connu, il est d'ailleurs largement exploité. L'homme doit en user, il peut même en abuser sans trop de risques. Les poissons forment le plus vaste groupe de vertébrés pour qui l'acide ascorbique (la vitamine C) est une vitamine. En revanche, la majeure partie des espèces animales terrestres sont capables d'effectuer la synthèse de l'acide ascorbique, plus connu sous le nom de vitamine C. Cependant l'homme, les primates et quelques animaux comme le cobaye ont perdu l'enzyme nécessaire à sa biosynthèse, au cours de l'évolution. Ils doivent donc impérativement en recevoir dans leur alimentation.

Surprise ! La vitamine C, réputée dans le monde des fruits et légumes, fut en fait découverte en 1928 par Szent-Györgyi dans un tissu animal, la surrénale ; après qu'un principe actif indéterminé a été observé dans le jus de citron.

MARINS, CROISÉS, CHERCHEURS D'OR ET DÉFAVORISÉS DU TROISIÈME MILLÉNAIRE

Ascorbique signifie : qui s'oppose au scorbut. Cette maladie constitue une pathologie connue depuis très longtemps. Le mot scorbut a ses racines russes : *skrobata* qui a été déformé par les Hollandais *scheurbak*. Pour Victor Hugo, « elle a un aspect de scorbut et de gangrène ; c'est de la maladie arrangée en monstruosité ». Il survient lorsque les fruits et les légumes crus font défaut dans la nourriture pendant un temps prolongé (trois à six mois). Les papyrus d'Eber, datant de 1150 avant Jésus-Christ, décrivent déjà cette maladie ! Les Romains connaissaient ses ravages, il fut plus tard dénommé « peste », lors de la septième croisade, car il apparaissait de façon épidémique dans des places fortes assiégées ou dans les équipages de navires lors de voyages prolongés. Le scorbut frappait donc avec prédilection les soldats, les marins, c'est-à-dire les individus soumis, lors de longues campagnes, à toutes sortes d'efforts physiques et psychiques au cours desquels le besoin en vitamine C s'accroît. Il rendait les combattants inefficaces, les exploits militaires n'étaient plus au rendez-vous. Il tuait beaucoup plus que les batailles ou les naufrages ! L'épuisement des réserves physiologiques de l'organisme survenait sensiblement dans le même délai chez la plupart des individus soumis au même régime carencé, laissant croire à une épidémie. Les chercheurs d'or l'ont subie en Californie il y a cent trente ans, ceux de l'Alaska il y a moins d'un siècle.

Une description bouleversante a été donnée par Jacques Cartier lui-même, en 1536, observant ses hommes malades, pendant qu'il explorait le Saint-Laurent : « Certains avaient complètement perdu leurs forces et ne pouvaient pas tenir sur leurs jambes. D'autres avaient la peau marquée de taches de sang comme de la pourpre ; puis ladite maladie montait aux hanches, cuisses, épaules, aux bras et au cou. Et à tous la bouche devenait si infecte et pourrie par les gencives que toute la chair tombait, jusqu'à la racine des dents, lesquelles tombaient presque toutes. »

Anecdote émouvante, des marins mourant du scorbut furent abandonnés sur une île des Caraïbes, où ils survécurent et guérirent en mangeant des fruits, avant d'être recueillis, un peu plus tard, par un bateau portugais. Ce rétablissement parut tellement miraculeux qu'ils donnèrent à cette île le nom de « guérison », Curaçao dans leur langue, nom qui lui est d'ailleurs resté jusqu'à nos jours...

Jadis, cette maladie était fréquente en raison de la difficulté de conserver et de transporter des aliments contenant la vitamine C. Bien que les voyageurs les plus perspicaces, sinon les plus intelligents, aient exprimé l'opinion que les jus d'agrumes, oranges, citrons et limettes (les citrons verts), étaient un bon substitut de fruits et légumes frais pour la prévention du scorbut, leur proposition ne fut pas retenue. Les jus de fruits étaient chers à l'époque, de sorte que les commandants et les propriétaires de bateaux préféraient rester sceptiques, par économie. Dans cette controverse, quelques essais furent entrepris toutefois pour trouver une solution : les jus d'oranges, de citrons et de limettes furent bouillis pour en faire un sirop. Mais ce fut un échec. En effet, on sait maintenant que l'acide ascorbique est presque entièrement détruit par une longue cuisson. La controverse sur la valeur du jus d'agrumes frais continua donc de plus belle. L'Amirauté britannique en 1795 ordonna cependant de donner aux marins une ration quotidienne de jus de limettes frais. Le scorbut disparut aussitôt de la marine britannique, ce qui lui permit d'asseoir sa suprématie sur les mers lointaines. Depuis cette pratique salutaire, le marin britannique est d'ailleurs surnommé « *Lime-juicer* » ou « *Limey* ». Il a su joindre le zeste à la parole ! D'autres avaient découvert les vertus de la décoction d'aiguilles de pin ; peut-être à la suite de Jacques Cartier, qui écrivit que son équipage fut sauvé de la maladie par un extrait de rameaux d'un arbre dénommé *annedda* par les Indiens, que les exégètes pensent être le sapin du Canada, alias l'épinette blanche. D'ailleurs Bernardin de Saint-Pierre, en 1814, écrit dans son ouvrage *Harmonie de la nature* : « Bien en prit au capitaine Cook, dans ses voyages autour du monde, de savoir faire de la bière avec des branches de sapinette, pour préserver sur mer son équipage du scorbut. » En 1797, le *Voyage de La Pérouse* relate : « Je considère que le malt (la drêche), le spruce-beer, le vin, le café, la sauer-kraut, etc. ne sont antiscorbutiques que parce que ces substances, liquides ou solides, s'altèrent très peu, et constituent un aliment propre à l'homme : elles ne suffisent cependant pas pour guérir le scorbut. » Et ailleurs : « Il a été, en outre, embarqué un approvisionnement considérable d'essence de spruce, de malt de bière, et d'autres préservatifs contre le scorbut. Les munitions de ce genre, et d'autres objets destinés à conserver la santé des équipages peuvent être évalués à 30 000 livres. » Les vertus de la choucroute avaient bien été pressenties. L'effet de la bière était connu des Vikings, qui brassaient pendant leurs pérégrinations pour se maintenir en forme ; grâce à quoi ils ont découvert les Amériques quatre siècles avant Christophe Colomb. En fait, la bière ne contient pas beaucoup de vitamine C, mais des quantités appréciables des vitamines du groupe B, notamment la B3.

Si la maladie est devenue rare, sous son apparence typique, des formes frustes ne sont pas exceptionnelles dans les sociétés dites avancées, mais dont l'alimentation est, quant à elle, quelque peu dégénérée. Ce qui est le cas dans de nombreuses périphéries de grandes villes : des hôpitaux français soignent de véritables scorbutiques ! La presse s'en est fait l'écho récemment. Il s'agit de démunis ou de vieillards plus ou moins délaissés se nourrissant depuis au moins deux mois uniquement de conserves anciennes et périmées. Car la vitamine C est sensible à la température ambiante de stockage des boîtes. Le scorbut provoque des douleurs dans les articulations, des hémorragies des microvaisseaux sanguins qui irriguent les muqueuses, la réouverture des plaies anciennes, une perte de poids. Des troubles de l'ossification, des altérations des gencives, une grande fatigabilité, une moindre résistance aux infections, de violentes douleurs. La mort peut être l'issue si la carence n'est pas traitée, comme autrefois ! L'avitaminose survient aussi chez le nourrisson ne recevant ni supplémentation en vitamine C, ni jus de fruits frais ; une maladie évoquant une leucémie peut même être observée. Le diagnostic repose essentiellement sur l'enquête alimentaire qui montre l'absence d'absorption de fruits ou de légumes frais depuis plusieurs semaines. Le scorbut ne se rencontre guère, exceptionnelle faveur, dans les pays sous-développés où la consommation de fruits frais est généralement facile.

La vitamine C est par ailleurs un formidable auxiliaire technologique. Si l'on devait extraire la vitamine C utilisée actuellement par l'industrie agroalimentaire à partir des sources naturelles, il faudrait une surface de verger aussi vaste que la planète, océan compris, affirme Olivier Hurstel, responsable du Centre d'étude et d'information des vitamines. On doit donc la synthétiser pour couvrir les besoins de l'activité humaine.

LE TONUS À TOUS LES ÉTAGES : LES SCORES DU SCORBUT

Les rôles de la vitamine C sont multiples : fonction hormonale, surrénalienne, thyroïdienne, sexuelle ; biodisponibilité du fer, des glucides, lipides, protéines et acides aminés (en particulier tyrosine et proline) ; métabolisme musculaire et cérébral ; contrôle de l'ossification ; lutte contre les infections bactériennes et virales ; participation aux mécanismes des défenses immunitaires. L'acide ascorbique intervient aussi dans le métabolisme de l'histamine, il module les réponses endocriniennes et allergiques. Des résultats expérimentaux récents ont même démontré son effet bénéfique exercé dans la prévention du développement tumoral.

Une bonne dose régulière de vitamine C divise par quatre le risque de cataracte. En effet, elle joue un rôle important dans diverses réactions délétères d'oxydation qui mettent en jeu l'oxygène moléculaire. Ses propriétés réductrices et sa réaction avec les radicaux libres oxygénés semblent être au centre de ses fonctions biologiques.

Elle intervient directement, par exemple, dans la synthèse du collagène (une protéine complexe se transformant en gélatine sous l'action de l'eau bouillante, c'est un composant essentiel des tissus conjonctifs, la peau par exemple). Sa déficience est responsable de l'un des symptômes essentiels du scorbut : l'anomalie de trabéculation du tissu conjonctif. Le collagène peut cependant se former en absence d'acide ascorbique, mais les fibrilles sont alors peu nombreuses et porteuses d'anomalies. Cette anomalie du collagène explique les hémorragies et la réouverture de plaies lors de carences. La fermeture et la guérison de blessures requiert la génération et le dépôt de collagène à l'endroit même de l'effraction, elle ne peut se réaliser qu'en recourant à la vitamine C.

La vitamine C favorise la biosynthèse de la carnitine, nécessaire à l'entrée des acides gras dans les mitochondries, où ils sont oxydés. L'énergie nécessaire à l'effort musculaire prolongé dépend de cette oxydation. L'acide ascorbique a aussi de subtiles influences sur l'élaboration et le fonctionnement du tissu nerveux. La biosynthèse de certains neurotransmetteurs (des catécholamines, adrénaline et noradrénaline) requiert sa présence au niveau de la transformation de la dopamine en noradrénaline. La biosynthèse des catécholamines a, du reste, lieu dans des tissus riches en acide ascorbique comme le cerveau, mais aussi la surrénale. Toujours est-il qu'il y a quatre fois plus de vitamine C dans le sperme que dans le sang. Si sa quantité y est diminuée, le matériel génétique s'oxyde, la génération suivante risque d'être affectée. L'amour fécond avant le sommeil se doit d'être vitaminé ! Mais pas juste avant l'acte, sinon le sommeil réparateur aura du mal à venir. Par ailleurs, l'acide ascorbique pourrait contribuer au recyclage d'une autre vitamine, l'acide folique.

À très fortes doses, au moins chez le rat, la vitamine C posséderait même un effet antistress. En fait l'expérience a consisté à ligoter les animaux, pour leur interdire tout mouvement pendant une heure chaque jour. Ceux qui avaient reçu des mégadoses de la vitamine fabriquaient moins d'hormone de stress que les autres. Avis donc aux antisaltimbanques, « mimes-automates », qui restent pétrifiés des heures durant devant les musées et divers autres lieux fréquentés pour faire la manche !

D'autres ont même mesuré une relation entre le taux sérique de vitamine C et le quotient intellectuel : celui-ci augmente de quatre unités lorsque la concentration plasmatique de vitamine C augmente de moitié. Précieuse vitamine C, facteur d'intelligence !

LES PRIMATES MIEUX TRAITÉS QUE LES HUMAINS ?

Il y a quelques années le Comité pour la nutrition des animaux de laboratoire de l'Académie nationale des sciences des États-Unis et le Conseil national de la recherche recommandaient beaucoup plus de vitamine C pour les singes que pour les êtres humains. N'est-ce pas étonnant ? Le premier comité avait déterminé la quantité optimale dont ont besoin les singes. Le second rationnait les vitamines à une quantité légèrement supérieure à l'apport journalier minimal requis pour prévenir les maladies de carences. Or, pour qu'un singe en cage maintienne le niveau sanguin de vitamine C qu'il avait à l'état sauvage, il lui faut plus de cinq fois la dose que l'on considérait nécessaire à l'homme ! Dix milligrammes par jour (au strict minimum) évitent le scorbut. Pour une santé florissante de l'adolescent et de l'adulte, il en faut onze fois plus, soit au moins cent dix milligrammes, la moitié environ pour les enfants.

Théoriquement, il n'y a pas possibilité d'hypervitaminose C, car la vitamine est éliminée, comme les autres vitamines dissoutes dans l'eau, par voie urinaire dès que les possibilités normales de stockage sont dépassées. Mais malheureusement cette élimination s'accompagne d'un rejet de minéraux (calcium, magnésium...) et d'oligo-éléments (fer, cuivre, zinc), ce qui pourrait induire d'autres états carentiels lors de prises de doses trop importantes et répétées de vitamine C.

L'organisme contient environ un gramme et demi d'acide ascorbique, stock très limité compte tenu des besoins tissulaires. De quoi tenir une quinzaine de jours pour l'adulte, une bonne semaine seulement pour la femme enceinte.

Les fruits (oranges, citrons et cassis) et légumes (chou blanc, chou-fleur, chou de Bruxelles et brocolis) fournissent l'essentiel de la vitamine C consommée, mais pas les viandes ni les produits tripiers, sauf le foie. Par contre les charcuteries, dans lesquelles l'acide ascorbique est utilisé comme substance antioxydante, peuvent constituer une source complémentaire appréciable. Pour un même aliment, la teneur en vitamine est très variable selon son lieu de culture, sa variété, son mode de cueillette, la durée et la qualité de sa conservation. Michel Tournier ne donne pas à l'ermite les aliments les plus actifs : « Robinson avait entrepris de lui faire connaître les ressources de Speranza en gibier et en aliments frits, propres à prévenir le scorbut, comme le cresson et le pourpier. » Les quantités quotidiennes consommées sont extrêmement variables d'un individu à l'autre, elles sont malheureusement bien souvent insuffisantes. Selon SUVIMAX, un Français sur trois absorbe moins des deux tiers des AJR ; il est réellement carencé ! L'acide ascorbique stimule l'absorption du fer, mais il ne faut pas oublier qu'en excès il inhibe celle du cuivre et de la vitamine B12.

La vitamine C est détruite par la chaleur, l'oxydation, la dessiccation, une alcalinisation, même faible. Elle fuit facilement dans les liquides de cuisson. La conservation et le flétrissement des légumes et des fruits frais à la température ambiante diminue également leur teneur. En revanche, la surgélation et la congélation conservent l'activité vitaminique. Elle disparaît du lait, en partie, lors de la pasteurisation. Le lait maternel humain apporte la quantité nécessaire de vitamine C, mais ni le lait de vache ni, bien sûr, ses dérivés.

Les catalyseurs d'oxydation (tout particulièrement les ions métalliques) et la lumière accentuent sa dégradation, qui peut atteindre 90 % à 100 % lors de cuisson prolongée, de maintien au chaud ou de réchauffage des aliments. Ainsi, un jus de citron chaud qui est resté longtemps bouillant a perdu la presque totalité de sa vitamine C. Les confitures de nos grands-mères, préparées dans un chaudron en cuivre, ne sont pas une idée de génie, sauf si l'ustensile est parfaitement étamé. La cuisson, combinée à la présence de cuivre, provoque en effet sa destruction.

Vitamine D : assurer le squelette des neurones ?

Grammes d'aliment fournissant 50 % AJR de vitamine D (soit 3 µg/jour)	Vitamine D	Microgrammes de vitamine D dans 100 grammes d'aliment
1,5	*Huile de foie de morue*	*210*
15	*Saumon, hareng*	*20*
60	*Huître, jaune d'œuf, flétan*	*5*
300	*Foie (agneau, génisse), boudin noir*	*1*
500	Porc rôti, lotte	0,6
1 000	Jambon, foie de veau	0,3
1 000	Camembert, chèvre, comté, bleu	0,3
1 500	Foie de volaille	0,2
3 000 – 6 000	Poulet, dinde	0,05 – 0,1
1 500 – 6 000	Fromages	0,05 – 0,2
30.000	Viande (porc, bœuf, mouton)	0,01
15000	Lait	0,02
Impossible	Fruits	0
Impossible	Légumes	0

En italique et gras : les aliments réellement utiles, compte tenu des portions usuelles.
AJR : apports journaliers recommandés pour un adulte (JO du 26 décembre 1993 : 6 µg par jour pour la vitamine D). D'après INRA-CNEVA-CIQUAL. Aliments crus ; chiffres arrondis. Les AJR sont légèrement supérieurs aux ANC (apports nutritionnels conseillés), qui sont de 5 µg. Il en faut autant pour un enfant et un adolescent que pour un adulte. Mais il en faut 2 fois plus entre 1 et 3 ans, 4 fois plus avant 12 mois !

Ne tombez pas sur un os ! Mangez des aliments riches en vitamine D, et ensoleillez-vous le corps et l'esprit. La vitamine D dont l'être humain dispose trouve son origine dans deux sources totalement différentes : la fabrication par la peau et les aliments. Leur importance quantitative varie selon les conditions climatiques et les habitudes alimentaires. La synthèse est réalisée dans les couches profondes de la peau (le derme), sous l'action des rayons ultraviolets de la lumière solaire (UV B), les stérols naturellement présents dans l'organisme se transforment alors en vitamine D3. Cette production couvre normalement l'essentiel des besoins de l'homme adulte, mais elle peut s'avérer insuffisante par un défaut quantitatif ou qualitatif du rayonnement ultraviolet. Plusieurs causes sont impliquées : les habitudes vestimentaires, la pollution de l'air qui filtre les UV, un séjour permanent sous un faible ensoleillement, ainsi que la couleur de la peau. Blanche, elle peut par exemple en synthétiser cinquante à cent fois plus que si elle est noire. Enfin, la qualité de la peau elle-même joue un rôle important : pour une même exposition au soleil, l'efficacité de synthèse est triple à vingt ans de ce qu'elle est à quatre-vingts ans !

Lors d'une récente journée internationale de Paris d'obésité infantile, les vêtements couvrant tout le corps ont été accusés d'empêcher la synthèse de vitamine D, en privant le corps d'un ensoleillement minimum. Ceci est particulièrement préjudiciable pour les jeunes filles. Par ailleurs SUVIMAX révèle que les Français sont fréquemment carencés en vitamine D. Le résultat montre que près d'une personne sur sept manque de vitamine D, les femmes plus que les hommes, ceux vivant dans le Nord plus que ceux vivant dans le Sud (5 % de carences en Provence, 30 % à la frontière belge). Conclusion à tirer de SUVIMAX : augmenter le temps passé au soleil. Car, en France, le statut en vitamine D, et inversement l'hypovitaminose, sont inversement proportionnels à l'ensoleillement :

Statut en vitamine D

Région	Ensoleillement (Heures/Jour)	Hypovitaminose % de la population
Nord-Ouest	0,78	14
Centre	0,80	31
Nord	1,06	29
Nord-Est	1,16	18
Paris	1,72	13
Sud-Ouest	2,00	0
Sud	2,19	6
Rhône-Alpes	2,71	9
Côte Méditerranéenne	2,83	7

D'après SUVIMAX

COMPÈRE DU CALCIUM

La vitamine D joue un rôle majeur dans l'ossification des 208 os du corps humain, du fait de son action sur le métabolisme du calcium (et du phosphore). Sa fonction première est d'accroître l'absorption digestive du calcium, mais elle intervient aussi dans son dépôt sous forme de phosphate de calcium dans la cellule osseuse. Elle en régule enfin l'élimination rénale. Les nombreux rôles que jouent les dérivés de la vitamine D permettent de la considérer comme une véritable hormone contrôlant, avec la parathormone et la thyrocalcitonine, le métabolisme de ce minéral. Il a même été découvert récemment que la vitamine D améliore l'immunité contre la tuberculose !

La vitamine D est un stérol liposoluble (une vaste famille de molécules à laquelle appartient le cholestérol). La vitamine D3 (le cholécalciférol) est présente presque exclusivement chez les animaux, la vitamine D2 (l'ergocalciférol) chez les plantes. Leurs actions biologiques sont similaires chez l'homme. L'une et l'autre subissent deux réactions chimiques que l'on appelle hydroxylation pour être transformées en un dérivé biologique actif. La première est réalisée dans le foie, et s'effectue sur un atome de carbone (le C25). Le produit appelé calcidiol (ou calcifédiol), est l'élément plasmatique le plus abondant ; il est le témoin du stock vitaminique de l'organisme. La seconde se produit principalement dans le rein sur un autre atome de carbone (le C1). La 1-25-hydroxyvitamine D ou calcitriol est le produit actif au niveau des tissus eux-mêmes. Sa vie biologique est courte, sa concentration n'est pas corrélée à la quantité de ses précurseurs.

L'efficacité du squelette et du corps nécessite des aliments riches en calcium. Sinon des pathologies de carence risquent d'apparaître : le rachitisme et l'ostéomalacie d'une part, l'ostéoporose d'autre part. Le rachitisme frappe les enfants de quatre à dix-huit mois ; il est consécutif à un défaut de minéralisation au niveau des cartilages de conjugaison des os longs, qui est la zone de croissance des os. Si la maladie est détectée et traitée à temps, elle est curable par vitaminothérapie ; mais des déformations osseuses minimes peuvent persister. Certaines sont à peine visibles, d'autres sont inesthétiques sinon invalidantes, d'autres encore auront des répercussions fâcheuses : une petite fille qui fut rachitique gardera un bassin légèrement déformé, rendant difficile ses accouchements. L'ostéomalacie de l'adulte ne concerne évidemment plus les cartilages de conjugaison, mais l'os qui se déminéralise, le squelette qui perd de sa solidité et sa rigidité. Le nombre de travées osseuses n'est pas réduit et les dimensions de l'os ne sont pas modifiées ; la déficience en calcium se traduit par une plus grande transparence aux rayons X. Dans l'ostéoporose, il y a raréfaction des travées organiques osseuses et diminutions de la « masse osseuse » avec accroissement corrélatif du risque de fracture.

SYSTÈME D : SATISFAIRE LES BESOINS

Globalement, les besoins quotidiens individuels sont très difficiles à évaluer puisqu'ils sont fonction des quantités de vitamine synthétisées par une peau exposée de manière variable à la lumière solaire inconstante. On admet généralement que les conditions françaises d'ensoleillement devraient suffire à assurer les quantités nécessaires à l'organisme. D'autant plus que des possibilités de stockage relativement importantes existent dans le foie et le tissu adipeux, mais également dans les muscles. Il est bien évidemment souhaitable que l'apport de vitamine D soit naturel, c'est-à-dire qu'il provienne de l'ensoleillement et de l'alimentation. L'enfant et l'adulte qui pratiquent des sports de plein air produisent ce qu'il leur faut, à condition qu'ils bénéficient d'une exposition réelle au soleil de la face et des mains de plus d'une demi-heure par jour. Néanmoins, pour pallier les insuffisances chroniques dues aux conditions de travail, à l'environnement comme aux très larges variations individuelles, un apport alimentaire optimum de dix microgrammes par jour est généralement recommandé.

Mais il faut donc tenir compte de nombreux cas particuliers, qui concernent en fait presque toutes les périodes de la vie. Même partielle, une carence peut être lourde de conséquences : à l'adolescence, période où l'acquisition du capital osseux peut être compromise, à l'âge de la ménopause puis au-delà, quand la perte de la masse osseuse peut se trouver accélérée. Une supplémentation médicamenteuse devrait alors être envisagée surtout si l'ensoleillement est faible.

Concernant le nourrisson et le jeune enfant, le lait maternel est relativement pauvre en vitamine D, mais le lait de vache l'est encore plus. Par ailleurs, le rachitisme par déficience en vitamine D constitue, en France, une pathologie de fréquence non négligeable, notamment pour les enfants de populations à peau pigmentée. Sa prévention nécessite donc, selon les pédiatres, un apport obligatoire. Il s'agit évidemment d'une prescription médicale... Les besoins ordinaires se situent entre dix et quinze microgrammes par jour. Mais des travaux montrent que pour certains nourrissons des doses plus élevées sont souhaitables. Chez les bébés, le rachitisme dû à une carence peut poser un réel problème. Il a disparu des pays qui ont enrichi le lait avec des taux soigneusement contrôlés (ce qui est obligatoire dans certains pays ; autorisé en France depuis mars 1992). Chez l'adolescent, le besoin est accru lors de l'accélération de la croissance, pouvant atteindre vingt-cinq microgrammes par jour.

Chez la femme enceinte, en France, les dosages sériques indiquent une augmentation des besoins montant à vingt microgrammes par jour, surtout en période hivernale. Durant l'allaitement, la concentration du lait maternel détermine le statut vitaminique du bébé. Chez le sujet âgé, la carence en vitamine D est fréquente. Ce déficit tient à plusieurs facteurs : une exposition solaire réduite, une capacité de fabrication affaiblie (par la peau, pour ce qui est de la synthèse ; au niveau du foie et du rein pour ce qui est de la transformation des précurseurs alimentaires), des apports alimentaires abaissés du fait de la réduction de l'appétit, des difficultés de mastication, des problèmes économiques ou des régimes alimentaires spéciaux mais mal adaptés.

L'EXCÈS QUI REND CASSANT

Il ne faut pas ignorer que l'excès d'apport peut amener des perturbations : perte d'appétit, soif intense, dérèglements digestifs. Important et chronique, il entraîne une augmentation de la concentration de calcium dans les urines (dénommée hypercalciurie) qui peut être à l'origine de calculs (les lithiases), puis une hypercalcémie et une calcification de tissus (vaisseaux, reins). Une hypervitaminose D sévère s'accompagne de troubles de la vigilance et dégénère même en coma. En tout état de cause, les premiers signes d'intoxication n'apparaissent qu'avec des quantités dix fois supérieures aux apports conseillés. Les cas graves ne s'observent qu'avec des abus thérapeutiques, par administration régulière et prolongée. Aux États-Unis et en Grande-Bretagne, on a ainsi mis en cause, il y a quelques décennies, mais sans preuves irréfutables, l'enrichissement des aliments cumulé avec l'utilisation de produits vitaminés ; les surdosages accidentels ont été incriminés.

Les apports alimentaires s'avèrent donc indispensables, bien qu'ils soient malheureusement presque toujours faibles, car les nourritures riches en vitamine D sont rares. Le saumon, le hareng, l'huître, le flétan et l'œuf sont les aliments les plus nantis en vitamine D, après l'huile de foie de morue, avant le foie d'animal. Ne grimacez pas ! Ajoutée dans la salade ou sur une tartine beurrée, elle est presque imperceptible. Démonstration *a contrario* de cette prescription : une étude anglaise a montré que 55 % des enfants végétaliens (ni viandes, ni laitages, ni œufs) étaient médicalement rachitiques... bonjour les dégâts du dogmatisme ! En fait la préoccupation de santé publique concerne la mise en place de structures d'accueil pour ces futures femmes quand elles accoucheront : leur rachitisme leur posera de gigantesques problèmes obstétriques à ce moment-là. La vitamine D est sensible à l'oxydation, à la lumière et à la chaleur. Les pertes, lors de la cuisson, sont du même ordre de grandeur que celles de la vitamine A, c'est-à-dire généralement inférieures à un cinquième.

Vitamine E : pour que les neurones ne rancissent pas

Grammes d'aliment fournissant 50 % AJR de vitamine E (soit 5 mg/jour)	Vitamine E	Milligrammes de vitamine E dans 100 grammes d'aliment
	Huiles :	
7	**Oleisol**	*70*
8	**Isio 4, colza, soja**	*65*
9	**Tournesol**	*58*
15	**Maïs, pépin de raisin,**	*30*
25	**Germe de blé, arachide**	*20*
40	**Olive**	*12*
125	**Noix**	*4*
	Autres :	
80	**Fenouil**	*6*
125	**Jaune d'œuf**	*4*
250	Persil	2
500	Saumon, hareng, poivron, cervelle	1
600	Huître, tomate, cassis, noix, brocolis, Comté, roquefort, raisin, poireau	0,8
700	Cœur, bleu, vacherin, cantal	0,7
1 000 – 2 500	Viandes, abats	0,2 – 0,4
1 000 – 2 500	Fromages	0,2 – 0,5
2 500 – 5 000	Fruits	0,1 – 0,2
5 000	Légumes	0,1

En italique et gras : les aliments réellement utiles, compte tenu des portions usuelles.
AJR : apports journaliers recommandés pour un adulte (JO du 26 décembre 1993 : 10 milligrammes par jour pour la vitamine E). D'après INRA-CNEVA-CIQUAL. Aliments crus ; chiffres arrondis. Les AJR sont légèrement inférieurs aux ANC (apports nutritionnels conseillés), qui sont de 12 milligrammes pour un adolescent et un adulte des deux sexes. Pour un enfant jusqu'à 3 ans, il en faut un peu moins de la moitié.

Traditionnellement usitée comme protégeant contre le vieillissement et préservant l'intelligence et la fertilité, la vitamine E est célèbre pour son rôle d'antioxydant naturel. Ce n'est que vers 1968 que son rôle essentiel a été définitivement reconnu chez l'homme par l'analyse précise des pathologies dues à sa carence.

Ce qui est appelé vitamine E est en réalité constitué d'un mélange de nombreuses substances, des tocotriénols et des tocophérols (alpha, bêta, gamma, delta ; de plus, par exemple, l'alpha possède lui-même 3 carbones asymétriques, d'où trois molécules différentes). À chacune de ces nombreuses molécules est classiquement affecté un coefficient d'activité vitaminique, déterminé par diverses méthodes, *in vivo* ou *in vitro* ; dans le tube à essai, sur le poulet ou sur le rat, en estimant le pouvoir antioxydant, la préservation de la fertilité, l'état anatomique ou physiologique de certains organes, par exemple.

Dans mon laboratoire, Michel Clément a récemment montré que, en termes de nutrition, seul l'alpha-d-tocophérol – et non pas le gamma-tocophérol – est biodisponible, et intégré dans les membranes biologiques, y compris celles du cerveau. De ce fait, à composition équivalente en acides gras poly-insaturés, le choix devra se porter sur l'huile qui contient de l'alpha-tocophérol plutôt que sur celle contenant du gamma-tocophérol. En effet, tous les acides gras poly-insaturés sont absorbés par l'organisme ; mais, grâce à la première ils seront protégés dans les membranes biologiques par l'alpha-d-tocophérol, alors qu'avec la seconde ils ne le seront pas, car le gamma-tocophérol n'est pas capté par ces membranes. Toutefois, les rôles spécifiques du gamma-tocophérol doivent aussi être recherchés.

Globalement, à l'échelle moléculaire, les tocophérols sont formidablement importants. Ils jouent de nombreux rôles, ils neutralisent en particulier les formes actives et toxiques de l'oxygène, ils annihilent les radicaux libres ; c'est-à-dire qu'ils protègent les acides gras insaturés contre les peroxydations, et contribuent ainsi à maintenir l'intégrité et la stabilité des structures cellulaires. Ils agissent en phase lipidique et à très faible concentration (une molécule pour deux mille molécules d'acides gras environ) et s'intègrent dans un vaste système protecteur complexe et interactif, en coopération avec le bêta-carotène, la vitamine A, la vitamine C et diverses enzymes fonctionnant avec le sélénium, le cuivre, le zinc et le manganèse.

Valeurs moyennes des tocophérols des huiles

Huile	Tocophérol totaux (mg/100 g)	Alpha %	Bêta %	Gama %	Delta %
Tournesol oléique	70	95	3	1,6	0,4
Tournesol	65	95	2,7	2,1	0,2
Isio 4	65	89	2	8,5	0,5
Colza	65	43	–	55	2
Maïs	110	19	2	76	3
Arachide	30	49	5	43	3
Pépin de raisin	40	36	2	4	0,4
Soja	120	10	2	65	23
Olive	14	95	–	5	–

PERDRE SES NERFS OU PRÉSERVER LES BONS GRAS

L'avitaminose E grave est heureusement relativement rare chez l'homme, elle est consécutive à certaines pathologies. En effet, généralement elle ne s'observe que lors de perturbations de l'absorption digestive ou du transport des tocophérols, chez le nouveau-né ou le prématuré. À ces périodes du développement, les réserves sont limitées. La manifestation classique est une anémie hémolytique ; puis les atteintes neurologiques ou neuromusculaires peuvent s'installer progressivement. Dans certains cas, une anomalie du développement broncho-pulmonaire doublée d'une affection oculaire ont été observées. Ainsi des prématurés, mis en couveuse dans une atmosphère très enrichie en oxygène, ont été rendus pratiquement aveugles, car les acides gras poly-insaturés de leurs rétines étaient détruits, n'étant pas protégés contre l'oxydation ! Actuellement les antioxydants évitent cet épouvantable drame.

Chez l'adulte, les manifestations franchement carentielles sont rares, mais un statut vitaminique marginal peut certainement favoriser à long terme le développement d'affections liées aux agressions tissulaires par les formes actives de l'oxygène : athérosclérose, cataracte, vieillissement prématuré, certains types de cancers. L'efficacité de la vitamine E, dans la prévention de ces états et parfois même dans leur traitement, est démontrée depuis peu par d'importants travaux expérimentaux ou épidémiologiques.

On trouve des tocophérols en très grande quantité dans certaines huiles végétales, mais aussi dans les œufs, un peu dans la viande et les produits tripiers, sans négliger les végétaux tels que germes de céréales, légumes verts (salades, choux, épinards). Mais il faut retenir, Dame nature l'a voulu ainsi, que certaines huiles contiennent d'importantes quantités de gamma-tocophérol, qui n'est pas le meilleur. En revanche, d'autres huiles ne contiennent que de l'alpha-tocophérol : huile de tournesol, de germe de blé, d'oléisol. Les besoins en vitamine E sont difficiles à évaluer. Il faut tenir compte du rôle que les tocophérols exercent vis-à-vis des acides gras poly-insaturés qu'ils protègent de l'oxydation. Comme ils les accompagnent généralement dans les aliments et dans les structures biologiques, la dose utile, sinon optimale, a été fixée empiriquement : un milligramme par gramme d'acide gras insaturé.

Étant donné l'absence de risque toxicologique des tocophérols et l'effet formidablement protecteur qu'ils exercent vis-à-vis de nombreux agents agressifs physiques ou chimiques, les apports alimentaires pourraient être augmentés, notamment chez les sujets à risque ou pour ceux qui sont exposés à des nuisances de l'environnement. Mais une augmentation sensible de l'apport est difficile à obtenir par une simple modification de la ration alimentaire : accroître la proportion des huiles végétales est souhaitable, mais le processus présente en lui-même des limites. En outre, les acides gras insaturés ingérés augmentent eux-mêmes les besoins en vitamine E. Pour s'en tenir à des conseils nutritionnels simples, il faut recommander la consommation plus fréquente de germes de céréales et de végétaux verts, de certains produits animaux riches en vitamine E, comme l'œuf, et le choix obligatoire et non parcimonieux d'huiles végétales poly-insaturées riches en alpha-tocophérol. L'huile d'assaisonnement de la salade, quand elle est judicieusement choisie, constitue ainsi une garantie de santé.

Bonifier avec les tanins.
Les micronutriments non indispensables

L'entretien de la vie nécessitant l'utilisation obligatoire de l'oxygène en quantités importantes, il n'est pas surprenant que les mécanismes qui assurent son utilisation s'accompagnent de fabrication de sous-produits ; or certains sont extrêmement toxiques. Ce sont par exemple les radicaux libres ; par ailleurs également générés par d'autres mécanismes, telles les radiations. Heureusement de nombreuses molécules servent d'antioxydants, ou participent directement ou indirectement aux mécanismes de protection contre les peroxydations et les attaques par les radicaux libres, en coopération avec les vitamines E et C et certains oligo-éléments comme le sélénium, le cuivre, le zinc et le manganèse. Il s'agit, par exemple, des caroténoïdes et des tanins

VIN ET SANTÉ : LE CŒUR NET ET LES ARTÈRES CLAIRES

La qualité de la vie, des cellules, des organes et des organismes entiers, dépend d'un équilibre subtil (mais actuellement encore très largement méconnu) entre les nutriments indispensables et nombre d'autres substances, parmi lesquelles des micronutriments occupent une place importante ; certains d'entre eux, antioxydants, sont les polyphénols. Cette dénomination regroupe les acides phénoliques, les 4-oxoflavonoïdes, les anthocyanes et les tanins. Subdivision supplémentaire, les 4-oxoflavonoïdes, les anthocyanes et les tanins sont regroupés sous le terme général de flavonoïdes. Des milliers de molécules constituent la classe des polyphénols. L'intérêt nutritionnel pour les flavonoïdes, la classe la plus importante de ces polyphénols, remonte à la découverte de la vitamine C (par le chimiste hongrois Szent Gyorgyi en 1932). Il avait déjà observé que les symptômes hémorragiques du scorbut expérimental, conséquence de la fragilité des vaisseaux sanguins, étaient guéris par des extraits de jus de citron ; en revanche l'utilisation de l'acide ascorbique seul était moins efficace.

Il y a donc dans l'aliment une substance qui agit en synergie avec la vitamine C, et qui en augmente l'efficacité.

Les acides phénoliques sont chimiquement dérivés de l'acide cinnamique, on les trouve dans de nombreux fruits (pommes, abricots, tomates), dans le café peu torréfié, dans les agrumes, céréales et légumes. Les 4-oxoflavonoïdes sont les pigments blanc ivoire, abondants dans les parties aériennes des plantes ; ils sont aussi présents dans les bulbes d'oignons, dans de nombreux fruits et légumes. La quercétine est le flavonol le plus abondant. Les agrumes sont riches en plusieurs classes de flavonoïdes (citroflavonoïdes). Les isoflavones, qui ont des propriétés phytœstrogéniques, sont apportées principalement par le soja. Les anthocyanes sont les pigments bleus, rouges, violets des fruits rouges, de certains légumes, mais aussi du vin rouge. Les tanins sont constitués par l'assemblage du noyau de base des flavonoïdes. Ils sont présents dans les fruits, mais aussi dans des boissons telles que le vin ou le thé. Il existe une autre classe de tanins, appelés tanins hydrolysables, peu représentés dans l'alimentation humaine.

Il est actuellement admis que les effets biologiques des polyphénols et des flavonoïdes dépassent la simple protection antioxydante. Certaines de ces molécules auraient des propriétés anti-inflammatoires, antivirales, anticarcinogènes ; elles sont susceptibles de modifier les activités de nombreuses enzymes cellulaires, et peuvent même affecter les mécanismes de division cellulaire. Les recherches concernant ces polyphénols constituent l'un des derniers champs vierges de la nutrition et suscitent un grand intérêt. Des enquêtes épidémiologiques récentes ont mis en évidence le rôle protecteur d'une alimentation riche en polyphénols. Ainsi, la consommation modérée de vin au cours du repas peut avoir un rôle favorable dans la prévention des maladies cardio-vasculaires.

Bien d'autres micronutriments (composés soufrés, terpènes, saponines, phytostérols) sont susceptibles d'avoir des rôles biologiques intéressants.

Pour expliquer la relative bonne santé des Français, des chercheurs ont évoqué la consommation d'alcool, qui augmente le « bon » cholestérol. Mais d'autres pays ont une consommation proche (en termes de degrés d'alcool) et pourtant leur taux de mortalité coronaire est plus élevé. Ce n'est donc sans doute pas exclusivement le degré d'alcool lui-même qu'il faudrait prendre en compte, mais des molécules très particulières appelées flavonoïdes et polyphénols, qui sont présentes par exemple dans certains vins rouges ; elles pourraient avoir des propriétés protectrices, vis-à-vis des vaisseaux sanguins, par leur action antioxydante.

Relations entre la mortalité coronarienne
et la cholestérolémie moyenne

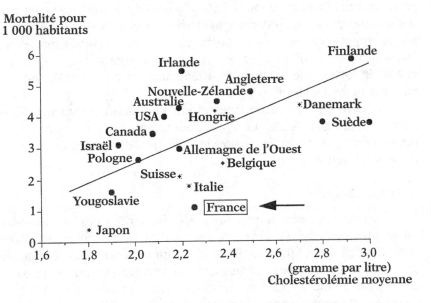

Ces effets salutaires seraient bien évidemment liés à une consommation modérée (un verre de bon vin rouge par repas) car de plus fortes doses d'alcool, outre leurs classiques dangers pour le foie et le système nerveux, augmentent la tension artérielle et par conséquent accroissent la mortalité cardio-vasculaire. Sur le plan des risques d'accidents, pour cette boisson, comme pour tout, c'est la dose qui fait le poison, comme le disait déjà Paracelse il y a plusieurs siècles.

Ainsi Charles Baudelaire avait raison :

> *Le vin sait revêtir le plus sordide bouge*
> *d'un luxe miraculeux,*
> *Et fait surgir plus d'un portique fabuleux*
> *Dans l'or de sa vapeur rouge,*
> *Comme un soleil couchant dans un ciel nébuleux.*

Bien qu'il ne s'agisse plus d'un secret, il ne faut pas trop... « l'ébriété » ! Il y a une dizaine d'années, un article provocant rapporta que la consommation moyenne d'alcool était négativement corrélée avec la mortalité pour cause coronarienne dans certains pays. La controverse fut particulièrement violente et n'est pas encore terminée. Pourtant, le débat pourrait être clos depuis la réalisation de la gigantesque étude portant sur quatre-vingt-cinq mille infirmières américaines suivies pendant sept ans. Le résultat spectaculaire fut que le risque relatif était bien clairement inférieur chez les buveuses modérées par rapport aux sobres. Puisque l'alcool est bon, la question est de savoir combien il faut en absorber. En termes de mortalité totale, le bon sens commun associé à l'observation la plus élémentaire montre qu'il y a une contradiction évidente entre les décès coronariens épargnés par l'alcool, et la surmortalité qu'il provoque immanquablement par d'autres pathologies comme la cirrhose. Une récente étude britannique rapporte une classique courbe en « J ». En quantités modérées, l'alcoolisation diminue chez les hommes la mortalité globale ; en quantités fortes, elle l'augmente. Élémentaire mon cher Watson, un amateur de bon whisky !

En tout état de cause, une étude bordelaise, confirmée dans d'autres régions, montre que la consommation d'un verre de vin par repas réduit par quatre le risque de maladie d'Alzheimer et par cinq celui de démence sénile !

LES CAROTÉNOÏDES

Il est généralement admis que le rôle biologique des caroténoïdes est complémentaire, et dans une certaine mesure synergique, d'une part de celui de la vitamine E pour certains mécanismes, et d'autre part surtout de celui de la vitamine A pour un grand nombre d'autres. Ils sont extrêmement nombreux dans la nature (environ six cents sont recensés) et donnent une coloration orangée ou rouge, qui peut-être souvent masquée par la chlorophylle. Ils sont présents dans les végétaux, dans les légumes verts, les carottes, les tubercules colorés, les fruits jaunes et orangés et, en moindre quantité, dans les produits laitiers ainsi que dans divers produits animaux, en particulier les œufs.

Leur rôle a longtemps été limité à celui de précurseur de la vitamine A. Si certains caroténoïdes (comme le bêta-carotène) occupent effectivement ce rôle, l'efficacité de cette conversion est d'autant plus importante que l'ingestion de vitamine A est faible. Mais, contrairement à ce qui a pu être affirmé, les caroténoïdes ne pourraient pas la remplacer totalement. En pratique, les capacités de neutralisation des radicaux libres par les caroténoïdes sont variables et différentes selon leur structure. La protection des membranes biologiques, films d'huile largement formés d'acides gras poly-insaturés sensibles à l'oxydation, est assurée par l'alpha-d-tocophérol, mais aussi vraisemblablement par le bêta-carotène.

En coopération avec d'autres micronutriments, dont les mécanismes d'action sont très mal connus, les dizaines de caroténoïdes contenus dans les fruits et les légumes possèdent un rôle préventif vis-à-vis de l'apparition de certains cancers, du poumon, de la peau, du côlon. La démonstration en a été apportée par de nombreuses études épidémiologiques. Chez les individus ayant une consommation élevée de fruits et légumes, et donc un statut élevé en caroténoïdes, il existerait une synergie d'action dans les mécanismes antioxydants. En effet, une hypothèse intéressante d'action des caroténoïdes pourrait résider dans une meilleure disponibilité en vitamine C, en flavonoïdes, en fibres alimentaires. Si certains essais de supplémentation avec du bêta-carotène pour prévenir l'apparition du cancer du poumon (chez les fumeurs) se sont avérés inefficaces, il est très possible que le stade déjà avancé de la maladie au moment de l'intervention soit responsable de cet échec.

Récapitulatif des apports nutritionnels conseillés en vitamines

Apports conseillés en vitamines pour une population

	C mg	B1 mg	B2 mg	B3 mg	B5 mg	B6 mg	B8 mg	B9 mg	B12 µg	A mg	E mg	D mg	K µg
Nourrissons	50	0,2	0,4	3	2	0,3	6	70	0,5	350	4	20-25	5-10
Enfants 1-3 ans	60	0,4	0,8	6	2,5	0,6	12	100	0,8	400	6	10	15
4-6 ans	75	6,5	1	8	3	0,8	20	150	1,1	450	7,5	5	20
7-9 ans	90	0,8	1,3	9	3,5	1	25	200	1,4	500	9	5	30
10-12 ans G F	100	1	1,4 1,3	10	4	1,3	35	250	1,9	550	11	5	40
Adolescents 13-15 ans	110	1,3	1,6	13	4,5	1,6	45	300	2,3	700	12	5	41
Adolescentes 13-15 ans	110	1,3	1,6	14	5	1,5	50	300	2,4	500	12	5	45
Adolescents 16-19 ans	110	1,3	1,6	14	5	1,8	50	330	2,4	800	12	5	65
Adolescentes 16-19 ans	110	1,1	1,5	11	5	1,5	50	300	2,4	600	12	5	65
Hommes adultes	110	1,3	1,6	14	5	1,8	50	330	2,4	800	12	5	45
Femmes adultes	110	1,1	1,5	11	5	3,5	50	300	2,4	600	12	5	45
Personnes âgées > 75 ans H F	120	1,2	1,6	14 11	5	2,2	60	330 400	3	700 600	20 50	10 15	30
Femmes enceintes 3ᵉ trimestre	120	1,8	1,6	16	5	2	50	400	2,6	700	12	10	45
Femmes qui allaitent	130	1,8	1,8	15	7	2	55	400	2,8	950	12	10	45

D'après CNERNA-AFFSA. Tec. et doc. Lavoisier, 2001. A. Martin, coordinateur.
G : garçon ; F : fille ; H : homme ; F : femme.
mg : milligrammes. µg : microgramme, c'est-à-dire millième de milligramme.

CHAPITRE VI

Les minéraux : bâtir et maintenir l'organisme

Parmi tous les éléments présents sur terre, et que l'on peut rencontrer dans le corps humain, certains sont indispensables : le cerveau en a besoin absolument pour vivre et fonctionner harmonieusement. Cela ne les empêche pas d'être parfois toxiques quand ils sont absorbés en quantité trop importante. Les organes du corps humain contiennent d'énormes quantités de macroéléments, comme leur nom l'indique. L'oxygène, le carbone, l'hydrogène arrivent en tête. Le cerveau contient environ 80 % d'eau, formée d'oxygène et d'hydrogène, il est constitué de matière organique dont l'élément principal est le carbone. En revanche, les oligo-éléments sont présents en quantités variables mais toujours faibles ; toutefois leur importance physiologique ne peut être déduite de la simple estimation de leur concentration, même si elle est restreinte.

Certains, comme l'iode, le cobalt et le fluor, ne participent qu'à une seule fonction ; les deux premiers contribuent directement et obligatoirement au fonctionnement cérébral, ils assurent l'expression de l'intelligence ! À l'exception de l'iode, dont le rôle ainsi que les conséquences de carences sont connues depuis près de deux cents ans ; puis du fer, du cuivre, du zinc et du manganèse dont les propriétés vitales ont été découvertes dans la première moitié du XXᵉ siècle, il a fallu attendre l'avènement des techniques nouvelles de ces trente dernières années pour établir l'intérêt physiologique et médical de nombreux oligo-éléments, et en proposer des apports alimentaires quantifiés !

Quantités totales chez un homme de soixante-dix kilos

Macroéléments (en grammes)		Oligo-éléments (en grammes)	
– Oxygène	45 500	– Fer	4,2
– Carbone	12 600	– Zinc	2,3
– Hydrogène	7 000	– Silicium	1,4
– Azote	2 100	– Rubidium	1,1
– Calcium	1 050	– Fluor	0,8
– Phosphore	700	– Zirconium	0,3
– Soufre	175	– Strontium	0,14
– Potassium	140	– Niobium	0,1
– Sodium	105	– Cuivre	0,1
– Chlore	105	– Aluminium	0,1
– Magnésium	35	– Plomb	0,08
		– Antimoine	0,07
		– Cadmium	0,03
		– Étain	0,03
		– Iode	0,03
		– Vanadium	0,02
		– Sélénium	0,02
		– Manganèse	0,02
		– Baryum	0,016

Grâce au fer : un cerveau d'acier bien oxygéné

Guy de Maupassant a trouvé la vérité ! Dans ses *Contes et nouvelles* il écrit : « Que dit ton médecin ? Il parle d'anémie et m'ordonne du fer et de la viande rouge. » Et ailleurs, en plus richement roboratif : « Le médecin constata de l'anémie, ordonna du fer, de la viande rouge et de la soupe grasse. » Le cerveau martial et l'intelligence épanouie grâce à une nourriture ferrugineuse ? Certes, cet organe contient d'appréciables quantités de ce métal, mais en réalité la principale cause de sa carence se situe en amont : le déficit en fer provoque une anémie (diminution du nombre des globules rouges), donc une moindre oxygénation du cerveau et par conséquent un déficit de sa fonction. Moins de fer perturbe en empêchant de respirer et de penser à pleins neurones.

Le fer, notamment celui de la viande rouge, fut un aliment viril, martial ; il doit impérativement se féminiser, car les femmes sont particulièrement sujettes à sa carence, comme cela est clairement prouvé dans les nombreuses études épidémiologiques récentes, y compris en France. Évidemment la viande ne « monte » pas au cerveau, elle ne rend pas agressif, comme d'aucuns ont pu le prétendre. Autrefois, ceux qui avaient la chance de naître vigoureux et que la nature avait préservés des maladies et des famines devenaient les plus forts, ils étaient donc enrôlés dans les armées, ce qui les autorisait à piller, en particulier la nourriture carnée qui entretenait leur robustesse ; une sorte de cercle antivicieux. Les militaires, de sexe masculin car le matériel génétique permet aux hommes de posséder plus de muscles que les femmes, étaient donc d'aspect martial ; à l'image de Mars, dieu de la guerre. D'ailleurs le fer s'appelait Mars pour les alchimistes. Les manants mangeaient rarement de la viande. Pour eux, tuer le cochon, jour de fête et de ripailles, permettait à toute la famille d'avoir parcimonieusement un peu de viande pendant l'année. Grâce au ciel, la salaison leur permettait de préserver la viande, notamment de porc, pendant des mois.

Globalement, on situe le fer dans deux grandes classes de molécules, selon des critères qui satisfont simultanément la biochimie et la disponibilité nutritionnelle. Car le métal est présent sous deux formes : le fer héminique et le fer non héminique. Le fer héminique, incorporé comme l'indique son adjectif dans la structure d'une molécule complexe appelée « hème », entre dans la constitution de l'hémoglobine, un assemblage de deux types de molécules : l'hème d'une part, et d'autre part la globine. Il fait partie de la composition d'une protéine extraordinairement importante : la myoglobine, que l'on pourrait appeler « hémoglobine musculaire ». Une molécule similaire a été découverte très récemment dans le cerveau, ce qui est logique du fait du besoin en oxygène de cet organe ! Ce fer héminique participe enfin à la structure d'enzymes hémoprotéiques. Le fer non héminique qui, par définition donc, n'est pas incorporé dans la structure de l'hème, est présent dans certaines enzymes et dans les formes de transport et de réserve du fer ; il existe toujours sous cette unique forme dans le monde végétal.

Parmi tous les atomes qui participent obligatoirement à la construction comme au fonctionnement de notre corps, le fer occupe une place particulière, il se situe à la charnière : c'est le plus faible des macroéléments mais le plus pesant des microéléments. Il y a deux fois moins de zinc, quarante fois moins de cuivre, deux cents fois moins de manganèse, mais trois mille fois plus de carbone et huit fois plus de magnésium. Le fer ne représente que 0,005 % du poids corporel, quantité, réellement modeste qui ne l'empêche pas d'occuper une place cruciale dans d'innombrables fonctions biologiques. Ainsi, il intervient dans la constitution du pigment respiratoire, l'hémoglobine des globules rouges, qui assure l'échange de l'oxygène (et du gaz carbonique) avec le milieu extérieur. Il participe à la structure de réserve de l'oxygène du muscle, sous forme de myoglobine. Il est associé à de nombreuses enzymes intervenant dans de multiples réactions métaboliques. Il contribue même à la synthèse de l'ADN !

Pour preuve de sa passion infinie, un amoureux transi voulut offrir à sa belle une bague faite avec le fer de tout son sang. Elle déplut, parce que minuscule avec ses trois petits grammes de métal !

Répartition quantitative du fer de l'organisme

	Répartition en poids	Répartition en %
Fer héminique		
Hémoglobine	2 000 à 2 500 mg	65 %
Myoglobine	150 à 200 mg	3 à 5 %
Enzymes héminiques		0,3 %
Fer non héminique		
Enzymes non héminiques	8 à 15 mg	0,3 %
Transferrine	3 à 4 mg	0,1 %
Fer de réserve	300 à 1 200 mg	30 %

PERTES ET BESOINS, DU FER AU SALAIRE

Les besoins en fer de l'homme et de la femme adultes peuvent être évalués comme étant les quantités qu'il est nécessaire d'absorber pour compenser les pertes de ce métal, quelles qu'en soient les raisons ; sachant que les exigences sont accrues dans certaines circonstances physiologiques de la vie, à l'occasion de nombreuses maladies. Or, le métabolisme du fer présente une originalité tout à fait particulière. En effet, il s'effectue pratiquement en circuit fermé, mais cependant pas totalement. Notre corps est remarquablement économe de son fer : il n'élimine quotidiennement environ qu'un seul petit milligramme, ce qui ne représente qu'une infime partie de ce qu'il contient, $1/2\,500^e$ à $1/4\,000^e$ du total. Toutefois, malgré la faiblesse de ces pertes, la dépendance envers l'extérieur reste d'une extrême importance ; car il est indispensable que les déperditions soient très exactement équivalentes aux apports. En cas de non-compensation immédiate, une carence préoccupante peut s'installer, d'abord très insidieusement.

Les principales sources de déséquilibre sont multiples : il peut s'agir d'une insuffisance nutritionnelle ou d'une diminution de l'absorption ; mais aussi de l'accroissement des pertes et bien sûr de l'augmentation des besoins. Ces différentes causes peuvent malheureusement être associées entre elles, donc s'aggraver mutuellement. En cas de rupture de l'équilibre de la balance en fer, l'organisme puise évidemment dans ses réserves disponibles, tant qu'il en possède ; lorsqu'elles sont épuisées, les fonctions métaboliques dans lesquelles le fer intervient sont plus ou moins gravement perturbées. La qualité de la vie peut s'en trouver plus ou moins gravement altérée.

Ainsi, dans certains pays du monde, le salaire des femmes est proportionnel... à la quantité de fer présent dans leur sang ! Évidemment, les patrons ne demandent pas quotidiennement un dosage sanguin... pour établir la feuille de paye. En fait, la relation se fait avec le poids de viande qu'elles ont mangé. Comme il s'agit de pays en voie de développement, celles qui en consomment un peu, de temps en temps, sont en meilleure santé que celles qui ne peuvent pas se payer ce luxe. Le sang, avec un peu plus de fer, transporte plus d'oxygène au cerveau, qui est donc plus tonique ; et aux muscles, qui sont plus efficaces. Comme le montrent les femmes ramassant du thé dans une plantation du Sri Lanka, Ceylan, célèbre pour son thé. Un appareil comptabilisateur de mouvements leur a été installé, du type des podomètres que connaissent bien les randonneurs. Le résultat démontre que celles qui mangent un peu de viande font deux fois plus de mouvements, et ramassent donc deux fois plus de thé que les autres. Comme elles sont payées à la tâche, c'est-à-dire au kilo de thé ramassé, leur salaire est deux fois plus important ! Une augmentation significative de la récolte journalière a même été observée après supplémentation par le fer. L'augmentation a été la plus importante (de plus de 60 %) chez les sujets dont le taux initial d'hémoglobine était le plus faible.

Puisque les hommes n'ont pas de règles, perdant beaucoup moins de sang que les femmes, ils sont moins sujets aux carences en fer. Mais ils peuvent tout de même être touchés. Ainsi, chez des travailleurs rémunérés au rendement recueillant le latex d'hévéa en Indonésie, une forte corrélation a été retrouvée entre le taux d'hémoglobine et le gain mensuel. De même chez les ouvriers récoltant les cannes à sucre à Cuba. Ailleurs, la superficie désherbée par les ouvriers anémiques était d'environ 30 % inférieure à celle nettoyée par les autres travailleurs. La supplémentation par le fer des sujets anémiques normalisa simultanément leur taux d'hémoglobine et leur rendement au travail. Quand la productivité des travailleurs est liée directement à la capacité d'effort physique, les implications économiques de la carence en fer sont assez évidentes ! En France, nombre d'arrêts de travail de femmes sont la simple conséquence de carences en fer, évidemment quand elles réalisent des travaux physiques, mais aussi quand elles sont sédentaires mais fatiguées.

Mais tout un chacun, en vacances, peut également subir les effets de la carence. Ainsi, vivant habituellement en basse altitude, vous vous sentez fatigué mentalement et musculairement, dès l'instant que vous montez en haute montagne, à l'occasion d'un départ aux sports d'hiver, par exemple. Car, l'air y étant raréfié, vous respirez moins d'oxygène qu'à faible altitude. Votre cerveau et vos muscles sont moins efficaces. Au bout de quelques jours, votre organisme réagit physiologiquement, en lançant la fabrication de globules rouges

surnuméraires : dès qu'ils sont en plus grand nombre, même en respi-
rant moins d'oxygène, vous apporterez finalement les quantités habi-
tuelles et nécessaires à vos neurones. Mais il faut posséder un
minimum de fer en réserve, ce qui n'est malheureusement pas le cas
chez nombre de femmes. Le processus est lancé par l'élaboration d'une
hormone, qui a récemment défrayé la chronique : l'EPO (qui signifie
érythropoïétine).

Voilà pourquoi nos grands sportifs se mettent en forme en haute
altitude, à Font-Romeu pour les jeux olympiques, ou sur les hauts glaciers des Alpes avant le mondial de foot. Quelque temps après cet
entraînement, au moment de la compétition, qui a lieu à une altitude
faible, leur sang reste surchargé en globules rouges ; car leur durée de
vie est de l'ordre de cent vingt jours. Les champions s'oxygènent donc
beaucoup plus, et s'en trouvent plus performants. Pour éviter ce stage,
il a évidemment été trouvé plus efficace et moins onéreux d'injecter
directement cette EPO aux sportifs, d'autant que les cyclistes ne peuvent se permettre de passer la nuit en haute altitude, puis de pousser le
jour sur leurs pédales. L'EPO étant désormais bannie, la parade a été
trouvée en les faisant dormir dans des caissons en pression réduite et
raréfaction d'oxygène, qui simule une sorte d'atmosphère de haute
montagne. L'étape intermédiaire, si l'on peut dire, fut les
autotransfusions : le sang était prélevé quelque temps avant la compétition puis les globules rouges étaient purifiés, pour être réinjectés le
jour de l'exploit espéré.

Les femmes sont plus frileuses que les hommes, paraît-il. Cela
pourrait être la conséquence d'un manque de fer, car le métal participe
à la fabrication de la chaleur, qui permet de lutter contre le froid. Cela
a très sérieusement été démontré dans des piscines dont l'eau était
diversement chauffée.

PERFORMANCES INTELLECTUELLES ET COMPORTEMENT

De multiples symptômes ont été décrits comme faisant partie des
signes cliniques de la carence en fer, même en l'absence d'anémie ; par
exemple : apathie, somnolence, irritabilité, diminution d'attention,
incapacité à se concentrer, perte de mémoire. Mais ces manifestations
sont difficiles à interpréter du fait de leur caractère souvent éminemment subjectif. L'existence de perturbations des performances mentales consécutives à la carence en fer, associée à la réversibilité des
anomalies par la supplémentation martiale semble toutefois tout à fait
évidente à partir d'observations de populations carencées. Toutefois,
l'appréciation du rôle de la carence en fer par elle-même est rendue
délicate par la grande variété de facteurs d'environnement, souvent
associés au déficit en ce métal.

Par exemple, l'effet de la supplémentation par le fer a été testé sur les performances mentales d'enfants guatémaltèques âgés de quatre à cinq ans, anémiques par carence ; ils présentaient des scores plus faibles à certains tests de compréhension. Après dix à douze semaines de traitement, il n'existait plus de différence significative avec le groupe d'enfants non carencés. Il semble possible qu'au moins une partie des troubles cérébraux attribués au déficit en fer puisse être due à des anomalies au niveau de l'élaboration et de la destruction de neuromédiateurs du cerveau, c'est-à-dire les agents de communication entre les neurones. Au Chili, des programmes d'enrichissement de céréales et de gâteaux pour enfants avec des extraits de sang de bœuf ont prouvé leur efficacité !

Pendant la grossesse, les besoins en fer de la mère sont la conséquence de deux phénomènes : d'une part l'élaboration du sang de son enfant et d'autre part l'augmentation considérable de son propre volume sanguin (et par conséquent le nombre de globules rouges) ! Or, chez la femme enceinte, on sait depuis fort longtemps que l'anémie provoque une augmentation de la morbidité (les anomalies de toutes sortes) et de la mortalité du fœtus et de sa mère. En Malaisie par exemple, le taux de mortalité maternelle a été estimé à 15,5 % chez les femmes sévèrement anémiques contre 3,5 % pour celles qui ne l'étaient pas. En Inde, des études réalisées dans différents hôpitaux ont révélé que 20 % à 40 % des décès maternels étaient associés à une anémie. Globalement, dans un groupe d'enfants nés de mères déficientes en fer il y a six fois plus de petits poids à la naissance, cinq fois plus de petites tailles, environ deux fois plus de troubles cardiaques, deux fois plus de détresses respiratoires et près de trois fois plus de malformations congénitales. Les avortements spontanés sont plus fréquents, la mortalité fœtale et néonatale est deux fois plus importante. Un tiers des femmes déficientes en fer présente des anomalies placentaires : troubles circulatoires, inflammations, infiltrations, nécroses. Les anémiques développent plus fréquemment des infections.

Le risque de prématurité et les pathologies sont parfaitement corrélés au degré d'anémie maternelle. Autant d'anomalies qui risquent de perturber le développement cérébral et intellectuel de l'enfant. Il serait grand temps que l'on se préoccupe aussi du fer des jeunes femmes françaises !

Parfois la carence est d'origine inattendue. Ainsi, l'abus de la pomme d'amour peu induire un déficit en fer ! Comme tout aliment exotique, quand elle arriva d'Amérique, la tomate fut parée de vertus bien sympathiques, notamment aphrodisiaques. De quoi faire rosir les joues de celles à qui elle était offerte. Elle fut donc nommée la pomme d'amour. Incidemment, juste retour à la case départ, il vient d'être récemment montré que la consommation de ce fruit permet de prévenir quelques maladies, dont le cancer... de la prostate ; grâce à la présence d'une substance active, le lycopène. Mais là n'est pas le problème, ou plutôt l'anecdote. La très sérieuse revue *New England Journal of medicine*, autorité mondiale incontestée dans le domaine de la médecine, a publié le cas intéressant d'une femme d'une soixantaine d'années, qui consommait au moins une dizaine de tomates chaque jour, poussée **irrésistiblement** vers ce fruit, sans pouvoir se défaire de cette « toxicomanie », que les Anglo-Saxons dénomment *craving*. Évidemment, sa peau était bronzée, conséquence de la forte absorption de carotène, mais ce n'était pas son objectif. Une prise de sang objectiva alors une anémie très sérieuse : le fer du sang était effondré, l'hémoglobine était au plus bas, le volume des globules rouges dramatiquement réduit. L'examen clinique montra alors qu'elle perdait son sang en permanence, sans s'en rendre compte, par une œsophagite ulcérée et des érosions dans l'estomac. On lui injecta alors des culots de globules, ce qui la guérit ; et sa tomato-boulimie disparut tout de go !

Mais pourquoi donc ? Parce que les carences en fer accompagnées d'anémie entraînent fréquemment un comportement que l'on appelle le « pica ». Il se traduit, huit fois sur dix par une... pagophagie, ce qui signifie une absorption massive de glaces ; des glaçons en cube, et non pas des glaces en cornet. Mais les adultes, et plus encore fréquemment les enfants, peuvent aussi se jeter goulûment sur des substances non alimentaires : poussières, terre ou argiles (véritable géophagie), cheveux ou ongles, amidon, plâtre des murs (source, par ailleurs, d'intoxication au plomb dans les immeubles anciens, car les peintures étaient autrefois au plomb). Mais ce pica peut aussi conduire à ingurgiter toutes sortes d'aliments, pour peu d'ailleurs qu'ils soient un peu croquants : biscuits, graines, cacahuètes (gare aux allergies !) carottes, choux-fleurs. Véritable cercle vicieux, l'absorption de terre diminue celle du fer. Dès la supplémentation en fer, le pica disparaît, dans ce cas de figure.

Mais il faut bien évidemment traiter également la cause, c'est-à-dire l'hémorragie, qui est souvent cachée. Ainsi un saignement sournois de gencives ou de modestes hémorroïdes peuvent induire de dramatiques carences en fer. Les pertes physiologiques naturelles peuvent être doublées avec un petit saignement de deux millilitres : il faut donc multiplier par deux les apports alimentaires. Car dix petits millilitres de sang contiennent cinq milligrammes de fer. Alors que les apports journaliers recommandés sont de dix milligrammes de fer : une hémorragie massive fait donc perdre plusieurs semaines de fer alimentaire. Normalement, les réserves en fer sont de l'ordre de six cents milligrammes : il faudrait alors, en théorie, saigner pendant longtemps pour épuiser ces réserves avant l'apparition de l'anémie. Mais SUVIMAX a montré qu'une femme sur cinq n'a pas de réserve, étant en état de carence ou de sub-carence. Si donc vous observez un comportement alimentaire bizarre, suggérez un dosage du fer sanguin avant de faire appel au psychologue ou au psychiatre !

L'anémie est tout à fait possible chez les coureurs de demi-fond ou de grand fond, les marathoniens, les marcheurs athlétiques, les cyclistes de haut niveau ou professionnels, les rameurs, les skieurs de fond, les crossmen et bien d'autres encore. Le jogging effréné n'échappe pas à la règle. Pourquoi donc ? Parce que le corps d'un sportif d'endurance est soumis à un certain nombre de contraintes qui peuvent provoquer des pertes en fer : microtraumatismes, déperditions digestives et sudorales. En effet, chaque foulée entraîne un impact du pied sur le sol qui écrase les microvaisseaux. Ce choc, parfois violent, s'accompagne d'une hémolyse, c'est-à-dire de destructions de globules rouges. Un autre site de perte d'hémoglobine et de fer réside dans le tube digestif, en particulier sa partie basse. Les hémorragies digestives gastro-intestinales concernent pratiquement toujours des coureurs à pied, en particulier lors de marathon. Le sportif d'endurance présente une augmentation de la concentration en fer de la sueur, associée à un évident accroissement du débit sudoral. Par conséquent, l'exercice musculaire entraîne des besoins particuliers en fer, résultat d'une part des pertes et d'autre part d'une augmentation et d'une accélération de la synthèse des globules rouges.

FERRER LES ALIMENTS : BOUDIN ET STEAK-OPTION

Où trouver le fer ? Un moyen privilégié pour approvisionner le corps en fer est la consommation d'une charcuterie particulière : le boudin noir, mine précieuse parmi les trésors. Quel luxe de manger du boudin, comme l'écrivent les Goncourt dans leur journal : « Le boudin et les crêpes ne sont que le prétexte d'un très beau souper, qui n'a pour boisson que du xérès et du champagne. » Lisa, dans *Le Ventre de Paris*, de Zola, enfonce le clou, si l'on peut dire : « C'est que, voyez-vous, j'adore le boudin chaud, quand il sort de la marmite... »

Mais attention : le boudin blanc n'est pas du boudin noir qui a été décoloré, inversement le noir n'est pas du blanc coloré au noir de charbon. Ne riez pas : certains le croient, le disent et l'écrivent. On a même entendu un interlocuteur sur une grande radio nationale condamnant le boudin blanc, car pollué par des décolorants ! Certaines tables de composition des aliments aux États-Unis n'affectent au boudin que peu de fer, car il ne s'agit que du blanc !

Les risques de carences sont réels en France, comme l'a démontré l'étude SUVIMAX : 8 % des femmes sont médicalement malades (c'est pire en Angleterre et aux États-Unis), et 25 % d'entre elles, entre la puberté et la ménopause sont dépourvues de réserve de fer ! D'où une vie plus difficile, l'indisposition au moindre incident, des fatigues légères ou permanentes, des maladies trop longues, des convalescences laborieuses, des grossesses qui auraient pu mieux se passer, des accouchements plus difficiles qu'ils n'auraient dû l'être, des arrêts de travail prolongés, etc., etc. Cela coûterait des milliers de fois moins cher à la Sécurité sociale d'offrir aux femmes une part de boudin noir tous les quinze jours, que de rembourser les conséquences médicales et sociales de ce strict problème alimentaire ! Le choix carnassier est donc vite fait ! Il convient d'augmenter la part du fer héminique dans les aliments. Mais la viande – terrestre, aérienne ou marine – ne contient pas uniquement du fer héminique, et toutes les viandes n'ont pas les mêmes quantités de fer :

Fer total et héminique des viandes

	Fer total	Fer non héminique	Fer héminique
Cabillaud, limande, lotte, rouget	0,1	nd	nd
Colin	0,3	nd	nd
Dinde	0,4	0,2	0,2
Veau	0,4	0,1	0,3
Raie, saumon	0,5	nd	nd
Poulet	0,6	0,3	0,3
Carpe, hareng	0,9	nd	nd
Porc	1,0	0,5	0,5
Thon, sardine	1,3	nd	nd
Agneau	1,6	0,7	1,0
Bœuf	2,6	0,8	1,8
Foi de veau	5	nd	nd
Rognon, foie de volaille	7	nd	nd
Foie de génisse, d'agneau	10	nd	nd
Boudin noir	18	5	13

nd : non déterminé. Schématiquement, l'hémoglobine existe chez les poissons, mais pas chez les mollusques et crustacés. Quant à la myoglobine, elle est présente dans une multitude d'espèces ; ainsi, grâce à elle, les bigorneaux et palourdes sont riches en fer (15 mg/100g), les bulots un peu moins (4 mg/100g), mais on ne connaît pas son niveau de biodisponibilité. Pour ce qui est du gésier, qui contient de la myoglobine, on ne connaît pas encore son contenu en fer !

	Apporté dans les repas %	Absorbé par le corps %
Nature du fer :		
Non héminique	78	20
Héminique	22	80

Ainsi donc, un cinquième du fer mangé dans les aliments carnés approvisionne l'organisme à 80 % !

Souvenez-vous que votre physiologie vous permet d'absorber 25 % à 30 % du fer présent dans la viande (il est dit héminique), mais seulement 2 % ou 3 % de celui présent dans les végétaux (il est dit minéral). L'organisme humain capte cent fois plus de fer dans cent grammes de l'aliment animal le plus riche en fer héminique, c'est-à-dire le boudin noir cuit (6 mg), que dans celui qui est le plus riche en fer dans le monde végétal, la lentille cuite (0,06 mg) ! Popeye l'avait d'ailleurs compris : il mange la boîte – en fer – avec les épinards. Incidemment, le créateur de ce personnage, de bande dessinée à l'époque, voulant qu'il soit martial, donc de fer comme l'indique l'étymologie, consulta une table de composition des aliments pour y rechercher celui qui était parmi les plus riches en fer. Malheureusement, il y avait une faute d'impression : le point (on était aux États-Unis, pays où le point remplace notre virgule gauloise) était déplacé d'un cran sur la droite, attribuait aux épinards dix fois plus de fer qu'ils n'en recèlent en réalité. Depuis plusieurs générations, nous sommes importunés par ces végétaux, qui non seulement ne contiennent pas beaucoup plus de fer que les autres, mais encore ce fer n'est presque pas capté par notre organisme !

La biodisponibilité du fer dans un aliment végétal est fonction de ce qui l'accompagne. Ainsi, prise au cours d'un même repas, une tasse de thé (et, dans une moindre mesure, de café) divise par quatre la quantité de fer captée par l'organisme, un jus d'orange la double. Beaucoup de calcium la diminue : ce n'est pas une bonne idée d'accompagner la viande avec plusieurs bols de lait. Il a même été calculé que la biodisponibilité du fer est augmentée de 30 % quand le déjeuner ou le dîner ne sont pas agrémentés de lait ou de fromage ! Fort heureusement pour les gros amateurs de fromages, au-delà d'une certaine quantité de calcium, il n'y a plus de diminution de la biodisponibilité du fer. En pratique, celle-ci est abaissée en proportion de la quantité de calcium, jusqu'à 200 mg. Donc, tant qu'à faire, abusez simultanément du fromage et du steak ! Bonne nouvelle : l'alcool l'augmente un peu. Les protéines animales (de quelque origine, terrestre, maritime, aérienne) accroissent la captation du fer minéral, indépendamment du fait qu'elles peuvent contenir du fer héminique ; en revanche, les protéines de soja la diminuent un peu. Un peu moins de viande avec un peu plus de phytates (puisés principalement dans les céréales complètes) et un peu plus de calcium... diminue de 35 % la captation du fer. La confusion entre le fer végétal et le fer animal dure depuis un siècle. Ainsi, R. Lalanne, dans son *Précis d'alimentation humaine* publié en 1942 écrit : « Certains principes nutritifs existent en quantités exceptionnelles dans quelques légumes : le calcium dans le cresson, le pissenlit, le chou-fleur ; le fer dans le persil, l'épinard, le cresson, le pissenlit ; la vitamine C dans le piment, le persil, les choux, les salades ; les carotènes dans les salades, le persil » ; à part le fer des

végétaux dont il ignorait le niveau de biodisponibilité, il avait globalement raison. En fait le bon sens populaire connaissait la voie : acheter
chez l'apothicaire puis chez le pharmacien du sang de bœuf ou de
cheval, ou bien encore du jus de viande pressée ! Finalement, la biodisponibilité du fer compte beaucoup plus que sa quantité : beaucoup de
fer peu capté est moins intéressant que peu, mais efficace.

Mais où allons-nous trouver le fer héminique en quantité appréciable, puisque la viande bovine rencontre quelques difficultés avec ses
vaches folles ? Après le veau sous la mère, devrons-nous déguster du
veau de mer, alias veau marin ? Oui ! En effet, les mammifères marins
possèdent beaucoup de muscles, donc de grandes quantités de myoglobine (qui est le transporteur d'oxygène dans ce tissu, indispensable
à sa vie comme à sa production d'énergie). Bien plus, leur physiologie
s'est adaptée à des temps de plongée relativement longs, ils doivent
donc stocker de fortes quantités d'oxygène. Chez les cétacés par
exemple, la durée des plongées est proportionnelle au contenu de myoglobine de leurs muscles. Globalement, il y a environ vingt fois plus de
myoglobine dans les muscles des oiseaux maritimes et des mammifères aquatiques que dans leurs équivalents terrestres. Ainsi, 55 % du
stock d'oxygène de tout le corps du narval est dans ses muscles, alors
que le chiffre est de 15 % chez l'homme !

Alors, élever des cétacés ? Pourquoi pas, à condition pour des raisons évidentes d'élevage de sélectionner les plus petits, car leur poids
peut varier de un à deux mille deux cents selon les espèces, c'est-à-dire
de cinquante-cinq kilos pour les plus petites (le *Phocoena sinus*)
jusqu'aux cent vingt-deux tonnes de la baleine bleue. Pourquoi pas,
plutôt, des morses, des otaries ou des phoques ? Il ne reste plus aux
analystes qu'à vérifier que les mammifères marins ont corrélativement
beaucoup de fer avec leur myoglobine… et qu'il est biodisponible.

Bien plus, les graisses de ces animaux maritimes sont riches en
acides gras oméga-3, car ils absorbent beaucoup de poisson. Ce qui
représente pour l'homme qui les mange (comme les Esquimaux) ou
qui les mangerait (nous-mêmes) un avantage notamment sur le plan
cardio-vasculaire. Les Esquimaux ont peut-être de la chance : ils s'ali-
mentent avec de la viande de qualité, riche en fer, agrémentée de
bonnes graisses.

FER MINÉRAL (NON HÉMINIQUE)	Milligrammes de fer dans 100 grammes d'aliment
Lentille	8 (cuites : 3)
Haricot blanc	7 (cuites : 2)
Persil	6
Blé, pissenlit, poudre cacao	3
Pruneau sec, fenouil, noisette	2,8
Noix, bette, épinard	2,4
Cresson, poireau, brocoli, olive, petit pois	1,5
Laitue, groseille, framboise, noisette	1,2
Champignon, châtaigne, endive, artichaut, choux de Bruxelles	1
Fraise, poivron, potiron, chou-fleur	0,6
Fruits, légumes	0,1-0,4
Riz : Blanc Complet	0,6 2

D'après INRA-CNEVA-CIQUAL. Aliments crus ; chiffres arrondis.
AJR : apports journaliers recommandés pour un adulte (JO du 26/12/93 : 14 milligrammes par jour pour le fer).

En France, la réelle carence en fer ne doit pas être occultée par le fait que l'excès de fer (lors de pathologies, par exemple l'hémochromatose) est susceptible d'entraîner des oxydations anormales. D'autant que le fer est nécessaire à l'activité d'une enzyme très importante dans le cadre de la lutte contre les dérivés oxygénés toxiques (telle l'eau oxygénée) : la catalase. D'ailleurs, la viande contient un antioxydant naturel sous forme d'un dipeptide... dénommé carnosine. Bien plus, l'organisme puise moins de fer dans les aliments quand il n'en a besoin que de peu ou que ses réserves sont pleines. En revanche, il en capte de grandes quantités quand il est carencé. En d'autres termes, la biodisponibilité du fer est fonction des besoins en ce métal, ce qui amoindrit le risque d'accumulation et de toxicité en cas d'excès, ce qui semble pour le moins rare ! L'organisme module « intelligemment » sa physiologie.

Fer absorbé par portion (mg)

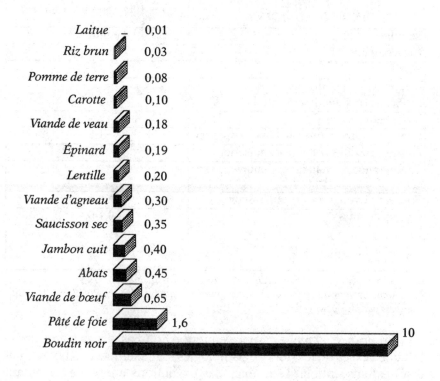

Laitue	0,01
Riz brun	0,03
Pomme de terre	0,08
Carotte	0,10
Viande de veau	0,18
Épinard	0,19
Lentille	0,20
Viande d'agneau	0,30
Saucisson sec	0,35
Jambon cuit	0,40
Abats	0,45
Viande de bœuf	0,65
Pâté de foie	1,6
Boudin noir	10

Histoire d'iode et de crétins

Dans quels aliments trouver utilement l'iode ?

Grammes d'aliment fournissant 50 % AJR d'iode (soit 75 µg/jour)	Iode	Microgrammes d'iode dans 100 grammes d'aliment
25	*Moule*	*300*
50	*Cabillaud*	*150*
100	*Huître*	*70*
125-250	*Poisson*	*30-60*
150	Roquefort, œuf	50
200-300	Fromages	25-40
650	Lait, steak, rognon	11
1 000	Riz blanc	8
1 250	Pain, pâtes, jambon, persil	6
1 500-7 500	Viande	1-5
2 500	Banane, reine-claude	3
2 500-15 000	Légumes	0,5-3
7 500-75 000	Fruits	0,1-1

D'après INRA-CNEVA-CIQUAL. Aliments crus ; chiffres arrondis. En italique et gras : sélection des aliments réellement utiles ; notamment compte tenu des portions usuelles. AJR : apports journaliers recommandés pour un adulte (JO du 26/12/93 ; 150 microgrammes par jour pour l'iode). Les AJR sont identiques aux ANC (apports nutritionnels conseillés). Pour un enfant il faut à peu près la moitié de la ration d'un adulte.

Voilà un minéral qui concerne directement le fonctionnement cérébral et l'intelligence ! La preuve en est l'expression « crétin des Alpes », conséquence du retard mental provoqué chez les enfants par la carence en iode dans ces régions. Comme en témoigne Gustave Flaubert, dans un moment de découragement qu'il rapporte dans sa correspondance : « Je me suis remis à travailler, mais ça ne va pas du tout ! J'ai peur de n'avoir plus de talent et d'être devenu un pur crétin, un goitreux des Alpes. » Car l'injure de « crétin » est à l'origine un terme strictement médical...

L'iode doit son nom à la simple observation, et non pas à la verve culturelle de son inventeur. En effet, en grec, *iôdês* signifie violet. Tout simplement, car il émet une belle vapeur de cette couleur quand on le chauffe. C'est au grand savant limousin Gay-Lussac que l'on doit ce nom, mais le découvreur fut le chimiste Courtois. Toutefois, la petite histoire retient aussi que *ion* signifie violette, ce qui voudrait alors dire odorant – ou coloré – comme la violette...

Les chimistes affectent toujours à leurs découvertes une odeur (et même un goût). Celle de l'iode évoque incontestablement celle de la mer ; comme l'évoque Albert Camus : « Ils prirent la direction de la jetée. Peu avant d'y arriver, l'odeur de l'iode et des algues leur annonça la mer. Puis, ils l'entendirent. Elle sifflait doucement au pied des grands blocs de la jetée et, comme ils les gravissaient, elle leur apparut. » Appréciation reprise avec sensualité par Maurice Genevoix : « Elle repartit, les yeux vers le large. Et, comme elle dépassait un contrefort de la muraille, une fraîcheur iodée toucha son visage, ses épaules. Cela venait d'une anfractuosité, un peu plus bas ; et c'était, sur sa peau brûlante, un soudain et délicieux bien-être. »

L'iode est l'un des oligo-éléments présent dans le corps humain en quantités extrêmement faibles : 15-20 mg chez l'adulte, soit $0,0285.10^{-3}$ % du poids du corps ! Il constitue par conséquent un élément réellement trace ; preuve, s'il en faut, que de toutes petites quantités peuvent avoir des influences phénoménales. Il est en effet une véritable clef de voûte. Car, chez l'être humain, le seul rôle connu de l'iode est de participer à la composition des hormones sécrétées par la glande thyroïde (leurs noms sont tétra-iodothyronine, thyroxine ou T4, et triiodothyronine ou T3). Elles jouent un rôle déterminant dans le métabolisme de toutes les cellules de l'organisme ; elles interviennent plus spécialement dans le processus de croissance et de développement de la plupart des organes, en particulier celui du cerveau. Chez l'homme, le développement cérébral s'effectue principalement durant la vie fœtale, mais il se poursuit jusqu'à la fin de la troisième année de la vie. Par conséquent, un déficit en iode ou en hormones thyroïdiennes survenant durant cette période critique de la vie aura pour conséquence non seulement un ralentissement de l'activité métabolique de toutes les cellules, mais également des altérations permanentes dans le développement du cerveau ; dont la plus évidente est un retard mental irréversible. D'où, précisément, l'expression de « crétin des Alpes ».

Chacun le sait bien, l'océan constitue le principal réservoir d'iode sur le globe terrestre ; chimiquement il s'y trouve sous forme d'iodures, que la lumière solaire oxyde en iode élémentaire à la surface de l'eau. Comme l'iode est volatil, il diffuse dans l'atmosphère : « J'ouvris la porte. Le vent s'engouffra dans la pièce où pénétra brutalement une odeur d'iode, d'algues, de poisson frais », écrit Mac Orlan. C'est ainsi qu'environ quatre cent mille tonnes d'iode s'échappent chaque année des masses océaniques pour se retrouver dans l'air marin. Il retourne au sol avec les pluies. Ce sont donc les premières précipitations, au départ des océans, qui contiennent les plus grandes quantités d'iode ; la concentration dans l'eau de pluie et dans l'atmosphère diminue par conséquent au fur et à mesure que l'on s'éloigne des côtes océaniques. L'iode présent dans le sol est entraîné vers les rivières par les eaux de ruissellement ; dans l'histoire du monde, il le fut sur des millions d'années par les fontes glacières permanentes.

Les sols les plus pauvres en iode, et sur lesquels les populations ont le risque le plus élevé de présenter des maladies thyroïdiennes par carence, sont par conséquent les zones montagneuses qui ont été le plus longtemps recouvertes par les glaciers du quaternaire, ainsi que les régions situées au centre des continents, car elles sont arrosées par une eau de pluie très pauvre en iode. Comme les Alpes, les Andes, l'Himalaya. La concentration iodée du sol la plus élevée est actuellement trouvée dans les îles océaniques et les régions côtières du Pacifique Sud ainsi que dans les mines de salpêtre du Chili.

BESOINS EN IODE ET GLANDE THYROÏDE : HYPO ET HYPER

Les besoins physiologiques en iode sont difficiles à établir : ils ont donné lieu à de longues discussions. Les besoins sont au moins égaux à la quantité d'iode hormonal qui est dégradée quotidiennement dans les tissus périphériques (c'est-à-dire tous les organes excepté la glande thyroïde) et qui n'est pas récupérée par la thyroïde. Les apports nutritionnels conseillés sont de l'ordre de cent cinquante microgrammes par jour chez l'adulte, de deux cents microgrammes chez la femme enceinte ou qui allaite, de quatre-vingt-dix microgrammes pour les jeunes enfants.

La prévention des insuffisances thyroïdiennes a été organisée sur une très large échelle dans le monde, grâce à des programmes de supplémentation en iode de l'alimentation. L'iodation du sel s'est avérée remarquablement efficace. Lorsque ce moyen faisait défaut, d'autres techniques ont été utilisées telles que l'administration d'huile iodée lentement résorbable par voie de piqûre intramusculaire ou orale ou encore l'iodation de l'eau de boisson. Ces programmes ont permis non seulement l'éradication du goitre et du crétinisme endémiques, mais aussi une amélioration des performances intellectuelles d'enfants qui étaient apparemment cliniquement normaux.

Le sel iodé a ainsi rendu des services inestimables. À condition toutefois de ne pas le garder trop longtemps dans des boîtes en carton. En effet, l'iode tend à se concentrer dans le carton, puis à s'évaporer. Au bout de quelques années, il n'y a presque plus d'iode dans le sel. Le goitre tend actuellement à réapparaître, car les personnes mangent de plus en plus des plats préparés industriellement, chez elles et surtout en restauration collective. Or, jusqu'à une date très récente, le sel iodé y était interdit : pas de sel iodé pour préparer les charcuteries ! Quelle ineptie. L'Académie de médecine, par la bouche de Claude Boudène note avec autorité : « Il paraît illogique de ne pas ioder la totalité du sel agroalimentaire. En effet, il est bien connu que le sel dit de table ne représente qu'une faible proportion (2 g environ) des apports quotidiens en chlorure de sodium, estimé à 10 g environ quotidien. Il est donc à craindre que l'enrichissement du seul sel de table, même s'il est augmenté à 20 mg/kg (il est actuellement de 10 à 15 mg d'iode par kg), soit trop faible pour assurer un apport iodé suffisant. De ce fait, la totalité des fabrications de sel alimentaire en France devrait être iodée, quelle que soit leur provenance... » Il est par ailleurs recommandé que les emballages soient strictement hermétiques, avec une date limite d'utilisation ne dépassant par trois mois !

Il est plus que temps que cette prescription soit prise en compte. En effet, selon les régions françaises, de 5 % à 21 % des hommes et de 9 % à 23 % des femmes ont un goitre débutant ou des nodules, conséquence d'une déficience alimentaire en iode ! Les fréquences les plus élevées sont constatées dans l'Est, le Centre et les Alpes. Globalement, plus le goitre est gros, plus l'iode dans le sang est faible et plus l'alimentation est carencée.

Normalement, la thyroïde pèse trente grammes environ. Le volume de chacun de ses lobes doit être égal à celui de la dernière phalange du pouce. L'hypo- et l'hyperthyroïdies sont différentes de la thyroïdite, qui est une inflammation de la glande. Qu'est-ce que le goitre ? Il s'agit de l'hypertrophie (c'est-à-dire de l'augmentation du volume) de la glande thyroïde. En théorie, c'est un processus diffus et bénin. Mais on donne parfois par extension ce nom à toutes les tuméfactions, nodules cancéreux, fibreux, tuberculeux, kystique, etc. Dans certaines régions montagneuses, le goitre endémique (dont le synonyme est souvent : goitre myxœdémateux) est essentiellement la conséquence de la carence en iode. Mais d'autres facteurs ont été invoqués : pollution bactérienne des rivières et des puits, absorption de substances végétales naturelles goitrigènes (ce qui est démontré chez les animaux), facteurs génétiques favorisés par l'endogamie.

L'hypothyroïdie désigne l'ensemble des signes cliniques et biologiques causés par la carence en hormones thyroïdiennes. Elle est qualifiée de périphérique quand elle provient d'une anomalie anatomique ou fonctionnelle de la glande (congénitale ou acquise, le prototype étant la carence alimentaire en iode) ; elle est dite centrale quand la commande cérébrale est défaillante (hypothalamo-hypophysaire). En revanche, l'hyperthyroïdie est la conséquence d'une sécrétion excessive d'hormone par la thyroïde ; véritable intoxication, elle est fort justement dénommée thyrotoxicose !

La maladie de Basedow est dénommée aussi goitre exophtalmique, car les yeux sont exorbités et brillants. Plus fréquente chez la femme que chez l'homme, elle est due à une augmentation de la glande, avec pour conséquence une sécrétion excessive et massive d'hormones thyroïdiennes. Elle provoque un tremblement associé à une nervosité, un amaigrissement, parfois une atrophie des muscles et un épaississement de la peau. On est certes maigre, mais gravement malade ; preuve que les traitements amaigrissant à base d'hormones thyroïdiennes sont réellement très dangereux. Car ces hormones activent les « chaudières » métaboliques, dont la fonction est de brûler les aliments. Elles agissent sur la thermorégulation et le métabolisme de base, elles élèvent la température ; de plus, en excès, elles provoquent une hyperglycémie (augmentation néfaste du sucre dans le sang), une dégradation accélérée des graisses (d'où l'effet « amaigrissement », aux conséquences perverse dangereuses), elles accroissent la dégradation des protéines, d'où la perte de muscle (qui peut être définitive !), elles ont un effet diurétique (et par conséquent modifient le volume et la viscosité du sang, ce qui est dangereux pour le cœur). Ainsi, l'hyperthyroïdie fait dangereusement maigrir ; alors que, au contraire, l'hypothyroïdie fait grossir, bêtement au sens propre.

L'hypothyroïdie donne des signes tout à fait caractéristiques quand elle est bien installée. Fort heureusement, elle est devenue très rare. Mais il n'est pas inutile d'en connaître les stigmates. Le nouveau-né hypothyroïdien présente un myxœdème : son faciès est bouffi, il a de grosses rides, ses lèvres sont épaisses, sa langue volumineuse, ses muscles d'aspect hypertrophié, il a une hernie ombilicale. De plus, il est crétin, médicalement parlant. Il le restera s'il n'est pas très rapidement et vigoureusement traité. Chez l'hypothyroïdien adulte, la peau est pâle et cireuse, sèche, dure et gonflée (donnant l'impression d'un œdème). La face est la plus touchée : le front est couvert de grosses rides, les paupières sont lourdes, les joues sont soufflées et rouges, le nez est épaté, les lèvres et les oreilles sont épaisses. Bref, le faciès est hébété et lunaire. Le cou est épais et court, les mains et les pieds sont carrés et boudinés, la dépilation se fait remarquer au niveau des sourcils, des aisselles et du pubis ; les cheveux sont rares, raides et fragiles. Les ongles sont cassants et striés, les dents largement cariées. Bien pire, l'attention est déficiente, l'intellect ralenti, la mémoire défaillante. Les gestes sont lents et rares, les règles ont pratiquement disparu et la libido est pour le moins chaotique et modeste. L'hypothermie se manifeste par une grande frilosité, la température est toujours basse (en dessous de 36°5 !).

À l'opposé, l'apport excessif en iode provoque l'iodisme. Le blocage de la sécrétion des hormones thyroïdiennes s'installe dans les heures qui suivent la surcharge iodée, d'où une insuffisance thyroïdienne, avec ou sans goitre. Cet incident résulte principalement d'une prise excessive de médications contenant d'importantes quantités d'iode, essentiellement dans le traitement des pathologies respiratoires par potions iodurées et dans le traitement des arythmies cardiaques. Mais d'autres traitements peuvent être incriminés, puisque la liste des médicaments qui contiennent de l'iode est longue.

La surcharge iodée chez la future mère peut être dangereuse, l'iodure franchissant très rapidement la barrière placentaire. La cause en est habituellement l'usage de médications administrées à la mère telles que des substances iodurées ou même des laxatifs riches en algues marines utilisés dans le traitement de la constipation. Par ailleurs, la glande mammaire partage avec la thyroïde et la muqueuse digestive la capacité de concentrer activement l'iodure : la surcharge provoquée chez la mère s'accompagne d'un accroissement du contenu en iode du lait, dangereuse pour son enfant allaité.

Pourquoi faudrait-il absorber de l'iode juste après un incident atomique, bombe nucléaire ou voisinage d'une gigantesque catastrophe de centrale atomique (hypothétique en France ; mais pas ailleurs : dans d'autres pays la calamité s'est déjà produite) ? Parce que l'explosion produit de l'iode radioactif, qui peut être capté par la thyroïde, et la détruire de par sa radioactivité. Absorber immédiatement (puis renouveler l'opération pendant plusieurs jours, car l'inhibition ne dure que vingt-quatre à quarante-huit heures) cent milligrammes d'iode (la moitié chez un enfant) sature la thyroïde ; et l'empêche donc de capter la radioactivité. Tout simple, mais avec l'espoir de ne pas avoir à mettre en œuvre la manip ! Quoique le processus soit mis à profit pour le traitement du cancer de la thyroïde, l'iode radioactif absorbé à titre de médicament se fixe alors dans la tumeur et la détruit.

En dépit du fait que les maladies induites par un excès d'iode sont habituellement sporadiques, dans certaines régions côtières du Japon ou de Chine, l'absorption exagérée d'algues ou d'eau de puits très riches en iode suffit à causer un goitre, le plus souvent asymptomatique, chez 7 % à 10 % des adultes !

Bien évidemment, la source principale d'iode pour l'homme est la nourriture. L'eau de boisson, en moyenne, ne contient que 1 à 2 µg d'iode par litre ; ce qui est trop faible pour être efficace. Il n'est pas surprenant que le taux le plus élevé se trouve dans les produits de la mer. Il atteint même plus de 8 mg par kg dans l'huile de foie de morue. Le contenu en iode des aliments varie considérablement selon les régions, en fonction des saisons, en particulier pour ce qui concerne les produits laitiers. Par ailleurs, de nombreuses substances additives peuvent augmenter considérablement le contenu en iode des aliments ; par exemple l'iodate dans l'industrie du pain, ou encore la désinfection des pis des vaches avant la traite, l'utilisation d'iodophore dans l'industrie. Jules Verne avait trouvé l'équilibre iodé (*L'Île mystérieuse*) : « Des algues en guise de pain, des moules crues en guise de chair, et des amandes pour dessert, voilà bien le dîner de gens qui n'ont plus une seule allumette dans leur poche ! » Finalement, au bord de la mer, pour ioder l'organisme, il est beaucoup plus efficace de manger des moules, des huîtres et des poissons que de respirer à pleins poumons l'air iodé... Et de ne pas oublier que l'iode tout seul ne sert à rien ; ainsi, la fabrication dans la thyroïde de l'hormone thyroïdienne nécessite la présence de sélénium, entre autres.

Magnésium : lutter contre la crispation des nerfs

Grammes d'aliment fournissant 50 % AJR de magnésium (soit 150 mg/jour)	Magnésium	Milligrammes de magnésium dans 100 grammes d'aliment
60	*Amande, germe de blé, bigorneau, bulot, escargot*	*250*
80	*Haricot blanc, noix*	*180*
150	*Oseille, lentille*	*100*
250	*Moule, épinard, bette*	*60*
250	Noisette	60
300	Pâtes, Comté	50
325	Maquereau, calmar, huître, Emmenthal, haricot rouge	45
375	Flétan, turbot, coquille St-Jacques, Beaufort, Maroille, persil	40
500	Pain	30
375-750	Poissons, fromages	20-40
750	Porc, bœuf, agneau, foie, poulet	20
300-1 500	Légumes, fruits	10-50
1 000	Jaune d'œuf	15
1 500	Lait	10
500 100	Riz : Blanc Complet	30 140

En italique et gras : les aliments réellement utiles, compte tenu des portions usuelles.
AJR : apports journaliers recommandés pour un adulte (JO du 26/12/93 ; 300 milligrammes par jour pour le magnésium). D'après INRA-CNEVA-CIQUAL. Aliments crus ; chiffres arrondis.
Les AJR sont moins importants que les ANC (apports nutritionnels conseillés), qui sont de 420 mg quotidiens pour les hommes et de 360 mg pour les femmes. Pour un enfant il faut à peu près la moitié de la ration d'un adulte.

Cet oligo-élément est bien connu, car il est impliqué dans la spasmophilie, un état caractérisé par des manifestations de tétanie, sans que le calcium soit quantitativement réduit dans l'organisme. Le mécanisme étant inconnu pour le moment, la réalité même de la maladie est parfois discutée. D'autant que beaucoup trop de choses lui sont mises sur le « dos ». Philippe Delerm dans *Le Portique*, décrit bien la perception que l'on a de cette maladie : « Psychosomatique. Pour beaucoup de gens, la spasmophilie relevait de cette épithète condescendante, et même si on ajoutait que phychosomatique ne signifiait pas imaginaire, le discrédit était jeté. Une maladie pour femme, ou bien une maladie féminine, c'est-à-dire pour des gens compliqués, insatisfaits, fragiles. »

Le capital magnésique (vingt-quatre grammes chez un adulte) se situe pour plus de la moitié dans l'os et pour un quart dans le muscle squelettique. Le reste se répartit dans l'ensemble de l'organisme, surtout dans le système nerveux. Son rôle est double, il est structural et métabolique. Il constitue un stabilisateur des divers compartiments cellulaires (dénommés organites, tels le noyau ou bien les mitochondries qui produisent l'énergie, et bien d'autres encore). Il intervient par ailleurs dans tous les grands métabolismes : oxydoréductions, régulations ioniques. Il active un très grand nombre d'enzymes, trois cents environ !

Le magnésium participe à la formation puis à l'utilisation des liaisons chimiques riches en énergie, qui constituent le socle de toutes les activités biologiques cellulaires. Le neurone a lui aussi besoin de réserves sous forme d'énergie chimique potentielle : les liaisons riches en énergie. Or, le magnésium est nécessaire à leurs synthèses, l'élément le plus important étant l'ATP, qui représente le principal combustible de la vie. De plus, il est indispensable à l'utilisation de l'ATP, après l'avoir été pour sa synthèse : la plupart des réactions enzymatiques dépendantes de l'ATP présentent un besoin en magnésium, qu'elles concernent le métabolisme glucidique, lipidique, nucléique ou protidique.

Un apport alimentaire magnésique marginal peut provoquer des conséquences pathologiques. Celles-ci ont été bien analysées par l'expérimentation animale : hyperexcitabilité neuromusculaire, troubles immunologiques, atteintes cardio-vasculaires, anomalies maternelles et fœtales pendant la gestation. En clinique humaine, la forme principale d'expression de la déficience magnésique primaire est représentée par la tétanie latente, avec ou sans atteinte (prolapsus) de la valve mitrale dans le cœur, avec ou sans allergie ou pseudo-allergie. Enfin, le déficit magnésique constitue un facteur de risque pour l'appareil cardio-vasculaire et pour la grossesse, tant pour la mère que pour l'enfant. Une déficience d'apport entraîne évidemment un bilan négatif, mais des processus d'adaptation complexes, assez mal connus, permettent de réduire les dépenses pour atteindre un nouvel équilibre. Ainsi, même sur une durée prolongée, la santé des sujets carencés n'est pas gravement altérée.

Comme le montre SUVIMAX, le déficit magnésique concerne jusqu'à un cinquième de la population : 18 % des hommes et 23 % des femmes ont des apports inférieurs aux deux tiers des ANC ! Dans les pays développés les apports magnétiques capables de prévenir les bilans magnétiques négatifs et leurs conséquences se situent aux environs de quatre cents milligrammes par jour. Plus précisément de trois cent soixante milligrammes chez la femme et de quatre cent vingt milligrammes chez l'homme. Cet apport doit être augmenté au cours de la grossesse (majoré d'environ un bon tiers). La concurrence des autres nutriments s'exerce le plus nettement au niveau de l'absorption.

Une observation mérite d'être comptée, publiée dans la célébrissime revue *Lancet*. Elle montre que les vitamines et les minéraux s'épaulent dans leurs actions. Toute l'histoire tourne autour de la vitamine B1, aussi dénommée thiamine. Il s'agit d'une femme confuse et anorexique, ayant des problèmes oculaires. Bref, carencée dramatiquement en vitamine B1, avec un tableau d'encéphalopathie, qui caractérise le syndrome de Gayet-Wernicke, une maladie que nous avons déjà vue à propos de cette vitamine B1. Une injection de vitamines la guérit, mais pour quelques jours seulement. Une deuxième produit le même effet temporaire. Il y avait donc autre chose. Or, une enquête poussée permit de découvrir qu'elle prenait un médicament empêchant l'absorption du magnésium alimentaire. Logiquement, il fut estimé judicieux de lui administrer ce minéral ; cette supplémentation fut définitivement efficace. Car la transformation de la thiamine dans le corps nécessite du magnésium. D'ailleurs, quelques cas avaient déjà été rapportés de maladies réfractaires à la thiamine, jusqu'à l'administration conjointe de magnésium.

LE MAGNÉSIUM DANS LES ALIMENTS

L'apport magnésique est généralement directement corrélé à l'apport calorique : en effet la plupart des aliments riches en magnésium fournissent aussi un apport calorique élevé, tels le chocolat et les fruits secs. Sa biodisponibilité et sa place dans la ration sont d'importance inégale dans un régime usuel, selon les personnes. En pratique, il convient de privilégier l'alimentation traditionnelle et variée par rapport à l'alimentation « rapide » type « snacks », sucreries, confiseries, viennoiseries, qui sont pauvres en de multiples nutriments, dont le magnésium. À titre de comparaison il y a autant de magnésium dans cent soixante-dix grammes de chocolat au lait, que dans un litre de lait. Mais, bien évidemment, le lait contient beaucoup plus d'eau que le chocolat ! Parmi les diverses sources possibles, le magnésium de l'eau ou celui du lait occupe donc une place de choix. Il faut noter que le lait est plus riche en magnésium que les eaux minérales magnésiées, où d'ailleurs sa biodisponibilité est excellente. Concernant les aliments, par ordre de décroissance en teneur, se distinguent les bulots, bigorneaux et les escargots (cinq fois plus riches que les huîtres), les haricots blancs et l'oseille, les lentilles et les moules, les épinards et les bettes, sans négliger le chocolat, bien évidemment.

Composition moyenne de quelques « eaux minérales » françaises (mg/100 ml)

	Mg	Ca	K
Charrier	0,04	0,03	0,03
Volvic	0,6	1	0,5
Vichy Célestins	1,2	6,7	7,0
Vichy Saint-Yorre	1,2	7	13,0
Évian Cachat	2,5	7	0,1
Vittel grande source	3,8	21	0,2
Contrexéville source légère	4,7	49	1,0
Contrexéville Pavillon	5,3	53	0,3
Vittel Hépar	11,0	55	0,4
Lait de femme	4	30	600
Lait de vache	10	114	150
Lait de chèvre	14	120	190

(Source : Dupin). Mg : magnésium. Ca : calcium. K : potassium.

Le calcium : échafauder le cerveau et le corps

Grammes d'aliment fournissant 50 % AJR de calcium (soit 400 mg/jour)	Calcium	Milligrammes de calcium dans 100 grammes d'aliment
40	**Comté, Cantal, Beaufort, Emmental**	**1 000**
50	**Roquefort, St Nectaire, Vacherin, Bleu, Maroille, St Paulain**	**800**
130	Persil, amande, chabichou, Chaource	300
250	Escargot, St Marcellin, jaune d'œuf	150
400	**Lait**	**100**
500	Huître, fenouil, bette	80
650	Noix, olive, cassis, poireau	60
800	Colin, carpe, céleri, chou, châtaigne, noisette	50
1 000	Orange, lentille	40
1 300	Turbot, endive, fraise, oignon, chou-fleur	30
2 000	Flétan, pâte, concombre, pamplemousse	20
4 000	Bœuf, porc, agneau, produits tripiers	10
1 300 300	Riz : Blanc Complet	30 140

En italique et gras : les aliments réellement utiles, compte tenu des portions usuelles.
AJR : apports journaliers recommandés pour un adulte (JO du 26/12/93 ; 800 milligrammes par jour pour le calcium). D'après INRA-CNEVA-CIQUAL. Aliments crus ; chiffres arrondis.
Les AJR sont voisins des ANC (apports nutritionnels conseillés) qui sont de 900 milligrammes par jour. Pour un enfant, il faut à peu près les 2/3 de la ration d'un adulte. Au-delà de 55 ans chez les femmes et de 65 ans chez les hommes il convient d'absorber 1 200 mg quotidiennement ; il en faut autant entre 10 et 20 ans.

Le calcium est un élément universellement connu, chacun est relativement averti de son intérêt à travers les nombreux messages véhiculés par les médias, entre autres. Nul n'ignore son importance dans la minéralisation de l'os. La femme ne peut se maintenir – au sens propre – qu'en luttant contre le fléau qu'est… la « déclassification » de l'os, par décalcification. D'autant que l'os est un organe vivant : il est en perpétuel remaniement et se trouve être le siège de processus métaboliques intenses. Il fait fonction par ailleurs de réservoir de calcium, disponible pour les autres tissus. Mais une faible part (un centième) du calcium corporel extra-osseux est extrêmement importante, car elle intervient dans de multiples fonctions : excitabilité neuromusculaire, conduction nerveuse, contraction musculaire, coagulation sanguine, perméabilité membranaire, libération d'hormones, etc.

Le corps humain adulte contient un peu plus d'un kilogramme de calcium (c'est donc un réel macroélément), dont environ 99 % sont localisés dans l'os, sous forme de phosphate calcique amorphe et d'hydroxyapatite cristallisée ; ces deux molécules assurent la rigidité et la solidité du squelette et la dureté des dents. Cette fraction minérale de l'os est fixée sur une trame organique, qui est principalement constituée d'une protéine particulière appelée collagène. Il convient de ne pas oublier que la qualité des protéines de l'os résulte aussi de la nature des protéines qui sont mangées !

Le taux de calcium dans le plasma sanguin, appelé calcémie, est maintenu dans des limites étroites par le jeu très complexe de régulations hormonales avec notamment la parathormone, la calcitonine et la vitamine D. Chez les enfants, les adolescents et les jeunes adultes, la formation osseuse (par les ostéoblastes) est plus importante que la résorption (par les ostéoclastes). Le bilan calcique est par conséquent positif. En revanche, après quarante ans, la résorption osseuse prédomine et le bilan devient négatif ; ce phénomène entraîne obligatoirement une perte de masse osseuse. Ce phénomène est majoré chez la femme après la ménopause, tout au moins en l'absence de traitement œstrogénique ; il conduit souvent à l'ostéoporose qui fragilise les os. Ainsi, deux grandes catégories d'atteintes osseuses sont distinctes : l'ostéoporose où la masse totale de l'os est diminuée du fait d'un amincissement et d'une raréfaction des travées protéiques osseuses calcifiées, et l'ostéomalacie (qui s'appelle le rachitisme chez l'enfant) où la structure protéique reste à peu près stable, mais la minéralisation est altérée, provoquant une fragilisation et une déformation de l'os. Les mécanismes physiopathologiques et la prise en charge thérapeutique de ces deux affections sont différentes bien que les éléments en cause, calcium et vitamine D, soient les mêmes.

Vaincre l'ostéoporose constitue d'ailleurs un grand défi de santé publique, du fait de sa grande fréquence, de son coût humain tout autant qu'économique. La diminution progressive de la masse osseuse protéique et minérale est une malheureuse conséquence de l'âge. L'ostéoporose atteint préférentiellement les femmes maigres et sédentaires, après la ménopause. La raréfaction osseuse serait moins importante chez les femmes bien rondes du fait d'une conversion plus importante des androgènes surrénaliens en œstrogènes dans le tissu adipeux ! Les hommes sont relativement préservés, tant qu'ils sont... entiers, c'est-à-dire que leurs testicules sont présents et fonctionnels.

LES BESOINS RÉELS

Quelles sont les dépenses (c'est-à-dire les besoins nets) ? Outre les exigences obligatoires de croissance provoquées par la formation et la minéralisation osseuse (fœtus, enfant, adolescent et jeune adulte), l'organisme doit faire face aux dépenses d'entretien que provoquent les inévitables pertes. Dans des conditions physiologiques normales, le besoin minimum journalier net d'entretien est de l'ordre de quatre milligrammes de calcium par kilo de poids corporel, soit environ trois cents milligrammes par jour pour l'homme adulte. Ces pertes minimales sont presque également réparties entre fèces et urine ; elles correspondent au calcium non réabsorbé des sécrétions intestinales, ainsi qu'à l'excrétion urinaire inévitable imposée par la constance de la calcémie. Elles existent même lorsque l'apport alimentaire de calcium est très faible, voire nul, et peuvent être fortement accrues par une sudation importante.

Mais, pour évaluer l'apport alimentaire moyen permettant de satisfaire les besoins nets, il faut tenir compte d'un coefficient moyen d'absorption intestinale. Celui-ci est fonction d'une part, de l'absorbabilité du calcium des aliments, qui est en général un facteur limitant ; d'autre part il résulte de la capacité d'absorption de l'intestin, qui dépend de l'état physiologique : diminution avec l'âge, augmentation avec les besoins spécifiques à certaines périodes de la vie ou en fonction de certaines activités.

Le coefficient d'absorption augmente quand la quantité ingérée diminue. De plus, selon l'âge, il varie de 50 % et plus chez l'enfant, à moins de 20 % chez le vieillard. Il est, en outre, limité de façon variable par l'absorbabilité du calcium des aliments, car certaines substances d'origine végétale qui le fixent et le « masquent » (oxalate, phytate...) sont particulièrement peu absorbables, alors que d'autres le sont beaucoup. Ce coefficient moyen d'absorption est de 35 %.

En conséquence, il semble raisonnable de conseiller un apport de neuf cents milligrammes de calcium par jour pour les adultes afin de contribuer à la prévention des pertes osseuses excessives. Pendant le dernier trimestre de la grossesse et l'allaitement, une quantité d'un gramme de calcium par jour est conseillée. La période de l'adolescence, prolongée jusqu'à l'âge de pleine maturité du squelette (vingt-cinq à trente ans), est particulièrement importante. En effet, l'importance du pic de minéralisation osseuse est l'un des facteurs qui détermine le délai d'atteinte du seuil fracturaire des os, vers lequel conduit inexorablement la perte progressive – et normale – de masse osseuse. Il est alors conseillé un appoint journalier de mille deux cents milligrammes de calcium, tout au moins pendant la période pubertaire de forte croissance. Jeunes gens et jeunes filles abusez des laitages (maigres et sans sucre...).

Pour les femmes après la ménopause et pour les personnes âgées, plusieurs théories s'affrontent sur l'intérêt d'augmenter les apports calciques au-delà de mille deux cents milligrammes par jour, pour compenser la plus faible capacité d'absorption de l'intestin (résultant du vieillissement tissulaire et de la diminution de production de vitamine D). Un important supplément de calcium pourrait réduire la résorption osseuse quand l'absorption intestinale est normale ; son effet préventif sur la perte d'os semble bien établi après soixante ans, et même chez la femme âgée. Cependant, même si de tels suppléments de calcium (au-delà du gramme et demi par jour) peuvent être prescrits de façon individuelle, le geste relève de la thérapeutique médicale ; il ne serait pas raisonnable de conseiller à des groupes de population des apports nutritionnels aussi élevés, difficiles à assurer par les régimes alimentaires usuels. Il semble plus judicieux de veiller sérieusement à l'apport de vitamine D ; tout en considérant avec beaucoup d'attention les autres moyens efficaces pour retarder les manifestations de l'ostéoporose : traitement œstrogénique, et surtout maintien d'une bonne activité physique.

Les résultats les plus récents – scoops médiatiques – sur l'intérêt d'un apport élevé de calcium pour diminuer la pression artérielle et pour prévenir les tumeurs du côlon sont encore trop controversés pour justifier des apports très supérieurs à ceux habituellement conseillés. Cependant, ils n'en constituent pas moins des arguments supplémentaires en faveur d'une alimentation calcique équilibrée et convenable.

RÉALITÉS QUOTIDIENNES ET BIENHEUREUX FROMAGES

D'après un certain nombre d'enquêtes épidémiologiques, et compte tenu de l'analyse des aliments habituels, la consommation moyenne de calcium en France serait de l'ordre de neuf cents milligrammes par jour ; ce qui peut paraître rassurant. Mais, en réalité, cette moyenne cache une très grande variabilité individuelle, qui expose des groupes importants à un risque d'apport calcique insuffisant. Ainsi, certaines enquêtes montrent que l'apport nutritionnel conseillé ne serait pas assuré en France pour presque la moitié de la population adulte et, ce qui est plus préoccupant, pour les deux tiers des jeunes filles. Plus de la moitié des femmes après soixante ans ne consommeraient pas la quantité minimale de six cents milligrammes par jour, considérée comme le seuil critique en dessous duquel le risque de bilan calcique négatif devient très important ; il y a donc là matière à grave préoccupation.

Il est intéressant de retenir que près des deux tiers du calcium sont fournis par le lait et les produits laitiers, mais tous les fromages n'apportent pas la même quantité de calcium. Une étude comparative entre la biodisponibilité du calcium contenu dans l'emmental et dans une préparation pharmaceutique au carbonate de calcium a été très sérieusement présentée par des médecins d'Amiens. Tout sectarisme local est à exclure : ils n'ont pas vanté un produit du terroir local. Leur conclusion est qu'il vaut mieux grignoter un bout de fromage que de prendre un cachet. C'est meilleur, pour le goût et plus efficace pour lutter contre l'ostéoporose. Avec un peu plus de cent grammes de certains fromages, on atteint l'apport « recommandé » aux personnes âgées. Le problème devient maintenant peut-être pratique et administratif, les pharmaciens vont-ils débiter du fromage à la coupe et la Sécurité sociale le rembourser à 70 % ?

Portion qui apporte trois cents milligrammes de calcium

Fromage frais ou fromage de chèvre	250 à 300 g
Lait entier	250 g
Lait écrémé ou yaourt	200 g
Fromage à pâte molle à croûte fleurie	100 à 150 g
Fromage à pâte pressée non cuite ou molle à croûte lavée ou fondue ou persillée	50 g
Fromage à pâte pressée cuite	30 g

Le fromage permet même de former de véritables... savons physiologiques (la combinaison chimique des acides gras et du calcium) ! Ils ne se construisent que dans le gros intestin, qui n'absorbe pas le calcium. La rétention des acides gras saturés se fait donc avec un calcium non utilisé ; en revanche, la présence de ce calcium diminue l'absorption des acides gras saturés (qui sont absorbés tout au long du tube digestif). C'est pourquoi le fromage fournit moins de graisses saturées que le beurre, alors que ces deux aliments dérivent du même produit, le lait.

L'EXCÈS QUI EMPIERRE ET CASSE

Les conséquences de l'abus de calcium ne sont pas anodines. En effet, bien que des quantités très élevées de calcium (jusqu'à deux grammes par jour) ne semblent pas entraîner d'effets défavorables chez l'homme en bonne santé, une surabondance prolongée peut conduire, chez les sujets les plus sensibles, à l'augmentation du calcium dans les urines (dénommée l'hypercalciurie) et donc au calcul urinaire (la lithiase) ainsi qu'à un dépôt diffus de calcaire dans les reins (la néphrocalcinose). Le risque de tels accidents est considérablement augmenté par l'hypervitaminose D. L'excès de calcium alimentaire peut aussi inhiber l'absorption intestinale de certains oligo-éléments, au premier rang desquels se trouve le fer. Des apports très supérieurs à ceux qui sont conseillés doivent donc être évités. En tout état de cause, il convient que les quantités de calcium et de phosphore ne soient pas quantitativement déséquilibrées. La fourniture de calcium ne doit pas être découplée de celle du phosphore. Pour respecter les recommandations, la variété s'impose :

Rapport calcium / phosphore :

Valeur recommandée	2/1
Lait, produits laitiers	1/1
Viande	1/15
Légumes verts	5/1

Le phosphore pour phosphorer ?

Historiquement, pourquoi une telle expression populaire ? En fait, son origine est quelque peu macabre. En effet, les premiers chimistes qui analysèrent le cerveau humain (notamment sur des cadavres déterrés du cimetière des Innocents à Paris lors de leur transfert dans les catacombes) ont observé qu'il contenait beaucoup de phosphore.

Relation un peu simpliste entre la cause et l'effet : ils en conclurent que le cerveau pense grâce, entre autres, au phosphore. Depuis lors, les aliments riches en phosphore sont préconisés pour dynamiser le cerveau, soutenir les neurones, attiser la mémoire et rendre l'esprit flamboyant ; d'autant que le phosphore est tout particulièrement brillant et incendiaire lorsqu'il brûle. Or, on sait maintenant que ce fantastique phosphore n'est pas tout nu et isolé dans le cerveau, il est souvent inclus dans de très précieuses graisses aux formules chimiques complexes, dénommées phospholipides.

L'EURO DU CORPS : LA MONNAIE ÉNERGÉTIQUE

Mais l'expression « phosphorer » n'en reste pas moins exacte. Car le phosphore participe aux processus d'utilisation et de stockage de l'énergie, principalement sous la forme d'une substance tout à fait essentielle, dénommée ATP, molécule qualifiée de « riche en énergie ».

Nous l'avons déjà rencontrée. Elle est fondamentale pour le cerveau, petit organe gourmand – plutôt vorace – d'énergie, en continu et sans aucun à-coup, de jour comme de nuit et dans toutes les situations.

En effet, un sucre particulier combiné à du phosphore constitue l'ATP, l'« euro » de la cellule, c'est-à-dire sa monnaie énergétique, quelle que soit sa nature et sa fonction, dans tous les organes. L'organisme est un authentique fabricant de numéraire, en quantités énormes. Mais il les dépense presque aussitôt. Un homme au repos consomme quarante kilos d'ATP en vingt-quatre heures, dont huit pour son cerveau ; au cours d'un exercice intense, la vitesse d'utilisation de l'ATP peut même atteindre cinq cents grammes à la minute ! La production doit être permanente, car la quantité d'ATP stockée dans un muscle suffit à peine pour maintenir la contraction pendant... une petite seconde ! Le muscle peut « carburer » un peu plus longtemps avec un autre dérivé phosphoré générateur d'énergie : la créatine phosphate (il en contient six fois plus que d'ATP), ce qui permet de tenir quatre secondes au sprint de cent mètres. En perdant un atome de phosphore, la molécule d'ATP transfère son énergie, ce qui permet les métabolismes. Car toutes les cellules tirent leur énergie de leur environnement, elles convertissent les aliments en constituants cellulaires au moyen d'un réseau hautement intégré de réactions chimiques que l'on appelle métabolisme. L'ATP est fabriqué intégralement par l'organisme, il n'a pas de caractère vitaminique : il ne sert pas à grand-chose d'en ingurgiter. Phosphorer signifie donc ajouter du phosphore à l'ADP (adénosine diphosphate) pour le transformer en ATP (adénosine triphosphate). L'adénosine est formée d'adénine (celle-là même qui participe à l'architecture de l'ADN) et de ribose, un sucre particulier élaboré à partir du glucose. Les molécules de glucose participent donc doublement à la production d'énergie : d'une part, pour certaines, en contribuant directement à l'architecture de ces ADP et ATP et d'autre part, pour d'autres, en étant complètement brûlées, l'énergie de combustion permettant de fabriquer de l'ATP à partir de l'ADP.

En moyenne, le corps humain adulte contient approximativement sept cents grammes de phosphore, dont environ six cents grammes sont associés au calcium dans le squelette et les dents. Par ailleurs, il participe à tous les mécanismes vitaux, il est l'un des constituants fondamentaux de toute cellule vivante, quelle que soit sa nature ; il intervient directement dans les structures cellulaires, et tout particulièrement associé aux phospholipides des membranes biologiques.

Le précieux phosphore participe à de multiples processus biochimiques, en s'accrochant à de nombreuses substances. Ainsi la phosphorylation de très nombreuses molécules organiques constitue une étape préalable nécessaire à l'efficacité biologique de leur transport et de leur utilisation. Le phosphore est aussi un constituant de divers composés essentiels, comme par exemple les acides nucléiques de notre matériel génétique. Il contribue à l'activité d'innombrables systèmes enzymatiques.

Enfin, les phosphates en solution contribuent au maintien de l'équilibre acido-basique et du pouvoir tampon (le maintien du pH) des nombreux liquides biologiques. Il est l'un des socles de l'homéostasie extra- et intracellulaire. Il intervient donc à tous les niveaux des complexes mécanismes de la vie !

Mais la nature de l'aliment n'est absolument pas indifférente, puisque la structure de la molécule du nutriment qui contient le phosphore est fondamentale. Le phosphore minéral n'a pas la même destinée que celui des phospholipides que nous mangeons. Car ces derniers sont présents dans toutes les substances vivantes, ou qui l'ont été. La vie, végétale ou animale, est constituée de cellules formées de membranes biologiques. Toutefois, les phospholipides d'origine végétale ne présentent pas les mêmes acides gras poly-insaturés que ceux d'origine animale, qui sont meilleurs, car plus élaborés (les bonnes graisses, dérivée de la « vitamine F »). D'où l'intérêt de l'alimentation carnée. De tout un peu, animal et végétal. Il faut savoir choisir le phosphore !

Comme pour le calcium, l'organisme requiert du phosphore alimentaire pour compenser des pertes physiologiques inévitables, qui sont de l'ordre de trois cents milligrammes par jour, en majorité dans l'urine. L'efficacité de l'absorption intestinale du phosphore est généralement meilleure que celle du calcium ; elle est moins dépendante des facteurs physiologiques. Le coefficient d'absorption des meilleures sources de phosphore (ortho- et polyphosphates minéraux solubles) est supérieur à 80 %, tandis que celui des plus mauvaises (phytates) reste encore de l'ordre de 30 %. En moyenne, le coefficient d'absorption du phosphore ingéré est de 50 % à 70 %. Mais il existe des variabilités individuelles, qui sont cependant inférieures à celles affectant le calcium.

L'apport alimentaire journalier moyen nécessaire pour couvrir les besoins se situe vers huit cents milligrammes chez l'adolescent et l'adulte. En période de forte croissance cet apport doit être augmenté. Le besoin de lactation est d'environ cent milligrammes de phosphore par jour pour huit cents millilitres de lait produit. La croissance du fœtus demande environ cent cinquante milligrammes de phosphore par jour pendant les trois derniers mois de la grossesse.

Pour l'homme, comme pour tous les autres mammifères, il serait logique que le rapport calcium/phosphore alimentaire soit supérieur à 1. Cependant, ce rapport est en général beaucoup plus faible (0,4 à 0,7) et il est difficile de le modifier par de simples manipulations diététiques. En effet, d'une manière générale, les principaux aliments de l'homme sont riches en phosphore. De ce fait, pour ceux qui mangent réellement de manière variée et satisfaisante, la consommation moyenne journalière atteindrait en France un gramme et demi, provenant à quantités égales des trois grands groupes d'aliments : d'une part les viandes, poissons et œufs ; d'autre part les laits et produits laitiers ; enfin les céréales, légumes et fruits. Il s'y ajoute les phosphates (ortho- et polyphosphates) incorporés dans certains aliments pour des raisons technologiques, notamment les charcuteries ; leur consommation moyenne en France ne dépasserait pas, pour le moment, cent milligrammes de phosphore par jour. La carence manifeste en phosphore peut cependant apparaître dans certains cas de malabsorption chez l'enfant comme l'adulte.

Le phosphore dans quelques aliments (mg/100 g)

Huiles végétales	0
Carotte	15
Beurre	22
Orange, poire, pomme, cerise, banane	20
Endive, laitue, poireau, haricot vert, concombre, tomate	25
Épinard, pomme de terre, chou-fleur	50
Châtaigne	75
Lait	90
Pain	100
Yaourt	110
Petits pois, limande	125
Jambon, cabillaud, thon	190
Bifteck	250
Foie de veau, sardine	270
Camembert, lentille sèche	300
Noix	360
Saint-Nectaire	375
Jaune d'œuf	520
Comté	710

Le cuivre : éviter de rétamer l'intelligence

Grammes d'aliment fournissant 50 % ANC de cuivre (soit 1,0 mg/jour)	Cuivre	Milligrammes de cuivre dans 100 grammes d'aliment
20	*Foie de veau, huître*	*5*
100	*Calamar*	*1*
100	Noisette	1
155	*Lentille, haricot blanc*	*0,7*
200	Rognon, champignon	0,5
250	Foie de volaille	0,4
350	Chèvre mi-sec	0,3
500	Moule, bifteck	0,2
650	Riz blanc	0,15
1 000	Dinde, jambon, porc, veau, thon, saumon, hareng, boudin	0,1
1 600	Œuf	0,06
2 000-5 000	Poisson	0,02-0,05
1 000-2 000	Fromages, légumes, fruits	0,05-0,1
2 000	Lait	0,05

En italique et gras : les aliments réellement utiles, compte tenu des portions usuelles.
Il n'y a pas d'apports journaliers recommandés (AJR) pour le cuivre au JO du 26/12/93. Seuls les ANC (apports nutritionnels conseillés) peuvent donc être pris en compte. En France, en fonction de l'âge, les apports recommandés par le CNERNA (qui fait maintenant partie depuis quelques mois de l'AFFSA) sont de 0,8 mg/jour chez les enfants de 1 à 3 ans. Aux autres âges ils sont de 1,5 mg/jour. Ils sont de 2 mg/jour chez les hommes et les femmes enceintes ou qui allaitent.

Il est clair que le cuivre constitue un oligo-élément essentiel à la vie. Son implication directe et obligatoire dans de nombreux systèmes biologiques et physiologiques a largement été mise en évidence, d'ailleurs fréquemment au travers des variations de ses teneurs dans de nombreuses pathologies. Il participe à l'harmonie du fonctionnement cérébral en assurant la régulation des neuromédiateurs ; il garantit la vie même de cet organe en contrôlant la fabrication de l'énergie à partir du glucose. Son risque toxicologique, qui cherche à défrayer les médias, ne doit en aucun cas occulter son importance physiologique, sous peine de grand danger !

L'histoire technologique du cuivre est très ancienne. Il fut l'un des premiers métaux travaillés par l'homme. L'étymologie du mot cuivre se trouve dans *coprium, cuprium, cyprium,* qui signifie « bronze de Chypre ». En fait *kupros* est le nom grec de l'île de Chypre. Pour le vocabulaire scientifique et savant, le latin *cuprum* a permis de forger des mots comme cuprifère ou cuprique, ainsi qu'un certain nombre de mots de la minéralogie et de la technologie (les cupro-alliages, par exemple). On ne peut bronzer – cuivrer – heureux qu'avec le cuivre ; « bronzé » et « cuivré » sont presque indifféremment employés après un séjour ensoleillé : « Tout un monde, couleur cuivre et sang noir, où la circulation d'une forte nourriture rend savoureuse l'obéissance au destin ; où la beauté et l'amour s'enracinent dans une matière drue... », comme l'écrit Jules Romain.

L'histoire biologique du cuivre est relativement récente. Elle date exactement de 1928, avec la découverte de son rôle essentiel chez le rat, qui fut rendu anémique en le soumettant à un régime alimentaire exempt de cuivre. Quelques années plus tard, en 1931, le même phénomène fut observé chez un enfant en dénutrition. Le rôle crucial de ce métal dans la construction du tissu conjonctif (et donc sur la peau) n'a été mis en évidence que beaucoup plus tard, en 1961. Incidemment, si le cuivre joue le plus souvent un rôle bénéfique sur les organismes supérieurs, son comportement est très différent vis-à-vis des formes inférieures de la vie. C'est même un puissant bactéricide !

MÉTABOLISME, PHYSIOLOGIE, VARIATIONS NON ÉNIGMATIQUES

Le corps humain contient de 75 à 100 mg de cuivre qui se répartissent de manière très inégale entre tous les organes. Il est 10 fois plus concentré dans le foie et 5 fois plus concentré dans le cerveau que dans la rate ou dans le sang. Le foie constitue le principal organe de stockage. La moitié du cuivre pris oralement est absorbée au niveau de l'estomac et de la muqueuse de l'intestin grêle.

Le cuivre intervient dans le métabolisme du fer en permettant la libération et le passage dans le plasma du fer contenu dans l'intestin et le foie. Avec le cuivre, c'est toute la réticulation de la peau qui est en jeu, et donc son efficacité et son intégrité ! C'est grâce à une enzyme, la dopamine β-hydroxylase, que les amines biogènes sont contrôlées lors du stress ; et qu'est fabriquée la noradrénaline à partir de la dopamine, un agent de communication entre les neurones (un neuromédiateur) !

Le cuivre est nécessaire à la synthèse des mélanines (substances qui colorent la peau du brun au noir, selon ses quantités), ce qui explique que les carences en cuivre chez les animaux s'accompagnent de troubles de la pigmentation des poils ou de la laine. Une enzyme très importante, la superoxyde dismutase (SOD, enzyme à zinc et à cuivre) protège l'intégrité cellulaire contre l'effet toxique des radicaux libres et de la peroxydation lipidique. C'est-à-dire que l'on ne rancit pas, au sens propre !

NUTRITION, MALNUTRITION ET INTOXICATION

Globalement la prévalence de la carence en cuivre est plus important dans les pays à bas niveau de vie que dans les pays industrialisés. Or, elle est associée à des pathologies graves. Les manifestations de cette carence sont un retard de croissance associé à des troubles de l'ossification et des fractures spontanées, une anémie résistante à un traitement au fer, une hypercholestérolémie et une triglycéridémie, des lésions du myocarde et une hypertrophie cardiaque, une hypotension, des troubles du cerveau, une grosseur anormale du foie et de la rate, une diminution des globules blancs (une neutropénie), une pâleur, une détérioration de la tolérance au glucose, une atrophie de la muqueuse intestinale.

La carence en cuivre ne semble concerner que très rarement les adultes. Elle peut toutefois se démasquer lors de la ménopause, notamment en raison d'un régime nutritionnel excessivement riche en produits laitiers (qui sont pauvres en cuivre), par abus d'une attitude souvent recommandée comme moyen de prévention contre l'ostéoporose. Dans la population des personnes âgées et malades (pathologies variées, souvent chroniques et accompagnées fréquemment d'une modification du comportement nutritionnel), la consommation quotidienne de cuivre est en moyenne inférieure aux apports recommandés et le bilan métabolique est nettement négatif. Bien plus, il existe une relation entre le statut nutritionnel des personnes âgées et leur niveau socio-économique ! Globalement, la consommation en cuivre est très souvent inférieure aux apports recommandés (de 40 % environ). Mais il est possible que les recommandations soient trop élevées...

Il est très important de savoir qu'il est particulièrement délicat d'apprécier les besoins en oligo-éléments. En effet, il existe une sérieuse compétition au niveau de l'absorption (entre le cuivre et le zinc par exemple ; ou bien entre le fer et le calcium) ; par conséquent la biodisponibilité des micronutriments varie avec les aliments et même selon les combinaisons de nourritures. Par ailleurs, la richesse des aliments en cuivre est liée à la teneur du sol sur lequel ils sont produits, ainsi qu'à la nature et à la quantité des engrais utilisés.

Le choix des aliments cuivrés est restreint : le foie de veau (pourquoi pas sauté, dans une salade composée, à la place des gésiers), les huîtres. Seul le calamar est d'usage aisé en cuisine, mais il est rarement trouvé non caoutchouteux. Amusant ? l'étymologie vient du latin *calamarus*, qui signifie « contenant le roseau pour écrire » ; à la fin du XIIᵉ siècle, calmar signifiait écritoire, à cause de l'encre qu'il contient. Vive les encornets !

Présent en excès, le cuivre peut s'avérer toxique, dans des situations bien particulières : lors d'un travail en milieu très pollué ou bien avec des eaux de boisson surchargées. Par exemple, le sulfate de cuivre est utilisé afin de réduire la prolifération des algues dans les réservoirs d'eau. Deux autres facteurs peuvent contribuer à la consommation excessive de cuivre : la supplémentation en oligo-éléments (les préparations peuvent couvrir à elles seules les besoins quotidiens en cuivre) et même le tabac (une cigarette contient de l'ordre de 0,19 µg de cuivre), l'accumulation du cuivre chez les fumeurs a été démontrée ! Avec le cadmium, pour ce qui est des métaux lourds, la cigarette est une véritable calamité.

Ne pas travailler du chapeau : le manganèse

Grammes d'aliment fournissant 50 % ANC de manganèse (soit 1 mg/jour)	*Manganèse*	Milligrammes de manganèse dans 100 grammes d'aliment
20	*Noisette*	*5*
100	*Riz blanc, persil, lentille*	*1*
125	*Pain*	*0,1*
150	*Huître, moule*	*0,6*
250	Bifteck, foie de volaille	0,4
300-1 000	Légumes	0,1-0,3
500	Foie de veau	0,2
1 000	Rognon	0,1
1 600	Boudin noir, porc	0,06
1 100-5 000	Poisson	0,02-0,09
1 600-10 000	Fromages, fruits	0,01-0,06
3500	Dinde, poulet	0,03
10 000	Œuf, agneau, jambon, veau	0,01

En italique et gras : les aliments réellement utiles, compte tenu des portions usuelles.
Il n'y a pas d'apports journaliers recommandés (AJR) pour le manganèse au JO du 26/12/93. Seuls les ANC (apports nutritionnels conseillés) peuvent donc être pris en compte : 2-3 mg/ jour.

L'influence du manganèse sur l'activité cérébrale et nerveuse est complexe. Ce métal est nécessaire (il en faut un minimum), mais il est aussi facilement toxique (quand il y en a trop). Historiquement, l'expression populaire « travailler du chapeau » (en plus moderne, on dirait actuellement : « une araignée sous la toiture ») est la conséquence de la folie de nombre de chapeliers, dont on sait maintenant qu'elle était due au manganèse présent dans les produits qu'ils utilisaient pour faire les feutres ! « Le patron travaille du chapeau, dit Grignolles au docteur qui faisait le plein de son réservoir à la pompe des demoiselles Simplicie. On croit ça, répliqua le médecin... », comme l'écrit Georges Bernanos.

Le XVIᵉ siècle connaissait déjà la magnésie noire. Par altération de *manganesa*, qui devint lui-même manganèse. Ce métal est très répandu à la surface de la croûte terrestre. Les plantes en contiennent des quantités importantes. En revanche il n'est présent chez les animaux qu'à l'état de trace. Au cours de l'évolution de la vie terrestre, ils ont probablement développé des systèmes d'épuration de ce métal qui, s'il ne présente pas une toxicité aiguë très importante, peut cependant entraîner des désordres neurologiques irréversibles en cas d'intoxication chronique.

Son rôle biologique est certainement très important ; si les effets néfastes d'une carence n'ont pas été constatés de façon irréfutable chez l'homme, les conséquences des déficits examinées chez diverses espèces animales montrent qu'il est impliqué dans de nombreux métabolismes.

Les végétaux contiennent tous du manganèse, particulièrement les graines, les noix et même le thé. Les fruits et les légumes en sont moins riches, mais leur taux est encore très élevé par rapport aux divers aliments d'origine animale. Le lait humain contient très peu de manganèse, mais il semble qu'il y soit sous une forme particulièrement assimilable. Le lait de vache et, surtout les laits adaptés en sont très riches. Les taux très élevés de manganèse dans certains laits artificiels à base de soja incitent à la prudence ; même si le risque d'intoxication reste théorique.

Le dosage dans les cheveux constitue le meilleur reflet du manganèse d'un organisme, mais les difficultés techniques rendent difficile cette indication. Honoré de Balzac connaissait déjà, au moins en partie, la composition capillaire : « Les cheveux sont formés d'une quantité assez grande de mucus, d'une petite quantité d'huile blanche, de beaucoup d'huile noir verdâtre, de fer, de quelques atomes d'oxyde de manganèse, de phosphate de chaux, d'une très petite quantité de carbonate de chaux, de silice et de beaucoup de soufre. »

L'absorption du métal a été peu étudiée chez l'homme. Elle se déroule sur toute la longueur de l'intestin grêle, mais elle est restreinte car seuls 3 % à 4 % du manganèse alimentaire sont absorbés. Sa biodisponibilité est donc remarquablement faible ! De plus, de nombreux facteurs l'influencent : elle est inhibée par le calcium, le phosphore, les phytates. Son antagonisme avec le fer est connu depuis longtemps. Un régime riche en manganèse entraîne une diminution de la synthèse de l'hémoglobine ; inversement, les malades atteints d'anémie ferriprive (due à la carence en fer, comme son nom l'indique) ont un taux sanguin de manganèse double de celui des témoins sains. Dans le même sens, un régime riche en fer aggrave les effets d'une carence. Les laits artificiels enrichis en fer entraînent une moindre absorption du manganèse. Cet antagonisme est probablement dû au fait que les sites de fixation et d'absorption du fer seraient les mêmes que ceux du manganèse ; et d'ailleurs aussi ceux d'autres métaux, comme le cobalt.

Le manganèse a été impliqué dans de nombreux métabolismes : la coagulation, la thyroïde, l'immunité. Il participe à l'harmonie du système de reproduction, sa carence entraînant une baisse de fertilité. Point crucial, il entre dans la composition d'une superoxyde dismutase. Cette enzyme particulièrement importante intervient dans les mécanismes de protection contre les radicaux libres oxygénés. Elle est fondamentale, entre autres, dans le cadre de la prévention du vieillissement.

Le manganèse participe de façon très importante à la formation du squelette. Chez le rat la carence durant la gestation entraîne des malformations osseuses (membres, crâne, genoux) et un défaut d'ossification dans l'oreille interne induisant une ataxie (une difficulté à coordonner les mouvements) congénitale irréversible. Elle se traduit par des pertes d'équilibre et une position anormale de la tête. Elle est due à un développement incorrect des otolithes, structures calcifiées dans le vestibule de l'oreille interne.

FAIRE COURT-CIRCUITER LE CERVEAU

Le cerveau du nouveau-né possède une capacité de concentration du manganèse bien supérieure à celle de l'adulte, alors que, dans le même temps, l'élimination biliaire reste faible. Il est donc potentiellement dangereux d'exposer les jeunes enfants à un environnement trop riche en ce métal. Mais, plus que pour n'importe quel organe, le manganèse est essentiel au développement et au fonctionnement du cerveau. Il participe à l'activité d'un grand nombre d'enzymes. Sa concentration est variable selon les régions cérébrales ; globalement elle est cent fois plus élevée que dans le plasma sanguin.

Le manganèse est un métal peu dangereux et le risque d'accident n'est réel que dans certaines situations bien particulières. Si l'intoxication aiguë reste anecdotique et n'a été décrite que dans de très rares situations, l'intoxication chronique est plus courante. Elle touche essentiellement la population ouvrière. Il y a quelques années le remplacement du plomb tétraéthyl comme additif dans les carburants par un dérivé organique du manganèse fut envisagé et a relancé l'étude des effets toxiques du métal. L'intoxication chronique est exceptionnellement la conséquence d'un problème nutritionnel ; comme cela le fut pour une famille japonaise dont l'eau de boisson provenait d'un puits souillé par des batteries entreposées dans une usine non loin. Aux États-Unis, la prise de compléments par quelques obsédés de ce métal a été source de problèmes de santé.

La très grande majorité des intoxications se fait en réalité par les poumons. Les poussières riches en manganèse inhalées n'induisent pas de lésions locales. Le métal peut alors éventuellement traverser la barrière pulmonaire (il passe des alvéoles vers le sang), ou bien être absorbé par voie digestive, après régurgitation. Quel que soit le mode d'absorption, il faut que l'exposition au toxique soit réellement longue (environ 6 mois) pour que les premiers symptômes apparaissent. Mais cette longueur caractérise précisément des pollutions professionnelles ; telles celles décrites chez des ouvriers travaillant dans l'industrie métallurgique ou chez des mineurs, notamment chiliens et marocains. Toutes les personnes exposées ne sont pas atteintes, seul un petit nombre développent la maladie. Des facteurs aggravants, comme l'alcoolisme ou des stress divers, peuvent en partie expliquer ces différences entre individus. Après environ six mois d'exposition, la maladie débute par une phase psychiatrique proche de la schizophrénie, le malade irritable et parfois violent ressent des hallucinations. On appelle cette phase la « folie manganique ». Si l'individu est soustrait de la source d'intoxication, une amélioration clinique est possible, avec régression des symptômes. Sinon, la maladie évolue ensuite vers d'autres désordres neurologiques, avec des signes cliniques très proches de ceux manifestés lors de la maladie de Parkinson. À ce stade les atteintes sont alors irréversibles, même si le malade est soustrait de l'environnement toxique. On pourrait imaginer que, pour éviter cela, Émile Zola proposa un remède écologique : « Il parlait d'en prendre les cendres, la soude impure du commerce, puis de séparer et de livrer, à l'état de pureté parfaite, les bromures, les iodures de sodium et de potassium, le sulfate de soude, d'autres sels de fer et de manganèse, de façon à ne laisser aucun déchet de la matière première. »

Le zinc : le goût du bon goût, donc une santé d'airain

Grammes d'aliment fournissant 50 % AJR de zinc (soit 7,5 mg/jour)	Zinc	Milligrammes de zinc dans 100 grammes d'aliment
10	*Huître*	*70*
75-100	Beaufort, Comté, Maroille	8-10
125	*Bifteck, foie de volaille*	*6*
150-250	Bleu, Brie, camembert, Cantal, Coulommiers, Munster, Roquefort, St Nectaire	3-5
250	Jambon, escalope de veau, mouton, dinde, foie de veau	3
375	Porc, rognon, moule, noisette	2
750	Œuf, poulet, riz blanc, escargot	1
1 000	Boudin noir	0,7
750-1 250	Chèvres	0,6-1
750-1 500	Poissons, légumes	0,5-1
1 800	Lait	0,4
1 500-7 500	Fruits	0,1-0,5

En italique et gras : les aliments réellement utiles, compte tenu des portions usuelles.
AJR : apports journaliers recommandés pour un adulte (JO du 26/12/93 ; 15 milligrammes par jour pour le zinc). D'après INRA-CNEVA-CIQUAL. Aliments crus : chiffres arrondis.
NB : les AJR sont plus élevés que les ANC. Ces derniers sont de 12 mg pour un homme et de 10 mg pour une femme. Pour un enfant il faut à peu près les 2/3 de la ration d'un adulte.

Une santé florissante exige la présence d'une certaine quantité de zinc dans les aliments. Car il intervient dans une multitude de mécanismes physiologiques, par exemple à différentes étapes de la synthèse protéique, après avoir permis le déclenchement de la lecture du génome. Il est directement impliqué dans la synthèse des acides gras poly-insaturés à longues chaînes carbonées, d'importance considérable dans les membranes biologiques cérébrales, comme nous l'avons précédemment découvert. Il est par ailleurs indispensable à la croissance, au maintien et à la défense de l'organisme. Il assure la structure d'hormones peptidiques importantes telles que l'insuline, dont le rôle est fondamental dans le métabolisme glucidique pour tout un chacun, comme pour le sportif d'occasion ou de profession, surtout s'il s'agit d'endurance. Ce besoin se fait sentir tant avant que pendant et surtout après l'exercice, lors de la régénération des réserves de glycogène (l'« amidon » animal que nous avons vu à l'occasion des glucides). Cet important métal intervient directement dans les mécanismes biochimiques producteurs d'énergie en assurant l'utilisation efficace de l'oxygène, il participe à la protection contre les radicaux libres produits en permanence dans notre corps, par tous nos organes. Autant dire qu'il est partout !

Une santé d'airain ? Pourquoi mettre à profit le symbole de l'airain ? Parce que le zinc entrait – et continue de le faire – dans la constitution de nombreux alliages, dont l'airain, mais aussi le bronze et le laiton. En fait, l'airain est un alliage de cuivre, d'étain et de zinc, en proportions variables selon l'artisan, au premier plan duquel le fabricant de cloches. Fort logiquement, la voix d'airain bénéficie de la pureté et de la puissance de l'angélus. Être d'airain signifie dur, implacable, resplendissant. Les plus belles statues érigées par les Égyptiens, les Grecs et les Chinois anciens étaient faites avec cet alliage... À la fin du Moyen Âge, le travail du zinc et de ses alliages a connu un essor considérable avec la confection des chaudrons à Dinant (... en Belgique), d'où la dénomination des travaux de chaudronnerie par le mot de dinanderie. Depuis des siècles, en remontant à la plus haute Antiquité, les écrits attestent que l'oxyde de zinc fut mis à profit dans le traitement des plaies et des brûlures.

L'étymologie du mot zinc signifie... étain (*zinn* en germain), car à l'époque, on croyait que ce métal constituait une variété précieuse de l'étain ! Le célèbre alchimiste Paracelse le mentionne pour la première fois au début du XVIᵉ siècle sous le nom de *zincum*.

La découverte du rôle indispensable du zinc pour les êtres vivants date de 1869. Cette année-là, le célèbre chimiste Raulin montre l'intervention privilégiée de ce métal pour assurer la croissance de micro-organismes (en l'occurrence *Aspergillus niger*). En 1934, Bertrand (l'inventeur des oligo-éléments, qui mit d'autre part au point la vaccination antivenimeuse) montre que cet élément est essentiel pour l'animal. Mais la démonstration de l'importance du zinc en pathologie humaine remonte seulement à 1961. Depuis lors, les carences en ce métal sont fréquemment mises en évidence chez l'homme, dans la mesure où elles sont recherchées, y compris dans les pays réputés développés. Nul doute qu'après avoir constaté que la carence en fer est très préoccupante en France, on en vienne au zinc ; car ce sont – par chance quand, évidemment, on en profite – les mêmes aliments qui les apportent avec une bonne biodisponibilité, notamment les viandes. Car, précisément, 15,1 % des Français et 23,8 % des Françaises trouvent dans leurs aliments moins des deux tiers des ANC ; ils sont manifestement carencés ! Les végétariens sont ceux qui absorbent manifestement le moins de zinc.

GALVANISER LE CORPS ET L'ESPRIT

Comment zinguer le corps, déposer le zinc qui lui est nécessaire, sorte de « galvanisation » ? Les besoins en zinc, mesurés par les physiologistes, sont de 10 à 12 mg par jour pour l'enfant et l'adulte ; mais en réalité ils varient selon les circonstances physiologiques ; ils sont accrus lors de la grossesse, car le fœtus accumule 0,2 mg par jour vers la 24e semaine, et 0,7 mg par jour plus tard. En se basant sur ces données et sur une biodisponibilité moyenne du zinc alimentaire de 20 %, les exigences alimentaires de la femme pendant la grossesse sont estimés à 15 mg. Les besoins sont également accrus lors de la lactation (19 mg par jour). Le nouveau-né demande quotidiennement 0,1 mg par kilo de poids du nourrisson, 3 fois plus chez le prématuré !

L'homme est sensible aux carences en ce métal, malgré une judicieuse adaptation de sa muqueuse intestinale quand les apports sont faibles (dès que son organisme est carencé, il augmente la captation du zinc alimentaire, en réaction). La biodisponibilité dépend de la forme chimique du métal dans l'aliment, mais aussi de la présence d'autres molécules qui se conjuguent pour faciliter la captation intestinale, ou bien au contraire pour l'inhiber. Dans un repas, les protéines d'origine animale améliorent la biodisponibilité du métal ; cet effet est encore accru par la présence de calcium. En revanche, les sucres induisent une augmentation des pertes urinaires ; seul le lactose, celui du lait, augmente globalement la biodiponibilité du zinc. Les céréales sont riches en ce métal ; mais, en réalité, paradoxe apparent, un régime à base de pain complet provoque des carences en raison des effets chélateurs puissants des phytates et des fibres végétales du blé ; c'est-à-dire des mécanismes de neutralisation, de masquage par emprisonnement dans une structure chimique particulière. L'absorption du zinc est concurrencée par celle du fer minéral (celui des végétaux), mais ne l'est pas par celle du fer héminique (celui des viandes). Popeye avec ses épinards avait réellement tout faux. La préparation culinaire elle-même peut induire des pertes, dans les eaux de cuisson par exemple, ou celles de conserve.

ZINC ET GRANDES FONCTIONS BIOLOGIQUES

Dans le corps humain, le zinc constitue l'élément trace le plus important, après le fer (il en contient environ 2,5 g), dont environ 30 % dans les os et 60 % dans les muscles. Les tissus les plus riches en zinc sont la prostate, les cheveux et l'œil. Les liquides de l'organisme n'ont que de faibles teneurs en zinc.

Le zinc dans quelques organes

	µg par g	g par organe	% du zinc total dans le corps
muscle	51	1,53	57
os	100	0,77	29
peau	32	0,16	6
foie	58	0,13	5
cerveau	11	0,04	1,5
rein	55	0,02	0,7
cœur	23	0,01	0,4
cheveux	150	inférieur à 0,01	0,1
plasma	1	inférieur à 0,01	0,1

(d'après Arnaud et Favier, 1991)

Il a été proposé que certains troubles psychiatriques puissent être en relation avec la réduction alimentaire du zinc ; l'expérimentation animale montre clairement que sa carence (en particulier pendant la gestation) entraîne une diminution des neurones, et une réduction du volume du cerveau... Bien plus, trait d'union entre la nutrition et le plaisir, le zinc est indispensable à la perception du goût, tant au niveau de la bouche que du cerveau ! Car, pour ce qui concerne la gustation, la situation est claire : certains oligo-éléments y jouent un rôle important, dont principalement le zinc (mais aussi le cuivre, et peut-être le nickel). Il intervient par sa présence dans la gustine, une molécule bien nommée car son nom de baptême traduit parfaitement sa fonction, qui est de participer aux perceptions des goûts ! Par ailleurs, la carence en zinc entraîne une baisse de la synthèse des protéines au niveau de ces petites régions anatomiques dont le rôle est celui de récepteurs sensoriels, dénommés bourgeon du goût. Encore plus important : les régions du cerveau qui perçoivent et interprètent le plaisir alimentaire sont elles-mêmes très riches en zinc !

Concernant la vision, ce métal joue un rôle important à tous les niveaux, véritable « oligo-élément orchestre » depuis le moléculaire jusqu'au physiologique. C'est ainsi qu'il intervient dans le métabolisme de la vitamine A, dans sa mobilisation hépatique (lieu de stockage), dans le fonctionnement des cellules de la rétine (les cônes et les bâtonnets), dans l'intégrité du nerf optique qui transfère les informations vers le cerveau !

En l'absence de zinc, les tissus en croissance s'arrêtent de croître ; la peau, les muqueuses, les cellules sanguines et bien d'autres sont donc perturbées. La cicatrisation ne se fait plus, ou mal ; véritable cercle vicieux, les déchets de tissus lésés entraînent du zinc lors de leur élimination, qui est donc perdu ! La mise en route de l'immunité (qui constitue l'élaboration puis la mise en place, par l'organisme, de mécanismes de neutralisation des substances étrangères et dangereuses) nécessite la multiplication des cellules compétentes, ce qui ne peut que mal se faire en l'absence de zinc. C'est d'ailleurs le même mécanisme qui induit une diminution de la réponse à l'inflammation. Ces dérèglements sont dus au fait que le zinc intervient dans les enzymes clés de la synthèse des acides nucléiques, interagit avec certaines substances qui opèrent lors de la croissance des tissus (des facteurs trophiques, des hormones de croissance).

Concernant la reproduction et la fertilité, la carence en zinc est associée à une atrophie des testicules et de l'épithélium séminifère ; le poids de la prostate est diminué. En fait, le métal agit au niveau de la synthèse des hormones, et de la maturation des spermatozoïdes ; chez la femme, certaines aménorrhées pourraient être consécutives à sa carence. Les huîtres, personne ne l'ignore, constituent l'aliment le plus riche en zinc, dix fois plus que les aliments les plus riches qui leur succèdent : les fromages de type Comté, Beaufort et Maroilles, mais aussi le bifteck et les foies de volaille. Les légumes verts, les fruits, le sucre, les matières grasses et les boissons sont, par contre, assez dépourvus en zinc ; les eaux de source sont généralement plus pauvres que celles de distribution.

Des neurones résistants,
une intelligence inoxydable grâce au sélénium

Grammes d'aliment fournissant 50 % ANC de sélénium (soit 30 µg/jour)	Sélénium	Microgrammes de sélénium dans 100 grammes d'aliment
25	***Cèpe du Périgord, rognon***	**130**
30	***Thon***	**100**
80	***Foie de veau, lépiote***	**40**
120	***Pâtes aux œufs, moule, huître***	**30**
80-150	***Poisson***	**20-40**
150	Œuf, lentille	20
200	Escalope de veau, côtelette, poivron rouge	15
350	Jambon, mouton, courgette, carotte, poireau	8
600	Agneau, poulet, pain, ail, champignon de Paris, eau de la Roche Posay	5
350-750	Fromage	4-9
1 500	Noisette	2
3 000	Lait	1
3 000-30 000	Fruits et légumes	0,1-1

En italique et gras : les aliments réellement utiles, compte tenu des portions usuelles.
D'après INRA-CNEVA-CIQUAL et Simonof. Aliments crus ; chiffres arrondis.
Il n'y a pas d'AJR pour le sélénium au JO du 26/11/93. Seuls les ANC (apports nutritionnels conseillés) peuvent donc être pris en compte : 60 microgrammes par jour pour un homme, 50 pour une femme et entre 10 et 20 ans. Pour un enfant, il faut à peu près la moitié de la ration d'un adulte. Il faut monter à 80 microgrammes quotidiens au-delà de 75 ans.

Le grand préservateur ! Car ce minéral protège (entre autres) contre le vieillissement, en coopération avec divers oligo-éléments, notamment le zinc, le cuivre et le manganèse, et certaines vitamines (la vitamine E principalement). En effet, il permet de lutter contre les radicaux libres, ces déchets toxiques inévitables. Une station thermale réputée a bâti son succès sur le fait que son eau est particulièrement séléniée.

Historiquement, le sélénium a été découvert en 1817 par le chimiste suédois J. J. Berzelius dans les sous-produits de la fabrication de l'acide sulfurique. Son nom lui a été attribué en hommage à la lune (du grec *selene* qui signifie « lune »), ainsi que par succession à un élément proche découvert peu avant, le tellurium (du latin : *tellus*, terre).

Le sélénium fut d'abord caractérisé par sa toxicité, et surtout celle de ses composés. Ce métal a connu une histoire récente exceptionnellement mouvementée : au cours des ans, en quelques décennies seulement, il fut dénigré puis adoré, pour être détesté puis aimé, et se trouver enfin actuellement vénéré. Curieusement, avant d'être reconnu comme un agent protégeant contre le cancer, il avait été identifié comme un agent le provoquant ; mais on sait maintenant qu'il s'agit d'une question de dose.

HISTOIRES CAVALIÈRES : CE N'ÉTAIT PAS DES SÉLÉNITES !

Le sélénium a parfois détourné le cours de l'histoire. Ainsi, Marco Polo perdit une bonne partie de ses chevaux en Chine occidentale, au voisinage du Turkestan et du Tibet. Ses animaux avaient consommé des plantes bien identifiées comme toxiques par les gens de la région, car elles provoquaient une altération grave des sabots de leurs animaux. C'était la séléniose. Plus tard et ailleurs, lors de la conquête de l'Ouest, les premiers cas aux États-Unis frappèrent la cavalerie installée à Fort Randall. Les chevaux de quatre compagnies de dragons luttant contre les Indiens furent frappés simultanément et beaucoup moururent. La victoire changea ainsi momentanément de camp ! Car l'ingestion de végétaux riches en sélénium produit chez l'animal un syndrome (« *blind staggers* ») associant myopathie et cécité. Les individus intoxiqués meurent de paralysie respiratoire. L'intoxication chronique par le sélénium est responsable de l'« épizootie sèche » (« *alcali disease* »), affection vétérinaire dont le tableau clinique associe un amaigrissement, une perte des poils, une atteinte des sabots qui sont déformés et friables, une cirrhose hépatique et une atteinte rénale. Il n'est donc pas étonnant que les destriers intoxiqués n'aient pas été fougueux !

Les archives de l'institut géographique de Bogota possèdent des documents montrant les premières descriptions de séléniose chez l'homme indien, faites en 1560 par le père Pedro Simon. « Le seigle et d'autres plantes vivrières poussent bien et sont sains ; mais dans certaines régions, ils sont si toxiques que celui qui en consomme, homme ou animal, perd ses poils. Les femmes indiennes mettent au monde des bébés d'apparence monstrueuse qui sont abandonnés par leurs parents. Certains enfants anormaux nés de mère indienne sont recouverts de poils grossiers et cassants. Un certain nombre de voyageurs et de prêtres ont à diverses reprises fait le récit de ces enfants malformés et abandonnés. Parfois, un village entier était déserté. » La maladie ressemblait à celle du bétail. Les hommes aussi perdaient leurs cheveux et leurs dents.

Au début des années 1960, dans la province de Hubei, en Chine, l'attention des médecins et des autorités fut attirée sur l'existence d'une maladie caractérisée par la perte des cheveux et des ongles. La moitié des habitants de cinq villages était malade. Dans celui qui était le plus fortement touché, neuf habitants sur dix étaient atteints. Toutefois, fait marquant, seuls deux hommes largement octogénaires et quelques nourrissons nourris au sein étaient indemnes. Au début de l'affection, les malades se plaignaient de fatigue et de sensations anormales, de douleurs des extrémités ou d'engourdissement ; puis ils étaient atteints de convulsions, de paralysies, de troubles moteurs et même d'hémiplégie. Tous les habitants furent évacués vers des régions où la maladie ne sévissait pas et ils recouvrèrent assez rapidement un bon état de santé, sauf ceux qui présentaient déjà des lésions du système nerveux. On s'aperçut alors que le seigle de cette région était toxique. Le germe des céréales consommées présentait une coloration rose, il contenait des spores de moisissure. On songea donc à une mycotoxicose. Mais en réalité le toxique était le sélénium.

Compte tenu de cette réputation très défavorable, la première mise en évidence du sélénium comme élément essentiel chez l'animal, présentée en 1957, fut accueillie avec un grand scepticisme. Elle concernait des études sur une maladie de carence nutritionnelle chez le rat. Par la suite, de très nombreuses recherches démontrèrent l'effet réellement anticancéreux du sélénium sur l'animal. Bien plus, dès 1969, des études épidémiologiques révélèrent qu'il existait une relation inverse entre la fréquence de cancer et le niveau du sélénium dans la ration alimentaire humaine : autrement dit, plus il y avait de sélénium, moins il y avait de cancer.

La preuve de l'essentialité du sélénium chez l'homme fut apportée en Chine, à l'est, dans la région longeant la mer de Chine, appelée Keshan. Depuis longtemps, il était connu que ses habitants décédaient d'une maladie mystérieuse appelée « maladie de Keshan ». Sa survenue relativement brutale et son issue rapidement fatale faisaient suspecter une infection aiguë. Elle affectait environ 11 % de la population et entraînait une mortalité de 80 % ! Vers les années 1970, les géologues et chimistes associés aux épidémiologistes découvrirent que la région de Keshan était pratiquement dépourvue de sélénium. Une supplémentation de la nourriture avec ce minéral, décidée en 1978, entraîna l'éradication rapide de cette maladie. En Nouvelle-Zélande, autre pays pauvre en sélénium, on observa des troubles musculaires et cardiaques chez certains habitants, qui disparurent par une supplémentation.

Actuellement, le sélénium est impliqué dans la prévention et le traitement de nombreuses pathologies, en particulier le vieillissement, dont l'aspect cutané et cérébral occupe une place importante. Par ailleurs, il existe une relation entre un faible statut en sélénium et l'incidence des maladies cardio-vasculaires. Il y a encore des lunes à décrocher avec le sélénium. Par ailleurs, ce minéral participe à la bonne et indispensable mobilité des spermatozoïdes, il réduit le risque de fausse couche. Sa carence a même été mise en relation avec des perturbations de l'humeur...

DANS LE CORPS ET LES ALIMENTS

Qu'en est-il exactement ? Où savoir le trouver efficacement dans notre alimentation ? Le corps humain contient de 6 à 12 mg de sélénium ; les apports journaliers conseillés en France sont de 50 µg (microgrammes) pour les femmes et de 60 pour les hommes. Dans d'autres pays, ils peuvent monter jusqu'à 100 µg selon les auteurs. Les femmes qui allaitent ont des besoins légèrement supérieurs (60 µg par jour). La forme biologique du sélénium consiste essentiellement en l'acide aminé sélénocystéine, composé n'existant pas naturellement à l'état libre dans la cellule. Une machinerie relativement complexe, mais originale et encore largement incomprise, insère cet acide aminé dans les protéines. Les modalités de participation d'un séléno-acide aminé dans les protéines posent d'ailleurs un formidable problème de biologie et de génétique moléculaire. Dans la molécule de cystéine le soufre est donc remplacé par du sélénium. Une nouvelle lecture du code génétique doit même être envisagée.

Le rôle physiologique du sélénium dans les divers organes est mal connu. Dans le sang et les globules rouges, il est associé pour plus de 90 % à une enzyme qui participe directement à la lutte contre les radicaux libres, la glutahion-peroxydase. Cette enzyme assure la neutralisation de l'eau oxygénée et des peroxydes lipidiques. En revanche, dans le cerveau par exemple, seulement 5 % du sélénium est en relation avec cette enzyme, c'est-à-dire que l'on ignore le rôle de 95 % de cet élément !

Parmi les autres séléno-enzymes identifiées à l'heure actuelle, l'une d'entre elles (dénommée tétra-iodothyronine-5'-désiodinase) active l'hormone thyroïdienne ; le sélénium garantit donc l'activité normale de la glande thyroïde ; qui assure elle-même le bon fonctionnement du cerveau, après avoir contribué à son développement.

Conséquence du fait que le sélénium se trouve sous forme organique, principalement dans des séléno-protéines, les aliments riches en protéines sont les meilleures sources de sélénium, qui sont donc les plus biodisponibles. Les produits laitiers sont moins riches, les boissons en sont très pauvres, hormis l'eau de La Roche-Posay. Les quantités de sélénium présentes dans les fruits et légumes sont faibles ; sauf, semble-t-il dans la courgette, le poireau, la carotte, le poivron rouge. Concernant les champignons, les quantités sont modestes, avec comme exception le cèpe du Périgord qui contient des teneurs considérables ; mais ces chiffres demandent à être vérifiés. Parfois les végétaux contiennent peu de sélénium car ils sont tributaires du sol sur lequel ils poussent. Les animaux qui mangent ces végétaux auront donc à leur disposition plus ou moins de sélénium.

Les compléments alimentaires (en vente sur le marché) sont enrichis par addition d'extraits de micro-organismes (généralement des levures) qui ont poussé sur des milieux enrichis en sélénium minéral et l'ont transformé en sélénium organique. Les capsules et les gélules vendues en pharmacie apportent chacune entre vingt et cinquante microgrammes de sélénium, soit sous forme organique, soit de sélénite. Il existe aussi des préparations injectables, dermatologiques et ophtalmiques. En moyenne, deux cents grammes de steak ou cent grammes de foie de veau apportent l'équivalent d'une gélule, alors qu'il faudrait plusieurs kilogrammes de la majorité des fruits ou des légumes ! Les valeurs données dans les tables de composition des aliments constituent des ordres de grandeur. En effet selon les techniques de dosage, les chiffres peuvent aller du simple au triple. Toutefois ils permettent une classification intéressante, utile et pertinente des divers aliments.

SANS RADICAUX LIBRES :
UNE VIE PLUS LONGUE ET PLUS AGRÉABLE

Le problème de l'oxygène : le stress. En effet, bien que l'oxygène soit évidemment absolument nécessaire à la vie, son utilisation induit, indirectement mais sûrement, la production de radicaux libres et de peroxydes, qui sont des toxiques redoutables pour les cellules et leur environnement. Ces dangereux déchets sont les sous-produits obligatoires d'une chimie biologique qui permet la vie en utilisant l'oxygène ; ils sont donc le prix à payer.

La durée de la vie humaine pourrait être prolongée de cinq à dix ans si les peroxydes et les molécules génératrices de radicaux libres étaient contrôlés dans l'environnement et la nourriture ! Leur importance s'avère donc considérable, leur maîtrise est indispensable. Car la vie aérobie normale produit des molécules très réactives qui contiennent de l'oxygène. De ce fait, le développement cellulaire dans un milieu contenant de l'oxygène ne serait pas possible – ou difficile – sans systèmes de défense, qu'il s'agisse de molécules ou d'enzymes. Ce sont les antioxydants. C'est ainsi que la vie se caractérise par un état d'équilibre entre la formation de pro-oxydants et leur destruction par les antioxydants. La consommation d'oxygène étant continue, la production de déchets est permanente. Le besoin en antioxydants l'est donc aussi. L'homéostasie ne peut être maintenue que par la production ou la régénération des antioxydants. À défaut, des mécanismes pathologiques peuvent apparaître, ils sont bien connus au cours du vieillissement et de l'ischémie cérébrale comme lors de certaines intoxications, lors de la cancérisation.

Un déséquilibre entre les pro-oxydants et les antioxydants s'appelle précisément le stress oxydatif. Les attaques par les radicaux libres perturbent vraisemblablement tous les niveaux de structure et de métabolisme cellulaire. Tous les constituants particulièrement oxydables représentent donc des cibles privilégiées pour eux, en particulier ceux qui contiennent des acides gras poly-insaturés. Les lipoprotéines du sang constituent des exemples frappants, si l'on peut dire ; elles permettent alors l'accumulation du cholestérol, comme nous l'avons vu précédemment. À un autre niveau, l'effet peut être très grave dans les membranes biologiques : quand elles ont été attaquées, elles perdent leurs caractéristiques physico-chimiques, se rigidifient et deviennent moins fonctionnelles, leur physiologie est gravement altérée ; par conséquent les fonctions cellulaires s'en trouvent altérées à des degrés divers selon la susceptibilité individuelle de chaque cellule dans les divers organes, et selon l'ampleur de l'attaque... Les neurones touchés sont affaiblis, puis meurent sans pouvoir être remplacés ; la fonction cérébrale est irrémédiablement perturbée !

D'autres substances de la matière vivante sont aussi atteintes : d'abord le matériel génétique qui se trouve altéré par touches successives, jusqu'à ne plus pouvoir être fonctionnel, d'où la disparition de cellules. Ensuite le milieu extra-cellulaire qui se rigidifie ; ainsi, les cellules, au lieu d'être baignées dans un environnement souple, sont enserrées dans un milieu « bétonné », ce qui est particulièrement défavorable.

Pour comprendre leur identité, le rappel de quelques notions élémentaires de la chimie-physique s'impose : le « spin électronique » est un vecteur représentant le champ magnétique induit par la rotation sur lui-même de l'électron, corpuscule chargé électriquement (car toute particule électrique en mouvement induit un champ magnétique). L'appariement électronique, lors de liaisons chimiques (appelées covalences par les chimistes), se fait entre des électrons dont les spins sont opposés ; ils annulent ainsi réciproquement leurs champs magnétiques.

La molécule ou l'atome porteurs de tels électrons libres (baptisés très officiellement « célibataires » par les physiciens) présentent de remarquables propriétés paramagnétiques, mais ils sont très instables. Ces molécules ou atomes à électron célibataire sont précisément désignés sous le nom de « radicaux libres ». La recherche inéluctable et forcenée d'électrons pour réapparier son électron célibataire – afin d'annuler son champ magnétique – fait du radical libre un réactif chimique (et donc biochimique) extrêmement puissant. En pratique biologique, l'électron est le plus souvent arraché avec l'atome d'hydrogène sur une chaîne carbonée voisine. Une rupture de covalence se produit donc au niveau d'un atome de carbone. Le radical libre formé réagit sur une autre molécule et ainsi de suite ; un processus de réaction en chaîne est ainsi amorcé.

La nature a prévu de neutraliser ces dangereux individus : le plus souvent, la réaction en chaîne s'arrête très vite, soit grâce à la présence de substances protectrices appelées piégeurs de radicaux, soit à la suite d'un phénomène de recombinaison au cours duquel deux radicaux s'unissent. Tout le problème réside dans le fait que, formidable exploit de la nature qui a permis l'énergie et l'entretien de la vie, l'oxygène atmosphérique soit un biradical. Sa molécule comporte deux électrons célibataires, de spins identiques. Elle est cependant très stable. Par acquisition d'un électron, et moyennant un apport énergétique extérieur, l'oxygène peut apparier un de ses électrons libres et acquérir ainsi une charge négative ; il devient alors le très redoutable anion superoxyde. Dans la cellule, l'énergie nécessaire pour vaincre l'inertie de l'oxygène est en principe générée par des mécanismes d'origine enzymatique.

Les attaques par les radicaux libres transforment les acides gras poly-insaturés en radicaux. Du fait de la délocalisation des électrons des doubles liaisons chimiques sur la chaîne carbonée des acides gras, l'électron célibataire de la chaîne radicalaire organique se déplace, de même que les doubles liaisons qui constituent l'insaturation. Ainsi sont élaborés des diènes conjugués, puis des acides gras peroxydés et des peroxydes lipidiques. Or, ceux-ci sont instables et peuvent soit générer de nouveaux radicaux libres ; soit produire des aldéhydes (malondialdéhyde (MDA) et 4 hydroxy-nonénal) ; soit avoir des effets biologiques dangereux : oxydation des membranes, inactivation enzymatique, modification des lipoprotéines du sang (les structures qui transportent, entre autres, le cholestérol) au niveau des acides gras poly-insaturés des phospholipides des LDL. De plus, le MDA, produit de la dégradation de ces molécules permet de réaliser des pontages (entre lipides, entre protéines, entre lipides et protéines). Ces macromolécules ne sont que partiellement dégradées dans les usines à destruction des cellules. Ces structures éliminent les hôtes étrangers, les éléments indésirables et les constituants naturels de la cellule qui demandent à être renouvelés (ces usines d'incinération, ces chaudières portent le nom de lysosomes et de peroxysomes). Les résidus de dégradation s'accumulent en amas, faute de pouvoir être brûlés ou éliminés. Ceux-ci sont les témoins du vieillissement. L'un d'eux est constitué de lipofuscine, ces taches brunes provoquées par peroxydation, qui parsèment la peau vieillissante par exemple. Dans le cerveau, les mêmes déchets s'accumulent ; mais il n'existe pas de relation entre leur quantité dans le cerveau et dans la peau.

La cause et la conséquence : le cercle vicieux ! Les radicaux libres peuvent être la conséquence directe d'un processus pathologique et donc être la cause immédiate de la mort cellulaire. À l'inverse, le processus pathologique provoque la mort cellulaire, qui se traduit elle-même par l'apparition de radicaux libres et la synthèse de dérivés peroxydes. Ce dernier mécanisme, n'étant évalué que comme conséquence, pourrait faire minimiser à tort l'importance des peroxydations au cours des mécanismes de vieillissement, alors qu'en réalité les dérivés peroxydes formés pourraient à leur tour attaquer d'autres types cellulaires par divers mécanismes. Ainsi, dans le cerveau ou le cœur, la réoxygénation après un arrêt de la circulation peut s'avérer redoutable. En effet, lors de l'anoxie (la période pendant laquelle le transit du sang est arrêté, donc l'apport d'oxygène annulé), des cellules sont tuées. Lors de la réoxygénation, l'oxygène neuf provoque la création de radicaux libres avec les débris des cellules mortes, radicaux qui vont tuer les cellules survivantes. Il est donc judicieux de complémenter la réoxygénation, par des antioxydants puissants... et physiologiques.

Récapitulatif des apports nutritionnels conseillés pour les minéraux et les oligo-éléments

Depuis la parution précédente, un oligo-élément nouveau a été pris en compte : le fluor.

Résumé des apports nutritionnels conseillés en minéraux et oligo-éléments

	Ca mg	P mg	Mg mg	Fe mg	Zn mg	Cu mg	F mg	I µg	Se µg	Cr µg
Enfants 1-3 ans	500	360	80	7	6	0,8	0,5	80	20	25
Enfants 4-6 ans	700	450	130	7	7	1,0	0,8	90	30	35
Enfants 7-9 ans	900	600	200	8	9	1,2	1,2	120	40	40
Enfants 10-12 ans	1 200	830	280	10	12	1,5	1,5	150	45	45
Adolescents 13-15 ans	1 200	830	410	13	13	1,5	2,0	150	50	50
Adolescentes 13-15 ans	1 200	800	370	16	10	1,5	2,0	150	50	50
Adolescents 16-19 ans	1 200	800	410	13	13	1,5	2,0	150	50	50
Adolescentes 16-19 ans	1 200	800	370	16	10	1,5	2,0	150	50	50
Hommes adultes	900	750	420	9	12	2,0	2,5	150	60	65
Femmes adultes	900	750	360	16	10	1,5	2,0	150	50	55
Hommes > 65 ans	1 200	750	420	9	11	1,5	2,5	150	70	70
Femmes > 55 ans	1 200	800	360	9	11	1,5	2,0	150	60	60
Femmes enceintes 3e trimestre	1 000	800	400	30	14	2,0	2,0	200	60	60
Femmes qui allaitent	1 000	850	390	10	19	2,0	2,0	200	60	55
Personnes âgées > 75 ans	1 200	800	400	10	12	1,5	2,0	150	80	–

D'après les ANC 2001, Tec. et Doc. Lavoisier ; A. Martin coordinateur.
G : garçon ; F : fille ; H : homme ; F : femme.
mg : milligrammes. µg : microgramme, c'est-à-dire millième de milligramme.
Ca : calcium. P : phosphore. Mg : magnésium. Fe : fer. Zn : zinc. Cu : cuivre. F : fluor.
I : iode. Se : sélénium. Cr : chrome.

CHAPITRE VII

Organiser le cerveau
pour que la gastronomie soit le huitième art

La cause et la conséquence de la santé du cerveau dans sa dimension intellectuelle résident dans l'appréciation du beau, et du bon, dans la reconnaissance de l'œuvre d'art, dans la capacité de pouvoir en créer une. C'est une manifestation de l'intelligence. La culture émerveille l'œil devant une superbe peinture, enchante l'oreille à l'écoute d'une symphonie, extasie le nez avec un parfum délicat et distingué. Paul Bourget, en 1883, disait : « En somme le sens le plus sensible, le plus capable de plaisirs nouveaux et divers, c'est le cerveau. »

Feu d'artifice des sensations : la vue crée l'émotion et l'extase, le goût suscite le plaisir, l'odorat conforte la mémoire aux souvenirs agréables, l'ouïe fait frissonner de bonheur, le toucher sublime la sensualité. Regarder plutôt que voir, écouter plutôt qu'entendre, humer plutôt que sentir, goûter plutôt que... En tenant compte des perceptions tactiles, celles engendrées par l'aliment savoureux envahissant voluptueusement la bouche. Tout s'élabore selon Charles Baudelaire : « Les parfums, les couleurs et les sons se répondent. » Toutefois, le succès de l'utilisation des sens repose sur leur apprentissage.

En général, la variété est la source de tous nos plaisirs ; mais le plaisir cesse de l'être quand il devient habitude. La nourriture constitue une sorte d'exception à cette règle : manger sucré, exclusivement, est source de plaisir permanent pour l'être fruste... En revanche, pour l'homme cultivé, la variété des aliments assure des plaisirs renouvelés. Un aliment oublié est un poème non lu, il est perdu ; corps et âme. Son rejet comme son ignorance privent le corps de ses précieux nutriments. Il faut donc que les aliments aient le bon goût d'avoir du goût. Et que le cerveau ait appris à l'apprécier. Comme l'écrivait un Malouin célèbre, Broussais, qui donna son nom à un grand hôpital parisien :

« L'enfant associera plus tard le tact et le goût à l'intelligence, et il deviendra gastronome. » Car un enfant qui prétend ne pas aimer, en fait bien souvent ne connaît pas. Alain l'a reconnu : « Ceux qui n'aiment pas le fromage n'en veulent point goûter, parce qu'ils croient qu'ils ne l'aimeront point. Souvent un célibataire croit que le mariage lui serait impossible. » Avec la culture, les goûts s'affinent, se complexifient.

Les enfants mangent volontiers ce qu'ils connaissent, ils craignent ce qui leur est inconnu ; conservateurs, ils aiment se sentir en sécurité : ce comportement s'appelle la néophobie, la peur du nouveau. Le meilleur antidote se trouve dans la présentation répétée de l'aliment, qui induit la familiarité, pour n'être finalement qu'une somme d'expériences positives, souligne France Bellisle. Ainsi, petit à petit, le goût de l'aliment se transforme en goût pour l'aliment. C'est aussi vrai pour les adultes. Alexandre Dumas l'avait bien dit dans *Le Comte de Monte-Cristo* : « Parce que les houppes de votre palais ne sont pas encore faites à la sublimité de la substance qu'elles dégustent. Dites-moi, est-ce que dès la première fois vous avez aimé les huîtres, le thé, le porto, les truffes, toutes choses que vous avez adorées par la suite ? » Celui qui consomme un aliment parce qu'il n'en a pas connu d'autres développe des attitudes différentes de cet autre qui en préfère un parmi ceux qui lui sont présentés : seulement dans ce cas il a le choix, et par conséquent la liberté. Le droit à manger est indissociable du droit à choisir !

Le bon sens : sensibiliser les sens

Pour connaître le bonheur, il faut le comprendre ; pour savourer le plaisir, il faut l'apprendre. De même qu'il convient d'être initié aux lettres pour faire des mots, aux mots pour composer des phrases, à la grammaire pour écrire une page de texte ou un discours ; dans le même esprit, il est obligatoire de connaître les aliments, avant de construire des repas ; avant d'être capable d'élaborer un équilibre alimentaire qui se conjugue sur plusieurs jours, en mangeant de tout, un peu (plus ou moins). En repoussant la gloutonnerie, sachons apprécier agréablement la modération ; la subtilité est obligatoire, pas la quantité. « La gourmandise est une préférence passionnée, raisonnée et habituelle pour les objets qui flattent le goût. La gourmandise est ennemie de l'excès », affirme Brillat-Savarin.

Apprendre le goût, sa perfection, permet de se satisfaire pleinement du modéré plaisant ; pour éviter et repousser l'excès, qui est dangereux. Car le savoir gustatif est réellement culturel, il n'est pas la juxtaposition besogneuse de perceptions simples, mais leur intégration, leur sublimation. La nutrition est l'art d'élever une sensation au niveau d'un plaisir intellectuel et physique.

Spécificité de l'homme omnivore, le choix, la sélection et l'acceptation physique de l'indispensable variété des aliments (avec leurs préparations culinaires) nécessite impérativement l'utilisation efficiente de tous ses organes des sens. Mais ils doivent avoir été éveillés ! Car le plaisir procuré par les aliments s'apprend. Le cerveau doit être « organisé », les circuits neuronaux de l'enfant doivent être mis en place et structurés, pour lui permettre de construire puis d'enrichir son patrimoine culturel.

Le goût assure la santé ; santé mentale par profit des plaisirs spécifiques qu'il prodigue, santé physique par choix judicieux de la variété des aliments. Les aliments jugés insipides – par ignorance notamment – ne rassasient pas : ils sont délaissés, voire rejetés ! Le corps est alors privé des nutriments précieux qu'ils peuvent contenir, et dont il a besoin. Le subtil équilibre des aliments indispensables ne peut s'obtenir que si les sens, commandés par le cerveau et instruits par l'intelligence, les recherchent pour s'en délecter. Sinon le cerveau n'est plus approvisionné en certaines molécules nécessaires à son mystérieux fonctionnement, et, par voie de conséquence, l'efficacité du corps n'est pas optimale.

Toutefois, les perceptions sensorielles sont très inégales par leur nature, leur autonomie et leur modalité d'acquisition. Nous avons très peu de liberté par rapport aux sensations de la langue (salé, sucré, amer et acide). Il semble que notre cerveau ait été imprégné comme par un sceau, c'est-à-dire organisé, dans le sein de notre mère, car nous avons avalé force liquide amniotique, lequel est sucré. Quand la future maman enceinte reçoit une perfusion de glucose, son fœtus déglutit avec une fréquence accrue ; il esquisse même parfois un sourire ! Ces sensations de base de la langue sont « innées », elles se retrouvent dans toutes les cultures humaines, mais aussi dans d'autres espèces : le fait de déposer une goutte de solution sucrée sur la langue du nouveau-né l'attire, et ce de manière identique, qu'il soit crocodile, souris ou humain. Il en va de même pour les enfants nés anencéphales, horrible anomalie qui les prive d'une grande partie du cerveau. Le chien, pourtant carnivore, apprécie la récompense donnée sous forme d'un morceau de sucre ; de même le lion, le lama, la panthère ou l'éléphant, comme le savent bien les dompteurs dans les cirques. Pour tous, une solution amère fait détourner la tête, réaction indiscutablement innée. Le goût amer fut, selon P. Claudel (*La Jeune Fille Violaine*) utilisé comme répulsif : « Car ils sont pareils à l'enfant qu'on sèvre et qui crie parce que la nourrice a enduit le bouton de sa mamelle d'absinthe, et tels que les veaux dont on entoure le mufle d'épines, afin que la mère les chasse de son pis. »

En revanche, toutes les autres perceptions sont acquises, c'est-à-dire apprises et par conséquent culturelles. C'est pourquoi, comme le souligne Claude Fischler, la sélection millénaire des aliments par les

groupes humains et les civilisations a fait que les aliments biologiquement mangeables ne sont pas toujours culturellement comestibles :
telles les cuisses de grenouilles pour nos voisins anglais, les insectes
africains ou américains pour nous. Les choix d'aliments traditionnels
dans une région donnée n'étant pas innombrables, il faut les préserver.

L'homme ou la bête ? La qualité de notre vie, cérébrale aussi bien
que physique, se trouve dans notre assiette. Car la question actuelle,
dans de nombreux pays, n'est plus de se procurer des aliments, comme
cela le fut pour l'humanité pendant des millénaires, mais de les choisir
et de les aimer dans leur diversité : la gestion de la pléthore (déséquilibrée) nécessite impérativement une éducation scientifique minimale,
mais aussi un apprentissage sensoriel. Sinon, l'appétence sera restreinte aux perceptions innées du sucré (celles de la langue) tandis que
les autres, culturelles, seront ignorées, ratage pour la santé, échec pour
l'intelligence, déroute pour la culture : l'homme est alors ravalé au
rang du mammifère animal. Or, 40 % des aliments pour enfant
contiennent du sucre ou du jus de fruit, ils constituent un véritable
danger sanitaire et culturel !

Car un homme qui ne sait pas apprécier la variété des aliments,
non seulement ne satisfait pas aux besoins de son corps, mais il n'est
pas réellement libre. Il est handicapé du corps et de l'esprit, invalide
des sens, retardé culturel ; le succès lui échappe, alors que celui-ci
réside dans le prolongement de la nature, c'est-à-dire la gastronomie :
le corps en profite, les sens en jouissent, le cerveau triomphe par sa
vivacité intellectuelle. Mais la réussite de l'adulte est le résultat de
l'éducation et de l'apprentissage de l'enfant !

Socialiser les clans de neurones

ORGANISER POUR AGIR

Au moment de la naissance, le cerveau est envahi par une sorte de
gigantesque court-circuit : chaque neurone communique avec des centaines de milliers de ses voisins, ce qui est tout à fait excessif, et sans
efficacité. C'est ainsi que ses mouvements sont totalement non coor-
donnés, car les muscles reçoivent des ordres et des contre-ordres.
L'apprentissage sélectionne des chaînes de neurones : ainsi, une multitude de points de communication inutiles sont éliminés, alors que
ceux qui ont la caractéristique d'être fonctionnels sont préservés.
Apprendre, c'est stabiliser certaines combinaisons de communications
préétablies entre les neurones. C'est aussi en éliminer beaucoup
d'autres. Par exemple, un neurone qui a bénéficié d'un apprentissage
n'est plus en contact qu'avec cent mille à deux cent mille confrères ;

alors qu'initialement il communiquait inefficacement avec dix fois plus d'entre eux. Le cerveau est programmé pour apprendre, pour permettre à l'expérience de sélectionner certains points de communication de préférence à d'autres.

Cette organisation, après une sorte de « formatage » et de « défragmentage », en termes d'informaticien, doit obligatoirement s'effectuer à certains moments de l'existence, sinon les structures qui auraient dû mémoriser dégénèrent, pour disparaître à tout jamais. En effet un neurone qui meurt n'est malheureusement jamais remplacé par un autre ; de sorte que, dès sa naissance, l'être humain ne peut que perdre des neurones. Incidemment, il est d'ailleurs heureux que les neurones soient privés du pouvoir de se diviser dès qu'ils deviennent fonctionnels, car les complications seraient inimaginables s'il prenait à l'un d'entre eux, connecté à plusieurs milliers de ses voisins, le caprice de se diviser ! La venue de ces intrus ne manquerait pas de semer la pagaille la plus complète. Les mouvements seraient erratiques, il faudrait réapprendre en permanence les gestes de base. Les souvenirs seraient distordus, confus ; le caractère changerait en permanence !

VOIR ET COMPRENDRE

Un exemple expérimental permet d'illustrer l'obligation d'organisation de ce que certains appellent le « cerveau-machine ». Cette découverte a d'ailleurs valu à ses auteurs le prix Nobel. Quel travail ont-ils réalisé ? Parmi les multiples résultats qu'ils ont obtenus, deux sont démonstratifs.

Première expérience, spectaculaire : à l'instant de sa naissance, ils ont occulté les deux yeux d'un animal ; puis, quelques semaines plus tard, ils ont enlevé les caches. Ils ont alors constaté que le jeune animal restait aveugle pour le restant de ses jours ; en effet, les structures cérébrales, qui auraient dû apprendre à voir, n'ont pas été sollicitées ni utilisées en temps voulu ; elles ont donc définitivement dégénéré. L'œil reste cependant normal, la rétine parfaite, le nerf optique fonctionnel, et pourtant l'animal ne voit rien : ses structures cérébrales, normalement utilisées pour la vision, ont disparu à tout jamais. Il en va de même pour un enfant nouveau-né souffrant d'une très importante cataracte. S'il n'est pas opéré immédiatement après sa naissance, il souffrira d'une vision très déficiente. Malheureusement, jusqu'à une date récente, on retardait par compassion l'heure des interventions chirurgicales, car opérer un nourrisson peut paraître cruel sinon difficile. L'erreur était gigantesque, car plus le délai était important, moins la vision future était bonne.

Une démonstration plus fine de l'indispensable chronobiologie de cette organisation nécessaire du cerveau a même été réalisée : un animal élevé pendant un certain temps dans un univers formé uniquement de traits horizontaux butera pendant tout le reste de son existence contre des barreaux verticaux, à partir du jour où il sera mis dans une cage normale. En effet, les structures de son cerveau « prévues » pour voir vertical n'ayant pas été sollicitées, ont dégénéré.

Cette observation a des répercutions importantes pour les nourrissons humains. En effet, un enfant qui « louche » doit être rapidement rééduqué et traité, sinon un seul de ses yeux travaille, puisque son cerveau sélectionne celui qui prédomine, appelé l'œil directeur ; à l'incorporation au service militaire, il s'agit de celui que le sous-officier fait rechercher pour apprendre à tirer au fusil. Pour les contraindre à utiliser leurs deux yeux, certains tous petits doivent porter des lunettes spéciales qui les obligent à faire travailler l'œil que le cerveau a tendance à considérer comme aveugle (au sens étymologique, *ab occulis* : loin des yeux). Car, s'ils ne le font pas, ils ne pourront plus jamais voir en relief. En effet, pour ne pas voir trouble, le cerveau de ces nouveau-nés sélectionne la vision d'un seul œil : cette vision monoculaire ne peut pas, par définition, être trouble, puisqu'une seule image est formée ; et non pas deux qui, en l'occurrence, ne pourraient pas se superposer. Rapidement, ces enfants deviendront « aveugles » au niveau du cerveau pour l'œil qui n'est pas directeur ; les circuits neuronaux qui lui sont affectés dégénérant, par manque de stimulation. Il sera impossible de les ressusciter plus tard. Pour éviter ce handicap, ces petits enfants sont affublés de curieuses lunettes, qui empêchent l'utilisation de l'œil directeur (le bon œil), pour les obliger à mettre l'autre à profit et bénéficier ainsi ultérieurement de la vision en relief, dont l'absence est particulièrement handicapante.

Ainsi, avez-vous peut-être observé qu'une personne jeune depuis plus longtemps que les autres, c'est-à-dire assez âgée pour ne pas avoir bénéficié des résultats des prix Nobel en question, et qui louche de manière importante, ne se sert jamais de vin toute seule quand elle n'est pas chez elle ? Elle en est incapable car elle ne connaît pas le verre, ignore sa taille et la dimension de son orifice, sa place exacte sur la table. Une tentative se solderait par un échec cuisant : le vin serait versé juste à côté du verre, quelle malchance ! En revanche, elle est capable de se servir seule, même les yeux fermés, informée par ses articulations (qui renseignent en permanence le cerveau de la position des parties du corps) après avoir touché du bout du doigt le verre et son orifice, le verre dans une main et la bouteille dans l'autre. Incidemment, si les yeux fermés vous ne connaissez pas exactement la position de vos membres, il convient de consulter un neurologue. Le corsaire borgne qui se lançait à l'assaut du galion accroché à une corde est une ineptie ; car, sans la vision en relief, il n'aurait pas manqué de louper son objectif, de se casser les membres sur les obstacles, de s'emmêler les pieds dans les cordages, ou encore de se les transpercer dans les chausse-trappes, ces redoutables engins forgés à quatre pointes que l'assaillant déversait sur le pont des navires ennemis pour paralyser les mouvements de troupes !

Un enfant acquiert difficilement la lecture à quinze ans, les quelques authentiques enfants sauvages prétendument élevés par des animaux sont irrémédiablement arriérés ; un sexagénaire apprend péniblement à nager ou à faire de la bicyclette. En effet, leur cerveau n'a pas enregistré, quand il le fallait, un certain nombre d'actes élémentaires. Ce déficit ne peut être corrigé, car les neurones prévus pour de telles pratiques ont disparu. Ce mécanisme peut être catastrophique. Par exemple, quand les muscles de sa mâchoire ou de son pharynx n'ont pas appris à parler, l'enfant ne pourra que difficilement acquérir plus tard la parole, donc le langage. Incapable de s'exprimer, souffrant d'immenses difficultés à communiquer, il ne pourra développer son intelligence. Ses facultés intellectuelles seront donc irrémédiablement affaiblies.

Sans apprentissage, sans éducation et sans expérience, l'œil voit et pourtant le cerveau reste aveugle. Une multitude de chaînes de neurones doivent être organisées en temps voulu.

ARCHAÏQUE MAIS PRÉCURSEUR : LE PRÉCÂBLAGE

Le nouveau-né sait déjà faire un certain nombre de gestes : avoir le réflexe de la marche, s'agripper, rechercher la tétine. Plutôt que de réflexes archaïques (c'est-à-dire de comportements stéréotypés, propres aux mammifères), ne conviendrait-il pas de parler de comportements avant-coureurs ? Ne seraient-ils pas plutôt les témoins de l'état initial de nos dispositions spécifiques, et ne pourraient-ils être les précurseurs de nos aptitudes adultes ? Il en va sans doute de même de la plupart des aptitudes cérébrales.

Le réflexe de marche disparaît presque complètement vers la huitième semaine après la naissance. Mais il renaîtra formidablement de ses cendres. Est-il archaïque ou bien constitue-t-il plutôt un prodrome de la vraie marche ? Des nouveau-nés entraînés quotidiennement sont capables de prolonger la période durant laquelle le réflexe est actif. Mais c'est inutile : le cerveau n'est pas assez mature pour assurer une coordination efficace des mouvements de tous les membres. Cependant les petits enfants « singes savants » surentraînés se tiendront debout et marcheront avant les autres. En seront-ils plus performants ? Une marche trop précoce entraîne fréquemment des problèmes osseux et articulatoires. Si le réflexe est inhibé pendant une bonne partie de la première année, c'est parce que les os de l'enfant n'ont pas encore la rigidité suffisante. Une sorte de mécanisme de sécurité l'empêche donc de marcher tant que son corps tout entier n'en est pas capable, tant qu'il n'a pas absorbé suffisamment de lait, riche en calcium si précieux à ses os. Spécificité humaine, car aucun animal, même singe évolué, ne trait les femelles d'une autre espèce pour boire son lait.

Certaines formes de communication, comme les grimaces, sont-elles innées ? Il est toujours attendrissant d'observer comment les bébés imitent certaines mimiques. En revanche, les gestes qui engagent d'autres parties du corps des adultes ne provoquent pas de réaction de leur part. Ce qui est tout à fait curieux, car le nouveau-né voit ses mains ou ses jambes, mais ni sa bouche ni ses yeux. Comment un enfant qui n'a jamais vu sa propre bouche pourrait-il imiter les mouvements de celle d'autrui ? Bouger une jambe en copiant sur une autre personne semblerait bien plus naturel, plus simple et plus facile. Or, contrairement à toute logique apparente, ce sont bien les grimaces du visage qui sont imitées les premières. Le schéma corporel, c'est-à-dire la représentation mentale que l'on a de l'ensemble du corps, serait-il inné ?

Comme l'a formidablement bien décrit Jacques Mehler, une série d'observations permet de penser que certains groupes de neurones sont précâblés, de manière quasi réflexe. En effet, certains animaux réagissent par des conduites fixées et stéréotypées à des stimulations sensorielles spécifiques. Les exemples sont légions. Ainsi, le bébé goéland ouvre le bec dès qu'apparaît dans son champ visuel un cylindre blanc avec un point rouge. Un poisson, l'épinoche, réagit inévitablement par une suite de conduites déterminées en face de poissons au ventre teinté de rouge. L'imitation chez le bébé est-elle comparable ?

Certains résultats tendent à montrer que l'imitation précoce dont il est capable pourrait en effet reposer sur une suite de réflexes très simples. Des stimulations simples et artificielles peuvent provoquer une réponse qui ressemble fort à une grimace. Si on présente au bébé un cercle au travers duquel on fait passer un crayon, il tire la langue, et face à un cylindre de carton que l'on déforme, il ouvre et ferme la bouche. S'agit-il de formes d'imitation, ou plutôt de réactions instinctives à certaines stimulations ? Ainsi, le bébé n'aurait pas vraiment la capacité d'imiter ; mais, dès son premier âge, certaines configurations stimulantes pourraient déclencher de manière presque mécanique des réponses dans lesquelles les observateurs croient reconnaître une correspondance avec les gestes du modèle. Plutôt que de supposer que les familles enseignent aux bébés les notions de désir, d'intention et de croyance, ce que l'on ne parvient jamais à obtenir en laboratoire, il semble plus économique de penser que l'être humain, même dans son plus jeune âge, possède naturellement une notion de ce qu'est un état mental et qu'il s'en sert pour caractériser autrui et lui-même. Le cerveau du bébé est donc plus pré-proformé qu'on ne l'imagine ; il est aussi beaucoup plus productif qu'on ne le pense. Le nouveau-né humain dès ses premiers jours porte en lui des compétences très développées.

La notion de congénère est-elle donc innée ? Comment communiquer avec un nouveau-né ? Comment formuler de manière intelligible les questions que l'on veut poser aux bébés sur ce qu'ils voient et entendent, sur la façon dont ils perçoivent les stimulations physiques, les objets inanimés, les êtres vivants, animaux ou humains, les visages, le langage ? Paradoxalement, ce n'est pas plus difficile que de communiquer avec un animal adulte. Car il existe un langage non verbal et universel, celui des comportements que l'on peut mesurer à la faveur de dispositifs expérimentaux. S'il ne dort pas, le nouveau-né ne reste pas inerte ou apathique devant les modifications de son environnement. Lorsqu'il est bien éveillé, son état peut varier brusquement : des paroles douces, des mélodies, la voix de sa mère lui font ouvrir les yeux et sourire, un geste brusque qui l'effraye le fait pleurer.

On sait depuis longtemps que l'état de veille du bébé est reflété par sa respiration et son rythme cardiaque, comme par quelques autres index physiologiques ; cependant, leur mesure est relativement complexe et demande un appareillage sophistiqué et encombrant. Mais l'un des meilleurs instruments pour mesurer son activité mentale est simplement fourni par le réflexe de succion. La fréquence des succions, c'est-à-dire le nombre de « tétements » par unité de temps, ainsi que leur amplitude, est fortement corrélée aux autres indices physiologiques qui reflètent l'état de veille. Plus le bébé tète, plus il est éveillé et plus il est attentif à ce qui l'entoure. Dans les expériences dites de succion non nutritive, l'observateur place dans la bouche d'un bébé une tétine très spéciale, car elle est munie de tout un équipement électronique, par exemple d'un capteur de pression, capable de mesurer l'amplitude et le nombre de succions pendant un certain temps. Cette mesure permet donc d'évaluer directement l'intérêt qu'il porte à une stimulation : plus il tète fort et vite, plus il est captivé. On exploite ainsi sa tendance spontanée à s'intéresser à la nouveauté. Mais, comme tout un chacun, il se lasse si on lui présente de manière répétée une même stimulation. On utilise avec succès cette technique pour lui poser des questions très précises afin d'évaluer ses capacités.

CHAÎNES DE SOLIDARITÉ DES NEURONES

L'organisation élémentaire d'une chaîne de neurones parfaitement innée, intégralement programmée par les gènes, est constituée par ce que l'on appelle l'arc réflexe. Une stimulation, par exemple un coup sec sur la rotule, excite un neurone, qui fait relais avec un deuxième, lui-même articulé à un autre qui commande la contraction d'un muscle (la jambe est projetée en avant). C'est le degré zéro de l'intervention du cerveau.

Des circuits de neurones peuvent être directement programmés pour une tâche bien déterminée, dès la naissance ; ainsi une suite de réflexes donne naissance à des comportements, dont certains sont en réalité très élaborés, souligne Jacques Mehler. Premier exemple de comportement totalement inné : le tissage d'une toile par une araignée. Cette activité nécessite pourtant une série d'actions complexes et très ordonnées : reconnaître d'abord un environnement favorable, puis tendre une série de fils disposés en rayons de roue, les unir ensuite par une ou plusieurs spirales, guetter avec vigilance la proie qui s'emprisonnera dans les mailles, la « traiter » avant de la manger. Mais complexité réelle n'est pas synonyme de souplesse : si on dépose cette même araignée sur une toile déjà commencée, la malheureuse ne s'en apercevra absolument pas ! Elle recommencera la séquence de tissage depuis le début, pour rapidement s'emmêler lamentablement les pattes dans les fils en surnombre. Cette expérience démontre le peu de plasticité des comportements innés face aux modifications du milieu.

La preuve de l'imperturbable mécanique est également apportée par l'examen des relations coupables entre les fleurs et les insectes : les bourdons s'accouplent frénétiquement avec des fleurs parées d'une superbe décoration qui ressemblent à leur femelle. La nature y retrouve cependant son compte ; car cette vaine activité sexuelle de l'insecte, stimulée par la vue, est profitable à la fleur, qui est ainsi pollinisée !

Autre exemple de comportement inné, celui du crapaud. Il est strictement limité, mais fort adapté. Son alimentation, car on ne peut sûrement pas parler de gourmandise, se restreint à la consommation de vers de terre, de mille-pattes et autres petits invertébrés. Mécanique patiente, il peut passer des heures à l'affût, guettant ses proies. Quand l'une d'elles se présente opportunément dans son champ de vision, il se tourne vers elle, s'approche, s'immobilise, puis la happe goulûment à distance d'un coup de langue. Par ailleurs, évite-t-il sciemment de s'approcher d'animaux qu'il ne juge pas comestibles ou qui pourraient constituer un danger ? Non sans doute, car très probablement il ne les identifie même pas en tant que tels. Son comportement est tellement rigide et dépendant des caractéristiques très précises des stimuli extérieurs qu'il fait immédiatement penser à celui d'un automate, car l'animal ne sait pas copier. Ce n'est pas non plus la vision d'une action par un congénère qui le pousse à la reproduire. Si on élève un crapaud en isolement complet, il ne pourra jamais copier le comportement d'un congénère ; cependant ses réactions restent exactement identiques à celles d'un crapaud sauvage. La rigidité absolue de son comportement, associée d'ailleurs à un manque d'adaptabilité, laisse penser qu'il est réellement déterminé par le patrimoine génétique, plus que par un quelconque apprentissage.

Plaçons un crapaud dans une cage de verre ou de plastique transparent. Devant la cage, présentons-lui un vers de terre vivant. Il se tourne du côté de cette proie, s'en approche, tente de la happer... mais heurte violemment sa langue à la paroi. Cet échec le laisse parfaitement indifférent, il n'en tire aucune conclusion utile. Après la centième ou la millième présentation de l'autre côté de la paroi, il se jettera toujours sur le vers avec la même avidité, comme si c'était la première fois. On peut remplacer le vers par n'importe quel objet longiligne animé d'un mouvement dans le sens de la longueur, un crayon souple par exemple. Le crapaud répond à ces stimuli géométriques et schématiques, totalement non comestibles, exactement comme s'il s'agissait de vers de terre. Pire, ou mieux, si plusieurs proies potentielles se déplacent dans son champ de vision, son comportement s'en trouve inhibé et il ne bouge plus ; son cerveau n'est pas équipé pour traiter plus d'une cible à la fois. Son comportement paraît absolument stupide à une espèce plus évoluée, il s'est pourtant avéré très efficace, puisque le crapaud a brillamment survécu aux millénaires, comme aux cataclysmes écologiques.

Il est donc parfaitement vain de tenter d'attribuer une quelconque psychologie au crapaud. Il n'a ni désir, ni intention, ni but ; tout ce qui fait la substance et la complexité de notre vie cérébrale lui est totalement étranger. Il est une simple machine rigide et spécialisée au sein de laquelle les intentions, les stratégies et les connaissances sont directement « câblées » ; son cerveau à la naissance est formaté à la manière d'un ordinateur qui aurait reçu un programme de travail, les stratégies à son niveau ne sont que l'enchaînement temporel de mécanismes successifs et incontournables, obligatoires. Un téléviseur est construit pour transmettre des images dès que l'on tourne le bouton ; un moteur doit démarrer quand la clef de contact est actionnée, un robot est destiné à faire une tâche précise, pour peu que de l'énergie lui soit fournie ; l'envoûtant tic-tac du balancier de l'horloge campagnarde régule le mouvement des aiguilles ; de même le crapaud vit pour chasser les vers de terre et se reproduire. Qui donc attribuerait sérieusement une psychologie à une horloge, un moteur ou un robot ?

Après le crapaud et l'araignée, examinons des organismes plus évolués, les oiseaux par exemple. Certains d'entre eux ont, dans leur prime jeunesse, la possibilité d'apprendre de nombreux chants, de ravissantes ritournelles. Et c'est en fonction d'un environnement déterminé qu'ils prennent l'habitude d'une mélodie bien typée : pour chaque espèce il s'agit en réalité d'un dialecte particulier. L'oiseau dispose initialement d'un répertoire de notes musicales, et de séquences possibles de sons qui lui permettent de coder les sons qu'il entend dans son environnement, mais ses vocalises sont limitées aux performances de ses organes, bien évidemment soumises au contrôle du patrimoine génétique. Ses acquisitions sont donc limitées aux sons propres à son espèce. Au contact des chants de son entourage, il sélectionne les contrastes et les séquences les plus utilisés ; il élimine par conséquent ceux qui ne servent pas. Après une période critique, l'oiseau se met à produire un sous-ensemble rigide et relativement stéréotypé, sélectionné parmi les vocalisations possibles, compatible avec les chants entendus pendant la phase d'apprentissage et qui respecte les contraintes génétiques de l'espèce. L'environnement ne joue alors qu'un rôle limité : il sert tout au plus à déclencher et à sélectionner des potentialités définies à l'intérieur d'une enveloppe génétique relativement restreinte.

Par contre, dans d'autres espèces, la programmation génétique est pratiquement absente : certains oiseaux exotiques comme les capucins, lorsqu'ils sont élevés par des adultes d'une espèce différente, peuvent acquérir le chant de leurs parents adoptifs. Pour d'autres oiseaux, comme les corvidés (c'est-à-dire les intelligents corbeaux, corneilles et choucas), le chant est presque intégralement proformé par les gènes, car il n'y a pratiquement aucune variation entre les individus. Pourquoi la souris mordille-t-elle le grain de blé en le tenant perpendiculaire à l'axe de son corps, alors que le rat le maintient dans l'axe, comme un petit cigare ? Les deux animaux sont très voisins, et pourtant leur patrimoine génétique aboutit à des stéréotypes différents.

LA SANTÉ AU-DELÀ DES GÈNES

De combien l'homme est-il un peu araignée, crapaud, canari, pour ne pas dire cochon ou rat, le plus étudié de nos animaux de laboratoire ? Jusqu'où la rigidité de son patrimoine génétique interdit-elle l'expression de la liberté ?

Le bébé marche quand il doit marcher, parle quand il doit parler, inutile de le forcer ; tout se passe comme si une horloge biologique fixait le moment où chacune de ses aptitudes doit se mettre en place. Bien entendu, l'environnement joue un rôle actif indispensable : il peut réguler, déclencher et sélectionner tel ou tel mécanisme préexistant. Mais le milieu ne peut pas modifier ce qui a été défini par le programme génétique de l'organisme, il lui est impossible de créer un nouvel organe de toutes pièces. L'homme acquiert en effet tout naturellement certaines aptitudes, comme le langage ou la marche ; mais il ne sera jamais capable de voler comme un oiseau, de s'orienter dans le noir comme une chauve-souris, ni de voir la palette des couleurs perçue par une abeille. En revanche, de graves troubles du langage apparaissent dans des conditions de grande privation affective et relationnelle, tout comme l'arbre privé de terre ne peut pas grandir et s'étiole. Mais dans des conditions normales, l'arbre fait des feuilles et des fleurs ; et ce n'est sûrement pas la composition du sol qui l'induit à donner des poires plutôt que des pommes ou des oranges. Le bagage inné propre à l'homme est bien plus contraignant qu'on ne l'imaginait quand il s'agit du langage, par exemple. Du reste existe-t-il des comportements qui soient parfaitement et intégralement innés chez l'homme ? La question suscite de vifs débats passionnels, souvent dogmatiques.

Même Balzac y a mis du sien : « Les passions vraies ont leur instinct. Mettez un gourmand à même de prendre un fruit dans un plat, il ne se trompera pas et saisira, même sans voir, le meilleur. »

STRUCTURER LES PLAISIRS : L'OBLIGATOIRE CHRONOBIOLOGIE

Puisque les apprentissages doivent se faire à certaines périodes critiques, il en va sûrement de même pour ceux qui impliquent tous les sens, y compris ceux de la gastronomie. Ensuite, toute la vie, il faut les actionner ; leur manque de souffle et leur épuisement précèdent de peu leur mort. Le cerveau, comme le muscle, doit travailler. Comme lui, il doit évidemment être nourri. Après l'apprentissage à un moment donné de la vie, il faut encore absolument stabiliser ces combinaisons de communications par leur utilisation. Seuls seront maintenus les circuits neuronaux qui auront appris, les autres disparaîtront. Cette organisation s'appelle l'épigenèse ; elle a été définie par un neurobiologiste français, Jean-Pierre Changeux. C'est pourquoi, contrairement à une pile célèbre, le cerveau ne s'use que si l'on ne s'en sert pas. Il convient d'apprendre, puis d'entretenir sa culture.

Pour toutes les perceptions sensorielles, il en va probablement de même que pour la vision. Dans un premier temps, les circuits de neurones doivent s'organiser : il s'agit d'apprendre l'existence des goûts, en mettant en place les circuits de neurones qui participent aux perceptions sensorielles ; et en organisant ceux qui les évaluent, les estiment et les mémorisent, dans le cerveau. La phrase de Charles Péguy est pertinente dans ce cadre : « Tout est joué avant douze ans. » Dans un deuxième temps, la culture et l'éducation artistique doivent surajouter leur empreinte pour permettre d'apprécier les saveurs par le plaisir.

La Rochefoucauld le disait dans ses maximes : « La bonne grâce est au corps ce que le bon sens est à l'esprit. » L'animal humain inculte (insensé au sens propre, pourrait-on dire) aime spontanément le goût du « gras-sucré », source de perception onctueuse et d'énergie. L'homme, par contre, doit impérativement apprendre à détecter et évaluer les arômes associés au caractère propre de certains aliments, sources de joies et de santé. Enfant, il doit inculquer à son cerveau l'utilisation conjuguée de tous ses sens, pour qu'il puisse ultérieurement apprécier la diversité des aliments, fussent-ils nouveaux. Instincto-thérapie : la mort programmée. Pour le crudivore et autre instinctothé-rapeute, le naturel doit guider les mains pour porter les aliments à la bouche. À ce rythme, l'enfant ne manquera pas de se ruer sur la superbe amanite phalloïde, le prix de son apprentissage sera sa mort !

Apprendre le goût relève du même principe que l'apprentissage de toutes les aptitudes mentales : nulle n'est à négliger ! D'autant que, Marivaux lui-même le reconnaît « il n'y a point de plaisir qui ne perde à être connu ». En frôlant le « long, immense et raisonné dérèglement de tous les sens », selon Arthur Rimbaud.

Ainsi, il règne, au moins outre-Atlantique, une « malnutrition pléthorique », définition curieuse, qui signifie simplement que, si les consommateurs trouvent à leur disposition quatre mille produits ali-mentaires dans les grandes et les moyennes surfaces, en pratique, ils ne choisissent que les aliments sucrés. Les exemples sont nombreux, prenons en deux.

Jusqu'à une date récente aux États-Unis, une jeune maman n'achetait pour son bébé que des petits pots insidieusement sucrés. En effet, le réel « pur poisson » ou « pur bœuf » ou encore « pur haricot », qu'elle testait avant de le donner à son enfant, était pour elle insipide, par manque d'éducation alimentaire. Elle ne pouvait donc imaginer nourrir son enfant et lui faire plaisir avec un aliment sans intérêt pour elle. Pour l'inciter à acheter, l'industriel ajoutait du sucre ! De ce fait, ce qui était affiché « pur »... contenait 30 % de sucres. Cela est mainte-nant interdit, les dégâts sanitaires ayant été considérables.

Certains adultes sont incapables de manger du poisson, bien qu'ils en connaissent le bénéfice particulier, qui est la réduction du risque de maladie cardio-vasculaire (en France, l'huile de chair de poisson fut longtemps remboursée par la Sécurité sociale). En effet, enfants, ils n'ont pas appris cet aliment, avec ses particularité de goût, d'odeur, de texture, et de tolérance vis-à-vis des arêtes ; pour eux, des-siner un poisson consistait à tracer un rectangle !

La vision

Julien Green, dans son journal, propose une échelle d'apprécia-tion des perceptions sensorielles : « Le nez est là pour respirer, la bouche pour manger, les oreilles pour entendre ; mais les yeux croient. » Or notre perception du monde extérieur provient à 80 % des yeux ; c'est dire l'importance d'une vision sans défauts. Ne serait-ce que par l'effet du nombre des récepteurs : cent trente-cinq millions dans la rétine, contre six millions pour l'odorat, sept cent mille pour le toucher, et trente mille pour l'ouïe.

La vision occupe en effet une place fondamentale : l'univers sensoriel de l'homme est essentiellement visuel. Il convient par exemple de voir le mets, de le reconnaître, de le fixer en mémoire. Mais comment les six dimensions de l'information visuelle (trois dimensions pour la forme et trois autres pour la couleur) sont-elles traitées de la rétine jusqu'au cortex occipital (la couche superficielle, située en arrière du cerveau) ? Le mystère est encore gigantesque ; l'œil, sans le cortex cérébral, n'est strictement rien.

Le coup d'œil en arrivant à table, au restaurant, est crucial. Quand le lieu est accueillant, la décoration et l'aménagement contribuent à l'évaluation du repas, l'humeur est déjà bonne et favorable. L'éclairage participe à l'appréciation des plats : trop important et trop cru, il tue les nuances ; trop faible, il empêche de les saisir. Mais il convient surtout que les mets soient eux-mêmes beaux à voir : ce qui est beau se devrait d'être bon. Quelques notes de couleur agrémentent merveilleusement une salade ! Dans l'assiette, la complémentarité des couleurs se doit d'accompagner celle des aliments. La nouvelle cuisine ne l'a que trop bien compris !

CLINQUANT MAIS BON, AVANT-GARDE HIÉRARCHIQUE

On tend à privilégier certains plaisirs, ceux de la vision ne serait-ce que parce qu'ils sont parmi les premiers à être perceptibles, au détriment de ceux du goût. La vision compte pour beaucoup dans l'identification. Comme disait Michel de Montaigne, « que vos yeux y tâtent avant d'y goûter ». Les yeux ont tendance à prendre un plaisir particulier, à table, précurseur de la joie du goût. Le sommet de la recherche visuelle est par exemple atteint dans le frugal repas japonais traditionnel, où chaque mets constitue d'abord un enchantement pour les yeux, à l'égal de celui d'une œuvre d'art.

L'attrait pour la nourriture est d'ailleurs aussi un phénomène illustrant l'attraction qu'exercent les couleurs sur l'homme. Ainsi, les Indiens d'Amérique avaient une préférence marquée pour les grains de maïs bigarrés ; ils n'ont pas domestiqué le haricot pour ses qualités alimentaires, mais pour l'extrême diversité de la couleur de ses grains, initialement recherchés pour la fabrication de parures. De même, aujourd'hui, de nombreux colorants sont abondamment utilisés dans l'alimentation industrielle pour donner aux produits une apparence visuelle conforme aux souhaits du consommateur... vaste problème ! Dans les vieux traités culinaires médiévaux, il était plus souvent question de qualités visuelles que de goût. Les couleurs fréquemment données aux mets étaient alors artificielles, et ne visaient qu'au plaisir de l'œil ; au-delà de l'énumération des aliments présentée dans les pitanciers de l'époque (qui, comme leur nom l'indique, détaillaient la nourriture servie dans un couvent ; l'un d'entre eux fut superbement exposé récemment au musée de Guiry-en-Vexin). En revanche, aux XVIIᵉ et XVIIIᵉ siècles, lorsqu'un ouvrage mentionne des couleurs, elles sont généralement naturelles.

Comme s'il existait une hiérarchie ou une priorité, les informations visuelles semblent prédominer sur les renseignements gustatifs et olfactifs comme facteurs déterminants dans la perception... de l'odeur par exemple. Apparemment, de nombreuses personnes réagissent davantage à la couleur des denrées alimentaires qu'à leur odeur, quand elles effectuent une identification et un choix. Cette habitude peut d'ailleurs aboutir à une perception erronée. En effet, à partir d'informations strictement visuelles, chacun extrapole inconsciemment à d'autres sensibilités. Ainsi, un bonbon au cassis se doit d'être violet. L'intensité de la saveur attribuée au citron des pâtisseries augmente avec la concentration du colorant jaune. Un sirop vaguement translucide n'aura jamais réellement le goût de fraise, de grenadine ni de menthe, il doit être franchement rouge ou vert ; mais en revanche il convient de ne pas se laisser abuser par ces couleurs bleuâtres, qui sont censées témoigner d'un exotisme de bon aloi. L'odeur du saucisson est perçue comme plus caractéristique lorsque les rondelles sont présentées irrégulières et ovales avec leur peau, que lorsqu'elles sont redécoupées pour les amener à un même diamètre !

Une pomme verte est présumée astringente et acidulée, tandis que jaune elle sera imaginée sucrée. Ces réflexes sont sources de déceptions avec certains fruits standardisés : ils n'ont pas le goût de leur aspect. Par ailleurs les couleurs sont « judicieusement » sélectionnées, en fonction des modes, l'aspect doit être irréprochable, la couleur homogène. Que sont donc devenues les pommes reinettes, tachées, piquetées, ridées, mais succulentes ! Mais l'incantation obsédante qu'un fruit de qualité est beau n'est pas une garantie alimentaire. Quand l'œil identifie un objet, il lui attribue une couleur. S'il y a discordance, le cerveau sonne le tocsin et l'estomac conteste. Dans l'inconscient collectif, une frite ne saurait être que dorée.

LE GOÛT DES COULEURS : L'ARC-EN-CIEL SENSUEL

Seul l'apprentissage et l'éducation permettent la satisfaction de l'œil qui admire un beau tableau. Or le repas se doit d'être lui aussi un chef-d'œuvre visuel ! Outre le fait qu'elles personnalisent les formes, les couleurs possèdent un symbolisme important : le vin est blanc ou rouge, non pas jaune (ou doré) ou violet ; car le blanc est pur et le rouge est sang ; en effet les alchimistes de la pensée et de la couleur ne connaissaient que le blanc, le noir et le rouge.

Une viande semble d'autant meilleure pour la santé qu'elle est plus rouge : cette vieille sagesse populaire repose sur une réalité chimique : le rouge est témoin de la présence de fer ! La luminosité de la viande intervient aussi, humide et hachée elle est scintillante. Par conséquent, il faut se méfier des ampoules colorées de certains étalages qui colorent artificiellement une viande triste et terne... Curieusement, le consommateur qui envisage d'acheter de la viande se préoccupe d'abord de son aspect, puis de sa fraîcheur, et seulement après de son prix ; les possibilités de conservation venant après.

Au même titre que les fines herbes, la ciboulette ou l'estragon ou encore le thym et le romarin, les fleurs agrémentent l'aspect, comme le goût des salades : pourquoi ne pas utiliser les fleurs d'ail ou de pissenlit, les violettes variées, les capucines ou les primevères. La capucine, dont la saveur rappelle celle de l'estragon, ainsi que la bourrache possèdent une sorte de saveur d'huître tout à fait mystérieuse, note l'éclectique Jean-Pierre Coffe. Sauf tentation homicide, il faut cependant savoir que la confusion est facile entre le persil et la ciguë et que la datura, la colchique ou la belladone sont toxiques. Le nom de belladone vient d'ailleurs de *bella dona*, jolie femme, par référence aux très belles Vénitiennes qui avivaient l'éclat de leur regard en instillant sur leurs yeux des collyres préparés à partir de cette plante, qui a le pouvoir de dilater les pupilles. Elles aimaient à être vues sans voir, contrairement à leurs soudards de maris en campagne, qui aimaient les voir sans être vus ! Avec des sommités, le spectacle est encore plus magnifique. Soit dit en passant, sommité est un terme de pharmacie qui désigne une tige garnie de fleurs petites et nombreuses, employée telle quelle pour préparer les produits. La vue, le goût et l'odeur s'allient. Le poivre en gros grains est une véritable ponctuation dans la symphonie des couleurs, mouliné fin il confère un teint subtil, tout en exaltant les goûts sans les camoufler !

Comment les couleurs nous attirent-elles avec succès ? C'est un véritable poème, à la manière d'Arthur Rimbaud. Il faut respecter le code des couleurs, dont chacune est supposée, à juste titre, flatter tel ou tel trait de caractère, si possible libidineux. La valorisation sensuelle des couleurs s'est accompagnée au fil des siècles d'une valorisation intellectuelle, morale et sociale. Le rouge et le jaune se veulent agressifs, le vert est apaisant, rassurant, évocateur, rêveur, écologique, naturel ; le blanc demeure la pureté totalement neutre.

Que de performances visuelles à découvrir ; celles exprimées par la palette du peintre, avec un jaune qui peut être clair, moyen ou ocre jaune, des verts Véronèse, émeraude, du Japon ; des rouges vermillon carmin ou ocre rouge, des bleus cobalt, outremer ou bleu de Prusse.

Toutes les couleurs sont censées pouvoir être simplifiées, résumées, allégées jusqu'au blanc, ce qui a été largement exploité. C'est pourquoi le blanc est devenu la couleur symbole de l'allégé dès ses débuts, partout, aux États-Unis comme en Europe et plus particulièrement en France. Perçu comme la potentialité de toute couleur, le blanc dispose, il est vrai, d'un puissant pouvoir évocateur : pureté et absolutisme, volonté de mener une démarche à son terme, etc. Il représente, dans l'inconscient collectif la synthèse des sept nuances du spectre. Le naturel se retrouve dans le lait, la neige aux merveilleux cristaux, la craie ou l'albâtre modelé en sculptures féminines, la pureté du plumage de la colombe, de la fourrure de l'hermine royale, des pétales du lys. La blancheur immaculée de la vallée, pourtant coupable pour Honoré de Balzac, est comprise et pardonnée. La virginité de la page sur laquelle s'inscrit l'avenir ou le passé ne peut être que blanche.

Le bleu quant à lui doit occuper une place privilégiée. Il doit osciller entre le bleu clair et le bleu drapeau. Celui de notre planète bleue, l'eau qui la recouvre aux deux tiers, grâce au ciel qui la coiffe. La couleur de l'azur, de la fraîcheur, de la profonde pureté. Mais pas n'importe lequel, le bleu nuit domine, symbole de rêve, de spiritualité, d'intellectualisme. Mais l'ésotérisme n'a pas vraiment sa place dans le secteur alimentaire, et peu d'industriels se hasarderaient à s'aventurer sur ce terrain difficile.

Le vert, couleur du végétal qui fait vivre la surface de la terre, figure l'élévation vers le soleil, la transmutation de l'énergie lumineuse en végétal ravissant et nourrissant, le printemps, la vie permanente qui gagne sur la mort, la victoire, la connaissance, le divin. La symphonie des verts a séduit Émile Zola : « Au fond de la rue Rambuteau, les légumes s'éveillaient davantage, sortaient du grand bleuissement traînant de la terre. Les salades, les laitues, les scaroles, les chicorées, ouvertes et grasses encore de terreau, montraient leurs cœurs éclatants ; les paquets d'épinards, les paquets d'oseille, les bouquets d'artichauts, les entassements de haricots et de pois, les empilements de romaines, liées d'un brin de paille, chantaient toute la gamme du vert, de la laque verte des cosses au gros vert des feuilles ; gamme soutenue qui allait en se mourant, jusqu'aux panachures des pieds de céleri et les bottes de poireaux. Mais les notes aiguës, ce qui chantait plus haut, c'étaient toujours les taches vives des carottes, les taches pures des navets, semées en quantité prodigieuse le long du marché, l'éclairant du bariolage de leurs deux couleurs. Au carrefour de la rue des halles, les choux faisaient des montagnes ; les énormes choux blancs, serrés et durs comme des boulets de métal pâle ; les choux frisés dont les grandes feuilles ressemblaient à des vasques de bronze ; les choux rouges, que l'aube changeait en des floraisons superbes. »

Mais il ne faut pas abuser du vert, car c'est une couleur qui peut aussi devenir maléfique pour les superstitieux !

Il faut un peu de jaune, synonyme de puissance, rutilant comme l'or, réminiscence du métal précieux, couleur des couleurs, richesse ultime ; dieu du soleil et de la lumière, inaltérable trésor, symbole d'éternité, du cycle perpétuel, source de l'énergie de la vie. Plus un produit se veut naturel, plus il parle de soleil, de campagne, plus il est « réputé » léger, ce qui ne signifie nullement qu'il le soit en réalité. C'est la démarche d'une boisson qui prétend nous vendre « rien que la pulpe du soleil ». Celle d'une vinaigrette, qui aurait le goût du soleil. La salade, il est vrai, utilise très bien l'énergie solaire pour faire de belles feuilles, légères et vitaminées.

Une touche de rouge est appréciée. C'est la nuance la plus émotive, le cœur et le sang qu'il distribue, celle de la passion, de l'amour comme de la haine, mais aussi celle du révolutionnaire, sanglant et impitoyable. Rouge que Zola marie formidablement avec les autres couleurs : « J'avais tous les tons vigoureux, le rouge des langues fourrées, le jaune des jambonneaux, le bleu des rognures de papier, le rose des pièces entamées, le vert des feuilles de bruyère, surtout le noir des boudins, un noir superbe que je n'ai jamais pu retrouver sur ma palette. Naturellement, la crépine, les saucisses, les andouilles, les pieds de cochon panés, me donnaient des gris d'une grande finesse. Alors je fis une véritable œuvre d'art. Je pris les plats, les assiettes, les terrines, les bocaux : je posais les tons, je dressais une nature morte étonnante où éclataient les pétards de couleur, soutenus par des gammes savantes. Les langues rouges s'allongeaient avec des gourmandises de flamme, et les boudins noirs, dans le chant clair des saucisses, mettaient les ténèbres d'une indigestion formidable. J'avais peint, n'est ce pas ? »

La « preuve par spots » de l'alliance des couleurs est facile à apporter. Le promoteur d'un fromage blanc, par exemple, montre une lumière claire qui joue harmonieusement sur le blanc éblouissant du revêtement calcaire d'une maison grecque. Un fond bleu intense, celui de la mer Égée. Un espace qui s'élargit sur une terrasse mise en valeur par quelques belles plantes vertes et fleurs dorées, d'où l'on sent la mer toute proche. Et sur cette terrasse, une femme évidemment, mince mais cependant gracieusement épanouie, qui laisse deviner un corps séduisant, pulpeux et doré sous la transparence d'un lin blanc... À la main, elle tient un fromage blanc, et une voix off révèle que c'est bien lui le magicien de cette douce béatitude : « J'adore ça, ma silhouette aussi. » Comment voulez-vous résister ?

CORDON COLORÉ, ROUGE OU BLEU ?

Le roi Louis XV vouait une affection enflammée à la du Barry, dame réputée de fort tempérament et de petite vertu. Nous lui sommes redevables, paraît-il, d'une innovation hardie : elle fut la première per-sonnalité à confier à une femme la direction de ses cuisines. La petite histoire, des alcôves et de la table, raconte qu'un soir à Louveciennes, elle avait convié le roi à souper chez elle. Son hôte illustre se montra particulièrement satisfait du repas, il voulut donc féliciter le cuisi-nier... dont il découvrit avec stupéfaction qu'il s'agissait d'une cuisi-nière. Il lui décerna cependant sur-le-champ l'une des plus presti-gieuses décorations de la profession, l'écharpe bleue de l'ordre du Saint-Esprit, plus connue sous le nom de Cordon bleu. Depuis ce jour, il peut être attribué aux femmes, on le précise en lui ajoutant l'adjectif de « fin ». Le contraire d'un bas bleu, une femme pédante et préten-tieuse qui se pique d'avoir de l'esprit.

Plus prosaïque, le dictionnaire *Petit Robert* date cette célèbre expression de 1814 ; d'autres prétendent qu'au xviie siècle, la cuisinière était ainsi ironiquement dénommée, par comparaison avec la distinc-tion d'un homme décoré de l'ordre du Saint-Esprit, ordre qui fut créé par le roi Henri III en souvenir de son élection au rang de roi de Pologne et son héritage du titre de France un jour de Pentecôte. Il fut supprimé en 1791.

PRENDRE LANGUE AVEC LES COULEURS

Des goûts et des couleurs, on ne discute point, dit le proverbe. Car l'appréciation des couleurs semble éminemment individuelle et sub-jective. Or, en fait, la classification des couleurs est très stéréotypée dans les cultures et les civilisations, témoignant de l'existence d'un socle contrôlée par les gènes.

Qu'en est-il du système de classification des couleurs, est-il propre à différentes langues ? Curieusement la réponse est non. Les cher-cheurs ont en effet découvert que la nomenclature des couleurs, sous leur apparente diversité, est très similaire selon les civilisations et les langues ; elle présente en réalité une grande rigidité, ce qui est tout à fait surprenant. Les catégories de couleurs sont en nombre limité et le vocabulaire qui en rend compte obéit en fait toujours à des contraintes extrêmement précises.

C'est ainsi que les langues qui utilisent quatre catégories de cou-leurs reprennent toujours les mêmes, le rouge, le bleu, le vert et le jaune. De même, les classifications à deux ou trois couleurs placent la frontière à certains endroits bien précis (et peu nombreux) du spectre des couleurs. Ces cultures utilisent le même mot pour désigner plu-sieurs couleurs, à condition qu'elles soient proches. On n'a jamais observé qu'un même mot désigne le jaune, le bleu, le vert ou le rouge. Il semble donc que les limites entre les catégories de couleurs ne soient pas arbitraires. Un nombre restreint de catégories naturelles innées semble régir et ordonner la classification des couleurs. L'environnement culturel et linguistique peut tout au plus sélectionner certaines de ces catégories, mais il doit respecter des règles universelles, implacablement contrôlées par le patrimoine génétique de l'homme.

Les études qui concernent la classification des couleurs montrent qu'à la naissance, en dépit du manque de maturité du cerveau comme de tout l'organisme, le système visuel classe déjà les couleurs en catégories semblables à celles que les adultes utilisent, quelle que soit leur culture. En effet, l'enfant, comme l'adulte, divise le spectre des couleurs en quatre catégories principales correspondant au vert, au rouge, au jaune et au bleu. La perception et l'interprétation des couleurs ne sont donc pas relatives au milieu culturel, ni dépendantes d'un apprentissage. Elles reposent sur des fondements naturels constants d'un individu à un autre, d'une culture à une autre, d'un âge à un autre. Il convient de ne pas oublier que la rétine elle-même, avec ses cônes et ses bâtonnets, est construite sous le contrôle rigoureux des gènes. La vision des couleurs se fait par des circuits de neurones qui, au-delà de la rétine, sont déjà très organisés par le patrimoine génétique.

Les organes qui régissent la perception des couleurs sont par contre très particuliers à chaque espèce. En effet, de nombreux animaux autres que l'homme perçoivent les couleurs sur une palette de largeur variable et découpent le spectre en tranches plus ou moins nombreuses. Le nombre et la place des catégories varient d'une espèce à l'autre : l'abeille en utilise trois, comme le pigeon, contre quatre chez la plupart des vertébrés, comme le singe ou l'homme.

Bien évidemment, la vision implique la perception du relief. Qu'en est-il donc de la notion d'espace ? Notre rétine, qui est plane, transmet à notre cerveau une image plate, en deux dimensions. Mais le monde, que nous avons le sentiment de voir, possède, lui, trois dimensions. Comment transformons-nous donc les images rétiniennes en des représentations tridimensionnelles ? En réalité, l'émergence de la vision en relief ne serait pas apprise par l'organisme au contact du milieu, mais résulterait de l'architecture intime du cortex cérébral visuel. Si la vision stéréoscopique n'est pas acquise à la naissance, ce n'est pas parce qu'un apprentissage fonctionnel s'impose, mais simplement parce que le cerveau n'a pas encore atteint le stade requis de sa maturation. L'organe, en un sens, créerait la fonction à point nommé. En effet des recherches réalisées chez le chat et chez le singe montrent que la vision en relief apparaît brusquement entre la troisième et la cinquième semaine. C'est exactement le moment où la quatrième couche du cortex visuel s'organise en colonnes c'est-à-dire en groupes distincts de neurones, qui reçoivent séparément l'information provenant de chaque œil. Il semblerait donc que ce soit précisément cette division en colonnes qui permette l'exploitation des indices binoculaires.

LE SAVOIR FAIRE VOIR

La forme l'emporte parfois sur le fond, la photo travestit la réalité, les mots et les couleurs occultent la nature des aliments. Le prix de la qualité de la vie réside dans l'exploit de savoir détecter et comprendre, pour discerner le beau à voir, du mauvais à manger. Une publicité géniale, plus vraie que nature, vante quelque boisson célèbre ; à la croire, celui qui est laid devient beau, le bossu se redresse, le pessimiste s'égaye, le timide séduit, le pauvre s'enrichit... mais que d'illusions... Le beau-bon-naturel n'est en réalité qu'un strict produit chimique, depuis que le sucre en a même été enlevé.

Avec un génie, malin et redoutable, les hommes de marketing associés aux spécialistes de l'emballage (pardon, du packaging doit-on dire) ont conçu les conditionnements de nos produits pour qu'ils deviennent nos favoris. Leurs images de marque doivent percuter pour que dès le premier coup d'œil nous soyons emballés, c'est le cas de le dire ; et si possible convaincus de l'utilité de l'aliment.

Tous ceux qui, de près ou de loin, observent, épient, exacerbent les mythes, ou les phénomènes de société, collaborent pour vous nourrir... selon leurs souhaits. Du « packager » au psychanalyste, à travers le publicitaire, le nutritionniste, le psychosociologue, le philosophe, l'historien et le conteur, tout le monde collabore ferme pour capter et enserrer votre attention, en premier lieu par le canal de la vision. Bien évidemment il est fait appel à l'inconscient, au réflexe, si possible érotique. Pour qu'il n'y ait pas de mal à nous faire du bien, sachons tout de même évaluer et apprécier librement.

Pour les éventuelles mentions manuscrites, préférées à une typographie standard et imperméable, une élégante écriture avec pleins et déliés donne l'impression d'un produit artisanal, familial, grand-mère, traditionnel. Le sucre de la confiture sera ainsi moins mauvais pour la santé, pense-t-on. La typographie est également élaborée avec un soin minutieux : amour et acier ne doivent pas s'écrire de manière identique. Inutile de faire un dessin, c'est le cas de le dire ; mais il faut redessiner l'image, la photo qui doivent abuser de la lumière, de la clarté et de la transparence. Une lumière légère, celle de midi au printemps... fraîche mais pas froide, claire, chaleureuse et réconfortante. La transparence, des verres, des assiettes, des plats, est une garantie sur le contenu autant qu'un symbole de légèreté, fût-ce pour le foie gras.

L'habit fait le *light* : le poids de l'emballage suggère celui des calories du contenu. Les industriels le croient dur comme fer, et voudraient nous en persuader. Suffit-il de mettre les produits dans un emballage *ad hoc* pour laisser croire que l'on agit sur la consommation de sucre, de graisses, d'alcool ou de tabac ? De plus en plus de clients demandent de concevoir des « packagings » légers, même si le contenu ne l'est pas. Un emballage dont le dessin est fin, et la masse faible, ne saurait-il contenir que des aliments légers en calories ? Emballé mais roulé ?

La gustation

La gustation est bien évidemment l'une des perceptions sensorielles les plus importantes dans le choix de la nourriture, comme dans le plaisir qu'elle procure. La culture, la tradition et l'habitude lui ont donné une importance considérable, d'ailleurs excessive car le « goût » des aliments tel qu'il est perçu par un organe, la langue, ne représente qu'une petite partie de l'ensemble de leurs caractéristiques sensorielles.

« Avoir du goût » ne signifie pas seulement savoir goûter la nourriture, mais aussi être apte à réellement apprécier les beautés et les défauts d'une œuvre d'art, qu'elle soit matérielle ou spirituelle. Être « dégoûté » témoigne de l'aversion non seulement pour un aliment mais plus généralement pour quelqu'un ou quelque chose. D'ailleurs, dans le langage courant, le mot goût est ambigu : il désigne autant la modalité sensorielle, la sensation, que la saveur de l'aliment. Il s'applique simultanément à l'homme et à la matière. Un autre mot prête lui aussi à confusion, il a trait à la gastronomie sociale : hôte désigne indifféremment celui qui reçoit et celui qui est reçu...

LES CORPS SAPIDES

La perception gustative est provoquée par les diverses substances de l'aliment qui ont chacune un goût, une saveur, capables d'exciter nos organes des sens. On les appelle les corps sapides. Sapide trouve son origine dans le latin *sapidus*, il veut dire : qui a du goût. Le verbe *sapio* signifie avoir du goût et, au figuré, être sage, raisonnable, sensé et intelligent ; il est aussi l'étymologie de sapiens : *Homo sapiens*. On voudrait que les descendants de Lucy aient des goûts raisonnables, eux qui se sont autoproclamés *Homo sapiens sapiens*.

Il y a des millénaires, la recherche de la nourriture fut la principale activité de survie. Le goût de la nourriture n'était pas encore réellement apprécié, sauf lorsqu'il était associé à un désagrément. Sa présence était le signal d'alerte, il permettait le rejet d'un aliment mauvais, dangereux. Mais, bien vite, la qualité de la nourriture s'imposa, l'alimentation se mêlant au plaisir. C'est d'ailleurs ce plaisir qui conduit à l'excès, qui devient finalement source de déplaisir. En effet, l'intensité du plaisir n'est pas en relation linéaire avec la quantité de l'aliment qui en est la source. Le plaisir croît avec l'intensité du stimulus jusqu'à un maximum, pour ensuite décroître puis se transformer finalement en aversion pour les trop fortes stimulations. Cette courbe s'applique aux quatre sensations : le sucré, l'aigre, le salé et l'amer. Le sommet est atteint à de faibles intensités pour le salé et l'amer, qui deviennent donc rapidement désagréables. Cela vaut, à un moindre degré pour l'aigre. En revanche, pour le sucré, le plaisir reste fort jusqu'à d'importantes quantités, avant d'atteindre la phase déplaisante. D'où sans doute notre propension, à aller vers le sucre, cet aliment fondamental, essence énergétique qui fait fonctionner nos cellules, y compris cérébrales. L'homme est fait pour goûter le sucré ! À la fin d'un repas plantureux tous les goûts sont épuisés et saturés, sauf celui du sucré : il est donc possible de continuer à manger des desserts... sucrés. C'est pour cela que cette place leur a été affectée dans l'ordonnancement des repas.

TRIANGULATION... À 4

Depuis qu'ils étudient leurs propres organes des sens, les hommes n'ont pas toujours, à toutes les époques, défini quatre mêmes qualités gustatives. Aristote distinguait « dans les saveurs comme dans les couleurs, d'une part les espèces simples qui sont aussi les contraires, savoir le doux et l'amer, d'autre part, les espèces dérivées, soit du premier comme l'onctueux, soit du second comme le salé, enfin, intermédiaire entre ces dernières saveurs, l'aigre, l'âpre, l'astringent et l'acide, à peu de chose près, telles paraissent être en effet les différentes saveurs ». En 1751, Carl von Linné, célèbre naturaliste suédois, médecin et botaniste du roi, discernait dix qualités gustatives : l'humide, le sec, l'acide, l'amer, le gras, l'astringent, le sucré, l'aigre, le muqueux, le salé. C'est seulement en 1824 que le très célèbre Eugène Chevreul distingua les sensibilités tactile, olfactive et gustative. Il fut aussi le découvreur des graisses !

Les intensités et les niveaux de perception des sensibilités gustatives et olfactives sont modulés par la température des aliments, qui modifie leurs propriétés physicochimiques, mais aussi altère la sensibilité de la bouche. Une glace froide à peine sucrée, le devient beaucoup trop quand elle fond dans l'assiette. Le plaisir du tiède de la célèbre tarte Tatin, du chaud du potage, du brûlant du thé à la menthe dépendent bien évidemment de leur température ; les arômes du vin ne s'épanouissent pleinement qu'à une graduation précise du thermomètre.

La saveur amère n'est hélas pas toujours appréciée à sa juste valeur ! Surtout par les enfants, auxquels il est parfois difficile de faire avaler certains médicaments ou quelques excellents aliments. Chercher la disparition du goût amer relève tout simplement de l'entreprise criminelle. Il a en effet été montré, dans des écoles françaises, que la capacité d'appréciation du goût amer par les élèves (celui, par exemple, des véritables endives, appelées chicons) s'accompagne de meilleures performances scolaires ; non pas que manger amer rende plus intelligent, mais parce que l'apprentissage du goût amer s'est accompagné d'un enrichissement intellectuel global, au niveau du vocabulaire comme de celui de la curiosité et de la recherche. « Je goûtais une chose amère, que je trouvais mauvaise d'abord, bonne ensuite. C'était de la bière », reconnaît le petit Paul de la comtesse de Ségur.

PERCUTER TOUS SES POINTS EXQUIS

Comment atteindre les points exquis de notre langue ? Comment percevons-nous le goût des aliments ? Nous avons environ cinq cent mille récepteurs gustatifs, regroupés en sept à huit mille formations anatomiques compactes, qui sont précisément les bourgeons du goût ; il s'agit de structures nerveuses en forme d'oignon, formées d'une vingtaine de cellules. Ces récepteurs sont principalement situés sur la face supérieure de la langue, mais aussi sur la muqueuse du palais, de l'arrière-bouche, de l'épiglotte et, pour quelques-uns, du pharynx.

Les sommets de ces bourgeons affleurent la surface, en formant une petite dépression, à travers laquelle passent les terminaisons nerveuses. Exception dans le système nerveux de l'homme, les cellules nerveuses de ces bourgeons se renouvellent environ tous les dix jours. Le « nerf » de notre goût a le privilège de se renouveler en permanence, alors que les neurones du cerveau auxquels ils transmettent leurs impressions, eux qui interprètent et stockent toutes les informations, sont définitivement en place dès avant la naissance.

Spécificité de la langue : les bourgeons sont visibles à l'œil nu. Bien mieux, pour chaque saveur, il existe des récepteurs différents, situés en des zones distinctes de la langue. La sensibilité salée se retrouve sur presque tout le territoire de la langue ; alors que la perception de l'acide ne s'étend que sur ses bords. En revanche, la sensibilité du sucré est plus grande sur les bords et la pointe de la langue : de ce fait nous apprécions mieux une glace en léchant, en suçant la boule. Si la sucette se goûte avec la partie antérieure de la langue, la bière s'apprécie avec la partie plutôt postérieure. Pourquoi ? Parce que la sensibilité de l'amer se situe sur le « dos » de la langue, là où les papilles (dénommées caliciformes) forment le « V » lingual. Boire au goulot n'est donc pas rédhibitoire, car ces papilles sont encore stimulées, d'autant que les bières sont peu sucrées, le bout de la langue peut, dans une certaine mesure, être négligé, un peu, et un temps.

Comment déguster son potage ? En portant simplement à ses lèvres la pointe de la cuillère ou son bord latéral ? Le dos de la cuillère cache une partie des papilles gustatives de la langue ; mais ne présenter que la pointe exige un mouvement quelque peu acrobatique du bras, fatal pour le maladroit, qui ne pourra éviter des dégoulinades redoutables pour l'intégrité des vêtements. Le bol est donc encore le meilleur moyen... Quand à la fourchette, selon A. Blondin, le problème de son utilisation est clair : « La fourchette est un instrument périlleux qu'il faut manier de haut en bas, paraît-il, à la manière d'un râteau et non comme une pelle. » Pour Lamartine, les choses sont aussi simples que rustiques : « Cette fourchette sert aux paysans, dans mon pays, à puiser le pain, le lard et les choux dans l'écuelle où ils mangent la soupe. » Mais elle doit se manier avec joie et liesse, pour que son tintement se marie aux sons des paroles ; et ne pas assurer l'ambiance quand la conversation se languit.

En fait, les perceptions de la langue ne se résument vraisemblablement pas à ces seules quatre composantes de base (le sucré, le salé, l'amer et l'acide). Une cinquième est reconnue : l'*unami*, en japonais, qui est celle du glutamate (le goût du viandox, pour résumer).

Mais le plaisir est fugace, pour ne pas dire éphémère ; la perception s'annihile d'elle-même, s'évanouit. Dès que le contact du stimulus sur la langue se prolonge au-delà d'une seconde, l'intensité perçue commence à diminuer pour, dans certains cas particuliers, s'annuler en dix à trente secondes. Après rinçage, la sensibilité initiale se rétablit, également en dix à trente secondes. Compte tenu de sa lenteur, le phénomène d'adaptation est susceptible de perturber l'évaluation sensorielle et le plaisir de la bouche, puisqu'il rend les épreuves successives mutuellement dépendantes. Quoi qu'il en soit, la qualité d'un repas ne peut s'apprécier qu'en mangeant lentement. L'aliment doit se marier avec la bouche, s'y fondre en quelque sorte, selon Guy de Maupassant : « Un gigot de pré salé, tendre comme du gâteau ; puis des légumes qui fondaient dans la bouche et de la bonne galette chaude, qui fumait en répandant un parfum de beurre. » Car la cuisson participe au plaisir des sens futurs.

Le nez pour se sentir au mieux

L'odorat demeure un mystère, par le contraste entre l'immatérialité apparente de la cause et la formidable puissance de l'émotion qu'il instaure. L'olfaction et la gustation sont les deux sens chimiques ; mais la première est au moins dix mille fois plus sensible que la seconde.

Avec les arômes et les odeurs, il y a une véritable contagion des émotions, ou plutôt un partage et une fusion. En vérité, sentir fait ressentir ; car l'odorat provoque une émotion. Les sensations générées par les aliments, désignées globalement par le mot de « goût » sont d'origines multiples et variées, alors qu'elles ont curieusement pour facteur principal l'odorat.

Le mot odeur est ambigu, ou plutôt général, dans la mesure où il désigne tout autant le stimulus que la sensation. D'aucuns estiment que l'affaiblissement de l'odorat va de pair avec l'avancement de la civilisation. Le nez est jugé d'importance secondaire. Étant donné le tout petit nombre d'odeurs que la majorité des personnes est capable d'identifier, et le nombre encore plus restreint de ceux qui savent les nommer, on ne peut qu'être inquiet. Ceux qui ont perdu l'odorat (ils souffrent médicalement d'anosmie) disent souvent qu'ils ont perdu le goût de la vie. Ils ne sont pas rares, car, observation malheureuse, 5 % des chocs à la tête sont suivis d'anosmie ! Le chiffre est probablement plus important, car le déficit olfactif est perçu par l'accidenté comme secondaire, tout au moins par rapport aux autres conséquences de l'accident, et il n'est même pas toujours détecté. Les chocs occipitaux sont plus dangereux pour l'odorat que les chocs frontaux... Comment le nez parle-t-il au cerveau ? Car il le fait, et beaucoup. Les deux hémisphères du cerveau sont capables de reconnaître les odeurs, mais seul le gauche (pour la majorité des personnes) est apte à les nommer ; conjonction et synergie de la sensorialité et du vocabulaire ; car les aires cérébrales du langage sont situées à gauche.

La sensibilité aux substances de l'environnement est une capacité très primitive, que possèdent, depuis des milliards d'années, les êtres vivants les plus simples, les plus rustiques ! Même les bactéries ont des chimiorécepteurs, qui leur permettent de s'adapter, de réagir à l'environnement, soit pour le fuir, soit au contraire pour rechercher et absorber les substances nutritives. Mais, à leur très modeste niveau, la distinction entre le goût et l'odorat ne se fait pas, car il n'y a pas d'organe spécialisé pour reconnaître de manière différente les substances dissoutes dans les liquides (pour le goût), et celles qui sont volatiles (pour l'odorat). En pratique, d'ailleurs, la distinction entre odeur et goût n'est que le résultat de la chimie la plus élémentaire, car elle dépend principalement du poids moléculaire ! En effet, grossièrement, au-delà de quatre cents de poids moléculaire, les substances ne sont pas volatiles, et n'ont donc pas d'odeur. Sauf pour les poissons, pour lesquels la propriété physique de la molécule olfactive n'est pas sa volatilité mais sa dissolution dans l'eau. Curieusement du reste, la vie aérienne n'a pas, seule, le privilège de pouvoir sentir ! Car les poissons ont un véritable organe olfactif, situé dans deux cavités du crâne, muni d'une entrée antérieure et d'une autre postérieure ; à côté d'un organe

chimiorécepteur, assimilable au goût ; il est disséminé sur la peau, spécificité évolutive de vie aquatique oblige.

L'appareil olfactif est développé, avec plus ou moins de puissance,
chez tous les vertébrés aériens : mammifères évidemment, mais aussi
oiseaux, reptiles et batraciens. Preuve qu'il y a encore beaucoup à
chercher et à trouver : on ne connaît presque rien encore de l'olfaction
des grenouilles et des crapauds, alors que ces animaux sont très étudiés dans d'autres domaines.

L'odorat constitue la sensorialité qui est plus que largement associée aux comportements, et à ses diverses manifestations, d'attrait ou
de répulsion. Les prédateurs, par exemple, dépendent directement de
la sensibilité de leur odorat pour trouver leur nourriture, c'est-à-dire
tout simplement pour vivre ! Qu'ils soient carnivores ou non. Pour les
espèces végétariennes, l'arôme des fruits, le parfum des fleurs ou la
senteur des herbes constituent une gigantesque gamme de signaux
parmi lesquels le granivore, le fructivore ou l'herbivore doivent se
repérer efficacement. L'odeur oriente l'animal vers la nourriture, puis
l'incite à la consommer, et finalement lui donne le signal de la satiété.

À sa naissance, le bébé possède un attrait pour le liquide amniotique, sans doute résultat de l'expérience olfactive qu'il a vécue avant
sa naissance, car les récepteurs olfactifs sont formés bien longtemps
avant le terme de la grossesse, et précèdent même l'ouverture des
narines. D'ailleurs, on a vérifié expérimentalement que le cumin, l'anis
ou l'ail consommés par la mère pendant sa grossesse sont appréciés
ultérieurement par le nouveau-né. Il conserve la préférence pour son
liquide amniotique pendant plusieurs jours, même s'il est nourri au
lait adapté (synonyme d'artificiel). En revanche, rapidement, il préfé-
rera le lait maternel s'il est nourri au sein.

Point absolument fondamental, la perception de l'odeur sollicite
considérablement la mémoire. En effet, sans cette mémoire, toute perception serait une expérience nouvelle. Pour les animaux qui se diri-
gent selon les odeurs, cette vérité majeure est encore plus évidente.
Pour l'homme, l'appel est clair. « Mais soudain, en passant devant une
petite maison dont la fenêtre était entrouverte, une odeur de pot-au-
feu lui entra dans la poitrine et l'arrêta net, devant ce logis. Et, tout à
coup, la faim, une faim féroce, dévorante, affolante, le souleva »,
comme l'écrit si bien Guy de Maupassant.

L'homme aurait perdu une bonne partie de son acuité olfactive en
s'affirmant sur ses membres postérieurs, car le nez, plus loin du sol,
devint moins efficace. Alors que sa vue gagna au change ; de même que
ses mains, enfin libérées au profit de tâches plus nobles que d'assurer
les déplacements, activité dévolue aux quadrupèdes. La position
debout, permettant à la main de porter l'aliment au niveau du nez,
transforma le chasseur en gourmet ; la rusticité laissa désormais place

à la délicatesse associée à la précision ; ainsi qu'à la liberté de soumettre le nez à un parfum choisi.

LES FEMMES ET LES HOMMES : L'AGRÉABLE DISCRÉTION

Le sens de l'odorat est variable d'un individu à l'autre. Mais il serait curieusement moins développé chez l'homme que chez la femme. Chez elle, il varie avec le cycle menstruel ; il est plus aigu au moment de l'ovulation. Pendant la grossesse, la sensibilité olfactive serait augmentée entre le deuxième et le quatrième mois, puis diminuée au troisième trimestre, mais la raison d'un tel phénomène demeure absolument mystérieuse. Le goût évolue aussi avec l'état hormonal. La perte de l'odorat chez le vieillard lui fait perdre le goût du pain, au propre et au figuré.

Signe des temps, pauvreté alimentaire associée néanmoins à une intelligence dans la recherche, un test à la pizza a été mis au point pour aider au diagnostic de la maladie de Parkinson ! En effet, cette maladie s'accompagne en général d'une détérioration olfactive globale. Il pourrait même exister chez ces malades une anosmie spécifique de certaines effluves. Car ceux qui en sont atteints ne parviennent pas à reconnaître l'odeur de la pizza, contre seulement 10 % des sujets sains ! Sans doute y a-t-il plus discriminatif avec des menus plus élaborés.

On mange tout après l'avoir senti avec plus ou moins d'intensité, d'analyse et de réflexion. Pour les aliments inconnus, ou pour ceux qui suscitent le doute ou l'inquiétude, le nez fait toujours fonction de sentinelle avancée, qui veille, interroge et tente d'identifier. Quand on intercepte l'odorat, on paralyse donc un instant le goût. Il faut du flair... Outre celui de la parfumerie, le seul domaine où l'olfaction demeure absolument irremplaçable est celui de l'alimentation : elle détermine et contrôle la satisfaction de nos besoins nutritionnels, elle participe au plaisir. Sur les dix millions de molécules connues à ce jour, près de trente mille, avec des impacts variables, flattent plus ou moins agréablement nos neurones spécialisés et leurs sympathiques manies. Le chiffre est apparemment énorme, si l'on considère les quelques centaines de produits naturels qui possèdent des vertus aromatiques, mais chacun d'eux est la combinaison d'une multitude de molécules. Une odeur est en effet l'association complexe de multiples senteurs, donnant un bouquet original. Ainsi, le cassis est une mine de neuf cent trente constituants chimiques différents, le café en compte plus de six cents, le n° 5 de Chanel probablement bien plus !

Il faut une véritable éducation sensorielle pour ne pas confondre l'odeur d'un excellent fromage avec celle d'une chambrée de soldats manquant d'hygiène au retour d'une longue marche estivale. Car ce sont, dans les deux cas, les mêmes bactéries qui produisent des molécules identiques diffusant des odeurs similaires ! Ce n'est pas pour rien qu'un grand gastronome disait, en humant un fromage, « qu'il reniflait les pieds du bon Dieu ». D'ailleurs Talleyrand, à propos du camembert, déclarait « que c'est le roi des fromages, le seul roi auquel je sois resté fidèle ». Un homme d'expérience, conscient de son cas.

Parfois, nous trouvons que l'aliment n'a pas le goût de son odeur : ce phénomène est dû au fait que de nouveaux parfums, les arômes, se créent ou se révèlent dans la bouche lors de la mastication, ils gagnent le nez par la voie rétronasale, et oblitèrent complètement le parfum initial. L'hydromel présente l'odeur du miel ; dans la bouche il prend le goût de la cire, alors que bien évidemment ce goût est une réalité inconnue, car nul ne s'est amusé à manger de l'encaustique ! En fait, dans la bouche, il dégage les arômes de la cire...

À table, la qualité d'un parfum réside dans sa discrétion, car une femme parfumée à l'excès assassine les odeurs du repas ; de même, fumer en mangeant dénature les saveurs. L'odeur possède quelque chose d'animal, car elle doit capter le cerveau primitif, éveiller le réflexe animal en quelque sorte, puis séduire le cortex humain, riche de sa culture et de sa mémoire, pour enfin conquérir l'intelligence. Par ailleurs, le parfum n'échappe pas aux règles élémentaires de la chimie : il s'exhale avec la chaleur. C'est pourquoi la tradition lui réserve les parties du corps où la circulation sanguine affleure la peau, comme le poignet, le dos de l'oreille, la racine des cheveux, le creux du coude, ou le nombril.

Inversement, pourrait-on dire, lors de l'accoutumance, le cerveau coupe le son, l'image ou l'odeur. Ainsi, la vieille horloge familiale n'est plus entendue... sauf lorsqu'elle s'arrête, car son tic-tac familier est effacé par l'habitude. L'odeur de l'un est insupportable pour les autres, mais elle est pourtant parfaitement tolérée par le conjoint ; la puanteur de la chambrée n'est perçue que par le visiteur, et non pas par ceux qui la partagent depuis plusieurs heures.

FLAIRER POUR MIEUX SENTIR

En le flairant, nous aspirons par le nez une portion de l'air qui environne l'aliment. Celui-ci est chargé en molécules odorantes. La perception recueillie par les récepteurs olfactifs est assez différente de celle obtenue lorsque le même aliment est placé dans la bouche où, sous l'effet de la mastication, source de réactions chimiques, il monte en température, permettant à certains composés odoriférants de naître et de s'exprimer. Le rhume prive de nez, et rend les aliments fades, voire sans aucun goût ; ainsi les framboises sont alors strictement insipides, car leur goût est celui de leur parfum ! Bouchez-vous le nez en mangeant : le plaisir s'éloigne.

En fait, la composition de la phase gazeuse de la cavité buccale se trouve modifiée, par rapport à celle de l'air qui environne le même produit lorsqu'il n'est pas mis dans la bouche. Ces deux atmosphères gazeuses, quand elles atteignent les récepteurs olfactifs, soit par voie directe lors du flairage, soit par voie indirecte, dite rétronasale donnent naissance à deux perceptions différentes : l'odeur dans le premier cas et l'arôme dans le second. Pour désigner l'ensemble des composés organiques volatils responsables de la perception on parle d'arôme, alors que, dans le cas des odeurs, c'est de parfum dont il est question. Les arômes, ceux des aromates, ne sont pas des odeurs. Somme toute, un parfum et un arôme sont tous deux des éléments volatils. Mais, le premier est inspiré, tandis que le second est ingéré. Dans leur immense majorité, les arômes n'apportent aucune contribution nutritive à l'aliment dans lequel ils se trouvent. Certains jouent un rôle privilégié, car ils représentent à eux seuls la note olfactive du mets ; d'autres subliment les saveurs sucrées ou les perceptions olfactives. Quelle symphonie, selon Guy de Maupassant : « Les oignons répandaient dans la pièce fermée leur forte senteur de légumes, leurs arômes jardiniers et rudes, auxquels se mêlaient une douce et pénétrante odeur de fraises et le parfum léger, le parfum fuyant d'une corbeille de pêches. »

AROMATES : L'HOMME ÉPICE LA NATURE

Tous les arômes ne sont pas perçus avec la même efficacité, car certains d'entre eux quittent trop rapidement la bouche pour se retrouver, inutiles, dans l'estomac. Par ailleurs, dans une boisson, ils sont beaucoup plus accessibles, plus facilement libérés, que lorsqu'ils sont emprisonnés dans un aliment, au sein de leurs structures cellulaires. Il faut alors mastiquer pour les libérer, ne pas avaler trop rapidement. Dans la viande, la mastication induit la destruction progressive des structures, qui libère les arômes dans la bouche. Tous les ersatz de viande sont presque parfaits sur le plan de la consistance, mais l'arôme est défectueux. Car, situé dans le liant, entre les « fibres », il est fort pendant un temps court, pour disparaître rapidement ; au-delà de dix secondes, la mastication devient désagréable, faute d'arômes. C'est pourquoi la viande dure n'est pas bonne. Bien plus, la texture de l'aliment intervient dans la perception des arômes. Une confiture fluide paraît plus parfumée que celle qui est ferme. La présence de matières grasses est souvent nécessaire, car elle sert de réservoir d'arômes, qu'elle libère progressivement dans la bouche. La cuillère de crème fraîche a très précisément ce rôle, les cuisiniers le savent bien.

Dans le domaine des arômes, dont certains, artificiels, sont ajoutés aux aliments, il convient d'être vigilant ; sans toutefois s'abandonner à quelques terreurs morbides. En effet, l'information est souvent difficile, car un manichéisme pervers oppose constamment d'une part la fraude et l'artificiel, et d'autre part le naturel. En fait, la notion de naturel est une réalité tout à fait vague, et celle d'artificiel sujette à controverse : une substance est considérée comme artificielle tant qu'elle n'a pas été identifiée dans un produit naturel. Chaque jour, grâce aux progrès de la chimie analytique des substances naturelles, des molécules préalablement synthétisées par les chimistes sont identifiées dans les arômes naturels ; elles devraient donc en principe quitter l'index des substances artificielles pour accroître celui des produits naturels. D'ailleurs certains travaillent d'arrache-pied, dans l'espoir de pouvoir décréter naturel un pur produit de la chimie organique, déjà largement utilisé...

En toute logique, les nutritionnistes donnent le nom d'aromate à toute substance étrangère (ce qui ne veut pas obligatoirement dire artificielle) ajoutée à un aliment qu'il soit solide ou liquide, pour modifier son arôme. C'est un élément olfactif de la flaveur. Les aromates et les épices sont cousins. Mélangés, ils deviennent un condiment, plusieurs condiments font un assaisonnement, et tous constituent la flaveur. Leur appréciation doit d'abord être apprise, puis entretenue, au bénéfice des meilleures performances sensorielles.

« Condiment » tire son sens de l'origine latine *condimentum* (de *condire*) qui veut dire à la fois confire et assaisonner. Mais pour Columelle, au Ier siècle, *condita solida* signifiait épices ! De nos jours, un condiment désigne une préparation ajoutée aux aliments crus ou cuits pour en relever la saveur. Ils ne sont pas exclusivement composés de produits naturels végétaux. Méfiance ? Le mot assaisonnement quant à lui présente un goût étymologique inattendu : saison vient de *satio* au sens original de semailles, ensemencement. À partir de la période des semailles, saison de référence, on a appelé ainsi les autres époques de l'année. Au XIIIe siècle, assaisonner signifiant cultiver dans une saison favorable. C'est le sens des anciens auteurs : mettre à la saison, mettre à point, donc ajouter aux mets des substances qui les relèvent. Quoi qu'en dise Gustave Flaubert (*Madame Bovary*) : « Les mets des restaurateurs, toutes ces nourritures épicées finissent par vous échauffer le sang et ne valent pas, quoi qu'on en dise, un bon pot-au-feu. »

MENER PAR LE BOUT DU NEZ : L'EAU À LA BOUCHE !

Dans les croissanteries, il est inutile de parfumer l'air ambiant, puisque le croissant chauffé sent assez fort comme ça. Encore que quelques boulangers qui n'ont de traditionnel que la pancarte ne se privent pas de vaporiser copieusement des odeurs de pain au chocolat. Dans certains magasins tout est sous plastique, sans odeur. Pour contourner ce handicap, les responsables parfument ces rayons à la senteur de pin ! Aux États-Unis un béton exhalant le bois a été mis au point. L'influence de l'odeur peut également orienter les autres perceptions sensorielles. Une marque célèbre a présenté à des consommateurs les mêmes chaussures de sport, les unes parfumées avec une douce senteur florale et les autres sans parfum. La majorité des essayeurs a choisi les premières parce qu'ils les trouvaient plus souples ou plus chaussantes, voire plus efficaces, sans se rendre compte que leur choix n'était en réalité inconsciemment conditionné que par leur parfum. Les odeurs agissent sur l'humeur, sur la mémoire, sur les papilles gustatives, comme le savent bien les restaurateurs : s'ils ont des moules à écouler, ils font légèrement chauffer la sauce au vin blanc à l'heure des repas. Une poêle en métal, un peu d'huile et quelques herbes aromatiques, incitent la plupart des clients a commander des grillades...

Le tact et le contact

Grâce à l'extraordinaire étendue du sens du toucher, la sensibilité tactile participe également au plaisir de la table. Elle apprécie les qualités physiques de l'alimentation. Les mains, intimement liées à la parole, expriment la satisfaction, autant que les discours. Par le geste elles précisent et amplifient les pensées, peuvent dévoiler les sentiments. On se frotte les mains de joie, à l'idée d'un bon plat, en le voyant, en le sentant ; on les tord de désespoir quand une suspecte odeur de brûlé vient de la cuisine, ou quand le mitron trébuchant anéantit l'œuvre culinaire en la faisant choir. Elles trahissent les états psychologiques ou émotifs. Volontaires ou involontaires, les gestes accompagnent la conversation, le discours et le repas. Les mains collaborent aux plaisirs de la table pour piquer, appuyer, couper, ou parfois directement prendre. La mâchoire quant à elle tâte, cisaille, broie ou mastique, mais elle crée et transmet aussi des informations tactiles essentielles.

La sensation tactile dépend de la température : une soupe est estimée plus épaisse quand elle est froide, indépendamment du fait que la texture et la fluidité diminuent quand la chaleur baisse.

Certains voudraient que nous ressuscitions la subtile émotion physique du sculpteur qui travaille voluptueusement la terre de ses mains. Ils proposent tout simplement de supprimer fourchettes, couteaux et cuillères, pour inaugurer un plaisir nouveau de la table : toucher à pleine main pour apprécier la température, le grain, la consistance, déchirer à belles dents. Le triste succès de certains restaurants rapides est partiellement dû au fait que l'on y mange avec les doigts. Tâter la consistance du sandwich procure une joie intense qui aide à apaiser la faim, le porter goulûment à la bouche est une sensation primitive qui consiste à donner satisfaction à son corps.

TOUCHER C'EST JOUÉ

Le toucher fait-il partie des plaisirs de l'alimentation ? Évidemment ! L'expérience multiséculaire a sélectionné des verres différents selon les régions, ils participent à l'expression optimale du bouquet, des arômes ; un excellent bordeaux issu d'un tétra-brick et versé sans précaution dans un gobelet en carton n'aura jamais la même richesse de goût que celui qui est servi avec cérémonie par le maître de maison dans un verre en cristal ; le champagne proposé dans une coupe en plastique désarçonne la main de l'amateur et perturbe les lèvres avant même que le précieux liquide n'atteigne la bouche.

Mais d'autres traditions ne sont pas le fruit d'une simple satisfaction sensorielle. Par exemple, pourquoi ne faut-il pas couper la salade avec le couteau ? Non pour lui préserver quelques qualités nutritionnelles, mais parce que, autrefois, la vinaigrette attaquait les couteaux d'alors, qui étaient de fer argenté, les rendant inaptes à un service de qualité. Plutôt que d'être contraint de remplacer trop souvent ces ustensiles, on jugea plus efficace de les préserver, en les excluant du contact de la salade. Dans le même esprit, Richelieu imposa les couteaux à bout rond, car il trouvait désagréable que ses hôtes se curent les dents avec ceux à bout pointu, qui étaient alors en usage.

La tendreté est une sensation tactile. Sa valeur, considérable, peut être définie comme la facilité avec laquelle l'aliment se laisse mastiquer, après que le couteau a eu plus ou moins d'aisance à la couper, et la fourchette à s'y planter. La texture est aussi formidablement importante ; mais elle a été négligée par les spécialistes des perceptions sensorielles, car peut-être ce mot ne correspond-il pas à une simple entité physique. En effet, il recouvre des termes liés à la structure du produit et à son comportement mécanique ; par ailleurs, sa perception ne sollicite pas un système sensoriel particulier. La reconnaissance de la texture présente une composante tactile dépendant de l'état de surface du produit alimentaire perçu initialement, puis à un moment quelconque de sa transformation dans la bouche. De plus, la dureté d'un aliment évolue considérablement entre le moment où le produit est mis en bouche et celui où il est avalé. Ces modifications sont en elles-mêmes la source de plaisir alimentaire.

Manger à belles mandibules ? Tout un programme de coordination gymnastique, décrit par Robbe-Grillet : « La main droite saisit le pain et le porte à la bouche, la main droite repose le pain sur la nappe blanche et saisit le couteau, la main gauche saisit la fourchette, la fourchette pique la viande, le couteau coupe un morceau de viande, la main droite pose le couteau sur la nappe, la main gauche met la four-chette dans la main droite, qui pique le morceau de viande, qui s'approche de la bouche, qui se met à mastiquer avec des mouvements de contraction et d'extension. »

L'étymologie du mot manger est tout à fait significative. Aux époques héroïques de la physiologie balbutiante, la digestion se résu-mait au traitement buccal des aliments : manger se disait *mangier*, et dérivait du latin populaire *manducare*, mâcher, d'où dérive aussi mandibule...

Broyer et triturer avec les dents est nécessaire à la croissance de l'enfant puis au maintien d'une bonne santé, tout au long de sa vie. La mastication exhale les saveurs en permettant un contact plus long avec les papilles gustatives de la langue, elle favorise l'activité des glandes salivaires qui prépare le bol alimentaire, et constitue la première étape de la digestion. Les dents n'ont pas uniquement un rôle esthétique, relationnel : ce sont des outils coupants et broyeurs. Comme pour tous les bons outils, il faut veiller à les entretenir et les nettoyer régulière-ment, pour les préserver.

Dès que l'ensemble des dents de lait a poussé, c'est-à-dire en général dès deux ans, l'enfant peut mâcher la viande. Un refus absolu du cher petit peut parfois être la conséquence d'un mauvais contact dento-dentaire, qui provoque des glissements. De toute façon, une ali-mentation un peu dure contribue aux bons contacts entre les dents et participe au développement harmonieux de la dentition : carotte crue, viande, pomme sont de rigueur. Manger trop mou ne muscle pas la mâchoire, et ne conforte pas les dents dans leurs alvéoles ! La façon dont certains se nourrissent actuellement mène tout droit vers l'ortho-dontiste. Mastiquer muscle donc la mâchoire et, dans le même temps, affermit la dentition : les petits-fils de Cro-Magnon l'avaient déjà compris : le plus vieux chewing-gum du monde, découvert par un archéologue suédois, était un morceau de résine de bouleau vieux de neuf mille ans, qui portait encore les traces des dents de son consommateur !

La réhabilitation de la formidable fonction masticatrice des dents s'avère nécessaire aux yeux de nombreux spécialistes, pédiatres, den-tistes, gérontologues ; dans un monde où l'on ne mâche plus et où l'on consomme de plus en plus mou, de plus en plus sucré, de plus en plus insipide. La mastication est une fonction qui doit s'éduquer très tôt ; elle s'apprend pour devenir quasiment réflexe, contrairement à la suc-cion qui est innée. Maintenue tout au long de la vie, elle contribue à apprécier la diversité des mets, à amplifier le goût, à entretenir le plaisir de manger ; quand cette joie est perdue ou même affaiblie, notamment chez un grand nombre de personnes âgées, la dénutrition peut s'accélérer gravement.

Mastiquer est une étape indispensable à une bonne digestion, c'est de surcroît capital pour l'épanouissement du goût, sensation de plaisir qui favorisera la recherche d'une alimentation équilibrée.

Pour l'anecdote, une méthode pour maigrir, vécue à l'époque comme révolutionnaire, fit des millions d'adeptes : la méthode Fletcher. Son auteur perdit lui-même en 1889 une vingtaine de kilos en mâchant avec vigueur et obstination ; il ne les reprendra jamais, jusqu'à sa mort en 1919. Son précepte était de mâcher lentement et consciencieusement les aliments jusqu'à ce qu'ils soient réduits en une bouillie liquide, pour que tout le goût et la « substantifique moelle » en soient extraits (d'autres, encore plus forcenés, parleraient d'énergie vitale). Il préconisait même de mâcher... les liquides, reconnaissant le symbole de l'action. Son mouvement fut justement baptisé fletchérisme. On en parle encore. Pourquoi décida-t-il de se mettre au régime, lui qui était riche, habile, artiste peintre, tireur d'élite, industriel et commerçant reconnu ? Parce que son poids de cent kilos provoqua la résiliation de son contrat d'assurance. On n'a rien inventé récemment ! En bon statisticien, il a calculé qu'un repas nécessite deux mille cinq cents mâchages. Le succès fut tel que le vocabulaire se mit à ignorer le mot mastiquer pour le remplacer par fletchériser ! Il fallait bien fletchériser sa viande, d'autant plus longtemps qu'elle était plus dure. Un quaker, John Harvey Kellog, qui fit fortune dans les céréales, en exploitant un autre filon dogmatique nutritionnel, imposait la méthode Fletcher à ses curistes, rappelle Gérard Apfeldorfer. En tout état de cause, mastiquer permet aux aliments d'être bien mieux digérés, le signal de satiété arrive alors avant d'avoir trop mangé, et cela brûle quelques calories. La sagesse est sous les mandibules. Sinon, manger se réduit à ingurgiter sans discernement.

ALLERGIQUE. PAR FAINÉANTISE DES MÂCHOIRES ?

Allergie au lait de vache : méfiez-vous donc des poissons et des viandes reconstitués ! Ne pas prendre les vessies pour des lanternes, une fois de plus. Où ne va pas se nicher le danger alimentaire ! Après les allergies aux cacahuètes, dont certaines ont été mortelles, voilà maintenant des allergies insidieuses au lait.

De quoi s'agit-il ? On essaye de nous faire ingurgiter des viandes ou des poissons reconstitués. Les prétextes sont souvent futiles : alléger le labeur de nos mandibules, ce qui est ridicule, car ne pas les faire fonctionner accélère entre autres le déchaussement des dents. Un autre justificatif est de donner de la mollesse, car, peut-on aisément imaginer, la carne dure que l'on voudrait nous faire absorber est vraiment immangeable en l'état. Une autre raison fallacieuse est de rajouter de l'onctuosité (et faire des hamburger à 20 % de matières grasses, alors que le steak normal en contient naturellement dix fois moins).

L'anecdote est amusante, sauf, évidemment pour la personne qui en a fait les frais. Elle avait mangé des viandes et des poissons reconstitués qui contenaient de la caséine, c'est-à-dire des extraits de lait ! Or, elle était allergique au lait. Âgée de 30 ans, connaissant son allergie au lait, asthmatique, souffrant de rhume des foins, elle acheta un jour un toast au saumon dans un supermarché. Une heure plus tard, elle se trouvait envahie de tous les symptômes, qu'elle connaissait fort heureusement. Elle se traita, mais sans succès. Seule une injection de corticoïdes dans un hôpital arrêta les symptômes, qui allaient en s'aggravant.

L'allergologue rechercha si elle était allergique au saumon entier : résultat négatif. Mais elle l'était au saumon du supermarché. Une enquête montra que le fabricant avait reconstitué les tranches de saumon en ajoutant de la caséine. Moralité : méfiance avec les aliments texturés, reconstitués, ils ne sont pas naturels, au sens propre du terme. Ils peuvent même être dangereux !

Entendre : craquer en croquant

Parmi les divers organes des sens, l'audition apparaît sans doute comme celui qui serait le moins directement impliqué dans les processus de la prise alimentaire. Cependant, l'ouïe intervient de manière non négligeable ; grâce notamment au premier outil de la gastronomie, la dent, qui laisse entendre au moins trois sensations voisines, mais distinctes. D'abord le croustillant, composant fondamental des produits céréaliers, et bien évidemment du pain, car croustiller c'est d'abord manger de la croûte. Ensuite le croquant, avec ses sons plus graves : les oignons en saumure et les cornichons se doivent de l'être, plus encore le succulent fromage de tête qu'ils accompagnent ; il en est de même de la blanquette de veau. Enfin le craquant, celui que l'on attend d'une belle pomme ; mais certainement pas d'une fraise, encore moins d'une banane. Les belles salades fraîches, tout comme les concombres, ne sont agréables que craquants sous la dent, les biscuits qui étoffent l'apéritif sont mauvais s'ils ne sont pas craquants. Pour les apprécier, il convient que s'associent la vue pour la forme et la couleur, le goût pour le salé, l'odeur pour le fromage éventuel, le toucher à la main ou en bouche pour le croquant et la friabilité, l'ouïe pour le « croquant ». L'amateur de bière écoute l'agréable chuintement subtil de sa mousse. Le crépitement de la friture informe que l'huile est chaude à point nommé : l'oreille fait alors office de thermomètre. L'affineur ne sonne-t-il pas les fromages avec le manche de la sonde,

après en avoir extrait une carotte pour le goûter. Le sonneur de ton-
neaux est capable d'évaluer la qualité du vin au simple son qu'il perçoit. Frapper une pastèque ou un melon étalonne leur mûrissement et
leur teneur en sucre. La percussion de l'huître indique sa qualité et sa
fraîcheur, note un juriste de la gastronomie, Jean-Paul Branlard.

Les bruits et les sons en relation avec le goût ont deux origines
principales : soit ils sont directement liés à l'aliment lui-même, soit ils
proviennent de l'environnement (pour agrémenter ou perturber le
repas). Trinquer, c'est faire volontairement du bruit. L'association
entre le bruit et la cuisine se retrouve dans quelques mots. Par
exemple, le mot marmite dérive de l'onomatopée *marn*, qui exprime
un murmure, voire le ronronnement d'un chat, et qui a donné les mots
« marmot » et « marmonner » ; moins agréablement, le mot gargote
désigne un restaurant dont la cuisine est répugnante, car la marmite
émet des gargouillis disgracieux, à force de bouillir. La saucisse de
Strasbourg, se dénomme *knack*, onomatopée du mot allemand
knacken, par allusion au bruit produit par sa peau qui éclate sous la
dent, après avoir été plongée dans l'eau bouillante. La décence interdit
de raconter l'histoire des pets de nonne ! Car la fuite des gaz intestinaux est pour le moins peu élégante, à quelque extrémité du tube
digestif qu'elle se produise.

On jouit d'abord des gourmandises grâce à la vue, laquelle permet
d'anticiper les plaisirs qui vont suivre. Puis, l'odorat constitue le précurseur des voluptés du goût, celui-ci se confondant avec le toucher
lingual. « Et l'ouïe, qu'en faites-vous ? L'ouïe perçoit la musique introduite par les instruments culinaires. Elle est inscrite dans le moindre
coulis ou le plus simple hachis… », note Jean-Didier Vincent. On salive
en claquant de la langue. La cloche de l'école génère un véritable
réflexe de Pavlov : elle fait abondamment saliver, annonçant le repas
tant attendu. Plus subtilement, les multiples petits bruits d'un restaurant gastronomique mettent l'eau à la bouche.

La musique d'ambiance masque, édulcore la peur du silence, qui
signe l'isolement ; elle protège et isole, au restaurant, les conversations
particulières ; elle entoure les rêveries amoureuses. Une musique évo-
catrice comme une conversation animée, fût-elle gastronomique,
aiguisent le plaisir de la bonne chère. Entendre et parler, ou plutôt
écouter et bavarder, sont les accessoires et les parures du repas. Sans
aller jusqu'à suivre ceux qui prétendent que la gastronomie est moins
l'art de bien manger que de bien parler de ce que l'on mange. Et tous
les joueurs de « Trivial pursuit » savent qu'à une question piège : quel
est le sens le plus affaibli après un bon repas ? Il faut répondre…
l'audition ! Même les odeurs peuvent s'exprimer par des sons, du
moins selon Émile Zola : « Il y avait des ronflements sourds du cantal,
du chester, des fromages de chèvre, pareils à des chants de basse, sur

lesquels se détachaient, en notes piquées, les petites fumées brusques des neufchâtel, des troyes, des mont-d'or. »

Ne pas mélanger les plaisirs : une musique douce peut être appréciable pendant le repas, tant qu'elle n'empêche pas de saisir le craquant subtil de la croûte qui crisse aussi sous la dent. Le brouhaha empêche d'apprécier le pain grillé qui accompagne le foie gras ! Un environnement assourdissant est gênant. Quand donc les guides donneront-ils le nombre de décibels des restaurants qu'ils couchent sur la cimaise ?

CHAPITRE VIII

La nouvelle « bio-diétét(h)ique » ?

Un défi : l'intelligence. Donner du nerf aux neurones

La recherche consacrée aux effets de l'alimentation sur le cerveau est encore peu développée, quoiqu'en pleine expansion. Ce vide inquiétant s'explique d'abord par l'incommensurable complexité du tissu nerveux, qui a sans doute rebuté plus d'un esprit entreprenant et suscité un respect tabou. Le mot « neurochimie » vient de fêter seulement ses trente-cinq ans, et les « neurosciences » sont encore plus récentes, elles qui tentent d'allier toutes les disciplines qui vont de la chimie jusqu'à la socio-psychologie. Dramatiquement impuissant, le neurologue, dans l'immense majorité des pathologies, ne peut qu'atténuer les conséquences des maladies dont il ignore le plus souvent les causes réelles autant que les mécanismes intimes. La tâche des chercheurs est encore gigantesque !

Le cerveau a aussi donné lieu à de nombreux préjugés qui ont anesthésié les bonnes volontés. Le système nerveux, en effet, est prioritaire dans la satisfaction de ses besoins. Qu'un nutriment lui manque, il se l'accapare au détriment des autres tissus, au risque de les perturber. Ce phénomène constitue sans doute un avantage sélectif. Il ne sert à rien de posséder un cerveau débile, même s'il est agrémenté d'un rein digne de la plus puissante station d'épuration ou d'un cœur à rendre jaloux les pompes les plus performantes. Puisque les carences nutritionnelles affectent d'abord les autres organes, on a longtemps considéré que les recherches sur le cerveau pouvaient attendre.

L'impossibilité absolue d'expérimenter sur l'homme vivant est bien entendu largement responsable de notre peu de connaissances des effets de l'alimentation sur le système nerveux. Il a fallu se rabattre sur les modèles animaux. La question se pose d'ailleurs de savoir si et jusqu'où il est légitimement possible d'extrapoler du rat, de la souris, du singe ou du lapin à l'homme ; bien que la composition chimique de régions équivalentes du cerveau du rat et de l'homme soit relativement voisine. Mais le cerveau frontal de l'homme n'existe nulle part ailleurs.

En l'état actuel de nos connaissances, un abîme sépare donc encore la structure du cerveau et les fonctions cognitives. On sait bien que la sous-nutrition (diminution quantitative de tous les aliments) et la malnutrition (réduction spécifique de certains nutriments) altèrent le développement du cerveau et par conséquent affectent l'intelligence chez l'enfant. Mais entre les manifestations de la pensée et l'activité d'une enzyme s'étend encore un vide sidéral, moins décourageant qu'excitant pour le chercheur.

Or la substance cérébrale s'élabore obligatoirement à partir des nutriments présents dans l'alimentation. La qualité de la vie dépend donc d'une meilleure adéquation entre les besoins du cerveau et son alimentation. Mieux comprendre les premiers, mieux maîtriser la seconde ne peut que nous permettre de conserver plus longtemps des fonctions intellectuelles sinon intactes, du moins satisfaisantes. Il y a donc du pain sur la planche. Car, par inadaptation alimentaire, nous-mêmes et nos enfants risquons de devenir des estropiés de la cervelle. La révolution médicale moderne fait pourtant aujourd'hui des octogénaires frétillants et sémillants. N'écoutons pas les esprits chagrins qui affirment que manger, voire se soigner, donne des rides et des rhumatismes au corps comme à l'esprit.

Pour croître, subsister et fonctionner, le cerveau, comme tous les organes, doit disposer des matériaux nécessaires. Pour permettre, d'une part, la synthèse et le renouvellement des constituants cellulaires et pour couvrir, d'autre part, ses besoins énergétiques. Les nutriments sont les différentes substances chimiques qui permettent de satisfaire ces besoins. Contenus dans les aliments, parmi de nombreuses molécules dont certaines sont inutiles, parfois même toxiques, ils n'ont pas besoin de subir de transformation digestive majeure pour être assimilés. Les divers stades de la digestion se conjuguent pour les extraire des aliments, pour les transformer ensuite en sous-produits les « métabolites » que l'organisme utilise et élimine. C'est ainsi que l'anabolisme s'en sert pour synthétiser des molécules complexes, tandis que le catabolisme les dégrade, les détruit et les brûle, en produisant si possible de l'énergie. La nutrition est donc l'évaluation quantitative et qualitative de l'utilisation des différents nutriments disponibles par la cellule ou l'organisme entiers ; et de leurs interactions. Dès lors, comme le précise Gérard Debry, la diététique doit être à la fois l'art et la science qui permettent une alimentation adaptée aux besoins nutritionnels, organiques, hédoniques et psychosensoriels.

Alors que les nutriments sont des substances relativement simples dont la nature chimique peut être caractérisée, les aliments, quant à eux, sont des produits généralement complexes. Chacun est composé d'un nombre restreint de nutriments, et seule la combinaison des aliments fournit toute la variété nécessaire des nutriments. Mais, en fait, la sélection des aliments se fonde en grande partie sur leur attrait et leur qualité gustative, sur leur signification symbolique propre à chaque société, à chaque famille même, autant que sur leur poids ou leur valeur économique. La diététique doit en tenir compte, et l'éventail de choix est d'autant plus large pour l'homme qu'il a l'avantage d'être omnivore. Et souvenez-vous que c'est aussi une obligation d'être omnivore.

Élaborer le cerveau avec les molécules alimentaires : une lignée de langage

Avec quelques aliments, le chef crée un repas sublime. Avec trois couleurs élémentaires, les tableaux des maîtres sont merveilleux. Avec sept notes de musique complétées de quelques bémols et dièses, Richard Wagner, Ludwig van Beethoven, Edward Grieg, Antonio Vivaldi ont fait des chefs-d'œuvre.

De même, un nombre étonnamment restreint de matériaux élémentaires suffit à l'infinie diversité du monde. Quelques dizaines d'atomes forment tous les animaux et les végétaux. Quatre d'entre eux, azote, carbone, hydrogène, oxygène, constituent 99 % de sa matière, associés à seize autres, moins abondants, mais tout aussi essentiels dans les prouesses biochimiques complexes de la vie qui se maintient et qui se crée. Les échanges permanents de ces atomes, de la matière inanimée à la matière vivante, et de la matière vivante à la matière inanimée, dénoncent les liens enchevêtrés qui unissent toutes les pièces de l'univers, comme le note Jean Hamburger. Ces atomes sont puisés dans la variété des nutriments.

Un homme de soixante-cinq kilos en bonne santé est composé de quarante-trois kilos d'eau, de dix kilos de protéines, de huit kilos de lipides, de trois kilos de minéraux et enfin de deux cents grammes de glucides. Tous ces éléments proviennent des aliments. Parmi quelque cinquante atomes, les éléments chimiques de base, l'homme n'en utilise couramment qu'une vingtaine. Le carbone donne l'architecture de toutes les molécules, le couple hydrogène-oxygène permet les transferts d'électrons et génère de l'énergie. Le phosphore et le soufre participent aux constructions moléculaires capables de stocker et de distribuer l'énergie. Le calcium assure, entre autres, la stabilité des édifices moléculaires. Le sodium et le potassium règlent la conduction nerveuse. Sans fer, pas de respiration ; sans oligo-éléments les enzymes sont inertes et sans efficacité.

Le repas est un ensemble harmonieux, équilibré, riche de diversité et non pas l'assemblage besogneux d'éléments disparates. Quand on achète une voiture on ne fait pas l'acquisition de sept cents kilos de fonte et acier, cinquante kilos d'aluminium, de cuivre et de zinc, quarante kilos de verre, quarante kilos de caoutchouc et dix kilos de tissu, et cent kilos de plastique ; on s'offre un ensemble complet et cohérent.

Par an, le Français moyen consomme deux cent soixante et un kilos de fruits et de légumes, quatre-vingt-onze kilos de produits carnés (dont vingt-deux kilogrammes de volaille et seize kilogrammes de viande rouge de bœuf), soixante-seize litres de lait et cinquante-sept kilos de laitage. Le tout est de bien savoir transformer l'air, l'eau, les aliments en énergie, en vie agréable, en durée de vie, en intelligence, en qualité de vie.

Mais bien plus, avec l'aliment, on incorpore de l'immatériel : cette part de rêve constitue d'ailleurs l'essentiel de la valeur ajoutée : vendre de l'eau est banal, vendre de l'eau équilibrée (ridicule affirmation) permet d'attirer le consommateur, et de soulager le porte-monnaie ! Car les linéaires ne sont pas extensibles, pas plus que l'estomac, un produit pour vivre doit en remplacer un autre. On consacre une somme fixe à son marché, sinon le risque est grand de générer l'obésité ! Les aliments sont sacralisés : manger n'est pas un acte simplement technique, il faut apprendre à manger, sérieusement, car une diétét(h)ique mal digérée reste sur l'estomac.

DES ATOMES AU CERVEAU

Pour nourrir et soigner son corps, pour assurer son efficacité, il faut utiliser les lettres à partir desquelles sont fabriqués les mots du corps ; celles-ci sont les acides aminés, les acides gras, les vitamines, minéraux et quelques autres.

La nature, dans son ensemble, est en fait structurée comme un langage. Elle est constituée de lettres (plus ou moins complexes), de mots (parfois très longs) de phrases, de livres, de collections et de bibliothèques (la plus belle et la plus élaborée étant le cerveau). La vie est la juxtaposition d'une multitude de langages très différents qui s'emboîtent les uns dans les autres, tels des poupées russes. Sous les feux de la rampe, sur la cimaise, au sommet de l'expression de la vie : le langage. Il est le socle de la communication, de la vie sociale, la source et l'expression de l'intelligence.

Le langage écrit utilise généralement comme élément de base un alphabet, d'inégale prolificité selon les langues, les cultures et les périodes historiques. Il est constitué d'un ensemble de lettres choisies conventionnellement. Ainsi, des dizaines d'alphabets différents sont actuellement en usage sur notre planète. L'assemblage, la juxtaposition des lettres dans un ordre convenu permettent d'élaborer des mots. Leur combinaison leur donne un sens précis. Prenons comme exemple un cruciverbiste qui s'interroge sur la manière de remplir quatre cases vides. Dans chacune il peut mettre l'une quelconque des vingt-six lettres de notre alphabet. Combien de mots distincts peut-il ainsi composer ? La réponse est quatre cent mille ! Seuls quelques-uns de ces mots auront un sens en français, d'autres le trouveront en anglais ou dans une langue différente. Ce que les mathématiciens appellent l'analyse combinatoire permet d'admettre l'immense diversité des langues. Avec sept cases, l'amateur de mots croisés pourrait en faire plus de dix milliards ! Une minuscule fraction de ces ensembles gigantesques correspond à des mots en usage, tels qu'on les trouve dans les dictionnaires. C'est pourquoi seule la logique, associée à quelques éclairs d'intuition, permet de venir à bout de mots croisés ; mais jamais, ou presque, l'assemblage au hasard des lettres, dans l'espoir de trouver la bonne combinaison.

Les phrases sont obtenues en combinant des mots (qui sont donc pour elles des lettres), faisant apparaître un sens qui n'existait pas auparavant. La juxtaposition anarchique des mots ne permet pas de présumer de la signification exprimée par leur ensemble.

Les protéines sont des mots parfois très longs, dont toutes les lettres sont tirées d'un même alphabet, elles sont appelées les acides aminés ; il y en a vingt et un environ. Les phrases, quant à elles, sont, par exemple, la combinaison des protéines qui constituent le « squelette » de nos cellules, du muscle qui permettent sa contraction, ou encore celles qui collaborent pour produire de l'énergie. Curieusement, les protéines que nous mangeons doivent être totalement démontées dans le tube digestif pour permettre à notre corps d'en reconstruire d'autres, alors qu'elles sont parfois presque identiques. De ce fait, la variété des protéines (d'origine animale et végétale) est véritablement incontournable pour apporter tant les quantités que les proportions judicieuses de ces mots, les pièces détachées que sont les acides aminés.

Les lipides, quant à eux, sont formés par l'association de plusieurs alphabets différents, les lettres du principal portent les noms d'acides gras, tandis que le cholestérol appartient à un alphabet secondaire. Parmi les lettres de l'alphabet qui compose le sucre, il y a par exemple le fructose et le glucose qui forment un mot appelé saccharose, qui est le constituant du sucre en morceaux.

Comment ces langages de la physique, de la chimie, de la biologie, de la neurochimie permettent-ils l'expression de la liberté humaine, et la création artistique ? Comment épeler la vie ? Comme le souligne Hubert Reeves, les biologistes épellent les organismes vivants en termes de cellules et les cellules elles-mêmes en termes de molécules géantes. Les chimistes déchiffrent ces biomolécules en molécules simples et décrivent celles-ci en atomes. La chirurgie atomique des physiciens sépare les atomes en noyaux et électrons ; les noyaux des atomes se décomposent à leur tour en nucléons et ceux-ci en quarks. Les langages sont donc imbriqués, ou plutôt disposés en pyramide. Dans la construction de la vie, en quelques milliards d'années, le langage de la physique a été suivi de celui de la chimie, puis de la biochimie. Au premier les atomes, au deuxième les molécules, au troisième les macromolécules dont les fleurons sont les acides nucléiques, l'ADN, le code de la vie, et les ARN, les protéines.

L'un des risques les plus faibles : manger.
La preuve par les chiffres

L'air que nous respirons obligatoirement n'est – pas encore – taxé, ni payant. Nul n'a donc intérêt, l'humanitaire cachant des prétextes de guerre économique, à nous terroriser avec nos poumons. Mais nous sommes bien obligés de manger avec des aliments que nous payons. Alors la pseudo-découverte, d'autant plus fracassante qu'elle est creuse, le « Tchernobyl » quotidien dans nos assiettes, constitue un véritable fonds de commerce, dans tous les sens du mot.

Si nos vaches sont folles, alors nous devrons manger celles, hormonées ou gorgées d'antibiotiques, d'outre-Atlantique. Si les farines animales sont supprimées, le seul recours est la farine de soja de même provenance, mais OGM (car il l'est à 55 % aux États-Unis, à 75 % en Argentine, et le Brésil s'y met également ; sans parler de l'Asie). L'hystérie sur la listériose profite aux fromages des pays du Nord, sorte de graisse solidifiée. Acheter moins cher des aliments, c'est forcément réduire leur qualité : ils sont cultivés ou élevés avec les produits à moindre prix sur le cours financier mondial, qui ne sont pas forcément nutritionnellement adaptés à leur physiologie. Quand le saumon est à vingt-cinq francs le kilo, avec quoi peut-il avoir été nourri ? D'autant que la seule nourriture de ce poisson représente 50 % du prix que vous le payez ! Comment à trente-cinq francs le kilo voudriez-vous avoir un poulet de réelle qualité. Si l'on vous proposait d'acheter pour vingt-cinq mille francs un coupé 406 Peugeot neuf, vous ne manqueriez pas d'être sceptique quant à la qualité de l'auto ! Vous avez le droit de savoir ce que vous mangez, surtout quand il est prétendu que c'est meilleur. Mais choisir des aliments à trop bas prix, c'est risquer... le risque. Le convivial « bon appétit » ne doit pas être remplacé par « bonne chance » ; ou pire par : « à Dieu vat ! »

L'industrialisation est indispensable pour nourrir les habitants de la planète et particulièrement ceux des villes. Il est vrai qu'elle diminue les dangers, mais il y a un revers de la médaille : tout accident prend des dimensions nationales, voire plus, toujours spectaculaires. Dans une France devenue phobique alimentaire, il y a tout de même six fois moins de toxi-infections qu'aux États-Unis.

Vous voulez manger, malgré tout ? Mais êtes-vous fou, pour prendre un tel risque ! Eh bien non, car les intoxications répertoriées chaque année sont un petit millier en France, pour environ cent milliards de repas pris (soixante millions d'habitants, qui mangent trois (ou quatre) fois par jour, pendant trois cent soixante-cinq jours). Connaissez-vous une activité humaine, une opération plus sûre que prendre un repas : un accident tous les cent millions d'opérations !

Enquête grand public :
quels sont les principaux facteurs de risque pour la santé ?

	%
Alimentation	63
Tabac	48
Mode de vie, état psychoaffectif	39
Alcool	38
Sédentarité	27

Mais la définition du risque est inadaptée : le consommateur pense à l'intoxication (alors qu'elle est finalement relativement rare, malgré le tapage qui en est fait dans les médias) et non pas au déséquilibre alimentaire (qui est très sérieux !). De plus, les patients ne sont pas réellement conscients de leur maladie : 84 % des hypertendus savent qu'ils le sont, alors que seulement 42 % des hypercholestérolémiques sont avertis de leur cas.

Le véritable enjeu du millénaire qui débute n'est pas d'éviter les toxiques, microbes et autres contaminants, mais de manger équilibré, avec plaisir : cet acte culturel et biologique conditionne notre santé. Obésité, diabète, cancers, maladies cardio-vasculaires : de vraies conséquences de déséquilibres alimentaires. En tout état de cause, contrairement à ce que voudraient nous faire croire les vendeurs de drames et d'horreurs alimentaires, manger n'est pas un acte téméraire, ni potentiellement dangereux ! Serait-ce une forme de prostitution ? Il est étonnant que la cité de La Villette, dite cité des sciences, intitule une exposition : « Tout risquer ou ne rien manger ? » Il est vrai que la perception du risque est très variable : le consommateur a une

« chance » sur vingt de mourir d'un cancer, mais il trouve que c'est peu et ne fuit pas le tabac pour autant, alors qu'il a une chance sur quinze millions de gagner au loto, ce qui ne l'empêche pas de se précipiter sur les tickets, car il trouve que... c'est beaucoup !

Comme l'affirme l'ancien président de l'INRA, Guy Paillotin, « manger est un acte personnel qui relève de la liberté ». À condition de savoir ce dont il s'agit, et de l'assumer ! Car la peur alimentaire est une maladie de civilisation rassasiée ! Comme l'obésité, d'ailleurs.

QUELLES SÉCURITÉS ?
NUTRITIONNELLE, TOXICOLOGIQUE OU ÉCONOMIQUE ?

Quelles définitions pour la sécurité alimentaire ? En fait, le mot lui-même de sécurité est ambigu ; bien plus, sa définition n'est pas la même selon les pays. Pour les régions anglo-saxonnes, la sécurité alimentaire exige d'apporter l'ensemble des nutriments nécessaires ; d'une part en quantité et en qualité, d'autre part en proportions relatives des uns par rapport aux autres. Concernant les pays en voie de développement, elle demande un apport alimentaire minimum et équilibré. En revanche, pour la France et les pays latins, la sécurité ne concerne que l'absence (ou la minimisation) des risques toxicologiques. Or, d'après le dictionnaire, la sécurité est l'« état d'esprit confiant et tranquille de celui qui se croit à l'abri du danger ». Il s'agit donc d'une situation qui résulte de l'absence réelle de dangers, moraux ou physiques ; elle est la conséquence d'organisations matérielles, morales ou politiques.

Les deux définitions sont donc très différentes, leur confusion peut induire des comportements anormaux. En effet, la sécurité des nutriments n'est pas assurée pour bon nombre de personnes (l'obésité est une réaction normale de l'organisme dans son environnement défectueux, affirme un spécialiste américain), mais on en parle peu. En revanche, bien que la sécurité toxicologique soit grande, les accidents font la « une » des médias.

L'assurance de la qualité sanitaire est une obligation. La sécurité alimentaire est fondamentale. Les pouvoirs publics la contrôlent avec la plus grande vigilance. Mais elle n'a d'intérêt que pour les aliments dignes de ce nom, c'est-à-dire pourvus d'une bonne valeur nutritionnelle. Un aliment digne de cette qualification est fragile, surtout s'il est frais. Il risque de se polluer facilement, en particulier sur le plan microbiologique ; mais il convient de ne pas l'éliminer, par facilité. Au contraire, il faut le protéger, le traiter avec soin.

Ainsi, le choix du « bio » doit reposer sur la recherche préalable d'un bon équilibre alimentaire ; sinon il risque de n'être qu'un emplâtre sur une jambe de bois, malheureusement. En effet, par exemple, plusieurs dizaines de milliers de personnes meurent chaque année en France de maladies cardio-vasculaires et autant de cancer, pour la raison exclusive que leur alimentation est déséquilibrée, c'est-à-dire manquant de diversité. Un peu – ou même beaucoup – de « bio » au sein de ce déséquilibre ne changerait presque rien.

Et la sécurité économique ? Globalement, en France, la sécurité et la variété des aliments sont réelles (les consommateurs ont le choix, le problème est qu'ils soient suffisamment informés, après avoir été éduqués par leurs parents ou à l'école, pour savoir sélectionner), la sécurité toxicologique est patente (malgré les accidents et les psychoses organisées, la traçabilité devrait assurer une plus grande rigueur). Mais une insécurité se fait désormais jour : elle touche à la liberté d'approvisionnement, de choix, d'achat. La diversité des aliments risque d'être réduite si un seul pays possède la maîtrise de l'approvisionnement mondial, et donc des prix ; directement en raison de la puissance de son agriculture, et indirectement par sa maîtrise de l'économie (y compris des industries agroalimentaires, notamment avec les fonds de pension, ces gigantesques masses d'argent américaines). L'arme alimentaire n'est pas une vue de l'esprit. D'une manière générale, la conception d'un yaourt en fonction du seul cours de la Bourse peut paraître quelque peu discutable... Un fin connaisseur affirmait que la guerre est la continuation d'une politique, par d'autres moyens. Or, l'alimentation constitue une arme sournoise, mais redoutable. Dans ce contexte, il est inquiétant que la France ait perdu la direction de l'agriculture européenne à Bruxelles...

Comme les grandes affaires récentes ont généralement pour fond de tableau la recherche de l'approvisionnement au prix le plus faible des cours mondiaux, sachant que la qualité nutritionnelle ne peut s'accommoder du déséquilibre en nutriments des aliments, la course aux prix les plus bas ne peut être que dangereuse. Le prix le plus juste n'est certainement pas le juste prix, en termes de nutrition. En fait il n'y a pas globalement de mauvais aliments, mais de mauvais mangeurs, par ignorance le plus souvent ; qui payent « chair » le prix en capital santé.

LA SANTÉ : LE COÛT DES ALIMENTS

En économie de marché, le prix adéquat, juste, n'est pas uniquement celui qui couvre les frais, mais aussi celui que le client veut bien payer. Or, la santé n'a pas de prix ; mais elle coûte, en grande partie, le prix des aliments. Sachons donc consacrer des budgets adéquats à l'achat de nos aliments. Toutefois, la qualité de ces aliments ne se limite pas à l'hygiène, bien évidemment indispensable, mais actuellement utilisée comme un vigoureux coupe-faim. Le plaisir alimentaire est plus important que le nombre de calories, il l'est autant que la qualité des aliments et leur richesse en nutriments. Car il peut y avoir du mal à se faire du bien, du plaisir, avec des calories vides notamment ; l'extrême est la toxicomanie. D'autant que la cuisine n'est pas faite pour cacher les aliments, mais pour les révéler. L'aliment, c'est la nature ; la cuisine, c'est la culture !

Un vrai plaisir avec une vraie tartine de vrai pain, et de vrai beurre, vaut mieux que deux tartines de faux pain et de faux beurre pour un ersatz de plaisir masochiste. Gardons nos racines gourmandes. Nos aliments se consument quand ils se consomment, tel est le prix de notre plaisir et de notre efficacité biologique. « De toutes les passions, la seule vraiment respectable me paraît être la gourmandise », affirme Guy de Maupassant. Vrai ! La cuisine constitue l'un des derniers métiers où le patron de la cuisine s'appelle encore « chef », avec le plus grand respect.

La gastronomie doit demeurer en harmonie avec l'équilibre alimentaire pour mieux favoriser les progrès de la diététique. En évitant la psycho-diététique dénuée de toute convivialité, stérilisée, aseptique, publicitaire, qui fabrique de vrais malades en rendant les personnes par ailleurs parfaitement normales, inquiètes et anxieuses. Goethe ne disait-il pas : « Comme on commet toujours les mêmes erreurs, il faut rappeler sans cesse les mêmes vérités. » Les scientifiques s'intéressent aux faits, les politiques prennent en compte la perception que le public a des faits. Les deux concepts sont-ils réellement compatibles ?

Le prix au plus juste n'est pas le juste prix
La qualité se paie : la preuve par les huiles

Huiles	Part en volume %	Part en valeur %
Palme	45	30
Soja	19	19
Colza	8	9
Olive	2	15
Maïs	2	3
Huiles diverses	3	3

D'après Luchetti, 1999

Une huile de modeste qualité nutritionnelle, comme l'huile de palme, représente une part plus faible en valeur qu'en volume : elle n'est pas chère et donc fortement consommée. Mais il est possible de sélectionner les meilleures huiles, sans excès de coût : celles de colza et de soja. La part de l'huile d'olive est sept fois plus forte en valeur qu'en volume : elle est chère !

ÉCHEC DES MESURES AUTORITAIRES, PLACE À L'INFORMATION

Nous passons la première moitié de notre vie dans une indifférence superbe à l'égard de la santé, et la seconde dans la peur permanente de la perdre.

En réalité, si la bonne santé nous préoccupe un peu, la mauvaise nous effraye plus sérieusement. Le bien-être fait rêver, tandis que la maladie provoque la peur. Maintenant, les progrès de la médecine aidant, nous demandons d'abord à être bien dans notre peau, comme en témoignent les multiples sondages récents. Mais nous ne savons que faire. Nous nous empressons donc de nous en remettre à toutes les modes, à toutes les technologies médicales et agroalimentaires, grâce auxquelles nous évitons de faire l'expérience de notre propre vie. Un véritable comportement d'autruche ! Halte aux points de vue, vive les convictions. Nous devons assumer les exigences alimentaires de notre corps. D'autant que la loterie génétique n'est absolument pas démocratique : nous sommes des mangeurs inégaux. Il faut savoir gérer sa propre petite entreprise corporelle avec ses rouages, ses coopérations entre services, ses départements de commande et de livraison. La cuisine est d'ailleurs là pour transmuter ces contraintes en agrément. Au strict minimum, puisqu'il faut manger, autant le faire agréablement !

Les aliments traditionnels se sont adaptés au patrimoine génétique des groupes humains, et réciproquement. En supprimer certains, sous prétexte qu'ils contiennent tel ou tel composant réputé nocif, engendre trop souvent une nouvelle pathologie, sans traiter celle qui est à l'origine du chambardement nutritionnel.

Mal compris, en nutrition comme en politique, le devoir d'ingérence se transforme en déboire d'ingérence. Plutôt que de rechercher les corrélations positives, source d'interdiction (moins de gras saturés entraîne moins de maladies cardio-vasculaires), peut-être vaut-il mieux se baser sur celles qui sont négatives, c'est-à-dire prescrire un aliment dont on sait que l'augmentation de la consommation réduit une pathologie. C'est ainsi que l'une des premières études épidémiologiques qui a été réalisée a montré que manger plus de soupe allait de pair avec une réduction des cancers. Le très modeste succès médiatique de la soupe a malheureusement fait rapidement tomber dans l'oubli ce résultat spectaculaire. De même, au verre de vin rouge sont associées moins de maladies cardio-vasculaires ; plus d'acides gras poly-insaturés va dans le même sens et restreint les affections de la peau ; plus de lait, et de calcium, réduit l'ostéoporose ; plus de fer diminue l'anémie et attise l'intelligence (vive le boudin et les viandes bien rouges !) ; plus de fluor réduit les caries ; plus d'iode fait disparaître le goitre, et l'idiotie ; plus d'acide folique diminue les malformations nerveuses et permet de garder l'esprit vif tout au long de la vie. Autant de plus qui s'associent au fonctionnement harmonieux du corps, du cerveau et de son intelligence.

Quoi qu'il en soit, les interventions nutritionnelles directes et autoritaires (prôner parfois tels aliments, et très souvent en rejeter d'autres) ne sont pas couronnées par les succès escomptés, quand elles ne sont pas des échecs retentissants. En effet, les consommateurs qui ne sont préparés ni intellectuellement ni scientifiquement aux interventions nutritionnelles, se réfugient derrière quelques tabous (allégés « leurre de vérité ») ou évitent les Satans, savamment exploités (« modes et mythes parades ») par quelques gourous ou publicitaires (le cholestérol en est un exemple).

Par ailleurs, les interventions nutritionnelles sont orientées en fonction des connaissances scientifiques du moment, qui sont par essence amenées à évoluer, car la science est une sorte d'évangile en perpétuel renouvellement. De ce fait, les directives données à une époque deviennent obsolètes quelques années plus tard, quand il s'agit d'en mesurer les effets : les dogmatiques, austères et autoritaires prescriptions de certains nutritionnistes ont montré leur impuissance. Par exemple, selon la rigidité des dogmes et celle des tables de composition des aliments, les Français sont censés consommer trop de graisses ; ce qui devrait les faire mourir comme leurs voisins, c'est-à-dire trois fois plus souvent, de maladies cardio-vasculaires. Comme il n'en est rien, il convient de préserver nos traditions alimentaires qui ont fait la preuve de leur efficacité. Car, bien souvent, dans l'aliment se cache un médicament : les graisses de poisson en sont un exemple, sans parler de l'illustre huile de foie de morue !

Plutôt que de subir alternativement les interdictions et les obligations, le consommateur devrait acquérir un bagage scientifique suffisant pour conserver un esprit libre et critique, adaptable à l'évolution des aliments, des modes et des publicités ; il faudrait qu'il ait appris à apprendre. François-Bernard Michel propose une réflexion : « Pourquoi des millions de personnes n'entrent-elles jamais dans des musées ? N'en sont-elles pas absentes d'avoir abusé de l'absinthe de la médiocrité, stuporeux des électrochocs de la vulgarité, insignifiants de soumission aux penseurs attitrés ? Pourquoi notre société qui sécrète de plus en plus de drogués, exclus et marginaux est-elle incapable d'offrir à la vie des hommes ce sens que propose l'artiste ? Que changer : l'homme ou la société ? »

QUELLES QUALITÉS-PRIX ?

La qualité constitue un sujet de préoccupation, de communication, à l'ordre du jour. On parle même de qualité totale ! Mais il convient de s'accorder sur la signification des mots, de ne pas prendre les vessies pour des lanternes. Qualité n'est certainement pas synonyme de meilleur, de performance maximale, définitive, inégalable. Bien mieux, il convient de ne pas confondre qualité et excellence ; d'autant que le rapprochement entre les deux mots est présenté avec grandiloquence. D'ailleurs, si la qualité est fixée par rapport à des normes, l'excellence est, quant à elle dynamique, car elle suppose une politique continue et permanente d'amélioration de la conception, de la réalisation, et même de l'utilisation. Elle n'est pas synonyme non plus de luxe, de haut de gamme.

La qualité, en fait, est l'attribut propre et le caractère de l'être ; la caractéristique et la propriété de la chose, qui devient recommandable pour un usage donné, de bon aloi.

En fait, prosaïquement, la qualité constitue la réponse pertinente, ajustée, économique à un besoin précis. La qualité à obtenir est celle qui est nécessaire et suffisante pour répondre au besoin codifié, aux critères et au prix ; ce qui n'exclut pas la séduction, évidemment. Une grande maison n'est pas obligatoirement de meilleure qualité qu'une petite, un restaurant trois étoiles n'est pas de meilleure qualité que celui qui en a une : tout au moins si, pour le prix, le client est satisfait. Mais, déjà, on touche les limites de l'art : Grieg est-il de meilleure qualité que Beethoven ? La qualité d'un grand vin, quelle est-elle ? Elle va au-delà de l'AOC ou de l'IGP ; qui, pourtant constituent des assurances de qualité, et donc une sécurité pour l'acheteur.

Dans l'industrie, la non-qualité coûte très cher. Un système spatial ou un TGV qui serait mis hors-service par une clavette mal conçue est désormais inimaginable. Il ne s'agit pas obligatoirement de grande conscience professionnelle, mais plutôt d'économie. En effet, d'une manière générale, le coût de remplacement des pièces défectueuses est d'autant plus inacceptable que l'immobilisation ou la mise hors-service est dispendieuse. Un fabriquant de télévisions qui fournirait de mauvais appareils ne tarderait pas à perdre ses clients. Dans le monde agroalimentaire, la non-qualité, en termes de toxicologie et de contamination, est dangereuse ; elle est même ruinante en termes d'image et de performance industrielle. Mais la non-qualité en termes de valeur nutritionnelle réduite ne coûte qu'à la collectivité, à travers les maladies qui se démasquent au terme de nombreuses années. Or, le déséquilibre nutritionnel est infiniment plus dangereux que le risque d'intoxication, en France. La qualité d'un produit alimentaire n'est pas, comme pour un produit industriel, la simple aptitude à l'emploi.

Dans la chaîne de la préparation du repas, la notion de qualité n'est même pas la même que dans la chaîne des opérateurs. Pour le diététicien, il s'agit de l'équilibre entre les nutriments, compte tenu des autres repas ; pour le consommateur, il s'agit de la finesse, du goût ou du caractère roboratif, selon les moments et les cultures ; pour le cuisinier il s'agit de respecter les caractéristiques de conformité, et les processus. Le talent est une prime. Car, une fois le besoin défini, la conception aboutit à la définition du produit, qui est ensuite fabriqué, pour être consommé. Au contraire de beaucoup de marchandises, il n'y a pas de maintenance, d'autant que le produit – l'aliment – est détruit lors de son utilisation, il en est de même avec la production d'énergie. La production fait appel à des achats, eux-mêmes reposant sur une assurance qualité... L'esprit de qualité est une obligation, qui a permis aux civilisations de se construire.

Piloter mieux que contrôler ? Les faux amis, de même que les interprétations tendancieuses sont nombreuses. Ainsi, le « *quality control* » n'est pas le contrôle de qualité, dans le sens gendarmesque, mais en fait le pilotage, la maîtrise de la qualité. La méprise a été néfaste, car le contrôle de la qualité est fait *a posteriori*, alors que le pilotage se fait en amont. On parle maintenant de la maîtrise de la qualité. C'est le management de la qualité. Curieusement, l'assurance de qualité, quant à elle, eut pour géniteur la grande distribution, lorsque les consommateurs ont exigé de leurs fournisseurs des systèmes complexes et maîtrisé la production.

Dévoyer le principe de précaution : la politique de l'autruche ?

Si l'on voulait éviter tout risque, il faudrait retourner à l'âge des cavernes ; en suivant les zélateurs du zéro progrès, ces impuissants pessimistes, incapables de dominer la vie, ni d'en profiter. On y serait certainement encore, car certains de nos frileux auraient condamné l'inventeur du feu, lapidé le découvreur de la flèche qui ont pourtant facilité l'accès à la nourriture. Lors du premier voyage en train, de doctes scientifiques avaient prévu la mort des voyageurs, car ils ne devaient pas résister à de telles vitesses, 25 km/heure, pensez donc ! L'inventeur des antibiotiques fut un grand criminel tueur d'animaux expérimentaux innocents, celui du moteur à explosion l'assassin créateur des voitures tueuses, celui des centrales atomiques le surpresseur des centrales thermiques et des chauffages à charbon, délicieusement productrices d'effet de serre... et de dioxine ! Au fait, qui accepterait aujourd'hui de monter dans un avion datant du début du siècle ?

Le risque zéro n'existe pas. Alors comment autoriser tel aliment, tel procédé, tel produit ? Qui doit prendre la décision ? Les élus (qui le sont pour décider) vont-ils botter en touche ? Le respect du principe de précaution ressemble alors au parapluie que l'on ouvre, en attendant un bouc émissaire ; ou bien que l'actualité permette de passer à autre chose. Il n'y a pas de problème qui ne se résolve tout seul : telle était la doctrine d'un homme politique. En fait, le succès… fou du principe de précaution n'a d'égal que le flou qui l'entoure ; c'est d'autant plus vrai que chacun lui donne le sens qu'il en espère, ou mieux, qui l'arrange. Tout un programme d'irresponsabilité. Il existe de subtils arrangements avec le démon ou le ciel (au choix). Ainsi, on a même vu le ministère de l'Agriculture, à propos de l'exclusion des intestins de bovins dans le cadre de la « vache folle », s'appuyer sur la simple précaution, écartant le principe de précaution ! Incidemment, le mot risque est issu du bas latin *resclare*, devenu *resecare*, qui signifie enlever en coupant ; car les coupes hasardeuses ou imprécises dans un contrat génèrent des risques aux deux parties. Le mot écueil fut forgé à partir de la même racine, car il fait courir des incertitudes aux marchandises en mer. Prendre un risque, c'est affronter un danger, en bateau le long de la côte, pour obtenir un bénéfice, parvenir au port. Il implique une forme de hasard : perdre ou gagner. Mais « risque » et « danger » ne sont pas synonymes : le danger constitue une menace palpable, objective ; alors que la notion de risque implique nécessairement la prise en compte simultanée d'un danger et d'une espérance de gain. Chose délicate, l'augmentation des progrès scientifiques et techniques fait que des risques qui seraient totalement passés inaperçus deviennent facilement quantifiables. « Dans le doute, abstiens-toi », dit un précepte célèbre mais particulièrement dangereux, jusqu'à provoquer des catastrophes. À la limite, la prudence excessive ou injustifiée peut engendrer des risques plus importants, ou plus graves, que ceux que l'on souhaite éviter. La seule chose dont il convient d'avoir peur est la peur elle-même.

Maurice Tubiana souligne que le principe de précaution risque d'entraver la démarche rationnelle, scientifique et médicale : « Le poids accordé à une démarche non rationnelle rompt le lien entre la connaissance et la décision, ce qui pourrait encourager des mesures sans base logique, simplement parce qu'elles sont préconisées par des groupes de pression. » Le feuilleton de la vache folle et des farines animales a montré la justesse de cette prémonition !

Mais si le risque zéro n'existe pas, la certitude est tout aussi incertaine, inexistante. Bien que l'on sache que 5 % des personnes seront touchées par une carence alimentaire dans l'année, il reste impossible d'identifier lesquelles. S'il est vrai que 20 % des femmes n'ont pas de stock en fer, on ne sait pas lesquelles seront anémiées (sauf en faisant des dosages biologiques systématiques), car certaines peuvent se contenter de peu et rester en forme. Malgré cela, la statistique, sur un ensemble, ne permet pas de désigner les individus concernés. À l'extrême, comme disait Mark Twain : « Il y a trois sortes de mensonge : le mensonge, le gros mensonge et les statistiques. »

RESPONSABLE ET COUPABLE, À CONDITION DE SAVOIR

Plus simplement, mais pour être exact, le risque d'un événement est la probabilité qu'il se produise au cours d'un intervalle de temps donné. Il est de un sur deux de tomber sur l'une des faces pour une pièce lancée en l'air, il est de 1 % de mourir chez les Français, car il meurt six cent mille personnes chaque année, sur soixante millions d'habitants. La notion de risque n'implique pas celle de désagrément, de gravité ; il s'agit de chance, ou de malchance. Le risque de grossesse est une chance, si elle est désirée. Plus généralement, est risque tout facteur auquel est liée l'apparition d'un événement. Par exemple, le taux de mortalité dépend de l'âge, l'âge constitue donc un facteur de risque... Comme disait ironiquement Sainte-Beuve : « La vieillesse est ce qu'il y a de mieux pour prolonger la vie, mais cela rend vieux. »

Le hasard n'est pas le risque : la probabilité de recevoir un pot de fleurs dans la rue ne procède d'aucun calcul simple. En revanche, en traversant la rue, le risque de se faire renverser par une voiture est parfaitement chiffré, en prenant la route le danger est encore plus grand, entrer à l'hôpital n'exclut pas le risque iatrogène, les maladies nosocomiales (mourir d'autre chose que ce pourquoi on est venu). Mais la distinction entre le hasard et l'ignorance a souvent été déniée, car le hasard ne pourrait être que l'expression de notre ignorance. Un enfant a beaucoup plus de probabilités (une malchance) de s'étrangler avec le noyau d'un fruit que de s'intoxiquer avec des pesticides. Si le fruit n'est pas mûr, la diarrhée est au rendez-vous, plus sûrement qu'avec les conservateurs.

Un examen simple et cartésien, source de bon sens juridique, doit faire apparaître trois situations. Pour la première, le risque est connu, identifiable et appréciable au moment de la prise de décision. Toute décision nécessite une concertation pour définir le rapport bénéfice coût. Si le solde est positif, l'humanité progresse. Pour la deuxième, les facteurs sont identifiables, mais inconnus au moment de la décision. La situation est délicate, car on peut faire reproche d'ignorance dans les cas d'une décision de prise du risque. Enfin, troisième situation, les facteurs sont non identifiables ; dans ce cas rien ne peut être reproché au décideur ; si un incident survient, il est qualifié de mauvais hasard. Si le hasard n'est que l'acceptation de la volonté des autres, il est alors un alibi, une justification de faiblesse plus ou moins consciente.

Mais tout progrès fait apparaître de nouveaux risques, tôt ou tard. C'est ainsi que le risque est de moins en moins grand de mourir (de plus en plus) jeune, car nos prédécesseurs ont pris des risques majeurs, notamment pour nous nourrir et nous soigner : imaginons le nombre de nos ancêtres empoisonnés pour avoir mangé une plante vénéneuse et qui ont acquis la connaissance à leurs dépens. Le danger des soins ? Le médecin démuni ? Si aujourd'hui les pouvoirs publics avaient à décider de la mise sur le marché de l'aspirine ou de la colchicine, ils les refuseraient immédiatement ! Quelle perte incroyable pour l'humanité. Et pour le traitement des malades, qui n'ont pas, encore actuellement, d'autres médicaments à leur disposition.

CORRÉLATION OU CAUSALITÉ ?

Le plus dur est de sélectionner les réels facteurs de risque. Le plus délicat est de définir une cause, surtout dans le domaine de l'incertain ; prouver l'existence d'une relation entre cause et effet relève parfois de l'exploit. Car, bien souvent, la simple corrélation est transformée en causalité. Les deux événements, qui se produisent successivement sont présentés comme étant liés. Un exemple : le lit est l'endroit le plus dangereux, car 99 % des gens meurent dans un lit. À la limite du sophisme. Si l'alcool tue 5 % de ceux qui en abusent, les quatre-vingt-quinze restants, qui boivent peu ou pas, ne peuvent alors qu'être assassinés par l'eau ! Deux imbécillités ne font pas une vérité intelligente. Une fausse erreur ne fait pas une vérité vraie.

Causes et conséquences, ou association sans relations de causalité ? Les statistiques peuvent faire mentir. Bien évidemment, les enfants ne naissent pas dans les choux, car... ils sont en réalité apportés par les cigognes. L'affirmation est statistiquement démontrée. En effet il a été découvert en Alsace que le nombre de naissances augmente avec celui de ces splendides volatiles. Le biais statistique est que pour faire des enfants, il faut des couples, qui habitent dans des maisons, ayant des cheminées accueillantes pour les cigognes. Certains observateurs de l'époque (y compris certains membres de la docte Académie de Londres), qui se présentaient comme avisés, proposaient comme traitement du scorbut le changement d'air, car ils n'avaient pas manqué de noter une très forte corrélation entre le temps passé en mer par les marins et le risque d'attraper la maladie, d'où la conclusion apparemment logique que l'air marin était tout à fait mauvais ! Tout scorbutique en puissance était vigoureusement éloigné des côtes maritimes.

Dans le même esprit, autrefois, dans les campagnes, on affirmait que la turberculose était une maladie héréditaire qui sautait une génération... jusqu'à ce que l'on observe que les grands-parents avaient coutume de coucher dans le même lit que leurs petits-enfants ! Voilà trois prototypes de raisonnements biaisés, les plus fréquents, indiquant une relation de cause à effet à deux événements qui se succèdent, mais ne sont qu'artificiellement mis en relation.

Mais deux causalités réelles mises bout à bout ne font pas pour autant une troisième causalité. Ainsi, il est affirmé que l'abus d'alcool engendre le risque de cancer du poumon. C'est faux ! Il faut prendre en compte le tabagisme. En fait, il existe d'une part une relation entre le tabagisme et ce type de cancer, d'autre part une relation entre le tabagisme et l'alcoolisme ; il y a un chaînon manquant entre l'alcoolisme et le cancer du poumon, puisque ceux qui boivent ont une mauvaise hygiène de vie, et fument beaucoup plus. Soit dit en passant, pour reprendre la légende d'un splendide dessin de Jacques Faisant : « Un État qui prélève des milliards de taxes sur un produit dangereux qu'il prétend interdire, n'est rien qu'un proxénète qui file, en public, une trempe à sa gagneuse, pour se faire une réputation de vertu. »

De la même manière, on affirme que le sucre ne fait pas grossir. Pourquoi ? Parce que des études sérieuses ont montré que les obèses consomment moins de sucres que ceux qui sont moins enveloppés. En oubliant, avec ignorance, incompétence ou mauvaise foi, que, pour devenir obèse, il a bien fallu manger quelque chose. En cours de traitement, les prescripteurs leur déconseillent évidemment le sucre. On cache ce qu'ils ont mangé avant, pour ne retenir que ce qu'ils absorbent actuellement. Voilà une conception bien édulcorée de la physiologie !

Ce n'est pas le sucre qui fait grossir, mais les graisses : mangez donc du sucre pour maigrir ! Raccourcis saisissants, erreurs de taille, qui font prendre du poids. En effet, il est exact que le sucre présent dans les aliments est utilisé par l'organisme pour produire de l'énergie, alors que les lipides sont plutôt stockés. Mais ceci n'est vrai qu'en situation normale, d'équilibre alimentaire adapté aux dépenses énergétiques. En revanche, trop manger, ou ingurgiter déséquilibré, ne peut qu'entraîner le stockage du surplus énergétique (quel qu'il soit, provenant des lipides ou des glucides) sous forme de graisse, après avoir rempli les modestes réserves en glycogène, pour ce qui concerne les glucides. Le sucre, s'il n'est pas dépensé, ne se transforme pas en chaleur ni en lumière par l'effet d'un Saint Esprit bienveillant, notamment pour les cultivateurs de maïs – d'ailleurs souvent OGM – américains, qui en font du sirop de glucose trouvé dans nombre de boissons et d'aliments.

De l'auroch au bœuf, des millénaires de préjugés et de rumeurs

Sommes-nous malades de notre assiette ? Une avalanche d'informations concernant la déplorable qualité de nos aliments inonde les médias, toutes sont très pessimistes. Mais tous les scoops n'ont pas la même signification, puisque les risques pour notre santé ne sont absolument pas équivalents. Les causes elles-mêmes sont présentées avec un esprit apocalyptique, ou au contraire un angélisme benêt et béat.

On voudrait nous faire croire que la science a donné les OGM aux industries agroalimentaires, et que les consommateurs doivent donner leur corps à la science. Ridicule et dangereuse simplification.

Sur un fond de sauce-paysagère aux nitrates ou aux salmonelles, voilà la dioxine, les OGM, la poisse dans l'Époisses avec ses Listéria, les huîtres et palourdes lourdes de microalgues toxiques puis polluées par l'Erika, le camembert contaminé, les cuisses de canard avariées, Listéria qui fait des siennes, Dolly qui est deux fois plus vieille que ses chromosomes, l'eau de source décapante au White spirit ; de Coca-Cola aux fongicides puis aux débris de verre ; les champignons trop radioactifs, irrespectueux du parcours officiel du nuage de Tchernobyl qui aurait contourné nos frontières pour ne pas nous envahir ! Sans ignorer le grave problème posé par la vache folle, celui du mouton tremblant comme un bovin, du cochon « pesteur » ou frappé de fièvre aphteuse. Or tout n'est pas dû à l'inconscience humaine, ni à l'esprit de lucre de quelques industriels sans scrupule.

Serait-on passé des perturbations psychologiques individuelles (avec ses excès, la boulimie et l'anorexie) à des troubles collectifs de peur alimentaire, touchant une région, un pays, bientôt un continent ?

LA VACHE AFFOLANTE ?

Quelques détracteurs de la viande affirment que sa consommation entraîne « un encrassement du corps ouvrant la voie aux maladies dégénératives » ! Voilà qui ne veut strictement rien dire, sinon par analogie à la tuyauterie défaillante qui nécessite le plombier. Les arguments pseudo-scientifiques sont curieux et les conclusions sont parfois d'authentiques escroqueries de raisonnement : quelques forcenés n'affirment-ils pas que les adventistes qui mangent de la viande en absorbent sûrement moins que la population courante, car leur mortalité est plus faible et leur vie plus longue. Comme s'il n'y avait pas de causes plus sérieuses, comme l'alcool et le tabac.

Le summum du ridicule est atteint quand il est affirmé que les fibres de viande sont de moins bonne qualité que les fibres végétales, quelle confusion entre les deux significations du mot fibre ! On touche au miracle quand certains affirment que les sucs intestinaux aident à synthétiser les acides aminés essentiels absents de l'alimentation strictement végétale. Voilà qui est consternant, et redoutable pour la santé de ceux qui croient de telles inepties.

Pour tenter de condamner la viande, les références historiques tournent au ridicule ; elles prennent au pied de la lettre les écrits bibliques et ceux de l'Ancien Testament, qui affirme que la longévité humaine a diminué à mesure de l'utilisation de la graisse des viandes. Ce qui est manifestement quelque peu excessif ! La survie moyenne, des héritiers du bon père Adam jusqu'au père Noé de l'arche célèbre, était de neuf cent douze ans, alors que les dix générations qui lui succédèrent ne vécurent en moyenne que trois cent dix-sept ans, car paraît-il, ils commirent l'erreur de consommer de la viande grasse ! À bon entendeur, salut !

Semer la terreur étant une bonne rente de situation, il n'est pas étonnant que, régulièrement, certains médias tentent des vaccinations de rejet, par voie de rappels fréquents. Quelques-uns surfent sur la vague de la peur bleue de la viande rouge. Comme ceux qui voudraient nous faire brouter des végétaux, notamment du soja, pour leur plus grand enrichissement.

De mal en pis : une vache anglaise a contaminé deux cent mille personnes. Autant avouer que tout le monde a été touché dans la perfide Albion. Hélas, même les végétariens, car les délicieuses *salad cream*, blanches et onctueuses, étaient faites avec de la cervelle ; mais les consommateurs n'étaient pas au courant. La bonne question serait de savoir alors pourquoi des dizaines de millions de personnes n'ont pas contracté la maladie. En d'autres termes : si des dizaines de millions de consommateurs n'ont pas été touchés par cette maladie, c'est que la contamination est sans doute difficilement possible. Ce qui aurait dû constituer un heureux espoir pour les Anglais, les Français, Suisses et Portugais ; en attendant les Espagnols et les Allemands, qui ont eu du mal à détecter leurs vaches folles. Au moins quand ils faisaient partie des pays qui se clairveaient indemnes, trop heureux de bénéficier d'aubaine économique, ignorant officiellement et obstinément la maladie ; autant dire que, n'ayant pas de thermomètre ou un ustensile déréglé, ils ne pouvaient pas détecter la fièvre. Pour ne pas trouver de vache folle, le meilleur moyen est de ne pas les chercher ! Dans un autre ordre de contamination, aux derniers jours de l'an 2000, il n'existait pas (encore ?) de réseau de détection de Listéria en Allemagne, en Italie et en Espagne : ils est donc facile de clamer que leurs fromages et leurs charcuteries sont meilleurs que les nôtres ; alors qu'en France, quand une demi-douzaine de personnes a la diarrhée avec le même séréotype diagnostiqué par le centre de référence de l'Institut Pasteur, deux ministres et un(e) secrétaire d'État sont informés, éventuellement réveillés la nuit si les résultats « tombent » à ce moment-là !

La viande française est probablement mondialement la plus contrôlée, donc la plus sûre, étant donné la surveillance phénoménale des services vétérinaires ; et surtout après l'épisode du sang contaminé, l'immense inquiétude des politiciens. Aller acheter une viande dans un autre pays n'est pas sans risque, car la maladie est sporadique, touche toutes les espèces ; çà et là, il est obligatoire qu'elle apparaisse, de temps en temps : un cas par million de vaches ? Il est pour le moins curieux que les farines animales aient été interdites pour nourrir les animaux carnivores, d'autant qu'elles étaient faites en France avec exclusivement les carcasses d'animaux qui fournissaient la viande aux humains (après retrait de ce qu'il est appelé les abats spécifiés, en particulier la cervelle et la moelle épinière) ! Ce qui est bon pour les citoyens ne serait-il pas comestible pour les animaux qu'ils mangent ou qui leurs sont de compagnie ?

Mais il est plus facile d'interdire d'un coup de baguette administrative que d'organiser une réelle communication pour expliquer ce qui se passe. Et, après avoir semé l'inquiétude puis la terreur auprès des citoyens, de justifier cette décision par le fait que 90 % des Français sont favorables à cette interdiction. L'immense travail et le sérieux des éleveurs, les qualités de leurs produits n'ont même pas été immédiatement expliqués et défendus, ne serait-ce que par un numéro vert mis à disposition des journalistes et des consommateurs. Il a fallu attendre une quinzaine de jours pour que le ministère fasse lui-même le travail que d'autres auraient dû réaliser. L'efficacité de cette procédure est bien connue : par exemple, à la suite d'un problème dans une enseigne de la grande distribution, l'annonce de l'ouverture d'un numéro vert par une chaîne de télévision a été suivie dans l'heure suivante de quarante-cinq mille appels ! Auxquels a répondu une équipe de vétérinaires, de médecins et de diététiciennes ; qui a pu circonscrire, puis éteindre l'incendie. Une telle action aurait été beaucoup moins onéreuse que les spots télé de ces dernières années, coûtant plusieurs dizaines de millions de francs (l'équivalent des salaires annuels de centaines d'ouvriers agricoles !) ; même agrémentés de ritournelles de Claude François.

Soit dit en passant, comment les citoyens auraient-ils pu comprendre que leur viande était saine ; quand toute la communication s'était faite non pas sur la nutrition (oubliant cette vérité simple : la viande produite est faite pour être mangée), mais sur la terreur : le président de la République sonne le tocsin en lançant un appel solennel d'interdiction, le Premier ministre reprend la balle folle au bond en excluant totalement des farines animales, un haut responsable syndical de l'agriculture demande d'abattre quelques millions de vaches, une secrétaire d'État à la santé prévoit de nombreux cas de maladie de Creutzfeldt-Jacob et donc une épidémie, les tests sont énormément multipliés ! Le message simple est : on n'est sûr de rien, donc seul le pire est certain. Le seul fait de parler de la vache folle engendre des réactions encore plus folles ! Sans ignorer les maires et les mères qui refusent le viande de bœuf à la cantine, mais laissent leurs enfants s'empiffrer de hamburgers ou de raviolis !

Toujours soucieux de ne rien laisser passer, les Américains (ou tout au moins un laboratoire texan) proposent de faire une vache-

OGM sans prions, c'est-à-dire de neutraliser la protéine et ainsi d'éviter la maladie. Pour le moment, l'idée reste saugrenue, car la connaissance des mécanismes est très fragmentaire, pour parler par euphémisme. Ils feraient mieux de chercher à ressusciter le buffle ! En attendant, ne mangez pas d'écureuil américain, car on vient de découvrir qu'ils pouvaient être affectés par la maladie... Or, là-bas, certains malades touchés par la maladie de Creutzfeldt-Jacob auraient mangé de ces charmants petits animaux. Il faut bien trouver une explication, puisqu'il n'y a pas, à la fin des années 2000, officiellement de vache folle, mais seulement des cerfs mous, car ils ont mangé des farines. Cherchez l'erreur.

D'autres raisons sont invoquées pour jeter l'anathème sur les vaches. Faudrait-il fusiller les ruminants ? Ceux qui veulent nous abrutir en nous privant de viande ont trouvé un nouveau dada, avec un argument explosif ! Dans le monde, les vaches seraient responsables de 2,4 % de l'effet de serre. Excusez du peu, mais la précision est là. Comment ? En pétant, pardi ! Ce qui émet du méthane, véritable crime contre le climat et l'écologie. Les ruminants seraient responsables de 14 % du méthane émis. Car, physiologiquement, il est produit dans le tube digestif, en particulier dans le rumen des... ruminants. Que les détracteurs de la viande laissent nos vaches ruminer sereinement et en paix, pour qu'elles nous élaborent du bon bifteck ; qu'ils évitent plutôt les moteurs à essence ou diesel, notamment ceux des trains que les braves bêtes regardent passer avec résignation, comme chacun le sait bien.

RÉSISTEZ À LA RÉSISTANCE AUX ANTIBIOTIQUES ET AUX HORMONES !

En tout état de cause, refusez vigoureusement les antibiotiques dans la viande d'importation ; c'est là que réside un véritable danger ! Car la résistance aux antibiotiques n'est pas une vue de l'esprit. Par exemple, dans certains pays, des animaux destinés à la boucherie ont été traités avec un antibiotique vétérinaire, dénommé quinolone. Quelques années plus tard, les médecins ont voulu utiliser ce médicament chez les humains, notamment pour traiter des infections à *Campylobacter*, un micro-organisme peu sympathique qui provoque des diarrhées. Mais avec des résultats décevants. Car les patients étaient devenus résistants à cet antibiotique, pour avoir mangé de la viande ! L'acquisition de la résistance est un fait patent, qu'il ne faut pas traiter à la légère, puisqu'il y a maintenant sur terre des micro-organismes devenus résistants à presque tous les médicaments connus (c'est le cas de la tuberculose en Asie). Soit dit en passant, il arrive même que les arbres fruitiers soient traités avec des antibiotiques !

Il faut prendre le taureau par les cornes ! Si les antibiotiques étaient supprimés de l'alimentation animale, la résistance diminuerait ; mais pas autant qu'on pourrait le croire, car le mal est déjà fait quelque part. En effet, les micro-organismes ont appris à se méfier, à se défendre : ils s'adaptent beaucoup plus facilement. Ils seront donc rapidement résistants à un nouvel antibiotique. Le problème est réel.

À moins que la viande hormonée ne soit meilleure ? Oui ! Tout au moins si l'on veut bien accorder quelque crédit aux calculs « *big* » mais pas « *beautiful* » étalés par les zorros de la guerre économique du GAT puis de l'OMC (poliment nous parlons d'accord, ceux de Blair House par exemple ; alors que les Américains ont une autre conception de la négociation, qu'ils dénomment *round*... avec, il est vrai, un secrétaire d'État qui est un ancien militaire, chef de l'état-major, excusez du peu). Ils prennent comme exemple une molécule, le diéthylstiboestrol. Elle est actuellement interdite en alimentation vétérinaire, mais son utilisation frauduleuse n'est pas inexistante, outre-Atlantique. Cette redoutable substance provoqua des cancers du vagin chez 0,2 % des filles nées de femmes qui avaient été traitées pendant leur grossesse avec elle. Mais alors, quel est le mode de calcul qui leur permet de prétendre que le danger n'existe pas avec le bœuf ? Il est apparemment cartésien. Les femmes ont été traitées avec deux cent cinquante milligrammes, alors que les animaux n'ont reçu qu'un seul microgramme de cette molécule, pour ses vertus d'anabolisant, soit deux cent cinquante mille fois moins. Pour atteindre la dose toxique, une femme devrait s'empiffrer la modique quantité de deux cent cinquante mille kilos de foie de bœuf, soit sept cent cinquante grammes par jour pendant cent ans ! Autant dire que personne ne mangera une telle quantité ; ce qui autorise à dire que le danger est nul. Erreur ! Pourquoi ?

Car chacun n'est pas tout le monde ! Parce que les chiffres sont basés sur des moyennes, alors qu'en réalité la réponse des individus constituant une population se fait selon une courbe de Gauss. Pour certains, une dose faible peut être toxique, tandis que, pour d'autres, il en faut beaucoup plus que la limite de sécurité. L'exemple spectaculaire en a été trouvé avec l'amiante. Des dizaines d'ouvriers ont travaillé dans la poussière d'amiante pendant des années sans être malades, alors qu'un autre a été frappé par le cancer en perçant de temps en temps dans des cloisons floquées !

L'effet cumulatif n'est pas qu'une simple addition ! Pour atteindre un seuil toxique, il faut avoir absorbé une quantité certaine de la substance incriminée. Ne serait-ce que parce qu'elle est plus ou moins stockée dans le corps. La dioxine ou la radioactivité en sont deux preuves bien connues. Mais, outre la réponse individuelle, les réactions ne sont pas aussi linéaires qu'il y paraît. L'exemple connu date de... 1958. Il s'agit d'un colorant jaune, utilisé à cette époque notamment pour donner sa teinte au beurre, il fut donc logiquement dénommé jaune de beurre. D'après les calculs, à l'aide d'expérimentations animales, dans un premier temps, il apparut qu'il fallait accumuler une dose de quelques grammes pour développer le cancer, indépendamment du temps mis, qu'il s'agisse de quelques jours ou de quelques années. Mais on s'est rapidement aperçu que la moitié de la même quantité, répartie sur deux fois plus de temps, s'avérait finalement aussi toxique ; ou encore, pour simplifier, le quart sur quatre fois plus de temps... La dose totale compte, tout autant que la durée mise à l'accumuler : plus on met de temps, plus la quantité totale toxique est faible.

Mais, à ce rythme, l'inquiétude est partout ! La caféine est manifestement cancérigène : il est d'ailleurs toujours recommandé aux femmes enceintes de restreindre leur consommation. Quelle témérité que d'en boire ! Le poivre contient aussi une substance toxique, mais fort heureusement il n'est pas goulûment ingurgité en quantités. La peau de pomme de terre contient de la solamine, cancérigène. Quel danger que de manger ! Mais ne nous affolons pas trop ! Depuis quelques semaines, les anesthésistes de Chicago demandent que soit inclus un questionnaire alimentaire avant toute intervention chirurgicale, car ils ont une dent contre les patates (les aubergines et tomates). Car Parmentier n'avait pas noté qu'elles contenaient une sorte d'insecticide naturel (un glycoalcaloïde) qui pourrait interférer avec le métabolisme de certains anesthésiques. Il y aurait court-jus avec l'acétylcholine, un médiateur chimique, qui assure entres autres la communication entre le nerf et le muscle... Au point où vous en êtes, ne respirez pas non plus, car tous les malades ont respiré. Ou plutôt respirez un coup sur deux pour éviter la pollution. Vivre constitue un risque permanent, accepté et incontournable. Les esprits chagrins le reconnaissent en détournant l'affirmation d'un fantastique humoriste : « La vie est une maladie sexuellement transmissible, toujours mortelle. » En accord avec Voltaire : « L'instant où nous naissons est un pas vers la mort. »

DIOXINE : SERIONS-NOUS ROULÉS DANS LA FARINE ?

En vérité, le problème de la dioxine, qui n'est pas seulement un *chickengate* ou un *ovo-warrior* est plus grave que les autres. Espérons que la contamination par la dioxine ne soit pas criminelle, au sens propre du terme, par mort d'homme ! On ne sait pas encore si réellement la dioxine est toxique pour le cerveau humain. En effet, les grandes intoxications ont eu pour conséquences des « épidémies » de maladies psychiatriques ; mais il n'est pas impossible que l'effroyable et hideuse atteinte dermatologique (dénommée chloracnée) ait rendu les malades mal dans leur peau, c'est le cas de le dire, déréglant leur psychisme cérébral.

Deux hypothèses. La première suppose que le consommateur soit allé tous les jours au même fast-food-poulet, approvisionné par le même élevage. Étant donné que la contamination a été révélée par la découverte d'élevages manifestement bien malades (et non pas à la suite d'une vérification de routine), il a mangé des poulets gravement intoxiqués (et non pas seulement contaminés). Il risque donc le cancer dans les dix à vingt ans. Après le sang contaminé et l'amiante, avec la dioxine, quelques hommes politiques pourraient se retrouver ennuyés vers les années 2015. La deuxième hypothèse, optimiste et fort heureusement de loin la plus plausible (d'autant que la dioxine cancérigène serait absente, au moins pour le moment), espère que la « dioxine concentrée » vendue par le fabriquant se soit diluée dans une forte quantité d'aliments pour animaux ; puis, ensuite dans un grand nombre d'animaux. De ce fait, les faibles quantités trouvées dans les aliments consommés par l'homme pourraient être non toxiques, compte tenu de la marge énorme de sécurité qui est prise par le législateur.

Pour faire de la dioxine, il faut de la chaleur (plusieurs centaines de degrés), de la matière organique (avec son carbone, son hydrogène et son oxygène) et du chlore (présent, entre autres, dans les plastiques). Les gros producteurs de dioxine sont actuellement les grands incendies de forêt, ceux (provoqués par des bombardements...) des raffineries de pétrole, les centrales thermiques et surtout les usines d'incinération mal réglées. En effet, quand la température de combustion des déchets n'est pas suffisante pour détruire la dioxine qui est fabriquée, ou quand les filtres sont mal entretenus, elles émettent des dioxines, qui se répandent sur l'herbe environnante. Elle-même est broutée par les animaux, ceux-ci la concentrent dans leurs graisses, par conséquent dans leur lait. C'est exactement ce qui s'est produit dans le Nord, il y a quelques mois. Incidemment, il faut savoir que, chimiquement, la dioxine se dissout dans les graisses : elle ne peut donc pas se trouver en quantités appréciables dans les farines animales, qui sont des protéines dégraissées !

Deux classes de molécules sont en fait fréquemment regroupées sous le terme de dioxine : les dioxines proprement dites (dénommées PCDD, pour polychlorodibenzodioxine) et les dibenzofuranes (PCDF, pour polyclhordibenzofuranes). Parfois sont même abusivement ajoutés les PCB. Or, chimiquement, le nombre de substances possibles recensées est de 75 pour les PCDD, 135 pour les PCDF, 209 pour les PCB ! Mais, parmi toutes ces molécules, 14 sont connues comme toxiques et l'une est particulièrement cancérigène : le 2,3,7,8 TCDD

(TC pour tétracloro). La mesure réellement efficace consiste donc à doser cette molécule.

Dans un but simplificateur, pour évaluer le risque global des multiples substances, les spécialistes, économistes législateurs et toxicologues font appel à une sorte de dénominateur commun, l'équivalent toxique. En pratique, chaque congénère est affecté d'un coefficient de toxicité (le TEQ), qui varie de 1 pour le 2,3,7,8 TCDD, à 0 pour des molécules reconnues comme totalement sans danger pour l'homme. Ce moyen est en réalité inexact, incomplet, car toutes les substances n'ont pas la même toxicité. Il présente un intérêt informatif et d'alerte ; mais il ne permet pas d'estimer le risque toxicologique réel et même source d'erreur, car le PCB n'a rien à voir avec les autres composés ! Cette méthode de calcul ne devrait plus avoir cour.

Seveso, qui a laissé dans l'opinion le souvenir tenace d'une grande catastrophe écologique et sanitaire, devrait constituer en fait le synonyme de dérapage de l'information ! Les seules victimes sont le directeur de l'usine, qui a été assassiné en représailles par un terroriste, et trente femmes enceintes qui se sont fait avorter, de peur de donner naissance à un enfant mal formé ; alors que l'examen a montré qu'ils étaient en fait tous parfaitement normaux ! Il n'en reste pas moins vrai que la dioxine est nuisible, à chasser résolument.

OGM : le danger n'est pas là où on l'attend !

Frankenstein corporate ? La transgenèse semble être une nouvelle genèse, une planète génétiquement modifiée sort de terre ! Avec du superbétail, des macrosaumons, des moutons usine à laine, des arbres sans cellulose (pour les papetiers), des plantes et des animaux usines à médicaments... et des cochons qui débiteraient des organes de rechange pour l'homme. L'agriculteur deviendrait un « moléculteur » ! Sur le simple plan du vocabulaire, il aurait été moins effrayant de parler d'OGA (A pour amélioré) plutôt que d'OGM (M pour modifié, ce qui est toujours un peu inquiétant !).

On OGMise, on clone à tour d'éprouvettes et d'éditoriaux dans les journaux. D'autant que les biotechnologies occupent le devant de la scène depuis quelque temps. Il est absolument incontestable que les OGM permettent maintenant de fabriquer des médicaments pour l'homme ; il est inconcevable, criminel même, de les refuser. Dans le domaine de l'agriculture, en revanche, la discussion est pour le moins nuancée. D'ailleurs, Dolly l'Écossaise, la « brebissime » clonée, a encore trouvé le moyen de faire parler d'elle. En bonne « ovine » qui se respecte, elle couvre (pudiquement ?) son corps d'une toison, que le vulgum pecus transforme habituellement en laine à tricoter, puis en divers objets utiles, pour le confort du corps et la joie de son cerveau. Même clonée, la nature faisant valoir ses droits, Dolly s'est parée d'une superbe toison, qu'il a bien fallu tondre. La laine a été filée à l'université de Leeds, ville d'Angleterre dotée d'une équipe de foot ne dédaignant pas les joueurs génétiquement français, mais réputée depuis longtemps pour ses filatures et pour ses... chaussettes en laine. La laine de Dolly a été tricotée pour faire un pull-over, qui est soumis à l'admiration sinon la vénération des sujets de la (perfide) Albion. Où est-t-il exposé ? Au musée des sciences de Londres. Dolly relève de la prouesse technologique, elle est donc obligatoirement fragile.

Pour ce qui est des OGM en général, il convient d'en discuter cas par cas. Ceux-là mêmes qui leur sont foncièrement opposés étalent leurs arguments en buvant force boissons sucrées... au sirop de glucose préparé le plus souvent avec de l'amidon de maïs... *made in USA*, c'est à dire largement OGM, comme nous l'avons déjà découvert.

À ce propos, le vocabulaire dissimule des différences importantes. Qu'est-ce qu'un OGM, <u>o</u>rganisme <u>g</u>énétiquement <u>m</u>odifié ? Prenons le cas du maïs. Pour lui permettre de résister à un prédateur redoutable, la pyrale, on prélève le gène (qui gouverne la fabrication d'un toxique pour la pyrale) dans un micro-organisme qui occit tout naturellement cette bestiole ; micro-organisme capable de se multiplier tout à fait naturellement dans le sol. Puis on injecte ce gène dans le maïs, qui devient par conséquent génétiquement modifié, mais qui résiste au prédateur. Autre exemple : on peut chercher à faire produire par une vache de l'insuline humaine dans son lait. Avec cet objectif louable, on peut isoler le gène humain qui gouverne cette importante hormone, puis l'injecter dans un ovule de vache, qui se développera ensuite dans une mère porteuse ; pour devenir une vache produisant un lait très particulier, mais formidablement intéressant.

Les clones, quant à eux, sont tout à fait différents. D'abord, il faut savoir que de vrais jumeaux (y compris humains) sont des clones naturels ; quiconque bouture ou marcotte ses plantes fabrique des clones ! En fait, n'y aurait-il pas grand-chose de nouveau sous le soleil ? La novation avec Dolly est que l'on a pris le noyau d'une cellule ordinaire de la « maman », pour l'injecter dans un ovule non fécondé (d'où on avait au préalable extrait le noyau parental) ; on a fait par conséquent une fille qui est en réalité... la copie conforme physique de sa mère. Scientifiquement, l'exploit est formidablement intéressant. Ses applications sont probablement très contestables pour nombre d'entre elles.

Mais appliquer cette technique à l'homme est inadmissible. Car, depuis que l'homme existe, les enfants sont (généralement...) le fruit de l'amour des parents, qui s'en remettent au hasard, en sachant que l'être qu'ils ont contribué à créer sera un individu unique, irremplaçable. L'égocentrisme n'est donc pas au menu. Se cloner, c'est, au contraire, égoïstement décider de fabriquer un être prédéterminé, physiquement identique à soi-même (intellectuellement, il sera forcément différent ; le clone d'Hitler serait peut-être un doux fleuriste, affirme le spécialiste mondial de la question, Axel Kahn), c'est lui refuser une liberté fondamentale qui constitue la grandeur de l'homme. De quoi donner le frisson... vite une écharpe en laine, d'un OGM (type poulet à dents, à poils et à laine ; ou quelques « veaulatiles »). Ne vous transgénez pas ! Surtout si vous portez un blue-jean fabriqué avec... du coton-OGM chez lequel on a transféré le gène de la couleur bleue, afin qu'il n'ait plus besoin d'être teinté.

Étonnant, rien que pour le maïs il existe quatorze OGM différents ! Comment s'y retrouver, comment les détecter, à quoi servent-ils tous ? Mais il y a mieux : treize transgènes (curieux choix, avec ce chiffre qui n'a généralement pas la réputation de porter bonheur) ont été intégrés dans une variété de riz, par une équipe américaine californienne (associée à des chercheurs de l'ORSTOM français) qui comprend de nombreux Chinois, on comprend pourquoi : modifier le riz est un projet d'ampleur, en cours de réalisation en Chine et au Japon. De quoi permettre d'un seul coup d'améliorer la résistance aux maladies, les qualités agronomiques, le rendement de culture, les qualités nutritionnelles, et le goût !

Quel objectif : le livre des records ou notre assiette ? Sur le plan de l'agriculture mondiale, l'effort est louable : mieux nourrir, à moindres frais, de plus nombreux humains. Par contre, sur le plan de l'environnement on ne peut que se perdre en conjectures... Il est même jaune, ce riz. Ce qui est normal, car riche en bêta-carotène, le précurseur de la vitamine A. Or, la carence en cette vitamine, qui touche des dizaines de millions d'enfants, constitue la première cause de cécité dans le monde ; alors qu'elle est parfaitement évitable par des mesures alimentaires appropriées. C'est le rôle affecté à ce riz-OGM. Poétiquement, les gènes introduits sont, pour deux d'entre eux, ceux de la jonquille ; un autre est issu d'une bactérie dénommée *Erwina uredovora*. De plus, les chercheurs ont doublé la quantité de fer, et ont cherché à faciliter son absorption par l'organisme. Pour ce faire, ils ont procédé au transfert de deux autres gènes. Le premier permet au riz de produire de la ferritine, la protéine de stockage du fer ; le second lui fait fabriquer une enzyme, la phytase, qui dégrade l'acide phytique du riz, lequel réduit l'absorption du fer en l'emprisonnant. Mais le fer reste malheureusement minéral, il aurait fallu qu'il soit héminique, que le riz produise de l'hémoglobine. Ce n'est d'ailleurs pas impossible qu'il en soit capable un jour, puisque le tabac transgénique sait déjà presque le faire.

Pour sensibiliser la femme au problème de la carence en fer, et justifier son addition dans le riz, des chiffres spectaculaires ont été publiés, notamment au Viêt-nam. Un homme trouverait sa ration indispensable en fer quotidienne en mangeant vingt-cinq kilos de riz complet, les femmes soixante-dix, les femmes enceintes cent vingt ! Donc doubler la teneur en fer dans le riz-OGM ne sert pas à grand-chose, sauf chez les dénutris extrêmes ! Des chercheurs ont montré que les enfants de femmes éthiopiennes cuisinant dans des pots de fer sont moins carencés en ce métal ; leur état sanitaire est exécrable, mais, avec cette pratique culinaire, il... n'est que moins mauvais. Par empirisme, les Romains avaient pour habitude de boire l'eau de nettoyage de leurs armures, d'autres de sucer des clous rouillés ou des billes de fer. À quand les épinards transgéniques ?

Mais l'enseignement est meilleur que la charité. Il serait beaucoup plus intelligent de faire en sorte que ces populations puissent manger de la viande rouge ! Malheureusement, le problème est essentiellement politique et économique. Le vieux proverbe africain reste d'actualité : si tu veux nourrir un homme pour un jour, donne lui un poisson, si tu veux qu'il se nourrisse pendant toute sa vie, apprends-lui à pêcher. Il serait navrant que les OGM assurent la survie... de systèmes politiques incompétents ou criminels, qui affament leurs populations.

Le danger OGM peut être subtil, dissimulé derrière la sémantique. Ainsi, le même nom peut cacher des produits totalement différents. Par exemple, sont vendues sous le nom de soja, des huiles sans aucun rapport nutritionnel. Les OGM font... tache d'huile... Le consommateur est perdu, il lui est impossible de s'y retrouver. Ainsi, concernant le soja génétiquement modifié, le risque pour la santé de l'addition du transgène n'est que théorique (il s'agit au contraire d'un autre débat pour ce qui concerne l'environnement). En revanche l'intérêt alimentaire de chacune des diverses variétés est différent, voire opposé. Car, sous le nom de soja (OGM) existent déjà un grand nombre de variétés (OGM) dont les valeurs nutritionnelles des huiles sont extrêmement différentes. Et c'est précisément là que réside le danger. En effet, l'huile de soja, classique et multimillénaire, est réputée excellente grâce à son contenu en acides gras indispensables ; les deux sont présents simultanément, en quantités notables. Toutefois ces précieuses bonnes graisses sont fragiles, elles rancissent facilement, ce qui ne permet pas d'utiliser l'huile de soja pour la cuisson ou la friture. Qu'à cela ne tienne ! Un soja-OGM qui contient beaucoup moins de bonnes graisses a été créé, mais sa valeur nutritionnelle est diminuée d'autant. Pire, comme les acides gras saturés sont résistants, ils ont donc été augmentés dans une autre variété-OGM et vont générer le cholestérol dans le sang, alors que le soja classique réduit le risque d'obstruction des artères. Le danger est donc évident.

D'autres variétés sont mises sur le marché, en fonction de prétextes médiatiques émis par des gourous ou pour tenir compte d'une mode Parfois sur les conseils des scientifiques, mais pour un objectif précis : par exemple afin d'introduire des chaînes d'acides gras courtes pour ceux dont les intestins sont altérés. Et puis d'autres variétés sont encore conçues pour fabriquer des huiles à destinée industrielle, y compris pour faire des plastiques. Quelle cacophonie, sous le seul nom de soja !

Le vrai ridicule est rencontré avec les pommes de terre OGM qui absorbent moins d'huile quand elles sont frites ! Or, ce qui compte réellement, ce n'est pas ce qui a été enlevé, mais ce qui reste. En effet, toutes OGM qu'elles soient, elles conservent beaucoup trop d'une huile de friture qui est souvent trop saturée, donc peu recommandable pour la santé. En revanche, le consommateur, rendu faussement confiant, peut se laisser aller à manger deux fois plus de ces frites mutantes, qui contiennent seulement un peu moins de graisse que les autres, ce qui risque fortement d'aggraver à terme ses problèmes de santé. Quant aux tomates qui ne flétrissent plus, elles ont perdu le signal que la nature émet pour signifier qu'elles ont perdu une bonne partie de leur valeur alimentaire !

Pour rester encore un instant dans le monde des huiles, il y a quelques années, une guerre franco-française, soigneusement entretenue par les cultivateurs de soja américains, a provoqué une importante défection envers l'huile de colza. En effet, un chercheur dans un laboratoire, nourrissant une seule espèce de rats, d'un seul sexe et d'un seul âge, avait constaté que certains d'entre eux présentaient des problèmes cardiaques, à condition d'être forcés à ingurgiter beaucoup d'huile. Un acide gras particulier (l'acide érucique) fut mis en accusation, car cette huile en contenait, à la différence des autres huiles issues d'autres fruits ou graines. Incriminé à tort, s'est-on rendu compte plus tard !

Mais le mal était fait. On sélectionna, de manière classique et naturelle, une variété qui fut dénommée double zéro, car zéro acide érucique et zéro glycosinolates. Ces dernières substances empêchent la thyroïde de fonctionner convenablement : auparavant, les tourteaux de colza (la matière dégraissée, c'est-à-dire principalement les protéines) étaient chauffés, pour les détruire, avant d'être donnés à manger aux animaux. Il en est de même avec les tourteaux de soja. En France, ce colza fut dénommé « nouveau colza », puis colza tout court, l'ancien ayant disparu. Au Canada et aux États-Unis, il lui fut donné un nouveau nom : canola.

Très récemment, une variété de tournesol a été sélectionnée selon la méthode traditionnelle ; elle présente la particularité d'être très riche en acide oléique. Ce tournesol qui produit une sorte d'huile d'olive, a été nommé oléisol. Malgré les apparences, la confusion n'est pas possible, entre lui-même et le tournesol classique, dont la composition est très différente.

La traçabilité et la valse chaotique des étiquettes

Le mot « traçabilité » vient d'être reconnu dans le dictionnaire. Sachons d'où viennent exactement nos aliments. AOC, IGP (indication géographique protégée), marques de qualité sont de rigueur. La DGCCRF veille efficacement. Soit dit en passant, DCCRF signifie : Direction générale de la concurrence, de la consommation et de la répression des fraudes ; il est curieux, mais bien administratif, que la concurrence soit placée dans le sigle avant la consommation. Il n'y a donc pas de souci à se faire, à condition que les aliments arrivent par les circuits normaux de distribution et, par conséquent, contrôlables.

Bien que gênant pour beaucoup, un récent rapport de la DCCRF n'a curieusement pas trop fait parler de lui. Cependant, il est instructif. Résultat inquiétant d'analyses, réalisées en 1996 sur des confitures, purées de fruits, compotes, et publiées dans le rapport 1997 : 37 % des produits n'étaient pas conformes. En numéro 1 des « fraudes » se situait la teneur en sucre (les aliments allégés peuvent soit contenir plus de sucre que ne l'affirme l'étiquette, pour avoir du goût ; soit être moins sucrés, pour probablement coûter moins cher à la fabrication). Puis étaient incriminés : les étiquetages incomplets, la masse nette insuffisante, la présence non déclarée d'autres fruits que ceux qui étaient nommés, des allégations trompeuses (telles que : 100 % pur fruit, sans sucre ajouté).

Concernant les biscuits, les entremets et les pâtisseries, 24 % des étiquetages ne convenaient pas : les erreurs portaient sur la nature de la matière grasse, la rédaction de l'étiquetage, la composition différait de la dénomination de vente. Les fromages n'échappaient pas à la règle : 23 % des fromages blancs n'étaient pas conformes. Globalement, pour ce qui est des fromages allégés, l'essentiel des anomalies portait sur le rapport matière grasse sur matière sèche : il était trop faible dans 45 % des cas, il était trop fort dans 42 % des cas ! Revanche spectaculaire : il y avait seulement 10 % d'échantillons non conformes pour les fromages AOC lait de brebis, 0 % pour les AOC de vache, 0 % pour les AOC lait de chèvre.

Pour ce qui était des préparations de viande hachée, la proportion de produits non conformes atteignait le chiffre spectaculaire de... 68 %, les « erreurs » portant sur le taux de lipides (le gras est vendu au prix de la protéine, il accroît de plus l'onctuosité de l'aliment), le taux de collagène (des bas morceaux sont ajoutés) et la masse nette (il y a moins à manger). N'oubliez pas que l'eau contenue dans la viande vous est vendue à... soixante-dix mille francs le m³ ! Humidifier un aliment est donc rentable. Identification, certification et traçabilité ont du bon, pour faire du bien ; mais il y a évidemment encore des progrès à faire. Veillez donc bien au... grain !

Illettrisme alimentaire

Brillat-Savarin, qui était parent de Madame Récamier, hérédités sensorielles pour tous deux, disait « les animaux se repaissent, l'homme mange, l'homme d'esprit seul sait manger ». Il affirmait d'ailleurs aussi : « La découverte d'un mets nouveau fait plus pour l'humanité que la découverte d'une étoile. » En d'autres termes, si les sens ne sont pas éduqués, l'homme se réfugie sur ses seules perceptions animales, celles de la langue. Il se jette alors sur le sucré. Mais l'homme est-il réellement biologiquement préparé aux morceaux de sucre, cachés dans une multitude d'aliments ? Ce comportement est dangereux, car le meilleur moyen de faire du mauvais gras consiste à manger du sucre en excès. Celui qui est handicapé des sens par manque d'apprentissage profite sans discernement de l'onctuosité des graisses, ignorant que le goût de nombreux aliments est celui de leur gras, et que certaines graisses sont essentielles, indispensables à la vie ; notamment les bonnes graisses poly-insaturées qu'il convient de savoir choisir.

Exemple frappant, lourde démonstration, il est prouvé qu'il existe en Occident une relation directe entre l'obésité et le niveau socioculturel. Les SDF sont plus gros que la moyenne ! Effroyable constatation, injustice énorme et inacceptable, outre-Atlantique, que l'on voudrait occulter en France, alors qu'il faudrait chercher à l'éviter ! Le meilleur moyen de combattre l'obésité est de lutter contre l'analphabétisme alimentaire, et culturel. Rappelez-vous qu'il convient d'apprendre les mots avant de faire des phrases, puis des rédactions ; dans le même esprit, il est obligatoire de connaître les aliments, avant de construire des repas, capable d'élaborer un équilibre alimentaire qui se conjugue sur plusieurs jours, en mangeant de tout, un peu (plus ou moins...). Sinon, le cerveau mal instruit organise mal le corps : il est médicalement incorrect.

Car notre variété alimentaire, indispensable à l'apport de tous les nutriments, nécessite que ces aliments soient connus. Or les perceptions des arômes et odeurs, des couleurs, des sons participent à la symphonie culturelle qu'est l'acte alimentaire. Ceux qui ne les connaissent pas, véritables amputés des sens, se réfugient dans la seule perception du sucré, quasiment innée. Il convient de ne pas l'ignorer, de le répéter.

Mais l'énergie, fût-elle du sucre, à défaut d'être utilisée, est systématiquement stockée sous forme de graisse.

OBÉSITÉ GALOPANTE

Soyons beaux et cultivés, plutôt que bêtes et en mauvaise santé. Pour ne pas enfoncer le clou, et se trouver de reste, une revue britannique démontre qu'il existe une relation nette entre... l'obésité abdominale et la position sociale : plus l'éducation est faible, plus le niveau socioculturel est bas, plus l'obésité est galopante, si l'on peut dire. Une redécouverte de la relation entre l'obésité et le niveau socioculturel : celles et ceux qui vont sérieusement à l'école, dont les parents se sont bien occupés, bref ceux qui ont au moins appris à manger, sont en meilleure forme physique et en meilleure santé que ceux qui n'ont pas eu cette chance, qui ne devrait pas être un privilège. L'obésité est une maladie ! Le plus souvent, ce n'est pas de la faute du patient s'il est obèse. Les origines de son mal ne sont pas toujours celles qui sont invoquées ; car on ne compense pas toujours pour ne plus penser, le plein alimentaire ne remplace certainement pas toujours le vide affectif.

Le sinistre « politiquement correct », aussi hypocrite que dangereux, mais parfois bien pratique pour ses promoteurs, impose que l'ivrogne, alcoolique bien malade, soit désigné comme « un homme à sobriété différée » ! L'obèse n'est-il pas alors un mince alternatif ? S'il a droit, évidemment, au respect dû à toute personne humaine, il n'en est pas moins un malade ; ne pas le reconnaître, ou le cacher, relève de la non-assistance à personne en danger. Or l'obésité, déjà désagréable quant à la restriction de qualité de vie qu'elle apporte, augmente considérablement le risque de maladies, notamment ostéo-articulaires, cardio-vasculaires, diabète (80 % des diabétiques sont obèses), et même cancer (côlon, prostate, utérus et sein) ; elle diminue l'espérance de vie... En France, cent mille personnes meurent chaque année des complications de leur obésité ; cette véritable maladie engloutit de 3 % à 7 % des dépenses de santé publique.

Dans la lutte contre le surpoids, seuls les résultats sont maigres. En revanche, les budgets de marketing et de publicité restent gras, ils font leurs choux... gras de la graisse des autres. Le « delirium de mince » est dans toutes les cervelles. Concernant le surpoids, tout a été invoqué. Quand une fraction notable de la population est trop lourde, alors le risque sanitaire est au rendez-vous. Or, selon l'OMS, l'obésité est désormais une épidémie globe, elle touche tout les pays de la planète, riches ou pauvres ! Un nouveau fléau, en quelque sorte !

Le patrimoine humain n'a pratiquement pas varié depuis des millénaires, alors que le nombre d'obèses augmente dramatiquement depuis quelques années. Il n'y a pas eu de mutations, de mauvaise intervention du Saint-Esprit ; non, mais un autre coupable s'impose : la mal bouffe. Du fait de la loterie génétique, il est statistiquement normal, et donc humainement obligatoire, qu'il y ait des grands et des petits, des minces et des gros. Mais quand les obèses, voire les super-obèses (comme l'affirme l'emphase américaine) représentent une fraction importante de la population, il y a matière à inquiétude ! Il n'est pas honteux d'être cardiaque, boiteux, asthmatique ou insuffisant rénal : pourquoi le serait-il d'être obèse ? Des minces et des gros, oui. Trop d'obèses, non ! Aux États-Unis, la diversité alimentaire est cinq fois plus faible qu'en France !

Pour quelques obèses, leur maladie est affaire de génétique et d'hérédité, pour d'autres c'est une histoire d'hormones, mais pour la majorité il s'agit de mauvaise alimentation. Suivre les scoops médiatiques constitue une solution de facilité : si l'obésité n'est qu'affaire de loterie génétique, victime d'un gène défectueux que l'on peut corriger, ou dont on peut soigner les effets délétères, on risque de se démobiliser, de se laisser aller au fatalisme. Le choix se porte sur le laxisme alimentaire avec l'espoir de pouvoir annuler ses effets pervers avec les médicaments. De tout à n'importe quoi ! Incriminer l'absolutisme de l'ADN est une solution de facilité, l'interprétation en est : ce n'est que la faute à pas de chance, il n'y a que peu d'efforts à faire, en tout cas l'alimentation déséquilibrée ne peut être réellement incriminée. Hypocrisies mortelles ! En attendant béatement la thérapie génique, aussi hypothétique qu'illusoire. Halte à la mode du tout biologie moléculaire et du prêt à porter génétique. Même un virus est suspecté ; haro donc sur le nouvel intrus !

Bien que les choses se passent au mieux, c'est-à-dire moins mal que chez nos voisins et moins pire qu'outre-Atlantique, les surpoids sont nombreux. En France, 37 % de la population est forte : son indice de masse corporelle est compris entre 25 et 30. Cela représente tout de même environ 16 millions d'adultes. De plus, 8,2 % de la population possède un IMC supérieur à 30 ; il s'agit d'obèses. Ils sont environ 3 millions. L'IMC, l'index de masse corporelle est un chiffre qui est obtenu en divisant le poids par la taille au carré (nous l'avons précédemment rencontré au quatrième chapitre de ce livre, à propos des erreurs faites sur les charcuteries). Les disparités régionales sont intéressantes. Le Nord est la région la plus touchée (avec 12,7 %), suivie par la Haute-Normandie (10,2 %), la Lorraine (10,1 %), le Languedoc (10 %). Les régions les moins atteintes sont la Franche-Comté (6,6 %), la Bretagne (6,4 %) la Provence-Côte-d'Azur (6,4 %) puis la Loire et l'Île-de-France.

Il est temps que la prévention de l'obésité soit au... menu des objectifs politiques de santé publique. Car, d'après l'institut Roche, le nombre d'obèses en France a augmenté de six cent cinquante mille nouveaux cas ces trois dernières années, parmi lesquels vingt mille présentent une obésité morbide, avec un IMC supérieur à 40 kg/m² !

LE BON VIEUX TOUR DE TAILLE
RESTE UN INDEX DE LA MAUVAISE FORME !

Très récemment, un article de la plus prestigieuse et très célèbre revue scientifique et médicale, *Lancet*, remet les pendules à l'heure : votre tour de taille est réellement informatif de votre état de santé. Toutes sortes de méthodes permettent de déterminer la masse de graisse. L'une des plus simples est la mesure du pli cutané, mais elle est relativement peu objective si elle n'est pas réalisée par un spécialiste entraîné. On pince la peau à la taille, sur les cuisses ou sur le ventre, et on mesure la dimension des plis formés à l'aide d'un compas étalonné. Mais cette technique ne permet pas de déterminer la graisse profonde.

Le mètre de couturière vaut-il mieux que l'appareil électronique ? Oui, car votre médecin et vous-même, simplement équipés d'un mètre et d'un pèse-personne, disposez de deux renseignements majeurs de base : le tour de taille et le poids ; avec un crayon et une calculette, vous pouvez calculer le rapport entre la taille et le tour de hanches ; si vous désirez une donnée plus complexe, vous calculez l'IMC. Le nutritionniste est équipé – c'est indispensable pour lui – d'appareils plus sophistiqués, que vous pouvez – également mais c'est inutile – acheter chez votre pharmacien ; ils mesurent ce que l'on appelle l'impédance. En effet, si l'eau transporte le courant électrique, la graisse le fait mal. Cet appareil détermine les quantités d'eau que vous avez dans votre corps, et donc indirectement celles de graisses, en mesurant l'aptitude que vous avez de « freiner » le courant électrique. Inutile de faire cette mesure tous les jours, ni même tous les mois : en situation physiologique, votre masse adipeuse ne se remplace que très lentement : il faut globalement un an pour déloger – et remplacer – la moitié des graisses qui y sont présentes (on dit que leur demi-vie est de six mois).

Il est certes connu, d'observation courante, mais peu pris en compte, que le tour de taille constitue un excellent indicateur de votre état de santé, il témoigne en particulier de l'existence d'affections chroniques comme certaines atteintes des artères coronaires du cœur, de risques d'accidents vasculaires cérébraux (l'attaque), de diabète, de certains cancers !

Des médecins hollandais ont mesuré ainsi 5 887 hommes et 7 018 femmes... habitant la ville trop célèbre de Maastricht, mais aussi Amsterdam et une troisième cité. Ils avaient entre 20 et 59 ans. Résultat : ceux qui ont un tour de taille trop élevé (entre 94 et 102 cm

pour les hommes et 80 et 88 pour les femmes) font 3 fois plus d'insuffisance respiratoire à l'effort, 4 fois plus de diabète, 3 à 4 fois plus de
maladies cardio-vasculaires ; presque 2 fois plus de lombalgies et de
hernies discales, beaucoup plus d'hypercholestérolémie et d'hypertension. Globalement, plus le tour de taille augmente, moins bonne est la
santé, pour ne pas parler de la forme. Trop d'embonpoint conduit au...
mal en point !

À votre mètre de couturière, puis à votre assiette ! Si, messieurs,
votre tour de taille dépasse 102 cm, mesdames s'il est au-delà de 88 cm
(avec un « rab » de quelques-uns si vous êtes très grand, un peu moins
si vous êtes petit), attention aux problèmes de santé de tous ordres !

MINCIR N'EST PAS MAIGRIR !

La presse et les médias ont fait un large écho au congrès mondial
sur l'obésité, qui s'est tenu très récemment en France. L'une des
conclusions est que, pour éviter cette pathologie, pour que les enfants
sachent manger, il convient d'apprendre à manger aux parents ! La
mal-bouffe est un véritable fléau ! Maigrir et mincir sont deux choses
différentes.

Peut-on mincir en prenant du poids ? Oui, car l'activité physique
fait fondre la graisse, mais forcir les muscles. La perte de graisse est
compensée par la prise de muscle. Comme la graisse est moins dense
que le muscle, il en résulte une « bonne » augmentation du poids.
Mincir c'est perdre des centimètres de tour de taille, de fesses, de
cuisses et d'ailleurs, la silhouette change, devient plus élancée

Maigrir devrait consister à ne perdre que de la graisse, ce qui
affine la silhouette. Or, de trop nombreux régimes font aussi perdre du
muscle, ce qui est très dangereux, sachant que les cellules musculaires
perdues le sont à titre définitif. Mincir ne fait qu'affiner la silhouette, y
compris en prenant un peu de poids. Le lexique est d'ailleurs
amusant : minceur est associée à finesse, gracilité, ténuité ; alors que
maigrir l'est à décoller, dessécher, fondre.

Évidemment, grandir fait augmenter le poids. En moyenne, un
jeune double son poids entre 10 et 18 ans. Il est donc normal de
grandir à l'adolescence, et de prendre des kilos ! Rejeter ceux qui sont
superflus ne signifie pas, évidemment, éviter de suivre l'accroissement
de poids indispensable, et physiologique, à cet âge de la vie. Mais les
différences individuelles sont parfois importantes : un ado peut
paraître lourd et rond, alors que son poids est normal ; en revanche un
autre jugé mince aura un poids supérieur à la moyenne. Pour le
deuxième, sa charpente osseuse est plus massive, mais, plus probablement il bénéficie d'une masse musculaire respectable, ce qui constitue
évidemment un avantage et une qualité.

L'activité physique n'est pas la compétition ! À dépenses caloriques égales, une heure de marche soutenue vaut mieux que 10 minutes de course intensive. En effet, les glucides (les sucres) sont principalement brûlés lors de l'effort bref (en particulier le glycogène de notre muscle et de notre foie). En revanche, lors de l'effort soutenu, les graisses sont mises à contribution. Une course effrénée de quelques minutes est bien moins efficace que les deux mi-temps du match de foot ; 5 minutes de rock valent moins qu'une heure de danse ou de gymnastique rythmique.

Tout en n'oubliant pas que la notion de simplicité est toute relative. Surtout quand Georges Duhamel affirme : « Vous nous donnerez des huîtres, dit-il. Deux douzaines. Puis des pieds de porc farcis, puis un chateaubriand, puis le plat de fromages, avec une part de tarte pour finir. Quelque chose de simple et de robuste. »

Parler du manger

Ainsi que l'affirme Guy de Maupassant, manquer de vocabulaire : « C'est avoir la bouche bête, en un mot, comme on a l'esprit bête. Un homme qui ne distingue pas une langouste d'un homard ; un hareng, cet admirable poisson qui porte en lui toutes les saveurs, tous les arômes de la mer, d'un maquereau ou d'un merlan, et une poire crassane d'une duchesse, est comparable à celui qui confondrait Balzac avec Eugène Sue, une symphonie de Beethoven avec une marche militaire d'un chef de musique de régiment, et l'apollon du Belvédère avec la statue du général de Blanmont ! »

Un vocabulaire adapté est donc indispensable, notamment pour désigner et reconnaître les bons aliments. Le nombre de mots connus dans un langage constitue un critère de développement des peuples, comme de l'intelligence des individus. Parmi ces mots, il y a ceux de l'alimentation, évidemment. L'approximation dans les mots signe le flou de la pensée et l'affaiblissement du corps. Car, depuis Platon, on sait que « la connaissance des mots conduit à la connaissance des choses ». C'est toujours une joie, et souvent une sorte d'exploit de trouver le terme juste aux mots croisés ou au scrabble, d'énoncer une réponse ajustée à son interlocuteur. Dans le même esprit il est indispensable de savoir nommer les aliments, précision du cerveau et de la parole qui garantit celle du corps et de l'intelligence.

Au cours des âges l'agencement des repas, l'ordre de succession des plats et des mots eux-mêmes ont lentement évolué. Nos grands-parents ont connu le déjeuner, le dîner et le souper ; le premier s'est rétréci en petit déjeuner, les autres se sont décalés. Le troisième a même généralement disparu, sauf pour la collation à la sortie des spectacles. La soupe n'a pas toujours été celle que nous connaissons, même selon Victor Hugo : « Une soupe faite avec de l'eau, de l'huile, du pain et du sel, un peu de lard, un morceau de viande de mouton, des figues, un fromage frais, et un gros pain de seigle. » Les « entremets » n'étaient absolument pas le synonyme de desserts, ce qu'ils sont devenus. La majorité d'entre eux étaient des plats salés : des pâtés, des œufs, des légumes. Les entrées d'alors, viande ou poisson, désignent maintenant en principe des plats du milieu de repas.

Les générations n'ont donc pas toujours considéré le même aliment avec une attention identique. Autres temps, autres mœurs culinaires ! Mais, en fait, toujours les mêmes aliments. Sous le nom de « foie gras », les Romains se délectaient en réalité de foie de porc. Les gourmands des xviie et xviiie siècles recherchaient tout particulièrement les foies de chapon ou de pigeon, tandis qu'ils méprisaient celui de l'oie, réputé grossier et indigeste. La truffe de l'Antiquité et de la Renaissance n'était pas le diamant noir de la gastronomie périgourdine, mais un produit étranger insipide, renommé essentiellement pour sa vertu aphrodisiaque. En revanche, les truffes blanches italiennes actuelles sont succulentes.

Le mariage de l'ail et du persil va de soi dans la cuisine française, mais il avait autrefois une fonction bien oubliée aujourd'hui : le persil étant censé éviter les relents d'ail désagréables pour le mangeur et pour son entourage. Si l'on mange actuellement le melon en hors-d'œuvre, ce n'est pas qu'il soit un légume comme on le croit parfois, mais parce que l'ancienne médecine recommandait de consommer les fruits crus en début de repas. Si on l'assaisonne encore parfois de sel et de poivre, ou si on le sert avec des tranches de jambon cru à la manière italienne, c'est en souvenir d'anciennes associations que nos ancêtres croyaient nécessaires pour corriger sa « froideur » et sa « putrescibilité ».

L'alliance du salé et du sucré, de la viande et du fruit (canard aux pêches, lapin aux pruneaux) qui passait il y a quelques années pour un signe d'excentricité, revient à la mode. Elle était cependant la règle au Moyen Âge et jusqu'à la fin du xviiie siècle : presque toutes les recettes de viande comportent du sucre ! Ce n'est pas, curieusement, pour leur heureuse conjugaison des saveurs que, parfois, ces associations se sont établies et perdurent depuis si longtemps ; car elles ont été imposées par les anciennes croyances diététiques, puis elles sont devenues traditionnelles par la suite ; y étant habitués nous les trouvons attrayantes.

Il faut bien reconnaître, cependant, que l'histoire des mots ne facilite pas les choses : le contenant, la terrine, s'est transformé en contenu ; le pâté était enrobé de pâte et se dégustait chaud. Il n'est pas iconoclaste de trouver de nos jours un pâté (farce cuite au four) dans une terrine.

Curieusement, certains aliments comme les poissons, changent d'identité selon leur nature : le cabillaud frais devient morue quand il est salé ; morue, dont l'étymologie est celtique (*mor* signifiait mer) se dit... *Kabeljau* en allemand comme en néerlandais (d'où cabillaud, par phonétique). Le *stockfisch*, quant à lui, est une morue séchée, dont le nom ne signifie pas la conserve généreuse, la provision pour l'hiver, mais en fait la manière de préparation, par séchage sur des bâtons, des *stoc*. Le lieu de pêche intervient aussi : le loup est l'identité d'un poisson en bord de Méditerranée, qui se dénomme bar dans l'Atlantique, de même que la baudroie devient lotte ; le merlan devient colin en région parisienne. Le mode de préparation entraîne lui aussi ses appellations : l'aiglefin fumé au bois de hêtre et originellement coloré en orange avec un extrait d'arbuste d'Amérique centrale, le roconyer, s'appelle haddock !

Le pistou, dont le nom signifie royal, est la fusion de basilic, d'ail et d'huile d'olive ; ce n'est pas le simple basilic, fantastique herbe aromatique qui ne se cuit pas. Les femmes n'avaient pas le droit de cueillir le basilic, celui qui le récoltait devait n'avoir eu aucun contact avec une femme ayant ses règles, il devait se laver les mains avec des feuilles de chêne ayant trempé dans l'eau de trois sources différentes...

Quelle surprise ! Il y aurait des boissons sèches et des graisses humides ! Dans quelques centaines d'années un lecteur sera surpris sans doute de savoir que, vers 1900, les huîtres se devaient d'être accompagnées de sauternes, ce qui semblait une ineptie aux amateurs de coquillages de la fin du XXᵉ siècle. Dans quelques siècles, un amateur éclairé d'antiquités n'aura sans doute aucun moyen de savoir que les sauternes étaient des blancs doux alors que les pouilly étaient des blancs secs. Pour lui sec sera-t-il seulement l'opposé d'humide ? Comment le saura-t-il ? Sec signifiait en l'occurrence au faible goût sucré et non point fort en alcool. Il s'interrogera sur la signification du personnage de Simenon qui fait certes cul sec, et qui boit sec un vin sec ; dont la qualité est d'être aqueuse, c'est-à-dire pour le moins humide.

Ailleurs, la qualification de sec ne concerne pas le degré d'humidité ni le caractère sucré, mais la consistance du beurre ! En effet, les beurres sont gras ou secs, non pas selon leur teneur en eau, mais d'après la nature des acides gras de leurs graisses. Pour réussir la pâte feuilletée et les croissants il faut un beurre sec qui ne colle pas aux différentes couches de pâte. En revanche, lorsqu'on recherche l'onctuosité dans les brioches, les madeleines et les sauces, le beurre gras est meilleur.

QUAND LE BAGOUT OCCULTE LE GOÛT

Pour J. Rouaud, le personnage incompétent est celui : « Qui n'avait jamais su distinguer entre le persil et les fanes de carotte » ; George Sand enfonce le clou dans sa correspondance : « Elle a entrepris de devenir campagnarde au physique comme elle l'est déjà au moral, sauf qu'elle prend encore des groseilles pour des petits pois. »

Parfois, les grands sentiments masquent les petits arrangements. Des erreurs font mouche, puis souche, hélas ! Leurs auteurs se croient cosmiques, ils ne sont que comiques, au mieux. Le cerveau s'y perd, l'esprit s'y noie et la santé est trompée ! Parfois il ne peut s'agir que de bêtise. Ainsi, les noms de baptême de chefs ont parfois une histoire amusante ou surprenante : le marquis de Beichameil est-il l'inventeur de la sauce béchamel ? Mais l'imbécillité et l'ignorance ont parfois marqué l'histoire de la gastronomie. L'épigramme d'agneau comporte deux pièces traitées à sec, panées à l'anglaise et grillées ou sautées : un morceau de la poitrine et une côtelette. L'anecdote de sa création date, pense-t-on du XVIIIᵉ siècle, car le plat apparaît un peu plus tard dans les livres de recettes. Une femme du monde, un peu « dinde », entendit un jour raconter à sa table, par un de ses hôtes, que la veille, chez quelque noble, les invités avaient savouré (l'esprit se réfère au goût !) d'excellentes épigrammes. Ignorante ou sotte, elle crut qu'il s'agissait d'un plat inconnu pour elle. Sur le champ, elle convoqua son chef, et lui demanda de préparer pour le demain un plat d'épigrammes. Le snobisme n'est pas d'aujourd'hui.

Plus que le langage, la cuisine a ses modes. Le verbe, plus que le contenu, soutient la cuisine, fût-elle nouvelle. Les révolutions gastronomiques sont généralement aussi des révolutions de la terminologie. Selon Jean-François Revel, il faut s'estimer heureux quand elles ne se limitent qu'à cela. En effet, parfois, la vigueur de la terminologie cache le vide du changement. Les innovations rhétoriques de la nouvelle cuisine française sont parfois de véritables diarrhées plus ou moins dégoulinantes de galimatias pédants, quand le chef du restaurant est... toqué ! Leurs mots dépassent leur pensée, et ils ne vont pas bien loin. Les pétales boudent les fleurs pour désigner des feuilles de salade, quand il ne s'agit pas de morceaux de viande. Les noms des desserts sont transmutés en noms d'entrées ; la soupe fuit le rata, pour séduire les fraises, les coulis (vent coulis qui est un courant d'air, il se glisse par les ouvertures), se faufilent à toutes les lignes des menus, du poireau à la framboise en passant par la viande. Le suprême agrémente tout, fort pédant de son superlatif. Symétriquement, les entrées sont appelées avec des noms de desserts, le sorbet de fromage de tête constitue une sorte de sommet du ridicule dans l'association des mots pour désigner un mets. Chassons ces petits maîtres restaurateurs, qui vous ouvrent l'appétit la première fois, mais vous laissent sur votre faim la deuxième. Halte à la démago-illogique, démagogique et tragique.

Ce n'est plus réellement le plat qui attire, mais le mystère ou le déphasage de la syntaxe. Le jargon emphatique a souvent pour fonction de déconcerter, il sidère (au sens propre) le lecteur et impose l'illusion de l'originalité. Ce stratagème est plus facile à mettre en œuvre que l'exécution honnête de recettes éprouvées ; les mots insolites pour ne pas dire inadaptés, intimident à moins qu'ils envoûtent. La surprise ne doit pas reposer sur la mascarade. Qui pourrait imaginer que la Joconde aurait un plus beau sourire si elle avait de la moustache ! Il n'est pas non plus besoin de la coiffer en brosse pour attirer sur elle l'attention. Il ne faut pas faire confiance aux mots les yeux fermés, les oreilles bouchées... et le nez pincé ! Évitons les professeurs de décomposition française.

Les chefs qui vivent la tête dans les étoiles répudient parfois le sens commun : ils sont dans les nuages, pour ne pas dire le « coltard sémantique », trouvant plus facile de tourner les phrases plutôt que les sauces, affublant du qualificatif de tartare tout ce qu'ils n'ont pas eu le temps, ou le courage de cuire ; ignares de biologie végétale et animale la plus élémentaire à travers la côtelette rôtie aux herbes des collines, oubliant que le thym n'en est pas une dans le sens gastronomique, même pour la viande.

Certains restaurants qualifiés de touristiques abusent aujourd'hui ceux qui n'ont pas nos traditions ou notre culture ; on voit se multiplier, par exemple, l'usage dévoyé des herbes, théâtral et prétentieux : le thym pour les grillades, les branches de fenouil pour le loup. Les steaks sont copieusement couverts de thym ; qui ne se mange pourtant pas. Dans le même ordre de gloutonnerie bouffonne, qui va goulûment manger les feuilles de thé qui restent au fond de la théière ? Le thym imprègne de son parfum une sauce, un ragoût ou éventuellement une grillade de mouton ; il doit être jeté sous le gril, les quelques brins qui se consument sur les tisons dégagent les arômes qui vont se fixer sur la viande, et l'enrichir en saveur.

Si le cœur vous en dit ? Ce n'est pas tellement le cœur, ce serait plutôt l'estomac... quand on a faim. Les rillettes renient leur étymologie porcine pour nommer le poisson, et même les légumes. Halte à la déviance des mots : par définition le jambon est obligatoirement fait avec la cuisse du cochon, c'est-à-dire sa patte arrière ; ne voilà-t-il pas que surgissent des « jambons de dinde » et d'autres animaux ! Symétriquement dans le domaine du ridicule anatomique et gastronomique, ne peut-on voir sur l'étalage du gésier et de l'aile de porc ! Des organes qui n'existent que chez les oiseaux et qui n'ont aucun équivalent, même embryologique, chez les mammifères ! Dans le même mauvais esprit, les aiguillettes quittent le canard pour affubler le lapin.

Sur le plat principal, le nom du contenu traditionnel est inversé, surtout en ce qui concerne les viandes et les poissons. Exemple : « rumsteak de sole, pavé de saumon ou darne de bœuf », affublés de l'adjectif mode, pour enfoncer le clou. Pourtant l'étymologie bretonne est claire *darn* signifie tranche de poisson ; il suffit de consulter le dictionnaire ! On y apprend que le gigot est d'agneau ou de brebis, le cuissot de marcassin ou de sanglier, la gigue de chevreuil. Une poissonnière en forme de losange s'appelle turbotière ; c'est une saumonière quand elle est de forme ovale avec deux anses, un couvercle et une grille amovible qui permet de retirer le poisson cuit du court bouillon. La culture nutritionnelle élémentaire ne doit pas confondre une jupe et une robe, une pince à cravate et un fixe-chaussette, une épingle à cravate ornée d'une perle et un cure dent synthétique. Il est vrai que parfois la subtilité peut s'y perdre, selon Michel Tournier : « J'ai un faible pour le travesti alimentaire, les champignons, ce végétal déguisé en viande, la cervelle de mouton, cette viande déguisée en pulpe de fruit, l'avocat à la chair grasse comme beurre, et plus que tout j'affectionne le poisson, cette fausse chair qui n'est rien, comme on dit, sans la sauce. »

Malheureusement appeler un chat par son nom devient un exploit de franchise. En effet, la langue de bois, volant au secours de la chasse aux électeurs et aux clients, génère des expressions folles quand elles ne sont pas délirantes. Ce mouvement se développe, son souci est de ne pas froisser quelques minorités ; il s'exprime donc par euphémismes. C'est ainsi que le fou, délirant et dangereux, est étiquetté comme un être différent émotionnellement ; l'homme blanc n'est que déficient en mélanine, car la substance qui détermine la pigmentation est quantitativement réduite. Le cancer est une longue et cruelle maladie, les chômeurs deviennent des demandeurs d'emplois, la vieillesse devient le troisième âge (et déjà le quatrième, en attendant le cinquième), le vieillard plus ou moins gâteux est chronologiquement gâté. Quant au voisin qui sent mauvais, jusqu'à puer par négligence corporelle, son odeur sera simplement qualifiée de fragrance indiscrète. Le sourd est malentendant, l'aveugle est malvoyant, et bientôt le bien-voyant sera baptisé non-aveugle ! Le corbillard est un véhicule lent terminant souvent son parcours à tombeau ouvert. On ne se désaltère plus, on se « désoiffe » ! Les néologismes sont le vocavulaire en marche !

En termes de santé cette déviation peut devenir catastrophique : pourquoi ne pas se suicider immédiatement ? Car, comme le disait un humoriste, la vie est un état précaire qui ne présage rien de bon ; puisque tout cela se termine par la mort.

LA TAILLE, L'ALIMENT ET LE CERVEAU :
GRANDIR SANS S'ABRUTIR ?

Une observation, pourtant courante, ne cesse de susciter l'émerveillement : la taille augmente, les enfants sont plus grands que leurs parents. Mais pourquoi donc ? Pour plusieurs raisons, médicales, entre autres ; mais aussi et surtout parce que l'alimentation est meilleure. Une autre explication : les enfants ne sont plus obligés de faire des travaux physiques pénibles, qui « figeaient » leur squelette et « nouaient » leurs muscles. Les restes du célèbre écrivain Alain Monier, tué pendant la Grande Guerre, ont été identifiés grâce aux galons attachés à un squelette ; car il était officier : il mesurait donc 15 cm de plus que les soldats, qui étaient tous de petite taille. Le bourgeois, qui mangeait mieux et roboratif, était plus grand que le paysan ou l'ouvrier à la ration frugale et tristounette.

Le patrimoine génétique humain doit être adapté à une taille idéale. Laquelle ? En mangeant quoi ? Les Japonais sont en excellente santé sur le plan cardio-vasculaire, tout au moins ceux qui vivent sur la côte et mangent beaucoup de poisson, car la santé de ceux qui vivent dans les terres est moins brillante. Mais il n'en reste pas moins vrai que ceux qui viennent vivre aux USA dans leur jeune âge mesurent, devenus adultes, quinze centimètres de plus que leurs frères jumeaux restés au pays du Soleil Levant. Il faut avouer qu'ils s'affublent en même temps de trente kilos superflus. L'alimentation japonaise n'est donc pas idéale pour assurer la taille optimale. L'alimentation américaine est manifestement mauvaise pour le tour de taille. Sans aller très loin, sur notre palier, le jeune Portugais est généralement bien plus grand que ses parents... Il y a quelques millénaires, Cro-Magnon mesurait 1 m 85, car il était foncièrement omnivore ; ses descendants, devenus moins carnivores avec l'invention de l'agriculture, ont perdu 15 cm ; ils n'ont été repris que récemment.

Mais l'espèce humaine peut-elle grandir encore, dépasser allégrement les 2 mètres ? Nul ne le sait. Quelques esprits chagrins ne manquent pas d'observer que, si la taille augmente, il faut alors une quantité plus grande de cerveau pour commander la masse musculaire supplémentaire. Comme le cerveau ne semble pas pouvoir grossir, la bêtise crasse guetterait les futurs géants, car la commande des muscles serait prise au détriment d'autres fonctions cérébrales. Il est vrai que c'est ainsi que les gigantesques herbivores ont disparu, il leur fallait d'ailleurs pratiquement des cerveaux relais pour commander leur monstruosité. Toutefois, il existe une version optimiste des choses : notre cerveau n'est pas utilisé à sa pleine potentialité, il a de la réserve. Il suffit d'y puiser.

Preuve pourrait en être trouvée chez les populations primitives de la Nouvelle-Guinée que nous avons déjà rencontrées précédemment.

Elles en sont au même stade, ou peu s'en faut, que Cro-Magnon, c'est-à-dire qu'elles sont figées à l'âge de pierre. Or, quand un nouveau-né de chez eux est transféré dans une grande ville occidentale, il s'adapte parfaitement à notre civilisation. D'entrée de jeu Dame nature et Dieu le Père ont offert à l'homme un cerveau dont les potentialités étaient phénoménales. Avec les mêmes neurones, l'homme a progressé de Cro-Magnon jusqu'à nous ; d'autres progrès aussi spectaculaires sont prévisibles.

Le comportement alimentaire

S'alimenter remplit deux fonctions principales, qui sont contrôlées par le cerveau : le maintien de l'équilibre énergétique et les relations avec l'environnement. La conservation et le développement de la vie impliquent la satisfaction de besoins énergétiques, matériels, affectifs et moraux, dont le plaisir de la gastronomie. Ce sont les nutriments qui fournissent un apport constant d'énergie et de matière à la cellule vivante et donc aux neurones.

L'équilibre énergétique vise à maintenir la stabilité du poids corporel, moyennant des variations physiologiques qui peuvent être dues à l'âge ou à des circonstances extérieures. On considère ainsi qu'une augmentation de la masse grasse avec l'âge est un processus programmé génétiquement. D'autre part, on connaît dans le règne animal des exemples de variations importantes du poids : animaux hibernants, oiseaux migrateurs. Un mécanisme de pondérostat – appelé aussi adipostat – assure le maintien du bilan d'énergie ; il s'agit d'une valeur donnée, variable d'un sujet à l'autre, qui peut se modifier chez un même sujet au cours du temps. Les variations de poids sont donc assimilées, peut-être de manière trop simpliste, aux modifications du tissu adipeux.

Les signaux qui déclenchent ou accompagnent la prise alimentaire (la sensation de faim) et ceux qui la terminent (la sensation de satiété) sont d'abord d'ordre métabolique. Leur nombre n'a d'égal que leur imprécision. Chaque « chapelle », chaque « écurie » de biochimistes prétend que son poulain contrôle les autres. Plusieurs types de stimuli métaboliques ont été ainsi promus.

On a longtemps pensé que le signal d'alarme était un faible taux de sucre dans le sang. En réalité, le stimulus est plutôt lié au degré d'utilisation du glucose, mesuré par sa différence de concentration entre les artères et les veines. Lorsque cette différence est forte, la faim apparaît. Il existe ainsi des récepteurs glucidiques au niveau du foie et du cerveau, plus précisément dans l'hypothalamus. Il semble également que la faim et la satiété soient déclenchées par un mécanisme lié aux lipides qui n'est pas clairement compris, car il est très complexe et particulièrement subtil. En effet, on sait maintenant que la dégradation des lipides, des graisses, ainsi que l'élévation de la concentration des acides gras libres plasmatiques réduisent la prise alimentaire. En revanche, le jeûne, avec sensation de faim intense, s'accompagne aussi d'une lipolyse accrue. Les contrôleurs sont aussi les acides aminés, car les protéines ont un pouvoir rassasiant particulièrement élevé. Bien plus, un seul acide aminé, la sérotonine, est l'un des neuromédiateurs de la satiété.

Enfin, l'hypothermie et l'hyperthermie observées respectivement avant et après le repas révèlent la prise alimentaire ou l'arrêt du repas. Accompagnant et parfois devançant les stimuli métaboliques, les excitants du psychisme et des organes des sens sont nombreux, subtils et raffinés. Les qualités comme la couleur, l'odeur, le goût, la consistance constituent ce que l'on appelle la palatabilité d'un aliment. Celle-ci joue un rôle considérable comme excitant en début de repas, permet sa prolongation et signe sa fin ; ainsi bien sûr que dans la détection, l'identification et le choix de la nourriture. Lorsqu'elle diminue au cours du repas, elle peut être réveillée par certains aliments : c'est précisément le rôle des desserts sucrés. Elle peut aussi s'inverser en fin de repas, et entraîner l'apparition d'une sensation de dégoût. Elle peut également être responsable d'anomalies des ingestions, augmentées lorsque les qualités sensibles des aliments sont grandes, ou diminuées dans le cas inverse. Cette situation aboutit à des perturbations du bilan d'énergie, pendant des périodes brèves chez l'animal, mais parfois plus durablement chez l'homme. On s'interroge sur son rôle à long terme dans le déclenchement de certaines obésités.

Les sensations gastriques ont toujours été populaires. Le rôle de la sensation de vacuité ou de plénitude gastrique est maintenant considéré comme accessoire, bien que le fameux « creux à l'estomac » ait la vie dure, voire la dent longue ! L'intestin alerte lui aussi l'organisme (et donc le cerveau) à l'aide de récepteurs à diverses molécules chimiques (appelés chémorécepteurs intestinaux), qui sont sensibles aux concentrations en acides aminés ou en glucides. Les récepteurs gastriques et intestinaux participent sûrement au contrôle du volume des repas, en informant les centres cérébraux sur la quantité et la nature des aliments ingérés.

Une structure très particulière du cerveau, l'hypothalamus, joue un rôle dans la faim et la satiété. Mais de nombreuses régions cérébrales contribuent également au contrôle et à la régulation de ces centres (la plus importante est limbique). Elle met la prise alimentaire en connexion avec les autres influences comportementales, la sexualité, mais aussi la mémoire, l'apprentissage. Enfin, le comportement alimentaire peut être modulé par des neurotransmetteurs regroupés sous le terme générique de catécholamines. Ils ont une influence sur la faim et certains stimulent la prise alimentaire, tandis que d'autres l'inhibent. La sérotonine serait active sur les centres de la satiété. Des neuropeptides (les enképhalines) ont probablement aussi un effet qui n'est pas encore totalement élucidé.

Certaines substances pharmacologiques ont été très utilisées pour leur action anorexigène, c'est-à-dire coupe-faim, de même qu'un grand nombre de dérivés d'amphétamines qui donnent une sensation euphorique. Mais leur emploi n'est pas sans danger, puis qu'elles risquent de produire des effets secondaires. Il s'agit d'accélération du rythme cardiaque, d'élévation de la pression artérielle, d'insomnie. De plus, l'accoutumance au produit peut entraîner l'augmentation progressive des doses, et, à l'arrêt du traitement, un état dépressif. Les produits coupe-faim actuellement vendus en France ont un faible effet excitant, mais restent contre-indiqués en cas de tendance dépressive. Certaines autres substances pharmacologiques ont d'ailleurs également des effets anorexigènes : c'est le cas de certains antidépresseurs !

LA NATURE HUMAINE

Pour l'enfant, « manger » est le mot le plus important après « papa » et « maman ». Il détermine toute sa vie, au point que chacun finit par devenir ce qu'il mange, dans une certaine mesure. Bien que l'alimentation réponde d'abord à la nécessité physiologique de maintenir l'équilibre énergétique et structural de l'organisme, nous mangeons également par besoin de satisfaire nos désirs, comme on comble une passion amoureuse. Manger plus que le nécessaire, trouver dans l'aliment ou la boisson le plaisir, la consolation, l'oubli, l'évasion ou la communication avec l'autre, ou au contraire refuser de s'alimenter pour protester contre une injustice, tous ces comportements sont des motivations affectives, psychosensorielles et symboliques. Irrationnels, ils n'en sont pas moins adaptés et ciblés. Ils contribuent à la recherche et à l'affirmation d'un soi fragile.

Mais à son tour, le comportement alimentaire dépend de facteurs physiologiques et psychologiques, dont la finalité est d'assurer la couverture des besoins de l'organisme grâce à une ration alimentaire équilibrée. Cette notion s'est d'ailleurs développée en même temps que le degré de civilisation. L'homme primitif n'avait que les produits de sa chasse, de sa pêche et de sa cueillette pour survivre avec plus ou moins de fortune. Par la suite, il a cultivé, sélectionné, élevé et promu des aliments plus abondants et plus variés, il a créé une cuisine et des plats plus attrayants, aux goûts plus subtils. La faim, l'appétit et la gastronomie : trois étapes qui distinguent l'homme de l'animal, parce qu'il a un cerveau... La vie est un équilibre entretenu, comme le souligne Henri Bour. Grâce et pour l'intelligence, chez l'homme.

LE SYMBOLISME PERSONNEL ET SOCIAL

L'homme a autant besoin de symboles que de nutriments et tous deux sont simplement chargés de sens. Manger n'est pas simplement se nourrir : c'est aussi participer à un groupe et communiquer à travers un langage. Ce faisant, la conduite alimentaire peut être le support de finalités bien étrangères à la nutrition. Bien plus, l'alimentation présente un certain caractère héréditaire : il existe une hérédité sociale et culturelle dans les familles où l'aliment est transmis comme un langage. Ce sont donc des causes profondes qu'il faut souvent évoquer en présence d'une conduite alimentaire restrictive ou excessive.

La sensation fait partie du domaine privé, du domaine de la pensée. Que représente le plaisir de la table ? Un va-et-vient incessant s'instaure entre le cortex cérébral et le palais qui déguste. La conscience du soi et du non-soi, du milieu intérieur et extérieur (social) passe par l'alimentation, et mieux, par la gastronomie. Bien mieux, ou bien pire pour les esprits chagrins : la gourmandise est une mutation, un succédané du besoin qu'elle finit par gouverner complètement. Mais le Bon Dieu ne peut pas s'offenser de ce petit raffinement, car Il est Lui-même tout excellence, aurait pu dire un père jésuite.

En effet, aujourd'hui, notre comportement alimentaire est caractérisé par l'angoisse et l'ambiguïté alors que les civilisations qui nous ont précédés ne remettaient jamais en cause la légitimité de leurs modes alimentaires. Notre angoisse exprime, entre autres, le désir d'une alimentation rationnelle, mais aussi l'ignorance que nous avons de la provenance de nos aliments, de leur utilité, de leur rôle, de leur mode de fabrication, parfois de leur nature même. L'ambiguïté de notre comportement alimentaire tient à la coexistence de ces deux rêves, ou de ces deux cauchemars : celui de manger la nourriture naturelle du bon sauvage, et celui de manger la nourriture, bonne pour la santé de l'homme de demain. Malheureusement, les deux désirs ne sont pas toujours concomitants. Les techniques nouvelles, par exemple, sont présentées, sinon perçues, comme un moyen de revaloriser les produits naturels (lyophilisation, surgélation, micro-ondes). Inconsciemment, on cherche l'hypernaturel, comme on parle d'hyperréalisme en peinture, à côté du surréalisme, comme si une alimentation nouvelle pouvait devenir meilleure pour le corps humain que la simple nourriture production de la nature. C'est l'éclosion d'une nouvelle culture alimentaire comme en témoignent la publicité, la presse, la télévision. Mais l'ignorance engendre la peur : les journaux et les revues, en écho à cette grande angoisse, titrent parfois : « Alimentation : danger. »

Bref, on se demande un peu s'il n'y a pas, outre le danger d'avoir trop à « bouffer », un danger tout simplement à manger ! Pire, le plaisir est considéré comme illicite. Notre civilisation vit intensément le plaisir oral comme une punition, car la maladie, punition du plaisir, est un leitmotiv qui habite au plus profond de nous-mêmes. La flagellation de l'alimentation a suivi celle du sexe, la syphilis fut la punition de Vénus, l'obésité est celle de l'embonpoint. La levée des interdits séculaires, religieux et sexuels a laissé un vide rapidement comblé par les interdits alimentaires, tout aussi perfides et anxiogènes. Sous la houlette et le bâton de terroristes de la « scientificité alimentaire » tristes, austères et secs, puritains et rigides, faussement rigoureux mais sûrement sévères, qui nous oppriment au nom de notre bien. Il faut cesser de pourchasser l'onctueux qui est le fondement du plaisir de la bonne chère.

Chez l'homme, la conduite alimentaire ne peut en effet être réduite à une recherche de nutriments. La fonction physiologique et le sens de la conduite alimentaire ne doivent pas être confondus. L'aliment n'est pas seulement une source de nutriments, mais un objet du monde extérieur que l'organisme cherche à s'approprier. Ainsi, l'aliment reste imprégné du plaisir et de l'agressivité originels. Dans la relation avec la mère, le plaisir de sucer est associé à celui d'incorporer un objet qui vient de la mère. Dans sa forme autoérotique, le plaisir devient ainsi indépendant de l'acte nutritionnel. La bouche érotisée est source de satisfactions autres que seulement alimentaires.

De toute évidence, la conduite alimentaire peut prendre un sens purement sexuel. La pathologie offre de nombreux exemples où le corps est utilisé comme moyen d'incorporation et d'appropriation au service de buts sexuels : la faim n'est pas toujours, dans l'obésité par exemple, la seule motivation de la conduite alimentaire. Quant à l'agressivité, elle trouve dans les morsures un moyen d'expression privilégié. L'enfant qui mord ou l'adulte végétarien expriment d'emblée dans leur conduite toute une partie de leur dynamique existentielle.

Chaque homme et chaque société ont donc leur type alimentaire. Entre ce que l'homme mange et ce qu'il est, il existe une relation dynamique qui puise au plus profond de ce qu'il désire être, et de ce que les aliments lui permettent d'être. Ces derniers revêtent donc un symbolisme à la fois personnel et collectif qui constitue une sorte d'écran à la perception de leurs propriétés nutritionnelles pures et simples.

Comme l'affirme péremptoirement le philosophe Alain : « C'est devant la tranche de bœuf et la pince de homard, que l'on devine si un homme est capable de gouverner. » La conduite alimentaire n'engage pas seulement la personnalité individuelle avec ses besoins et ses motivations propres. La conduite alimentaire de l'homme, être social, ne peut être comprise que replacée dans sa dimension collective. Le repas n'est pas une jouissance solitaire. Dans toutes les civilisations, il occupe une place considérable, dans les rites, les coutumes et les habitudes de l'amitié, de l'hospitalité, à l'occasion des fêtes ; le repas favorise la communion du groupe, il est prétexte au rassemblement. Il est d'ailleurs peut-être difficile de savoir si c'est le besoin de se nourrir ou celui de communiquer qui a présidé à la décision du groupe d'organiser un repas. Ainsi que le disait Paul Valéry : « Un homme seul est toujours en mauvaise compagnie. »

La prise alimentaire revêt également une signification sociale et culturelle : le repas pris ensemble réunit la famille, resserre ses liens d'autorité et de dialogue. Les dîners de fête, les déjeuners d'affaires sont des prétextes pour favoriser la communication sociale (la communion, au sens étymologique). Dans sa dimension proprement biologique, l'aliment n'est plus alors que secondaire. La cuisine est d'autant plus élaborée que les significations symboliques et sociales sont valorisées. La diététique, surtout celle du cerveau, celle qui œuvre pour lui dans tous les organes, n'est pas désincarnée. Esthétique et éthique s'y mêlent pour forger ensemble des préceptes qui vont de la biochimie au plaisir, au point de pouvoir presque parler de « diétét*h*ique » cérébrale.

MAL MANGER REND-IL AGRESSIF ?

Explosion dans une université pour jeunes filles de la préfecture d'Hiroshima ! Madame le professeur Suzuki a constaté que l'absence de petit déjeuner, associée à un déséquilibre alimentaire, irrite les jeunes, les énerve et les rend agressives ! Au lever du soleil, au pays du Soleil Levant, l'estomac vide met les nerfs en boule.

Une enquête montre que 20 % des enfants nippons sont énervés tous les jours ; mais que 80 % d'entre eux souffrent de stress. Rien d'étonnant, quand on connaît la compétition à laquelle sont soumis les jeunes, dès la maternelle. L'absence de petit déjeuner est source de problèmes psychiques. Ce qui est facile à comprendre : faire face à des situations de compétition en état d'hypoglycémie ne constitue certainement pas le meilleur moyen de réussir. Hallucinant résultat d'une enquête : 63 % des mères estiment que les divers délits commis par leur progéniture sont la conséquence de troubles alimentaires !

La faute en revient aux sucreries et aux boissons sucrées, qui engendrent une hypoglycémie réactionnelle (du fait de la sécrétion d'insuline ; nous avons déjà abordé ce problème). Horreur au pays des rizières : les budgets consacrés à l'achat du riz et du sucre se sont inversés en 1987 : actuellement, chaque foyer nippon consacre près de deux fois plus d'argent pour les sucreries que pour le riz ! Conclusion japonaise, devenue mondiale : il faut apprendre aux parents à manger, à faire des repas structurés. La famille-hôtel-réfrigérateur-auberge-espagnole, où chacun mange ce qu'il veut, quand il peut (ou veut) constitue une véritable catastrophe sociale et alimentaire, donc sanitaire.

Mais, quelque part, le repas ne serait-il pas le symptôme, plutôt que la cause ? L'alimentation ne serait-elle pas le bouc émissaire ? Ou encore le prétexte d'autant plus facile qu'il semble facile à corriger, estimé comme étant un simple geste technique aisément réalisable. En effet, la mésentente du couple, le laxisme, la démission, voire la restriction des relations sociales et affectives ne sont-ils pas aussi à l'origine des troubles ? Les repas sont évidemment touchés par ces facteurs. Une meilleure alimentation ne résoudra pas tout, cependant, un repas structuré témoigne d'une vie sociale favorable, sinon normale. Cro-Magnon, qui ne savait pas coucher sur la peau de renne ses pensées, l'avait déjà certainement observé ; mais les philosophes grecs se sont donné la peine d'écrire que dans un repas compte pour moitié ce que l'on mange, et pour autre moitié avec qui et comment on le mange. Dès le XVIᵉ siècle, les traités de savoir-vivre ont foisonné ; bien se tenir à table fut toujours un signe de civilisation, sinon de culture. Tout un programme pour l'éducation nationale.

CONCLUSIONS

La responsabilité du mangeur est largement impliquée dans l'acte de manger, qui lui confère en outre une identité culturelle. Mais cette responsabilité devient de plus en plus difficile à assumer. En effet, après des siècles d'un modèle alimentaire essentiellement nourrissant, c'est maintenant la notion d'équilibre qui prédomine ; elle est plus difficile à appréhender, plus délicate à mettre en œuvre. D'autant que la crainte ne réside plus dans le manque, mais dans l'excès et l'inconnu. Le fournisseur naturel d'aliments, l'agriculteur, doit faire face à cette mutation : après une course à l'augmentation du rendement et du productivisme, l'avenir est à la qualité. Car la digestion commence bien avant la bouche, elle débute chez l'agriculteur.

Globalement, la qualité d'un aliment, se définit selon deux classes de critères. La première prend en compte sa valeur nutritionnelle ; la seconde assure sa sécurité d'utilisation. Ainsi, la garantie d'absence de toxiques, de contaminants, de micro-organismes et d'autres parasites ne certifie absolument pas de son intérêt alimentaire. Un sachet de terre stérilisée, insipide, pour être sûr n'en est pas moins sans intérêt ; sauf si persistent quelques vers de terre, aseptisés ! Actuellement, la chasse obsessionnelle aux contaminants occulte tout ; le risque de méprise est immense, car les incidents d'intoxication sont rarissimes en comparaison des maladies, y compris mortelles, engendrées par les déséquilibres alimentaires, chroniques, qui font le lit des pathologies du futur. Avec la mode de la sécurité, tout doit être propre et moderne, policé et spacieux ; bref non engageant.

L'alimentation, c'est la santé. Nul ne l'ignore, mais trop peu nombreux sont ceux qui en tiennent compte dans leur pratique quotidienne. La part donc est belle pour les maladies cardio-vasculaires, les cancers, le diabète, l'obésité, l'hypertension, et bien d'autres calamités, pourtant évitables ! Ainsi, par négligence ou par ignorance, le mangeur ne sait malheureusement pas gérer la pléthore alimentaire qui inonde les pays occidentaux. À l'heure où le droit des consommateurs est privilégié, à un moment où l'attention est focalisée sur des problèmes mineurs, voire mythiques sinon faux, il est inadmissible qu'une information fiable ne leur soit pas donnée ; leur devoir est de la rechercher.

Il convient de remettre les pendules à l'heure, de divulguer énergiquement la vérité. Pour les consommateurs, l'information s'impose ; pour les médecins l'enseignement de la nutrition qu'ils reçoivent au cours de leurs études doit dépasser la portion actuelle, très congrue. Après les résurgences et les récurrences, il est temps de se préoccuper des émergences ; en 1825, Brillat-Savarin affirmait déjà : « Le sujet matériel de la gastronomie est tout ce qui peut être mangé ; son but direct est la conservation des individus, et ses moyens d'exécution, la culture qui les produit, le commerce qui échange, l'industrie qui prépare, et l'expérience qui invente les moyens de tout disposer pour le meilleur usage. »

Dans un pot-au-feu, une omelette aux cèpes, un coq au vin, un civet, se nichent des extraits d'histoire, des fragments de sociologie, des morceaux d'anthologie, des éléments de psychologie, une parcelle d'œuvre d'art, un paragraphe de médecine, un chapitre de biologie, un travail d'économie, et... des travaux pratiques de plaisir. Le repas aiguise la réflexion et enflamme l'imagination ; le cuisinier y a mis une conception du monde, une morale (à moins que ce ne soit une éthique ?). Le choix dans le répertoire des aliments proposés à la consommation constitue un acte culturel absolu, un exercice de liberté.

Il faut s'adonner au plaisir avec plaisir ! Et faire jouer de la flûte enchantée aux neurones. Pour l'être humain, l'absence de plaisir n'est-elle pas une forme de douleur ? Mais le plaisir de l'homme, en particulier celui du gourmet, n'est certainement pas celui de l'animal. Ce plaisir n'est pas réflexe, immédiat et sans lendemain. Bien au contraire, avec son cerveau, son cortex surtout, donc son intelligence, l'homme prévoit, imagine, rêve et analyse. Il se souvient. Dans cette mesure chacun vit donc le même plaisir de manger de mille manières différentes. Toutefois, autant qu'un acte physiologique, le repas constitue un processus socialisé de communication. La nutrition nous immerge dans la communauté humaine, au point que le savoir manger est également un « savoir-vivre ». Car le comportement alimentaire recèle une dimension symbolique et culturelle essentielle. Ce que pense le cerveau de ce qu'il mange est fondamental. S'il n'est pas comblé, assouvi, son fonctionnement est perturbé. Il ne peut plus alors assurer correctement la coordination du corps ni celle de la pensée, encore moins celle des plaisirs. Le cerveau a besoin d'être bien nourri :

sa jouissance fonde son efficacité et son intelligence, elle lui permet de gouverner le corps ! Le repas : un grand jeu de... satiété, « grasse » à une bonne assiette.

Nous sommes charnellement, physiquement et culturellement, ce que nous mangeons. Se nourrir est physiologiquement animal, manger est humain, déguster est un art. Car les aliments issus de la nature sont transformés en mets par la culture, les apprécier constitue une plaisante obligation. Cette transformation culinaire est indispensable, car elle permet aux fractions utilisables de la nourriture de devenir plus accessibles. L'exploitation de l'incontournable variété des aliments nécessite que l'on trouve du plaisir en les mangeant. Un aliment jugé insipide n'est pas consommé, mais son élimination peut induire des carences.

Le plaisir esthétique et biologique de l'alimentation, véritable « diétét(h)ique », est physiologiquement indispensable. Résistons donc à tout, sauf à la tentation. L'efficacité des organes des sens, source de plaisir légitime, constitue déjà un objectif de bonheur en lui-même ; en prime, c'est elle qui fonde l'efficacité de tous les autres organes et de tous leurs rôles et missions, car elle assure la consommation de la diversité des aliments nécessaires au fonctionnement harmonieux des diverses parties du corps. La nécessité fait la vertu et la vertu devient plaisir. L'équilibre de l'esprit et celui du corps ont leur berceau dans celui des aliments.

Manger garantit non seulement la plénitude des réserves nutritionnelles, mais encore un plaisir qui guide et récompense. La gourmandise n'est plus un vilain défaut, ni un péché capital sinon capiteux. Le plaisir de manger est l'un de ceux pour lesquels notre organisme est préprogrammé. C'est un plaisir noble. La gourmandise est spécifique à l'homme, elle peut être considérée comme un heureux mécanisme qui déclenche la prise alimentaire, pour l'adapter aux besoins de l'organisme. Ce n'est pas une toxicomanie, car elle n'engendre ni tolérance ni dépendance : la même quantité d'un aliment procure toujours le même plaisir, et il n'est point indispensable d'augmenter la dose pour en pérenniser l'effet. Le péché est au contraire de n'être pas gourmand ! Science et magnificence des sens : la conception d'un repas !

La gastronomie : le huitième art ? La gourmandise : peut-être septième péché capital, troisième vertu biologique certainement ! La gourmandise fut mise à l'index par saint Thomas d'Aquin, qui établit la célèbre liste des péchés capitaux. Mais il faut resituer sa proscription dans le contexte de l'époque : au XIIIe siècle, la pénurie imposant le partage des denrées alimentaires, son objectif était davantage de vaincre l'égoïsme, que de lutter contre la gourmandise. L'éthique de la gourmandise est à cultiver au contraire à l'égal d'un trésor culturel. Dans l'immuable et permanent débat entre l'inné et l'acquis, la priorité, en termes de nutrition, se situe au niveau de l'utilisation de l'inné par l'acquis (à la condition expresse d'avoir « organisé » les perceptions sensorielles dans le cerveau ; comme on apprend à marcher pour pouvoir danser, à écrire pour pouvoir composer).

Il est temps de réconcilier deux penseurs que tout opposait ; Voltaire, qui écrit « le plaisir est l'objet, le devoir et le but de tout être raisonnable » et saint François de Sales : « Il faut soigner le corps pour que l'âme s'y plaise. » En accord avec le plus grand des gastronomes, Brillat-Savarin : « Toutes les sensations ayant pour centre commun l'âme, attribut spécial de l'espèce humaine, et cause toujours active de perfectibilité, elles y ont été réfléchies, comparées, jugées ; et bientôt tous les sens ont été amenés au secours les uns des autres, pour l'utilité et le bien-être du moi sensitif, ou, ce qui est la même chose, de l'individu. »

L'ALIMENT : LE CENTRE DE GRAVITÉ

Chaque aliment se situe au carrefour de nombreuses exigences. Pour simplifier, on pourrait considérer qu'il se trouve au centre de gravité d'un octogone, ou plutôt d'une étoile à huit branches dotées de huit caractéristiques : nutrition, santé, aspect (et présentation), sociologie, environnement, toxicologie, authenticité (et terroir), faisabilité technique.

L'aliment est simultanément tout cela ; aucun facteur ne peut être négligé. Il convient en outre de ne pas trop déformer l'étoile, en évitant de lui dessiner une branche démesurée. L'obnubilation toxicologique actuelle rend l'étoile difforme, au détriment des sept autres caractéristiques, y compris parfois l'objectif fondamental d'un aliment, qui est de nourrir en faisant plaisir. Un très bel aliment peut n'avoir qu'un médiocre intérêt nutritionnel ; voire être toxique comme la superbe amanite. L'emballage « chiffon-terroir » ne garantit pas l'origine. La recherche forcenée du bio est à peu près inutile dans un cadre de déséquilibre entre les aliments. Dans une civilisation industrielle, où l'on ne peut pas envisager de mettre les villes à la campagne comme le proposait un humoriste, il convient de savoir élaborer les aliments, les conserver et les transporter. Et d'être responsable : ce n'est pas à l'agriculteur ni à l'industriel de prévoir (et donc de prévenir) toutes les négligences possibles de la chaîne alimentaire jusqu'à l'estomac ! Le rêve rousseauiste est souvent loin de la réalité quotidienne.

À trop oublier le caractère social du repas, et la nécessité pour l'aliment d'être pris en compagnie, on en vient aux fast-food, assortis de toutes les déviations imaginables. Comme l'aliment sert à construire, comme nous devenons ce que nous mangeons, à la suite d'une mystérieuse transmutation, alors nous exigeons de lui naturel et authenticité. À défaut de savoir ce qu'est l'aliment, nous lui demandons de respecter les normes multimillénaires qui nous rassurent.

Votre alimentation engage jusqu'à la santé de vos enfants et petits-enfants ! Ainsi, un fœtus soumis à de lourdes restrictions alimentaires pendant la grossesse de sa mère (et qui naîtra avec un poids très inférieur à celui que sa physiologie lui aurait conféré), présentera des risques accrus de diabète et d'obésité, qu'il transmettra à la génération suivante ! Car l'alimentation induit de véritables effets transgénérationnels immédiats, une sorte d'hérédité de certains caractères acquis, révolution dans les découvertes récentes de la génétique ! Dans l'histoire de l'humanité, ce fut sans doute un avantage, car il n'y avait pas besoin d'attendre la sélection naturelle néodarwinnienne pour s'adapter à une nouvelle situation ; tout en conservant de façon transitoire la possibilité de revenir à l'état antérieur.

De la nutrition à l'alimentation ? La nutrition s'intéresse aux nutriments, l'alimentation aux aliments ; chacun sa partition. Le nutriment (la substance directement utilisée par le corps) est en quelque sorte l'intermédiaire entre l'aliment et le métabolite.

NOURRIR ET PRÉVENIR, PLUTÔT QUE GUÉRIR

L'écologie de la santé est réellement dans l'alimentation. Donc, parmi la multitude des aliments disponibles, il convient de savoir reconnaître ceux qui contiennent les nutriments efficaces. La qualité d'une vie agréable repose incontestablement, entre autres, sur la diététique : le bon choix des bons aliments bien préparés. Comment être au mieux de sa forme ? Pourquoi ne pas prévenir la faiblesse ou la maladie par une alimentation éclairée et responsable, plutôt que de la soigner avec force médicaments ? Pourquoi pousser la machine avec quelques excitants, alors que le choix d'un carburant judicieux serait beaucoup plus satisfaisant : ainsi l'attention est plus efficiente en milieu d'après-midi après un repas simplement constitué d'excellents sucres lents (du pain, des pâtes) plutôt qu'après un double café ayant pour but inavoué d'oblitérer une hypoglycémie consécutive à la prise d'une nourriture inadaptée ! Pourquoi délaisser les molécules de sécurité présentes dans les aliments ?

Les découvertes scientifiques les plus récentes montrent que de nombreux aliments recèlent des substances naturelles, qui peuvent être d'authentiques médicaments. Ils sont alors doublement intéressants, d'abord pour prévenir ou soulager la défaillance ; ensuite pour éviter la prise de médicaments synthétisés par la chimie et la consommation de drogues. Redoutablement naturels ou tristement chimiques, ceux-ci ne sont que des béquilles en caoutchouc, illusions de l'esprit sur le corps et tromperies, faux feux d'artifice fulgurants, ils dopent momentanément mais usent prématurément, parfois substance mortelle pour le corps et le cerveau. Le médicament ne devrait être prescrit que pour corriger un défaut, afin de recouvrer un équilibre précieux. En revanche, l'utiliser pour se dépasser ne peut que s'avérer dangereux, par rupture de cet équilibre à court ou à long terme. La performance grâce à l'abus de la chimie constitue un véritable génocide de l'esprit humain.

L'alimentation c'est bio et logique ; c'est la logique du biologique, le plaisir nature. Si l'équilibre naturel n'est pas respecté, la nature présente tôt ou tard l'addition, qui est une soustraction de santé. La vraie médecine douce est tout simplement constituée par la diététique, c'est-à-dire l'alimentation naturelle, équilibrée et variée. Manger mieux peut – et doit – favoriser l'attention, exalter la vigilance, accroître la vivacité du corps et de l'esprit, exalter l'intelligence.

Les maladies millénaires ont été éradiquées ; elles ont malheureusement été remplacées par les maladies de « civilisation », résultantes de la malnutrition pléthorique. Elles seront prévenues, évitées – ou vaincues – par l'éducation scientifique, sensorielle et culturelle. L'épanouissement du corps et de l'esprit obligent à l'apprentissage des organes des sens, de la biologie et de la nutrition, de leur vocabulaire. De la fourche à la fourchette. Mal à manger, mal a dit, maladie !

CHRONONUTRITION : CHOISIR LES BONS MOMENTS POUR RÉUSSIR

L'harmonie de la « machine humaine » est largement obtenue par le choix judicieux des aliments. D'autant que, pour fonctionner, notre corps et notre cerveau ont également besoin de la diversité des aliments ; mais il convient qu'ils soient préparés, grâce à la cuisine qui les rend agréables et digestes, et permet donc de les accepter, pour les consommer ; sous l'impulsion de nos organes des sens pour les reconnaître et en jouir. Il est donc indispensable que nos sens soient éduqués, efficaces !

Notre cerveau est déjà très organisé à la naissance. Mais, spécificité humaine : il faut apprendre à marcher, à lire, à écrire... et à manger. Nous avons dû organiser et maintenir les circuits de nos neurones pour être capables de connaître et d'apprécier le goût des aliments. Car certaines perceptions sont plus ou moins innées, comme celles de la langue : nous sommes « animalement » faits pour aimer le goût du sucré ; alors que toutes les autres perceptions sont apprises, acquises. Il faut donc qu'elles aient été enseignées. Sinon, un véritable handicap des sens, associé à une infirmité culturelle, induit une mauvaise qualité de vie, une santé déficiente, une intelligence amoindrie.

Les apprentissages sensoriels doivent être faits par le nourrisson puis l'enfant à certaines périodes bien précises de leur existence. En effet, tous les tissus vivants, y compris le cerveau, s'élaborent selon une chronobiologie bien déterminée, imperturbablement gouvernée par les gènes. Tous les organes des sens doivent acquérir un minimum de mécanismes ; afin que la partie spécifiquement humaine du cerveau, frontale, profite de la culture toute la vie durant, puisqu'elle aura appris à apprendre. L'animal est gouverné par une sorte de logiciel, parfois très complexe, mais dont il ne peut guère s'écarter, la nature représente pour lui toute sa culture. Pour l'être humain, plus que l'apprentissage, c'est l'éducation qui lui permet d'acquérir une culture. Certes, il existe des sociétés animales, mais il n'y a pas de culture animale. L'homme *Homo sapiens* crée, il innove parce qu'il sait stocker des informations, et parce qu'il est capable de s'approprier les solutions des problèmes résolus par ses prédécesseurs.

Cependant, l'éducation doit se faire avec délicatesse. En effet, réminiscence du mammifère survivant dans un milieu hostile, notre cerveau retient mieux un danger, ou un dégoût, qu'un plaisir. Des enquêtes poussées, initiées par des limiers de la nutrition, ont démontré que les aversions alimentaires observées chez des septuagénaires proviennent de situations conflictuelles qu'ils ont eues avec certains aliments avant l'âge de douze ans, dont ils ne se souviennent généralement pas ! Il est long d'apprendre à aimer, alors qu'on apprend à détester définitivement en une fois !

Véritable horloge interne réglée par la nature, les rythmes de notre corps sont journaliers, hebdomadaires, lunaires. La même quantité de certains médicaments se révèle plus ou moins active selon l'heure de la prise. Il est grand temps de redécouvrir qu'une tête, bien faite et bien pleine, nécessite trois ou quatre repas journaliers chronologiquement déterminés par notre patrimoine génétique. Corrélativement, le grignotage constitue une ineptie, une habitude calamiteuse. Même les cosmonautes ont besoin de repas structurés, car l'absorption d'ersatz de repas ne leur a pas réussi ! Diogène avait même reconnu que « le cadran solaire est une belle invention pour rappeler l'heure des repas ». S'il en était besoin.

QUE FAIRE EN PRATIQUE ?

Ayons l'intelligence de nourrir notre intelligence en mangeant intelligemment ! L'amour éperdu des aliments ne doit pas être perdu ! Il faut manger équilibré et varié. Mais comment faire, que veulent dire ces deux mots ? Jusqu'où, et comment varier l'alimentation. Avec combien d'aliments, lesquels ?

Globalement, pour simplifier tout en restant exact, il existe six classes d'aliments. Par ordre, schématiquement décroissant des besoins quantitatifs, ce sont : (1) les céréales et les féculents, (2) les fruits et les légumes verts, (3) le lait et les laitages, (4) les viandes, (5) les matières grasses, (6) les sucres et les boissons sucrées. La nourriture peut être comparée à un chandelier à six branches dont vous devez obligatoirement brûler toutes les bougies ; ou plutôt, si vous êtes poète, à une tulipe, qui possède six pétales. Mais, dont les bougies seraient de tailles différentes, les pétales de surface inégales, selon les besoins. Par exemple, si vous voulez maigrir et donc brûler l'énergie accumulée dans vos éventuelles rondeurs, il convient alors de choisir pour votre alimentation une petite bougie « graisse » et une autre, tout aussi petite, « sucres ». En revanche, si vous faites du sport, c'est l'inverse ; vous devez augmenter la taille des bougies « viandes » et « céréales-féculents ». Le fonctionnement harmonieux du cerveau doit effeuiller tous les pétales, brûler toutes les bougies. Il existe même un septième pétale, une septième branche pour le chandelier : les boissons alcoolisées.

En dehors de la classe des fruits et des légumes, ainsi que des boissons, éviter de consommer deux fois la même classe d'aliment par repas. Il est exclu de manger chaque jour la totalité de la ration recommandée de vitamines, de minéraux, d'acides gras poly-insaturés et d'acides aminés essentiels. L'équilibre nutritionnel du corps humain ne se calcule pas sur une journée, mais sur plus d'une semaine. Les aliments sélectionnés doivent évidemment être de qualité, c'est-à-dire que leur origine doit être clairement définie, au minimum. Sur cette base, comment concevoir les grandes lignes de vos repas ?

Tout d'abord le petit déjeuner : il doit être pris calmement et lentement, au moins une demi-heure après le réveil car, avant, nous ne pouvons physiologiquement pas avoir faim. Il doit être régulièrement composé de céréales (très peu de sucre ou de miel), de laitages (qui, pour être parfaits, ne devraient pas être accompagnés de thé ni de café), d'une tranche de pain, complet si possible (ou encore aux cinq céréales, voire aux noix), tartinée d'une fine couche de beurre (le volume de deux noisettes), et éventuellement d'un soupçon de confiture ; également, pourquoi pas, d'une tranche de rosbif ou de jambon, ou encore d'une aile ou d'une cuisse de poulet (label ou réellement fermier) ou d'un œuf. Un petit verre de jus de fruit pressé, strictement naturel sans aucun ajout, peut agrémenter le tout.

Le déjeuner devrait être dégusté à midi d'après l'**heure** solaire, c'est-à-dire à treize heures aux heures dites d'hiver et à quatorze heures aux heures d'été. Cherchez midi à quatorze heures !

Le dîner doit être pris au moins une heure et demie avant le coucher. Sa composition doit être complémentaire de celle du déjeuner, en un peu plus léger. Mais pas allégée, car votre organisme doit affronter le jeûne de la nuit. Il convient d'intégrer au dîner les classes d'aliments qui n'ont pas été servies au déjeuner.

La salade verte quotidienne (simple, composée, variée ; en privilégiant les œufs) doit toujours être assaisonnée avec une huile végétale poly-insaturée de soja, de noix, de colza ou de germes de blé (pensez aux cheminots, rappelez-vous des initiales SNCB), seule, mélangée à une huile de goût ou encore sous forme d'un mélange du type Isio 4. La viande rouge doit être au menu trois fois par semaine au moins ; le poisson gras, sauvage (attention aux provenances) ou d'élevage (veiller à la certification), mais jamais pané ni trempé dans un bain de friture, trois fois par semaine au moins ; une belle tranche de foie de veau et une bonne part de boudin noir, aussi maigre que possible, au moins une fois la semaine. Les pâtes doivent être régulièrement consommées, agrémentées d'une cuillerée d'huile de noix ou d'une petite quantité de fromage, n'importe lequel selon les goûts, râpé ou non. Les légumes verts doivent absolument accompagner presque tous les repas ; ainsi que les fruits (en restreignant les fruits féculents, comme les bananes, en évitant ceux qui sont gras, tels les avocats). N'abusez pas du sel !

Parmi les boissons, préférez l'eau pure (un litre et demi par jour, au moins). Peu de boissons sucrées, de temps en temps des « lights », exceptionnellement des nectars (qui ne sont que des jus de fruits dilués et resucrés) ! Un verre de vin ou de bière par repas est appréciable, pour les adultes seulement.

Pour ce qui est du coût, l'INSERM (l'Institut national de la santé et de la recherche médicale) l'a calculé : il doit être au minimum de 33 francs par jour. À moins cher, il est impossible de manger suffisamment varié. Sans oublier que la variété des aliments suppose une diversité de cuissons, donc exige une batterie de divers ustensiles de cuisine. Pour nombre d'entre eux la qualité de la fonte réside dans son épaisseur répartie de manière identique sur le fond et les bords ; quand elle est émaillée, c'est encore mieux.

Manger lentement ! Ce n'est pas un problème d'éducation, mais de physiologie. Car il faut au moins quinze minutes pour que les centres de votre cerveau responsables de la faim et de la satiété soient informés que vous avez absorbé quelque chose. En moins d'un quart d'heure on peut manger gloutonnement beaucoup plus que le corps n'en a exprimé le besoin par le signal de la faim ! Si vous avalez l'aliment sans faire attention, sa charge émotionnelle est perdue, car vous ne pouvez revenir en arrière. Vous pouvez certes recommencer, mais au risque d'absorber trop de calories. Jamais de grignotage entre les repas, exceptionnellement un apéritif ou quelques « amuse-gueules ». Ne pas oublier de faire du sport. Et de cesser de fumer...

Mangez au calme, dans une ambiance tempérée. Vos organes des sens sont au mieux de leur forme aux environs de 20° ; des écarts trop grands diminuent leur sensibilité. Si le restaurant affiche dix degrés de trop ou de moins, vous êtes en droit de demander une réduction de 50 % sur l'addition !

Dans le monde de la physiologie, comme dans celui de la nutrition, l'agréable est au service de l'utile. Les neurosciences le démontrent. L'homme mange ce qu'il aime, et aime ce qu'il mange. Manger est obligatoire, manger avec plaisir est indispensable. La nutrition est aussi l'art d'élever une sensation physiologique au rang d'un acte culturel. D'après Gustave Flaubert : « J'aime les viandes plus juteuses, les eaux plus profondes, les styles où l'on en a plein la bouche, les pensées où l'on s'égare. » Pour être culinairement heureux, il convient d'avoir de la mémoire pour ce qui concerne le passé, et de l'imagination pour ce qui touche à l'avenir ! Raffiner et diversifier les plaisirs reste sans doute l'un des moyens pour donner un sens à la vie et s'approcher du bonheur ; le bonheur est la joie qui envahit quand le plaisir inonde ; il est obligatoire dans l'acte de manger. La sélection et la préparation millénaires des aliments par l'homme constituent les traditions, qui sont des réformes qui ont réussi. Notre biologie, notre physiologie et notre culture exigent que nous les pérennisions. Un bon repas conjugue l'idée de civilisation avec celle de liberté et de santé ; d'autant qu'il est inutile d'attendre d'être mal pour savoir ce que c'est que d'être bien ! En sachant que certains aspects de l'alchimie secrète du plaisir sont le désir, l'attente, la découverte...

Pour le corps, le cerveau, la pensée et l'intelligence, la gastronomie est certainement le plus beau de nos beaux-arts !

Fait à Bugeat, à Noisy-sur-École et à Paris, 1999, 2000
Pour mes petites-filles : Vanille, Charlotte et Lucie,
qui deviendront de fringantes centenaires,
peut-être, un peu, grâce à ce livre.

RÉFÉRENCES BIBLIOGRAPHIQUES
Les papilles éclairées, les livres qui font recette !

ADRIAN J., LOUIS C., *Maillard. De la médecine à l'alimentation*, Paris, Tec et Doc, Lavoisier, 1999.

AMAT J.-M., VINCENT J.-D., *Pour une nouvelle physiologie du goût*, Paris, Odile Jacob, 2000.

APFELBAUM M., *Risques et peurs alimentaires*, Paris, Odile Jacob, 1998.

APFELDORFER G., *Traité de l'alimentation et du corps*, Paris, Flammarion, 1994.

APFELDORFER G., *Maigrir c'est fou !*, Paris, Odile Jacob, 2000.

APFELDORFER G., *Maigrir c'est dans la tête*, Paris, Odile Jacob, 1997.

AZAIS-BRAEZCO V., *Biodisponibilité de la vitamine A et des caroténoïdes*, Actualités en diététique, 1994, 15-3 : 612-617.

BEAUNE S., *Les Hommes au temps de Lascaux*, Paris, Hachette, « La vie quotidienne », 1995.

BELLISLE F., *Le Comportement alimentaire humain*, Institut Danone, 1999.

BLAQUE-BELAI A., MATHIEU DE FOSSEY B., FOURESTIER M., *Dictionnaire des constantes biologiques et physiques en médecine*, Paris, Éditions Maloine, 1991.

BODIN-RODIER D., *La Guerre alimentaire a commencé*, Paris, Albin Michel, 2000.

BOUR H. et DÉROT M., *Guide pratique de diététique*, Éditions J.-P. Baillière, 1974.

BOURRE J.-M., *De l'animal à l'assiette*, Paris, Odile Jacob, 1993.

BOURRE J.-M., *La Diététique du cerveau*, Paris, O. Jacob, 1990, « Poches Odile Jacob », 2000.

BOURRE J.-M., *Les Bonnes Graisses*, Paris, Odile Jacob, 1991.

BOURRE J.-M., *La Diététique de la performance, intelligence, mémoire, sexualité*, Paris, Odile Jacob, 1995

BOURRE J.-M., *Le Vrai Savoir fer*, Paris, Éditions du Rocher, 1996.

BOURRE J.-M., *Le Cholestérol*, Paris, Éditions Privat, 1997.

BRANLARD J.-P., *Droit et gastronomie*, Gualino éditeur, 1999.

BRILLAT-SAVARIN, *Physiologie du goût*, Collection Savoir, 1975.

CABROL C., *Mangeons vrai*, Paris, Éditions n°1, 1997.

CHANGEUX J.-P., *L'Homme neuronal*, Paris, Fayard, « le Temps des Sciences », 1983.

CHANGEUX J.-P., *Raison et plaisir*, Paris, Odile Jacob, 1994.

CHAPOUTIER G., *Au bon vouloir de l'homme, l'animal*, Paris, Denoël, 1991.

CHAUNU P., SUFFERT G., *La Peste blanche*, Gallimard, 1976.

CHIVA M., *Le Doux et l'amer*, Paris, PUF, 1985.

COSTENTIN J., *Les Médicaments du cerveau*, Paris, Odile Jacob, 1993.

CRUCHANT L., *La Qualité*, Paris, PUF, « Que sais-je ? », 1998.

CYRULNICK B., *Un merveilleux malheur*, Paris, Odile Jacob, 1999.

DEBRAY R., *Introduction à la médiologie*, Paris, PUF, 2000.

DELAVEAU P., *Les Épices, histoire, description, et usage des différents épices, aromates et condiments*, Paris, Albin Michel, 1987.

DELAVEAU P., *La Mémoire des mots, en médecine, pharmacie et science*, Éditions Louis Pariente, 1992.

DERENNE J.-P., *L'Amateur de cuisine*, Paris, Stock, 1996.

DERENNE J.-P., *La Cuisine vagabonde*, Paris, Fayard, 1999.

DESJEUX J.-F., *La Nutrition humaine. La recherche au service de la santé*, Paris, INSERM-Nathan, 1996.

DRERA H., BROCKER P., *Un tabou nommé Alzheimer*, Paris, Éllipses, 1999.

DUPIN H., ABRAHAM J., GIACHETTI I., *Apports nutritionnels conseillés pour la population française*, Éditions Tec et Doc, 1992.

DURLACH J., BARA M., *Le Magnésium en biologie et en médecine*, Éditions Médicales internationales, 2000.

ELIA D., Paris, *Le Poids*, Éditions TF1, 1996.

FAVIER J.-C., IRELAND-RIPERT J., TOQUE C., FEIONBERG M., *Répertoire général des aliments, table de composition*, Paris, Tec et Doc Lavoisier, 1995.

FERRY L., VINCENT J.-D., *Qu'est-ce que l'homme ?*, Paris, Odile Jacob, 2000.

FERNIOT J., *L'Europe à table*, Paris, Éditions du Mécène, 1993.

FERNIOT J., *Chère Pomme de terre*, Paris, First, 1998.

FERNIOT J., *Le Goût, la santé, l'argent*, Sand, 1999.

FISCHLER C., *L'Homnivore*, Paris, Odile Jacob, 1990, « Poches Odile Jacob », 2001.

FLANDRIN J.-L., MONTANARI M., *Histoire de l'alimentation*, Paris, Fayard, 1996.

FREXINOS J., *Hépato-gastro-entérologie clinique*, Simep, 1992.

FRICKER J., *Le Guide du bien maigrir en gardant la santé*, Paris, Odile Jacob, 1993.

FRICKER J., *Maigrir en grande forme*, Paris, Odile Jacob, 1999.

FROGUEL P., SÉROG P., PAPILLON F., *La Planète obèse*, Paris, Nil, 2001.

GIROUD J.-P., HAGÈGE C., *Les Meilleurs Médicaments pour se soigner*, Paris, Éditions du Rocher, 1992.

GUEGUEN L., *La Valeur minérale des fromages*, Actualités diététiques, 1994, 553-559.

HABIB M., *Bases neurologiques des comportements*, Paris, Éditions Masson, 1989.

HERCBERG S., *La Carence en fer en nutrition humaine*, Éditions Médicales internationales, 1988.

HERCBERG S., DUPIN H., PAPOZ L., GALAN P., *Nutrition et santé publique*, Tec et Doc Lavoisier, 1985.

HOLLEY A, *Éloge de l'odorat*, Paris, Odile Jacob, 1999.

ISRAËL M., *Cerveau droit, cerveau gauche*, Flammarion.

JACOB Y., *Jacques Cartier*, Saint-Malo, Éditions de l'Ancre de marine, 2000.

KAHN A., *Copies conformes*, Paris, Nil, 1998.

KAHN A., *Et l'homme dans tout çà ?*, Paris, Nil, 2000.

LAHLOU S., *Penser manger*, Paris, PUF, 1998.

LECHAT P., *Pharmacologie médicale*, Masson, 1990.

LE GRUSSE J., WATIER B., *Les Vitamines, données biochimiques, nutritionnelles et cliniques*, 1993, C.E.I.V.

LEROI-GOURHAN A., *Milieu et technique. Science d'aujourd'hui*, Paris, Albin Michel, 1973.

LESTRADET H., DARTOIS A.-M., *L'Alimentation spontanée de l'enfant*, Cah. Nutr. Diét. XXVII, 1, 42-49, 1992.

LEVI-STRAUSS C., *L'Origine des manières de table*, Paris, Plon, 1968.

LUCHETTI F, *L'Importance économique de l'huile d'olive dans le monde*, OCL, 1999, p. 41-44.

MAC LEOD P., SAUVAGEOT F, CHEVALIER G., *Bases neurophysiologiques de l'évaluation sensorielle des produits alimentaires*, Les cahiers de l'ENSBANA, Éditions TEC et DOC, 1986.

MARTIN A., *Apports nutritionnels conseillés pour la population française*, Tec et Doc Lavoisier, 2001.

MEHLER J., DUPOUX E., *Naître humain*, Paris, Odile Jacob, 1990.

MESSING B., BILLAUX M. S., *Biodisponibilité des glucides et des aliments*, Arnette Blackwell, 1995.

MICHEL F. B., *La Face humaine de Van Gogh*, Paris, Grasset, 1999.

MICHELET C., *Histoire des paysans français*, Paris, Robert Laffont, 1996.

MONOD J., *Le Hasard et la nécessité. Essai sur la philosophie naturelle de la biologie moderne*, Paris, Le Seuil, 1970.

MULTON J.L., *Les Qualités des produits alimentaires, politique, incitations, gestion et contrôle*, Tec et Doc, 1994.

MUNNICH A., OGIER H. et SAUDUBRAY J.M., *Les Vitamines, aspects métaboliques, génétiques, nutritionnels et thérapeutiques*, Paris, Éditions Masson, 1987.

NUGON-BAUDON, *Toxic-bouffe. Enquête sur les aliments d'aujourd'hui*, Paris, Éditions J.-C. Lattès, 1994.

ONFRAY M., *Théorie du corps amoureux*, Paris, Grasset, 2000.

ORSENA E., *Portrait d'un homme heureux. André Le Nôtre*, Paris, Fayard, 2000.

PIVOT M., *Les Gueuletons de nos ancêtres*, Paris, Ramsay, 1997.

POITIER DE COURCY G., *Biodisponibilité des vitamines hydrosolubles dans les aliments*, Actualités en diététique. 1994, 618-622.

POITIER DE COURCY G., *Les Différentes politiques d'apport en vitamines en Europe et dans le monde (États-Unis)*, OCL, 7, 280-286, 2000.

POSTEL-VINAY N., CORVOL P., *Le Retour du Dr Knock. Essai sur le risque cardio-vasculaire*, Paris, Odile Jacob, 2000.

POULIQUEN Y., *La Transparence de l'œil*, Paris, Odile Jacob, 1992.

PROCHIANTZ A., *Les Anatomies de la pensée. À quoi pensent les calamars ?*, Paris, Odile Jacob, 1997.

PUISAIS J., *Le Goût de l'enfant*, Paris, Flammarion, 1987.

RÉMÉSY C., *Alimentation et santé*, Paris, Flammarion, « Dominos », 1994.

RÉMÉSY C., *Les Bonnes Calories*, Paris, Flammarion, « Dominos », 1996

REVEL J.-F., *Un festin de paroles*, Paris, Pluriel, 1979.

REVEL J.-F., *La Sensibilité gastronomique de l'Antiquité à nos jours*, France, 1985.

REVEL J.-F., *L'Œil et la connaissance*, Paris, Plon, 1998.

REY A., Le Robert, *Dictionnaire historique de la langue française*, Paris, Robert, 1992.

Ricour C., Ghisolfi J., Putet G., Goulet O., *Traité de nutrition pédiatrique*, Paris, Maloine, 1993.

Rigaud D., Cassuto D., Reiser P., « Les apports énergétiques des Français », *Act. Méd. Int. Gastroentérologie*, 1998, 8.

Saldmann F., *Omega 3*, Paris, Ramsay, 1995.

Saldmann F., *Les Nouveaux Risques alimentaires*, Paris, Ramsay, 1997.

Saldmann F., Guérard M., *La Cuisine à vivre. Saveur et bien-être*, Paris, Éditions N°1, 2000.

Schwartz M., *Comment les vaches sont devenues folles*, Odile Jacob, 2001.

Senderens A., Trehin J.-Y., *Manger c'est la santé*, Paris, Éditions J.-C. Lattès, 1992.

Serog P., *Maigrir, spécial enfant*, Éd. Josette Lyon, 1999.

Siegel J., Agranoff B., Albers R., Molinoff P., *Basic neurochemistry.*, New York, Raven Press, 1997.

Souci S., Fachmann W., Kraut H., *Food composition and nutrition tables*, Medpharm scientific publisher Stuttgart, CRC press, 2000.

Sournia J.-C., *Langage médical français*, Paris, Privat, 1997.

Swank R., « A prospective discussion of past international nutrition catastrophes. Indication of the future. Hypothesis : food for thought », *Nutrition*, 1997, 13, 344-348.

Toussain-Samat M., *Histoire naturelle et morale de la nourriture*, Paris, Bordas, 1987.

Trémolières J., Serville Y., Jacquot R. et Dupin H., *Manuel d'alimentation humaine. Les bases de l'alimentation*, tome 1, Paris, Éditions ESF, 1984.

Trémolières J., Serville Y., Jacquot R. et Dupin H., *Manuel d'alimentation humaine. Les aliments*, tome 2, Paris, Éditions ESF, 1984.

Tubiana M., *Les Chemins d'Esculape, histoire de la pensée médicale*. 1995.

Tubiana M., *La Prévention des cancers*, Paris, Flammarion, 1998.

Tubiana M., *L'Éducation et la vie*, Paris, Odile Jacob, 1999.

Tubiana M., *L'Éducation morale*, Paris, Odile Jacob, 1999.

Tubiana M., Vrousos C., Carde C., Pagès J.-P., *Risque et société*, Nucléon, 1999.

Ucciani E., *Nouveau dictionnaire des huiles végétales. Composition en acides gras*, Tec et Doc, Lavoisier, 1995.

Vincent J.-D., *Biologie des passions*, Paris, Odile Jacob, 1986.

Walter H., *L'Aventure des mots français venus d'ailleurs*, Paris, Laffont, 1997.

Watier B., *Influence des traitements sur la stabilité vitaminique*, Actualités en diététique, 1994, 592-596.

Zarifian É., *Des paradis plein la tête*, Odile Jacob, 1994, « Poches Odile Jacob », 2000.

Zarifian É., *Le Prix du bien être*, Odile Jacob, 1996.

Zarifian É., *La Force de guérir*, Odile Jacob, 1999, « Poches Odile Jacob », 2000.

DU MÊME AUTEUR

Aux Éditions Odile Jacob :

La Diététique du cerveau, de l'intelligence et du plaisir, 1990 ; collection
 « Opus », 1993 et 1995, collection « Poches Odile Jacob », 2000.
Les Bonnes Graisses, 1991 ; « Points-Odile Jacob », 1996.
De l'animal à l'assiette, 1993.
La Diététique de la performance, 1995 ; collection « Opus », 1997.

Chez d'autres éditeurs :

Le Vrai Savoir fer, Éditions du Rocher, 1996.
Le Cholestérol ?, Privat, 1997.
Je maigris. 101 occasions de maigrir dans la vie de tous les jours,
 Hachette N°1.
De l'épi au demi. La bière : aliment, santé, plaisir, Flammarion, 2000.

CET OUVRAGE A ÉTÉ TRANSCODÉ
ET ACHEVÉ D'IMPRIMER SUR ROTO-PAGE
PAR L'IMPRIMERIE FLOCH À MAYENNE
EN MAI 2001